CW00427921

Impressum:

© 2020 Freigeist von Beeren

Lektorat, Satz & Umschlag:
Angelika Fleckenstein, Spotsrock
Titelbild: © lolloj; Adobe Stock Lizenz

Verlag und Druck:
tredition GmbH
Halenreie 40–44
22359 Hamburg

ISBN
Paperback: 978-3-347-07504-7
Hardcover: 978-3-347-07505-4
e-Book: 978-3-347-07506-1

Freigeist von Beeren

SURGIT!

Das Ende einer geistigen „Vollnarkose"

Der Weg in eine unabhängige Werte- und
Verantwortungsgemeinschaft

Über den Autor:
Freigeist von Beeren ist lösungsorientierter Weltkritiker & Forscher in der interdisziplinären Fachrichtung der Inkompetenz Kompensationskompetenz.

„Lass Dich nicht vom Bösen überwinden, sondern überwinde das Böse mit Gutem."[1]

[Römer 12:21]

---

[1] Die Bibel: Nach der deutschen Übersetzung D. Martin Luthers. Buch und Zeit Verlagsgesellschaft mbH, Köln; revidierter Text 1964

Inhalt

„Wer so tut, als bringe er die Menschen zum Nachdenken, den lieben sie. Wer sie wirklich zum Nachdenken bringt, den hassen sie."[2]

[Aldous Huxley]

[2] Zeit-und-wahrheit.de. Huxley, Aldous Zitat aus dem Roman „Schöne neue Welt", S. Fischer Verlag, Frankfurt, 2014.

Vorwort

Anders als ursprünglich geplant, ist der Inhalt dieses Buches heute aktueller denn je. Die Welt verändert sich in einem Maße und einer Geschwindigkeit, wie wir es uns vor wenigen Monaten vielfach kaum vorstellen konnten und wollten. Was wir benötigen, sind Lösungen für die vielen sich nun vor uns ausbreitenden Herausforderungen. Wir benötigen einen geistigen *Kassensturz*, um Klarheit zu erlangen. Dieses Buch ist ein weiteres Puzzleteil auf dem Weg zum Aufwachen.

Es ist Zeit zu erwachen, erwachsen zu werden, unser Ego zu *reformieren* und zu transformieren. Legen wir unsere Verantwortung in die Hände, in die sie gehören, nämlich in unsere eigenen. Sämtliche Lebensbereiche verändern sich in rasanter Weise, und die Situation spitzt sich zu. Deshalb ist es umso wichtiger und notwendiger, einen Beitrag zu leisten, um dem Ganzen, dem WIR, dienlich sein zu können. Der lateinische Begriff für Wandel heißt *Mutatio*. Die Natur weist uns den Weg, denn der Wandel ist die Konstante in unserem Leben. Das Buch verfolgt das Ziel, den Prozess des Aufwachens zu unterstützen, damit wir erkennen können, in was für einer Welt wir tatsächlich leben. Wir brauchen Erkenntnis, doch dazu ist es notwendig, zu lernen. Wir brauchen Verständnis, dabei hilft uns unser Lernprozess. Durch einen Perspektivenwechsel und die Bereitschaft, Verantwortung zu übernehmen, finden wir letztlich zu unseren Lösungen, die unsere gelebte Bevormundung und Verbote ablösen. Die Zeit ist reif, für genau diesen Transformationsprozess, um unsere Welt nachhaltig ins Positive zu wandeln und uns als Mensch und Teil der Natur zu integrieren. Setzen wir unsere Masken und Scheuklappen ab, schärfen wir unsere geistigen sowie sinnlichen Fähigkeiten, um Wahrheit, Wahrhaftigkeit und Wirklichkeit erkennen zu können.

Was brauchen Menschen, um zu erwachen? Wahrheit! Diese hat, im Gegensatz zur Lüge, klärenden Charakter.

Ausdruck von Menschlichkeit sind Fehler. Lernen wir daraus und begeben wir uns auf eine spannende Reise, die sich Leben nennt. Gehen Sie mit mir auf diese spannende Reise des Lebens und des Lernens, und begleiten Sie mich in diesem vor Ihnen liegenden Buch. Dabei wünsche ich Ihnen größtmögliches Vergnügen, mit ebenso größtmöglichen erhellenden Momenten, wie ich sie beim Erstellen dieses Buches erleben durfte. Unsere Reise endet nicht hier, sie hat gerade erst begonnen.

Ihr
Freigeist von Beeren

1. Auf ein Wort

Dieses Buch ist nur in gewisser Weise eine medizinische Abhandlung. Es ist weder ein sozialistisches noch kommunistisches, weder antikapitalistisch noch national-sozialistisch verherrlichendes Manifest. Das Buch entschuldigt weder die vielen gottlosen Vorgänge auf der Welt, welche über die gesamte bisherige Menschheitsgeschichte tatsächlich anthropogenen Ursprungs sind – um im Duktus des teilweise fragwürdigen Umgangs mit diesem Begriff zu bleiben – noch befürwortet und unterstützt es Ausgrenzung, Diffamierung, Hetze, Hass und vor allem Gewalt in jeglicher Form. Das Buch stellt jedoch Fragen und infrage und verfolgt die Absicht, dem Wohle des Ganzen zu dienen und es zu fördern! Ein Vorgang, der besonders in dieser Zeit längst notwendig geworden ist, um Lösungen für unseren selbstgeschaffenen, weltweit bestehenden Fatalismus zu finden und ihn zu beenden. Jeder, der gegen einen anderen Menschen hetzt, ist ein Hetzer und verbreitet Hass. Jeder Mensch, der gegen einen anderen Menschen Hass und Gewalt schürt und ausübt, ist ein Gewalttäter. Dabei ist es unerheblich, ob es sich um eine Frau, einen Mann, ob es sich um ein Kind, Jugendlichen und wen auch immer handelt. Der Gedanke, das Empfinden und die Tat sind entscheidend, denn sie setzen keinerlei Geschlecht voraus. Wer andere erniedrigt und verhöhnt, um sich selbst erheben zu können, wird damit scheitern und letztlich erniedrigt werden. Wir handeln als Mensch, gegen und für Menschen. Die Entscheidung für das eine und andere Handeln liegt bei uns selbst, da wir über einen sogenannten freien Willen verfügen. Wer sich bewusst dazu entschließt dem Wohle des Ganzen zu dienen, wirkt als Schöpfer des Guten und ist Teil dessen, was sich Liebe und Frieden nennt. Vielen von uns fehlen diese Kenntnisse und das Bewusstsein dafür, deshalb ist es notwendig, dabei zu unterstützen, um diese Unkenntnis und Unbewusstheit beenden zu können. Dies selbstredend ohne Gewalt und ohne Zwang, sondern mit

Geduld, Verständnis und Liebe. Und als ob diese Tatsachen nicht schon längst bekannt und ausreichend wären, handeln dennoch viele von uns gegen Natur, Mensch und Tier. Wir beuten aus, quälen, foltern und töten. Doch wir lieben auch. Diese, unsere ach so fortschrittlich daherkommende Welt belegt uns unser ganz persönliches Armageddon. Das wahrscheinlich Positive am sogenannten Corona-Virus wird sein, dass dessen Auswirkungen uns unsere Lebens- und Handlungsweise größtmöglich gespiegelt haben. Das Buch ist demnach weder Fürsprecher noch Befürworter von Unterdrückung jeglicher Art. Es ist ein längst notwendig gewordener Weckruf und Appell an den Mut aller Menschen, sich von der Last der Gewalt, Unterdrückung, Versklavung, Diffamierung, Hetze, des Hasses und vor allem der Spaltung zu befreien, um sich für Eigenverantwortung, Selbstbestimmung und Freiheit zu entscheiden sowie die Unumstößlichkeit und Unzerstörbarkeit von Naturgesetzen anzuerkennen, und vor allem danach zu leben! Mut stünde am Anfang unseres Handelns und Glück am Ende, soll der griechische Philosoph Demokrit einst gesagt haben.[3] Auch der Bibel ist der wahre Satz zu entnehmen. Denn am Ende steht die Offenbarung, die uns unseren selbst initiierten Fatalismus widerspiegelt. Auch wenn wir es zunächst nicht so empfinden mögen.

Die Intention des Buches und der darin befindliche Appell an alle Menschen, ist der Wunsch und Wille, Freiheit, freies Denken, freie Entfaltung, gegenseitige Wertschätzung, Verständnis, Rücksichtnahme, Ehrlichkeit, Wahrhaftigkeit, Wirklichkeit, Loyalität, Offenheit, Fairness, Vertrauen, Qualität, Fleiß, Familie, Verantwortung und vor allem Liebe als elementar wichtige Werte anzuerkennen, diese Werte mit all unserem Mut, unserer Schaffens- und Wirkungskraft zu schützen und danach zu leben. Nicht Gott hat Adam und Eva aus dem Paradies vertrieben, wir selbst haben uns vom Paradies entfernt, in dem wir uns unsere eigene Hölle auf Erden geschaffen haben. Es

---

[3] Zitateundsprueche.com. Demokrit Zitat:
https://www.zitateundsprueche.com/mut-steht-am-anfang-des-handelns-glueck-am-ende/

gilt, wahre Werte wieder zu erkennen, sie zu erhalten, sie zu schützen, diese zu leben und positiv zu entwickeln, zum Wohle des Ganzen! Auf diese Weise schöpfen wir. Neider, Missgünste, Missbräuche und Ausbeutung können gehen, da sie unser Leben erschwert, belastet und zerstört haben.

Dieses Buch ist ein Weckruf an uns alle, die vor dem Hintergrund bereits mehrfach gescheiterter totalitärer Systeme Verantwortung übernehmen wollen und werden, um erneut aufkeimendem Totalitarismus in der Welt zu entlarven, anzuzeigen, diesem unbeugsam mit Wahrheit, Wahrhaftigkeit und Liebe entgegenzuwirken, um Unrecht letztlich mit Gottes Hilfe friedlich zu beenden.

Totalitarismus ist nicht rechts, links, oben oder unten. Er ist weder grün, blau, gelb, schwarz, lila, orange noch trägt er irgendeine andere Farbe und Geruch. Totalitarismus ist ein Denk- und Handlungsmuster politisch handelnder Akteure. Ob er inmitten einer Gesellschaft seinen Platz einnehmen kann, hängt von uns allen ab. Albert Einstein – ohne Frage einer der großartigsten und klügsten Menschen, den Gottes Erde jemals hervorbrachte – warnte mit in etwas umgewandelter Form, dass *Die Welt wird nicht von den Menschen bedroht würde, die böse sind, sondern von denen, die das Böse zulassen.*[4] Die Bibel gibt Hilfestellung: *„Lass Dich nicht vom Bösen überwinden, sondern überwinde das Böse mit Gutem."* [Römer 12:21] Gutes ist Liebe, Barmherzigkeit und Vergebung. Diese wahren Werte einzuhalten, dazu sind wir alle aufgefordert, jeder Einzelne von uns, jeden Tag! Gott gab uns einen freien Willen, ein unüberwindbares Naturgesetz. Die Fragen sind: Wie wenden wir diese göttliche Gabe an? Sind wir reif und erwachsen genug, um diese wahre und wirkliche Freiheit verantwortungsvoll anzuwenden? Denken und handeln wir verantwortungsvoll, wenn wir Gewalt und Chaos fördern und beides in die Welt tragen?

---

[4] Einstein, Albert Zitat über das Böse in der Welt: Blogspot.com

Wer Gewalt und Chaos in einer Gesellschaft fördert, wird Zerstörung erleben, auch ein Naturgesetz. Wir könnten es auch als Gesetz der Anziehung bezeichnen. Wer hingegen friedlich handelt, Frieden, Verständnis und vor allem Liebe in die Welt trägt, wird letztlich diesen Frieden und Liebe erleben und potenzieren können. Es ist daher irrelevant, wer Gewalt und Chaos fördert, es bleibt Gewalt und Chaos. Es gibt keine gute oder schlechte Gewalt, Gewalt von *links*, *rechts*, *oben* und *unten*, denn Gewalt ist und bleibt Gewalt. Eine *Qualifizierung* von Gewalt entsteht durch menschliche Konstruktionen. Eine von und durch uns Menschen konstruierte Richtung und Ausrichtung von Gewalt ist letztlich jedoch irrelevant. Anders als Wahrheit, benötigt Lüge eine Konstruktion. Daher ist einzig die Frage relevant, ob Gewalt ausgeübt wird, und ob wir Gewalt und Chaos wollen und beides unser Leben prägen sollte?

Wenn wir uns diese Frage mit einem klaren NEIN beantworten, werden wir danach handeln müssen, um das gewollte und gewünschte Ergebnis erzielen zu können. Es gibt kein getrenntes *im Kleinen* und *im Großen*, denn beides bedingt einander und bildet eine Einheit, weil alles einen Ursprung hat. Der Glaube, gelbe Farbe aus einem Eimer mit blauer Farbe schöpfen zu können, entpuppt und offenbart sich letztlich als Irrglaube, Illusion, Konstruktion, mit einem klaren Widerspruch und damit als Lüge. Diese Vorstellung verstößt gegen jegliches Naturgesetz. Jeder, der behauptet, dass dies dennoch möglich sei, lügt. Jeder, der in dieser Frage polarisiert, handelt unverantwortlich und lügt ebenso. Daher ist es letztlich ebenso irrelevant, ob die oben erwähnten Worte tatsächlich von Albert Einstein stammen, denn der Inhalt und die Aussagekraft dieser Worte sind entscheidend.

Wichtig ist und war, dass Wahrheit in die Welt getragen wird. Es liegt an jedem Einzelnen von uns, ob wir wachsam sind und Sorge dafür tragen, dass Totalitarismus unseren Herzen fernbleibt. Wer Gewalt zuzuordnen versucht und sie anderen zuweist, um sich selbst reinzuwaschen, fördert Gewalt, in dem er polarisiert, spaltet und lügt. Eines der wohl prominentesten Beispiele dafür war Pontius Pilatus, römischer Stadthalter von Judäa. Er wusch sich rein und ließ nur scheinbar das Volk zwischen einem Verbrecher und Jesus entscheiden. Die Geschichte scheint bekannt zu sein, denn letztlich wurde Jesus gekreuzigt. Doch, nur wer sich ohne jegliche Art der Zuweisung von Gewalt an sich distanziert, handelt verantwortungsbewusst und verantwortungsvoll.

In der Brockhaus Enzyklopädie steht interessanterweise direkt dem Begriff Fasching folgend, der Begriff des Faschismus.[5] In Zeiten des Maskentragens fast eine Ironie des Schicksals. Faschismus findet seinen Ursprung im lateinischen Begriff Fascio, Rutenbündel. Solche Rutenbündel dekorieren übrigens auch die Wände des sogenannten Oval Office im „Weißen Haus", Regierungssitz des US-amerikanischen Präsidenten. *„Eine mögliche Deutung könnte die Symbolik sein, dass ein einzelner Stab leichter zu brechen ist als ein Stabbündel. Das Beil stand als Symbol für die Todesstrafe, die von den Amtsträgern angeordnet werden konnte"*, so heißt es bei Wikipedia.[6] Faschismus hat laut Brockhaus eine totalitäre Zielsetzung. Charakteristisch daran ist des Weiteren ein autoritär-hierarchischer Aufbau. Er sei antiliberal, antidemokratisch, antiparlamentarisch. An anderer Stelle beschreibt Brockhaus den Faschismus mit der Ablehnung von Demokratie, Parlamentarismus und Freiheit der Wirtschaft ab. Faschismus ist des Weiteren von *„rücksichtslosem Machtgebrauch und Terror"* geprägt, so Brockhaus. Seinen Ursprung fand er in Italien, unter Mussolini. *„Totalitarismus bezeichnet in der Politikwissenschaft eine diktatorische Form von Herrschaft, die, im Unterschied zu einer autoritären Diktatur, in alle sozialen Verhältnisse hineinzuwirken strebt, oft verbunden mit dem Anspruch, einen „neuen Menschen" gemäß einer bestimmten Ideologie zu formen. Während eine autoritäre Diktatur den Status quo aufrechtzuerhalten sucht, fordert eine totalitäre Diktatur von den Beherrschten eine äußerst aktive Beteiligung am Staatsleben sowie dessen Weiterentwicklung in eine*

---

[5] Vorauslexikon zur Brockhaus Enzyklopädie: Neunzehnte Auflage 2 El-I. F.A. Brockhaus, Mannheim, 1986.
[6] Wikipedia, Fascis, Definition

Richtung, die durch die jeweilige Ideologie angewiesen wird. Typisch sind somit die dauerhafte Mobilisierung in Massenorganisationen und die Ausgrenzung bis hin zur Tötung derer, die sich den totalen Herrschaftsansprüchen tatsächlich oder möglicherweise widersetzen. Als politisches Gegenmodell zum Totalitarismus gilt der demokratisch-freiheitliche, materielle Rechtsstaat mit der durch Grundrechte, Gewaltenteilung und Verfassung gewährleisteten Freiheit der Staatsbürger. Meistens werden sowohl Nationalsozialismus als auch Stalinismus als Prototypen totalitärer Regime eingeordnet", so Wikipedia weiter.[7] Der nordrheinwestfälische Landtagsabgeordnete Markus Wagner weist in seiner Rede auf derzeitige und anhaltende Zustände in diesem, unserem Land hin, in dem er Gewalt benennt, die auf Menschen ausgeübt wird. *„Da ist der SPD Bundestagsabgeordnete Diaby, dessen Wahlkreisbüro gerade erst angegriffen wurde. Da sind die Anschläge auf AfD Wahlkreisbüros, sogar mit Bomben. Da ist der Bürgermeister von Kamp-Lintfort der schon einen Waffenschein beantragen wollte. Da ist die stellvertretende Fraktionsvorsitzende im Rat der Stadt Herne, Lisa Kristin Radtke, die Mittels Steckbrief, wo Foto und Adresse abgedruckt waren, bedroht wurde [...] und die Kommune hat nicht einmal darauf reagiert."*[8]

---

[7] Wikipedia, Totalitarismus, Definition: https://de.wikipedia.org/wiki/Totalitarismus
[8] Wagner, Markus: Ist Gewalt okay, wenn's die »Richtigen« trifft? 22.01.2020
https://www.youtube.com/watch?v=OMPrbPLRYUg

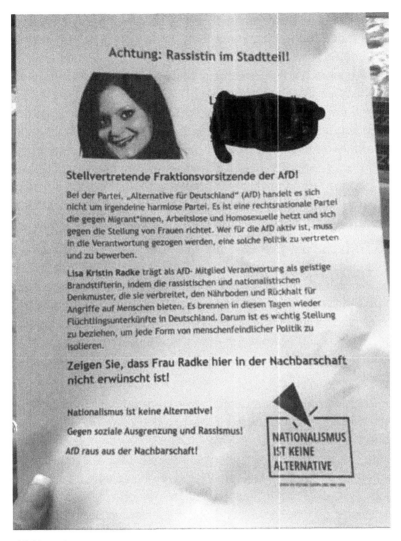

Abbildung 1

Handeln so wirklich Demokraten, die sich angeblich gegen *Ausgrenzung* und *Rassismus* einsetzen? Bemerkenswert ist der zweitletzte Satz, der uns höchst eindrucksvoll veranschaulicht, wie diese Protagonisten selbst durch Ausgrenzung und Rassismus polarisieren und gerade mit diesem auch rechtlich fragwürdigen *Flugblatt* agieren. Der Rede zum Grundgesetz durch den damaligen SPD Abgeordneten Dr. Carlo Schmid ist unter anderen sehr aufschlussreichen Aussagen, die unsere baldige Zukunft sicherlich noch prägen wird, auch folgender kluger Satz zu entnehmen: *„Man rechtfertigt das Böse nicht durch den Hinweis auf ein noch Böseres."*[9] Es liegt an jedem Einzelnen von uns, ob und inwiefern wir achtsam sind und sich jeder seiner Verantwortung bewusst wird, diese entsprechend wahrnimmt, sich eben nicht politisch polarisierend vereinnahmen lässt, Gewalt als etwas ganz Grundsätzliches benennt und, wenn gewollt, diese ablehnt, um Frieden in der Welt zu stiften, zu schaffen und dem Wohle des Ganzen dienen zu können.

Grund und ursprünglicher Sinn der Politikwissenschaft war es vor allem Faschismus und Totalitarismus der Vergangenheit aufzuarbeiten und durch Aufklärung dafür Sorge zu tragen, dass er sich nicht wiederholt. Inzwischen ist zu beobachten, dass sich Teile der Wissenschaft jedoch eher als Bestandteil des Problems entwickeln und erwiesen haben und eben nicht – wie ursprünglich angedacht – Teil der Lösungen darstellen. Dazu wird an anderer Stelle noch näher eingegangen.

Dieses Buch ist daher auch deshalb realisiert worden, um vor allem Lüge als das zu entlarven, was sie ist, nämlich Lüge und Betrug am Menschen. Es ist geschrieben worden, um zu verdeutlichen, wohin uns Lüge führt, wenn wir ihr unkritisch folgen und außerstande zu sein scheinen, diese zu erkennen. Welche Rolle spielt eine mögliche politische Ausrichtung für beides letztlich? Welche Relevanz erfährt eine mögliche örtliche Zuweisung von Faschismus und Totalitarismus? Sind wir diesen Dingen wirklich schutzlos und ohnmächtig ausgeliefert, und inwiefern ist eine Klassifizierung überhaupt notwendig? Ist nicht die Frage, ob Faschismus und Totalitarismus besteht,

---

[9] Rede des Abgeordneten Dr. Carlo Schmid (SPD) im Parlamentarischen Rat am 8. September 1948: http://artikel20gg.de/Texte/Carlo-Schmid-Grundsatzrede-zum-Grundgesetz.htm

gelebt und vor allem gefördert wird, so wie die Frage, was beides kennzeichnet, viel elementarer und wegweisender als eine mögliche Zuweisung und Klassifizierung, wie wir es heute polarisierend erleben? Dient diese Zuweisung nicht eher der Ablenkung vom Eigentlichen, nämlich der Gewalt an sich? Ein Dieb rennt aus dem Laden und schreit, „haltet den Dieb." Wer Faschismus und Totalitarismus politisch zuweist, um gleichzeitig seinen eigenen Faschismus und Totalitarismus etablieren zu können, spaltet eine Gesellschaft und fördert Zerstörung und Zwietracht.

„Ich finde, unsere Gesellschaft ist so dermaßen vergiftet, was Hass und Missgunst angeht",[10] äußerte sich der Schauspieler Lars Erdinger auf einer Pressekonferenz der 70. Berlinale 2020, wie die Berliner Zeitung BZ am 22. Februar 2020 berichtete. Die Erkenntnis ist, dass er damit richtig liegen dürfte. Das belegt auch die gelebte Realität, wenn Anhänger der Partei DIE LINKE bei der Wahl der Hamburger Bürgerschaft jubeln und schreien *„Nazis raus, Nazis raus"*,[11] womit die AfD gemeint war, da kurzzeitig der Glaube bestand, dass diese Partei den erneuten Einzug in die Hamburger Bürgerschaft verpassen würde. Sich über seinen Erfolg zu freuen ist nachvollziehbar. Wobei es grundsätzlich fraglich erscheint, ob der Verlust von ca. 6 %-Punkten für die SPD einen Erfolg darstellen kann? Schwierig wird es, wenn der eigene Stimmenverlust mit Missgunst, Häme, Schadenfreude, fehlender Wertschätzung, fehlendes Verständnis, fehlende Rücksichtnahme, fehlende Fairness, Mangel an Verantwortung und dafür Fördern von Hetze gegen einen politischen Mitstreiter erfolgt und formuliert wird. Auch dieses Erscheinungsbild bietet fruchtbaren Nährboden für Faschismus und Totalitarismus.

Wer verantwortungslos und achtlos mit Worten agiert, trägt dazu bei, Gewalt und Chaos zu fördern. Das beginnt nicht zuletzt durch die

---

[10] BZ vom 22.02.2020: https://www.bz-berlin.de/leute/eidinger-bricht-ueber-vergiftete-gesellschaft-in-traenen-aus
[11] Neues Deutschland, Havekost, Folke und Schwarz, Reinhard 23.02.2020: https://www.neues-deutschland.de/artikel/1133307.hamburg-ohrenbetaeubender-jubel.html

Wahl der Worte. Wer für sich selbst ein solches Verhalten als gut, richtig und vor allem demokratisch annimmt, wird auch seinem politischen Mitspieler ein solches Verhalten einräumen müssen. Fraglich dabei ist jedoch, ob genau dies geschieht und wohin ein solches ungleiches Verhalten führt. Wird einem politischen Mitspieler dies nicht eingeräumt, wie vielfach erkennbar ist, so wird ein Ungleichgewicht geschaffen, welches nach Ausgleich strebt. Das Streben nach Ausgleich ist ein Naturgesetz unseres Universums. Dogma, Forderungen nach Verboten, Indoktrination, gesellschaftliche Gleichmacherei und ideologisch gewollte Gleichstellungen sind Mittel und Ausdruck, um individuelle Freiheit einzuschränken und diese zu determinieren. Ein derartiges Streben ist ein Streben gegen die Natur und gegen unverrückbare Naturgesetze. Derartiges Handeln wird deshalb letztlich scheitern. Freiheit und Selbstbestimmung werden niemals durch Verbote, Bevormundung, gesellschaftliche Gleichschaltung, Gleichstellung und Spaltung erreicht, sondern gestört.

Neben dem Corona-Phänomen spricht alle Welt von einer sogenannten Klimakatastrophe. Warum eigentlich? Ist diese sogenannte *Katastrophe* Wirklichkeit? Wer heute allein diese oder ähnliche Fragen stellt, wird regelmäßig diffamiert, ausgegrenzt und – falls für nötig befunden – von Gewalt bedroht und Schlimmeres. Was ist also so besonders an diesem Thema? Geht es dabei vielleicht und vor allem um die Durchsetzung von Gesinnung? Kennzeichen des Totalitarismus *„sind somit die dauerhafte Mobilisierung in Massenorganisationen und die Ausgrenzung, […] oft verbunden mit dem Anspruch, einen „neuen Menschen" gemäß einer bestimmten Ideologie zu formen"*, so die oben erwähnte Definition von Wikipedia. Was bedeutet es also, wenn Menschen, die der These einer sogenannten Klimakatastrophe kritisch gegenüberstehen und dafür Diffamierung und Ausgrenzung erfahren? Was bedeutet es, wenn in einem Parlament der sogenannten Europäischen Union ein sogenannter Klimanotstand ausgerufen wird und weitere Städte und Gemeinden in Deutschland folgen? Sollen wir unseren Fokus vom insgesamt voranschreitenden Wandlungsprozess des Aufwachens abwenden, um dafür möglichst blind und kritiklos Ideologien zu folgen? Sollen wir daran gehindert werden, uns zu entwickeln, so, wie jeder es gern selbst für sich und sein Leben entscheiden möchte und ebenso von Gott gewollt ist?

Freiheit ist ein Naturgesetz und Element, um glücklich sein zu können. Wer individuelle Freiheit zu unterdrücken versucht, mag diese Unterdrückung vordergründig noch so sehr positiv konstruiert sein, will letztlich Macht und Durchsetzung von Partikularinteressen. Macht benötigt Kontrolle und dient einzig und allein dem Zweck, Macht zu erhalten und diese möglichst weiter auszubauen. Etablierte Institutionen geraten zunehmend ins Wanken, und wer daran festhält und glaubt, dass alter Wein durch neue Schläuche Neues und vor allem Gutes hervorbringen wird, der wird seine Offenbarung und selbsterfüllte Prophezeiung erleben. Geschichte belegt uns höchst anschaulich, dass Tyrannei und Totalitarismus von Anfang an zum Scheitern verurteilte Systeme sind und immer sein werden, da sie gegen Naturgesetze und göttliche Ordnung verstoßen. Wie könnte also erneut davon ausgegangen werden, dass derartiges Unrecht zu Recht werden könnte?

„Die reinste Form des Wahnsinns ist es, alles beim Alten zu lassen und gleichzeitig zu hoffen, dass sich etwas ändert."[12] Auch dies soll ein Zitat von Albert Einstein gewesen sein. Nun, auch hier ist irrelevant, von wem es gesagt wurde. Wichtig sind Inhalt und Aussagekraft dieser Worte. Was kann all das bedeuten? Kaum ein Tag vergeht, an dem das Thema Klimawandel oder Corona-Virus in irgendeiner Form in den Medien fehlt. Fast alles, was geschieht, ist inzwischen durch den sogenannten anthropogenen Klimawandel begründet, wahrscheinlich auch das Corona-Virus selbst. Es regnet zu wenig, es liegt am Klimawandel. Es regnet zu viel, es liegt am Klimawandel. Es brennt, es liegt am Klimawandel. Es ist zu kalt oder zu warm, wer dieses „Zu" auch immer festzulegen vermag, es liegt am

---

[12] Einstein, Albert Zitat, die reinste Form des Wahnsinns: https://www.spruch-pool.de/die-reinste-form-des-wahnsinns-ist-es-alles-beim-alten-zu-lassen-und-gleichzeitig/

Klimawandel. Dabei passen Klimawandel und Corona-Virus doch hervorragend zusammen. Grundsätzlich gilt, je wärmer es wird, desto ungünstiger für Viren. Für was entscheiden sich nun diejenigen, die den Klimawandel stoppen wollen? Nun doch für ein wärmeres Klima, um das Virus zu stoppen oder doch für das Virus, um das Klima retten zu können, da beides auf einmal gegensätzlich erscheint? An was werden wir jetzt sterben, an der *„Erdüberhitzung"* oder dem Corona-Virus? Vielleicht ja letztlich sogar an beidem und an den damit einhergehenden Konstruktionen. Wenn wir alle am Corona-Virus sterben sollten, erleben wir die „Erdüberhitzung" höchstwahrscheinlich gar nicht mehr. Doch vielleicht kommt es ja auch gar nicht zu diesem Phänomen der „Erdüberhitzung", dank Corona-Virus. *„Auf die aktuelle Lage in Deutschland übertragen, wird die Bundesrepublik nach Einschätzung der „Denkfabrik Agora Energiewende" als Folge der Corona-Krise jedenfalls sein Klimaschutz-Ziel für das Jahr 2020 erreichen. Es könnten je nach Ausmaß der Epidemie nicht nur wie angestrebt 40 Prozent weniger Treibhausgase als 1990 ausgestoßen werden, sondern sogar bis zu 45 Prozent weniger, sagte Agora-Direktor Patrick Graichen"*, so ein Bericht des Berliner Kurier[13] vom 24. März 2020. Also liegt in scheinbar schlechten Dingen auch etwas Gutes? Fällt Ihnen etwas auf?

Dieser kleine, wenn auch vielleicht zynische Ausblick verdeutlicht höchst anschaulich, in was für einer Welt wir derzeit noch leben. Wenn wir unseren klaren Geist beanspruchen, dürfen wir erkennen, worauf derartige Szenarien aufgebaut sind. Wir dürfen darüber hinaus erkennen, dass wir mindestens auch eine weitere Möglichkeit haben, nämlich Entwicklungen anders, vornehmlich naturgemäß, zu betrachten. Dieser Hype um Klimawandel und Corona-Virus ist anthropogen, dies dürfte auch jetzt bereits unstrittig sein. Kriege sind ebenso zweifelsfrei anthropogene, also von Menschen initiierte und durchgeführte menschliche und umweltschädigende Phänomene,

---

[13] Berliner Kurier, 24.03.20: https://www.berliner-kurier.de/panorama/wie-die-corona-krise-unser-klima-beeinflusst-li.79259

mit höchst individuellen Tragödien. Kriege sind weder gottgewollt noch sind sie Naturgesetze. Sie sind Konstruktionen und beruhen auf Ego getriebener und verstandesgemäßer Realisierung von Partikularinteressen. Sie könnten auch als Ego-Gau bezeichnet werden. Sie werden meist durch zuvor geschürten Hass, Ausgrenzung sowie geistige Verwirrtheit und Verelendung und vor allem durch ein krankes Ego geleitet.

„In den Jahren von 2015 bis 2019 war der <u>*Waffenexport*</u> *SIPRI (Stockholm International Peace Research Institute / deutsch Stockholmer internationales Friedensforschungsinstitut) zufolge aufgeteilt auf folgende Staaten: USA (36 %), Russland (21 %), Frankreich (7,9 %), Deutschland (5,8 %) und China (5,5 %) Vereinigtes Königreich (3,7 %), Spanien (3,1 %), Israel (3 %), Italien (2,1 %), Südkorea (2,1 %); Sonstige Länder: (9,6 %). In den Jahren von 2015 bis 2019 war der* <u>*Waffenimport*</u> *SIPRI zufolge aufgeteilt auf folgende Staaten: Saudi-Arabien (12 %), Indien (9,2 %), Ägypten (5,8 %), Australien (4,9 %), China (4,3 %), Algerien (4,2 %), Südkorea (3,4 %), Ver. Arab. Emirate (3,4 %), Irak (3,4 %), Katar (3,4 %); Sonstige Länder: (46 %)“,*[14] so Wikipedia.org. Hinter diesen Prozentzahlen stehen mit an Sicherheit grenzender Wahrscheinlichkeit individuelle Schicksale, Tragödien, ermordete Menschen, zerstörte Umwelt und Natur. Die weltweit bereits vorhandenen Altlasten in Meeren, Seen und auf Land geben auch fast 80 Jahre nach dem letzten Weltkrieg Zeugnis über einen übersteigerten „Egowahn“.[15] Waffen, Krieg, Zerstörung und Gier sind wahrhaftige, anthropogene Klimakatastrophen unserer Zeit. Wir ernten nun, was wir zuvor gesät haben. Kriege vernichten in jeglicher Hinsicht unser Klima, den Frieden, Versöhnung und Liebe in der Welt und sind Zeugnis Jahrhunderte alten „Egowahns“ auf und mit diesem Planeten Erde. Ein Leugnen dieser klar erkennbar anthropogenen „Klimakatastrophe“ bildet unsere Verantwortungslosigkeit in dieser Frage nach Frieden ab.

---

[14] Wikipedia, Waffenexport, Definition: https://de.wikipedia.org/wiki/Waffenexport
[15] Tolle, Eckhart: Eine neue Erde. Bewusstseinssprung anstelle von Selbstzerstörung. Wilhelm Goldmann Verlag, 2005

Wer trägt Verantwortung dafür, damit diese Entwicklung gewandelt werden kann? Wir alle sind Verantwortungsträger für ein derartiges Geschehen und für eine andere Entwicklung in dieser Welt und für diesen Planeten Erde! Doch wo und von wem wird dies thematisiert? Hören und sehen wir etwas davon in den vorrangigen Medien, für die wir unsere Zwangsabgaben entrichten „dürfen"? Fordern diese vielleicht Frieden auf Erden? Worüber wird berichtet? Krieg, Vertreibung, Tod, Zerstörung, Vergewaltigung, Missbrauch, Corona-Krise und Klimakatastrophe. Solange ein Teil Menschen diese Entwicklungen scheinbar ungehindert fördern kann, ohne für die Folgen verantwortlich gemacht zu werden, wird es Krieg, Zerstörung, Hass, Niedergang und wenige Profiteure geben. Erst dann, wenn für derartig handelnde Menschen die Kosten höher sind als der Profit, erst dann, wenn breite gesellschaftliche Aktivität durch Erwachen zu einem notwendigen Wandel führt, besteht die Möglichkeit, dass anthropogener Hass, Zerstörung, gesellschaftliche Teilung und Krieg enden und anstelle dessen endlich Frieden und Eintracht Einkehr halten können. Wie können wir glauben und davon ausgehen, dass Krieg zu Frieden führt? Es ist eine Konstruktion, Illusion, ein Widerspruch in sich und damit eine Lüge. Krieg dient einzig und allein der Macht und dem Profit Weniger. Die allein im Land Brandenburg stattfindenden jährlichen Waldbrände sind vielfaches Resultat aus militärischen Altlasten und „Egowahn" der Vergangenheit, durch die von Menschen initiierten Kriege. Die höheren Temperaturen der letzten Jahre haben dazu beigetragen, dass diese Altlasten durch Brände vernichtet wurden. Der Mensch neigt jedoch in der Regel zu einfachen, vielfach inhaltslosen Erklärungen, ohne deren Hintergründe zu erforschen und so entsteht, dass der Klimawandel ausschließlich durch den von Menschen verursachten CO_2 Ausstoß verantwortlich sei. Dieser Logik folgend sind diese Waldbrände demnach ein Ergebnis des von Menschen gemachten Klimawandels. Doch dies ist ein Irrtum, wie so vieles, was wir uns in unserem Leben konstruieren und konstruiert haben. Wenn der Mensch ohne Waffen und Kriege leben würde, gebe es diese Altlasten erst gar nicht und diese dadurch verursachten Waldbrände ebenso wenig. Dieselbe ablenkende Initialisierung gilt für die Geschehnisse in Australien. Ein klassisches Muster von Zuweisung und einfachstem Schulddenken, projiziert auf ein *Wunschthema*, in diesem Falle das des Klimawandels.

Dualität braucht Schuldige, um spalten zu können. Das Dilemma dabei ist vor allem, dass wir alle dies zugelassen haben und noch immer vorwiegend zulassen. Dabei könnten wir der Natur höchst dankbar sein, wenn sie *still* und *heimlich*, wie so oft, den von uns Menschen verursachten Irrsinn beseitigt. Auch auf diese Weise setzt ein *Reinigungsprozess* der Erde ein. Die Geomantie, die als ganzheitliche Erfahrungswissenschaft betrachtet wird, geht davon aus, dass die Erde ein lebender Organismus ist, ebenso wie der Mensch selbst, was sinnhaft erscheint, da wir uns von ihr und durch sie ernähren. Was passiert mit unserem menschlichen Organismus, wenn wir uns regelmäßig und kontinuierlich destruktiv ernähren und verhalten? In der Regel werden wir krank, bekommen vielleicht Fieber und könnten im „ungünstigen" Fall sogar sterben. *„Unser Lebensraum ist ein Spiegel unserer Seele"*, heißt es auf der Webseite von Stefan Brönnle.[16] Wenn die Erde ein ebenso lebendiger Organismus ist, wie wir Menschen, können wir Analogien bei den derzeitigen Entwicklungen der Erde beobachten und vor allem daraus lernen. Doch anstatt hinzusehen und zu lernen, was wirklich geschieht, be- und verurteilen wir vielfach und weisen Schuld zu, wie es sich für einen Menschen in einer konstruierten, dualen Welt *gehört*, der sein Ego ausleben möchte. Was könnte also Klimawandel noch bedeuten? Befindet sich die Erde vielleicht in einer Art Reinigungs- und Gesundungsprozess? Sind Waldbrände Zeugnis davon, dass sich die Erde *reinigt*, statt zerstört, weil sie sich auf diese Weise von „Egowahn" getriebenen Vorstellungen, wie Krieg und deren Altlasten, befreit? Auch diese Sicht könnte plausibel die klimatischen Veränderungen erklären. Es scheint, als wäre die Erde in einer Art *Fieberzustand*, der zu einer Genesung dazugehört. Anders, als vielfach angenommen, ist

---

16 Broennle, Stefan:
Was ist Geomantie. http://www.stefan-broennle.de/geomantie.html

Fieber ein Bestandteil eines Heilungsprozesses. Es heißt, dass wir oft erst durch die Hölle gehen müssen, um in den Himmel kommen zu können. Nun, auch bei Fieber erhöht sich unsere Körpertemperatur. Wenn die Erde ein lebender Organismus ist, macht es Sinn, wenn auch sie in einer Art Krankheitszustand Fieber zu bekommen scheint und die Temperatur steigt, um gesunden zu können.

Die Entwicklung der Welt und vor allem des Menschen belegt diese These mannigfaltig. Wir scheinen im wahrsten Sinne unter einer globalen Störung zu leiden, die sich scheinbar seit über 2000 Jahren manifestiert hat. Allein das Alte Testaments ist voll von derartigen Geschichten und Geschehnissen. Bedauerlicherweise bedurfte es immer wieder der Not, vielfach die Verzweiflung und Drangsal, um menschlichen und vor allem geistigen Forstschritt erlangen und entwickeln zu können. Das zeigten bereits Menschen wie Samson, Moses und andere, um zurück auf den rechten Pfad der Tugenden und zu Gott geführt werden zu können. Petra Bock fordert daher offenbar zu Recht, dass wir nach dem technischen Forstschritt nun den menschlichen Fortschritt benötigen und spricht als Ergebnis dessen von einem *„entstörten"* Menschen.[17] Ist es an der Zeit unsere Frequenz neu auszurichten und diese zu entstören? Die Forderung von Petra Bock macht Sinn, denn die vor allem geistigen Störungen und die sich daraus ergebenen Herausforderungen sind von globaler Tragweite. Der Humanmediziner, Psychotherapeut und mehrfache Buchautor Rüdiger Dahlke weist uns jedoch auch darauf hin, dass wir uns zunächst erst einmal von einer *„Behinderung"*[18] behindern lassen müssen, um so wie bisher weiterzumachen. Erst dann würde Krankheit bzw. Störung, um es mit Petra Bocks Worten zu sagen, zum Weg, der zur Heilung führen könne. In diesem Sinne und mit diesem Ausblick kann auch unsere derzeitige Entwicklung hin zur Lösung betrachtet werden.

---

[17] Bock, Petra: Der entstörte Mensch. Wie wir uns und die Welt verändern. Droemer Verlag, 2020

[18] Dethlefsen, Thorwald/Dahlke, Rüdiger: Krankheit als Weg. Deutung und Bedeutung der Krankheitsbilder. Verlagsgruppe Random House. 5. Auflage, München 2014

Wir sind bequem geworden und haben längst den rechten Weg der Tugenden verlassen, weil wir vielfach glauben, dass es keinen Gott und Schöpfer gibt und wir Menschen anstelle dessen die Krönung der Schöpfung seien und inzwischen über Gott stünden. Selbst die Kirchen scheinen dies zu glauben, denn sie befördern die neue Glaubensdoktrin des Klimawandels und malen lieber Vulven, satt Gottes Wort zu verkünden. Glauben wir wirklich, dass dies folgenlos bleibt? Es wird behauptet, dass der sogenannte Crash bevorsteht. Dieser scheint, angesichts vieler Geschehnisse, dringend notwendig geworden zu sein, um die Not in der Welt zu beenden. Der sogenannte Corona-Virus könnte den Auftakt für diese Zuspitzung des scheinbar notwendig gewordenen Zusammenbruchs der alten Welt gegeben haben. Er wird uns zeigen, wie groß die Hybris und der Verstoß gegen Naturgesetze ist und war. Auch wenn wir einen solchen Crash zunächst sicher nicht als Segen betrachten werden, so werden die Ökonomen und Bestsellerautoren Matthias Weik und Mark Friedrich aller Wahrscheinlichkeit mit ihren Aussagen, dass der Crash die Lösung und dieser der größte aller Zeiten sei, Recht behalten. Wir haben gegen natürliche Prozesse verstoßen, und zwar in allen Lebensbereichen. Dieser *Zusammenbruch* wird uns dies belegen. Wie können wir davon ausgehen, dass derartiger „Egowahn", Unvernunft, Tugendlosigkeit, Verantwortungslosigkeit und geistige Nachlässigkeit folgenlos bleiben? Der Schöpfer übertrug uns diesen Planeten, den wir letztlich überwiegend verantwortungslos missbraucht haben. Es heißt, liebe deinen nächsten, wie dich selbst. Dazu gehört alles, eben auch und insbesondere dieser Planet, auf und von dem wir alle leben.

Dennoch, gerade jetzt ist Zeit zur Freude, so irrsinnig diese Aussage zunächst auch klingen mag. Sie ist dadurch begründet, dass wir durch diesen *Zusammenbruch* – der in Wirklichkeit ein riesiger Transformationsprozess ist und sich uns letztlich als Segen erweisen wird – etwas wirklich Neues, Gutes und vor allem Geistvolles schöpfen und entstehen lassen können. Dieser *Zusammenbruch* wird uns endlich in unser verantwortungsbewusstes Handeln mit-

und füreinander führen, damit wir uns gegenseitig unterstützen. Wir werden erkennen, dass es für uns alle sinnvoller ist, uns gegenseitig zu unterstützen, um Wertvolleres erschaffen zu können. Wir werden vor allem erkennen, dass Egowahn ins Fatale führt, wie wir es jetzt schmerzhaft spüren. Unsere vielfach bestehende Weltanschauung wird mit diesem „Zusammenbruch" biblischen Ausmaßes enden, denn es wird uns der riesige Berg an Lügen sichtbar gemacht. Wahrheit hat reinigende Wirkung, Lüge nicht, dies unterscheidet die Lüge von der Wahrheit. Diese Erkenntnis ist Grund zur Freude. Tief in unserem Herzen wissen wir dies, wir wollten es nur nicht wahrhaben und haben es weitestgehend verdrängt und verlernt. Wenn wir genau hinhören und hinsehen, wissen wir auch, dass dieser Prozess notwendig und vor allem gut ist.

Die Stimmen werden lauter, denn Vielen von uns geht die Art der Diskussion und Konstruktionen um den sogenannten Klimaschutz und das Corona-Virus inzwischen regelrecht auf die Nerven. Es wird so getan, als wären es die einzigen Themen auf diesem Planeten. „Schuldige" sind schnell gefunden und jeder, der eine andere und vor allem kritische Auffassung auch zu diesen Themen und dem Umgang mit ihnen hat und diese entsprechend äußert, wird meist ausgegrenzt, diffamiert und als Verschwörungstheoretiker, Reichsbürger und schlimmer noch als Nazi abgewertet und herabgewürdigt. Derartiges Verhalten bremst und stört uns jedoch in unserem gesamten Handeln, und zwar auf allen Ebenen. Es verrückt unseren Fokus vielfach hin zu Sinnlosigkeit und Lüge. Unsere Bereitschaft zu lernen wird ebenso gestört und im ungünstigsten Falle gänzlich verhindert. Außerdem stört es unsere Fähigkeiten zu verstehen. Gerade diese letzten beiden Aspekte des Lernens und Verstehens sind jedoch fundamental und elementar, insbesondere in dieser Zeit, um notwendige Schlüsse ziehen und zu Lösungen kommen zu können. Wer seinen Verstand sinnvoll nutzen will, ist angehalten zunächst zu verstehen. Es ist höchst sinnstiftend und hilfreich, Fragen zu stellen. Bestenfalls kritische, auch nach dem Warum, dem Wieso, dem Was und dem Wie. Der Motivationstrainer Mike Dierssen verwendete den

Begriff der „Schöpfer Fragen" in einer seiner internen, für eine breite Öffentlichkeit nicht zugänglichen Videobotschaft. Fragen, die unser Herz öffnen und unsere schöpferische Kraft aktivieren. Natürliche Neugierde und eine dazugehörige nachfragende Haltung zu vielen Themen, die uns schöpferisch tätig werden lässt, scheint in dieser Zeit jedoch vor großen Herausforderungen zu stehen. Höchst bedauerlich ist eine Entwicklung, die zu einer regelrechten geistigen „Kasteiung" der Gesellschaft führen kann. Diese kann wiederum zu einer vor allem geistigen Verarmung, Rückständigkeit und zum letztendlichen Niedergang führen, sofern wir ihn so wie bisher weitergehen. Doch genau dieser Niedergang scheint nötig geworden zu sein, um etwas Neues und Gesundes entstehen lassen zu können. Die Geschichte belegt dies vielfach.

Der Verstand soll im Vordergrund unseres Handelns stehen, wird gefordert. Ist es nicht genau dieser bzw. dessen missbräuchliche Nutzung, was uns in diesen Fatalismus führte? Um den Verstand sinnvoll und in ihm gemäßer Bestimmung nutzen zu können ist es notwendig, zunächst zu verstehen, um Sinnlosigkeit, Ahnungslosigkeit und Dummheit zu vermeiden. „Dumm ist der, der Dummes tut", sagt Forrest Gump[19] im gleichnamigen Kinofilm. Wer von uns kennt diesen Satz nicht? Wenn wir mit Dummheit agieren, hat dies Auswirkungen auf all unsere Lebensbereiche. Doch was ist Dummheit?

Dummheit Substantiv, feminin [die]

1.

[ohne Plural] mangelnde Begabung auf intellektuellem Gebiet; Unwissenheit, schwache, nicht zureichende Intelligenz „etwas aus reiner, purer Dummheit sagen, tun"

2.

unkluge Handlung[20]

---

[19] Tcwords.com: Zitat Forrest Gump. https://www.tcwords.com/dumm-ist-der-der-dummes-tut-die-schoensten-zitate-aus-forrest-gump/
[20] Google: Dummheit, Definitition: https://t1p.de/a3qk

Demgegenüber wird zur Klugheit Folgendes geschrieben:

„Klugheit ist die Fähigkeit zu angemessenem Handeln im konkreten Einzelfall unter Berücksichtigung aller für die Situation relevanten Faktoren, Handlungsziele und Einsichten, die der Handelnde kennen kann", so eine Definition bei Wikipedia.[21]

Beide Aspekte sind grundlegend Gleichwertig, auch wenn uns dies als seltsam und zunächst unglaubwürdig erscheint. Das, was den Unterschied ausmacht, ist das Ergebnis unseres Handelns. Wir ernten das, was wir zuvor gesät haben. Es liegt an uns selbst, ob wir so, also klug oder so, eben dumm denken und handeln bzw. handeln können. An beiden Aspekten können wir jedoch lernen. Wenn wir dumm handeln, werden wir es regelmäßig schmerzhaft spüren. Ein wichtiger Unterschied zu klugem Handeln. Wer klug handelt und seine Gedanken bis und vom Ende her denkt, wird Zerstörung und Leid erkennen und vor allem vermeiden können und in der Regel auch vermeiden *wollen*. Respice Finem!

Was gibt es also so Besonderes an diesem Thema Klimawandel und „Corona" Virus, das sie uns Tag für Tag gebetsmühlenartig eingetrichtert werden? Bei genauer Betrachtung und Analyse nichts Besonderes! Krankheit und Wandel gibt seit Entstehung der Erde. Heute scheinen es jedoch besonders tolle Themen zu sein, auf die sich Politik und Medien stürzen, um vor allem politisch „unkorrekte" Meinungen auf den vermeintlich politisch korrekten Weg führen zu können. Wenn nötig mit verbaler und tatsächlicher Gewalt, der erwähnten Ausgrenzung und Diffamierung, um auch politische und wirtschaftliche Ziele effektiv realisieren zu können. Zeugnis davon geben auch Großmachtpläne der EU Kommissionspräsidentin Ursula von der Leyen. Ihr Plan: eine Billion Investition für den sogenannten Klimaschutz, um Europa als ersten sogenannten klimaneutralen Kontinent zu etablieren. Wirklich allein ihr Plan? Alles und jeder soll dieser Maxime unterliegen, wenn nötig mittels Verboten und

---

[21] Wikipedia: Klugheit, Definition: Klugheit; https://de.wikipedia.org/wiki/Klugheit

Bevormundung? Einschlägige Medien dürfen und sollen ihren Beitrag auch dazu leisten. Diesen erfüllen sie bereitwillig, wie von ihnen erwartet. Abhängigkeit macht es möglich, worauf an anderer Stelle noch näher eingegangen wird. Diese anthropogenen Realitäten sind höchst geeignet, um dazu beizutragen, deren Reputation nachhaltig zu zerstören. *„Ursula von der Leyen hat in diesem unwegsamen Gelände kaum eine Chance. Ihr Man-on-the-Moon-Moment wird womöglich eine Vision bleiben"*,[22] zieht der Journalist Gabor Steingart im Zusammenhang mit den Großmachtplänen von Frau von der Leyen, in seiner Kolumne vom 17. Dezember 2019, Fazit. Wenn wir von einem anthropogenen Klimawandel sprechen, warum dann nicht auch über das sogenannte Geoengineering und die HAARP Technologie? Das Deutsche Klima Konsortium schreibt Folgendes auf seiner Webseite: *„Geoengineering – auch Klimaengineering genannt – wird als eine umfassende Zusammenstellung von Methoden und Technologien definiert, die darauf abzielen, das Klimasystem bewusst zu verändern, um Folgen des Klimawandels abzumildern. Es wird üblicherweise zwischen zwei Gruppen von Geoengineering-Methoden unterschieden: 1) „Solar Radiation Management" (SRM, bewertet in Abschnitt 7.7: Methoden zur Beeinflussung der Sonnenstrahlung) beabsichtigt, die Erwärmung aufgrund anthropogener Treibhausgase zu kompensieren, indem das Reflexionsvermögen der Erde verstärkt wird, während 2) die Entnahme von Kohlendioxid („Carbon Dioxide Removal" oder CDR, bewertet in Abschnitt 6.5: Methoden zur Entnahme von CO2) darauf zielt, die atmosphärische CO2-Konzentration zu verringern. Die beiden Kategorien funktionieren nach unterschiedlichen physikalischen Prinzipien und wirken auf unterschiedlichen Zeitskalen. Modelle legen nahe, dass, wären SRM-Methoden realisierbar, sie steigenden Temperaturen erfolgreich entgegenwirken und einigen anderen Klimaänderungen in geringerem Maße, aber immer noch wirksam, entgegenwirken würden. SRM würde nicht allen Auswirkungen des Klimawandels entgegenwirken,*

---

[22] Steingart, Gabor: https://www.gaborsteingart.com/newsletter-morning-briefing/green-deal-politik-ohne-volk/?wp-nocache=true

und alle vorgeschlagenen Geoengineering-Methoden bringen auch Risiken und Nebeneffekte mit sich. Weitere Konsequenzen sind noch nicht absehbar, da das wissenschaftliche Verständnis sowohl über SRM als auch über CDR noch gering ist. *Geoengineering beinhaltet zudem viele (politische, ethische und praktische) Probleme, die über den Rahmen dieses Berichts hinausgehen."*[23] Wer sich mit dem Thema HAARP (High Frequency Active Auroral Research Program) beschäftigt, wird erkennen können, dass diese Technologie auch für andere Zwecke verwendet werden kann. *„Das HAARP ist ein US-amerikanisches ziviles Forschungsprogramm, bei dem Radiowellen zur Untersuchung der oberen Atmosphäre eingesetzt wurden. Nach letzten Versuchen im Juni 2014 wurde die ursprünglich geplante Still-legung aufgeschoben und die Anlage im August 2015 an die Univer-sität von Alaska in Fairbanks übergeben"*, beschreibt es Wikipedia.[24] Wir müssen nicht alle Inhalte verstehen, um zu verstehen. Kernaus-sagen sind gekennzeichnet. Wir dürfen uns jedoch bewusst darüber werden, dass derartige Aussagen die menschliche Hybris in hohem Maße veranschaulicht. Der Mensch geht auch hier offenbar davon aus, dass er über der Schöpfung steht und es besser wüsste als die Schöpfung selbst. Es heißt, wir Menschen seien eine *Nachschöp-fung*. Wenn dem so ist, stehen wir hinter und nicht vor und schon gar nicht über der Schöpfung bzw. dem Schöpfer selbst. Unsere Fehler und bis hierher gegangenen Irrwege belegen uns dies höchst an-schaulich, sofern wir bereit sind, diese Wahrheit sehen zu wollen.

Wie könnten auf Basis dessen menschliche Konstruktionen, auch und gerade im technologischen Bereich, dann sinnvoller sein, als die vom Schöpfer geschaffenen Instrumente, sprich Naturgesetzte? Eine solche Annahme dürfte aus einem Geist und Verstand entwi-ckelt worden sein, welcher sich seit langem auf Abwegen befindet.

---

[23] Deutsches Klima Konsortium: Könnte Geoengineering dem Klimawandel entgegen-wirken, und welche Nebeneffekte könnten auftreten?
https://www.deutsches-klima-konsortium.de/de/klimafaq-7-3.html
[24] Wikipedia: HAARP.
https://de.wikipedia.org/wiki/High_Frequency_Active_Auroral_Research_Program

Der Mensch mischt sich grob fahrlässig bis vorsätzlich in natürliche Prozesse ein und beeinflusst diese, meist schwerwiegend nachteilig, wie uns auch unser Müllproblem höchst anschaulich belegt. Wahrscheinlich, weil er in seinem beschränkten Bewusstsein davon ausgeht, dass Gott fehlerhaft sei, sofern er überhaupt anerkennt, dass es so etwas wie einen Gott gibt. Fatalismus und Hochmut werden auch dadurch deutlich und Letzterer kommt meist vor dem Fall, wie wir wissen. Dieser Fall dürfte uns allen nun sehr anschaulich zeigen, wer wir wirklich sind, wo sich unser tatsächlich angestammter Platz befindet und wer tatsächlich das Alpha und das Omega ist. Anstatt zu lernen, wird sich über die Unfehlbarkeit des Schöpfers hinweggesetzt und dementsprechend gehandelt. Hätte es naturgemäß eines technischen Geoengineerings und einer HAARP Technologie bedurft, dann hätte der Schöpfer diese berücksichtigt, finden Sie nicht auch? Der Mensch verbessert nicht, er verschlimmbessert vieles mit seinem beschränkten Bewusstsein, und diese heute erlebte Welt ist die Auswirkung unseres Handelns und unserer Verantwortungslosigkeit.

Wenden wir uns also dem Klimawandel zu, der vor allem in diesem Buch thematisiert wird und in erster Linie im übertragenen Sinne zu verstehen ist. Wandel bedeutet Veränderung, egal welches Thema betroffen ist. Veränderungen zu verhindern ist ebenso unmöglich, wie es unmöglich ist, Wandel, egal in welcher Form, zu verhindern und zu stoppen, gleich wenn dies im Zusammenhang mit dem Klimawandel vielfach und vor allem politisch gefordert wird. Veränderungen und Wandel sind Naturgesetze, und diese können letztlich nicht aufgehalten und verhindert werden. Während Annalena Baerbock vom Bündnis90/DIE GRÜNEN davon ausgeht, Naturgesetze überwinden zu können, indem sie den Klimawandel stoppen will, scheint selbst Anton Hofreiter, der Fraktionsvorsitzende des Bündnis90/DIE GRÜNEN anerkennen zu wollen, dass Naturgesetze unumstößlich sind. *„Ich glaube nicht, dass es Sinn macht, die Naturgesetze anzuzweifeln"*, so seine Aussage bei Anne Will, die von

Spiegel.de am 27.01.2020[25] veröffentlicht wurde. Erkennen Sie einen Widerspruch in beiden Aussagen? Veränderungen und Wandel sind Naturgesetze und Herausforderungen, die entsprechend gestaltet werden möchten und als Naturgesetze unüberwindbar sind. Wer gegen die Natur handelt, versündigt sich letztlich gegen sich selbst. Der Umgang mit den Naturgesetzen ist sinnvoll, notwendig und vor allem möglich, ebenso wie Veränderungen zum Guten und zu einem besseren Umgang mit uns und der Welt. Täten wir dies, hätten wir die Fülle im Leben, die wir uns alle für unser Leben wünschen. Mensch und Natur sind nicht dafür vorgesehen im Mangel zu leben. Leben ist Fülle. Doch wo diese Fülle schwindet und fehlt, entsteht Mangel an Leben. Der hier gemeinte Klimawandel, der Thema dieses Buches ist, findet sowohl im Außen als auch im Innern von uns selbst satt. Das, was relativ neu zu sein scheint, ist der damit einhergehende Bewusstseinswandel bzw. Sprung. Wir beginnen unsere dunkle Brille abzusetzen, um endlich sehen zu können. Warum geraten viele von uns in diesen Zeiten in Panik und lassen sich ausschließlich von ihrer Angst leiten, anstatt Zusammenhänge zu erkennen, vor allem erkennen zu wollen, um zu lernen und sich damit sinnvoll und klug auszurichten? Haben wir verlernt, was eins plus eins ergibt? Haben wir uns so sehr von der Natur und deren Gesetzen und damit von Gott entfernt, dass wir in diese Panik geraten und uns vielfach in diese freiwillig versetzen lassen? Das sogenannte Unwort des Jahres 2019 hieß „Klimahysterie" und scheint im oben erwähnten Kontext höchst zutreffend zu sein, auch wenn es von selbsternannten Sprachschützern sehr kritisch beäugt wurde.

Dieses Buch ist an jeden Einzelnen von uns gerichtet, denn unsere gelebte Welt betrifft uns alle, ohne Ausnahme. Es ist Zeit, unsere ganz persönliche geistig-moralische Offenbarung zu erkennen und zu lernen, sinnhaft damit umzugehen und uns neu auszurichten. Es ist Zeit, inne zu halten und Résumé zu ziehen. Die in vielen Ländern

---

[25] Spiegel.de, Frank, Arno, 27.01.2020: https://www.spiegel.de/kultur/tv/auf-zickzack-kurs-ins-nirgendwo-a-be1e9eb4-f524-490f-92c1-e9e251b249ae

dieser Welt stattfindenden Ausgangsverbote bieten beste Möglichkeiten dazu, Netflix und Co auszuschalten und unseren Geist und Verstand wieder einzuschalten und zu schärfen, um vor allem mit uns selbst ins „Gericht" zu gehen.

Dieses Buch befand sich auf einem langen Weg, doch dieser Weg und Inhalt sind notwendig geworden, da beides dazu beiträgt, unsere Gesellschaften zum Besseren hin gestalten zu können und vor allem einen *inneren Klimawandel*, im Sinne eines Bewusstseinssprunges, zu vollziehen. Es wird die These vertreten, dass die öffentlich geführte Diskussion über den medial präsentierten Klimawandel sowie die Inszenierung der sogenannten Corona-Krise auch der Ablenkung vom inneren Wandel unseres Selbst dienen soll. Je mehr über den sogenannten Klimawandel und Corona Viren im Außen gesprochen wird, bis hin zu wahnwitzigsten Vorstellungen und Forderungen, desto mehr Aufmerksamkeit ziehen diese Themen im Außen scheinbar an sich. Wo Panik geschürt und wie von Greta Thunberg gefordert wird, entsteht der Eindruck der Unlösbarkeit und des Untergangs. Natürlich nur bis zu dem Zeitpunkt, wenn ein scheinbarer Erlöser auftaucht und uns alle *retten* wird. Dieser Erlöser kann uns auch in Form eines Medikaments präsentiert werden.

Nun, Gott gab uns einen freien Willen. Wer diesem mit an Sicherheit grenzender Wahrscheinlichkeit in den Startlöchern wartenden *Erlöser* folgt und gegebenenfalls seinen ganz persönlichen Fatalismus erlebt, trägt ausschließlich selbst die damit einhergehende Verantwortung, niemand sonst. Es liegt an jedem selbst, für welchen Weg er sich entscheidet. Das daraus folgende Ergebnis wird jedem von uns präsentiert. Ein Naturgesetz, das bei jeder unserer Entscheidungen im Leben greift. Deshalb sollten vor allem wichtige Entscheidungen bis zu Ende gedacht bzw. vom Ende bis hierher gedacht sein. Lassen wir uns nun darauf ein, dass wir einem Irrglauben folgen, besteht die Möglichkeit, dass wir unsere Aufmerksamkeit einzig diesen äußeren Themen widmen und innerlich starr vor Angst werden. Dauerhafte Angst und Panik frisst jedoch offenbar Hirn.

Auf dem Wirtschaftskipfel 2020 in Davos erwähnte Angela Merkel in ihrer Rede, dass Transformationen von gigantischem Ausmaß anstünden. Offenbar wusste sie bereits zum damaligen Zeitpunkt, was die Stunde geschlagen hat. Nun, wahrscheinlich spricht sie dennoch etwas anderes an, als dass, von dem hier ausgegangen wird. Dennoch, ihre Aussage wird grundsätzlich und wahrscheinlich richtig sein. In einem weiteren Punkt werden Angela Merkel und Greta Thunberg voraussichtlich Recht behalten: Die Menschen wachen zunehmend auf, und sie erkennen Zusammenhänge. Der Wandlungsprozess zu einem klareren Bewusstsein wird nicht mehr aufzuhalten sein, mögen sich die Protagonisten noch so sehr bemühen, dies zu verhindern. Das bedeutet dennoch, dass wir möglichst und empfehlenswerterweise von Angst und Panik befreit bleiben, weil wir erkennen dürfen, in welch trügerischer Welt wir noch immer leben.

Freuen wir uns auf die Dinge, die vor uns liegen! Je lauter die Ablenkungsversuche, Verbote, Bevormundung auch sein mögen, umso klarer wird erkennbar werden, dass der Bewusstseinssprung jedes Einzelnen von uns mehr und mehr zutage tritt und nicht mehr aufzuhalten sein wird. Folgen wir sinnhaften Fragen, *schöpferischen Fragen* und beantworten uns diese ebenso sinnvoll, damit Verbots- und Bevormundungsrufe verstummen. Wir erinnern uns: *„Dumm ist der, der Dummes tut"*, sagte Forrest Gump. Klug ist demnach der, der Kluges tut! Es liegt an uns, für welchen Weg wir uns entscheiden wollen. Erinnern wir uns immer wieder genau daran. Wenn wir die Einflussfaktoren der vielen Irrungen und Wirrungen als Gedankendickicht zur Seite räumen, können wir uns sinnvollen Fragen widmen und diese selbstbestimmt und selbstverantwortlich beantworten, denn sie führen zu Lösungen. Diese benötigen wir heute mehr denn je. Wo stehen wir heute also wirklich? Wer und was sind wir wirklich? Was zeichnet uns Menschen als Menschen wirklich aus? Was hat uns auf diese Abwege, auf denen wir uns zweifelsfrei befanden und großenteils noch immer befinden, geführt? Jeder von uns ist aufgefordert, die Zeichen der Zeit zu erkennen und Verantwortung zu übernehmen. In all unseren Lebensbereichen wird dies immer *lauter* sichtbar. Besinnen wir uns auf die einzig gültigen Gesetze Gottes, die in der Bundeslade verewigt wurden und für die König Salomon einst einen Tempel errichtete. Diese Gesetze sind Grundlage für unser aller Verantwortung, deren Einhaltung zu Lösungen und Frieden in der Welt führen.

Dieses Buch ist eine Ermutigung dazu, geistvoll schöpferisch tätig zu werden, dem klaren Geist die Wertschätzung und Position zurückzugeben, für die unser Verstand nie vorgesehen war. Unser Verstand kann nur wirkungsvolles Instrument und Werkzeug eines klaren Geistes sein, denn dafür wurde er geschaffen. Verstand kommt von Verstehen. Solange wir Phänomene falsch deuten, sie nicht verstanden haben, politisch missbrauchen und unwillig und unfähig bleiben daraus zu lernen, werden sich Lüge und Fatalismus Weg bahnen können. Die Rolle des Verstandes und des Geistes wurden jedoch nicht nur fälschlicherweise vertauscht, wir befinden uns seit Generationen noch immer in dem Irrglauben, dass der Verstand unseren Geist sogar komplett ersetzen könnte. Diese Sicht belegt uns jedoch gerade in der heutigen Zeit mehr denn je unseren dadurch selbst geschaffenen Fatalismus. Diesen Fatalismus werden wir nicht dadurch auflösen können, indem wir unserem Verstand noch mehr den Raum geben, der sich als Diener des Egos erwiesen hat, jedoch eigentlich und naturgemäß ausschließlich unserem klaren Geist vorbehalten ist und immer war. Ja, manchmal braucht es Mut, sein Leben verantwortungsbewusst anzunehmen und entsprechend zu handeln. Wer jedoch trotz aller Widrigkeiten, die uns im Leben als Herausforderungen erscheinen, mutig seinen für ihn bestimmten Weg ehrlich erkennt, ihn verantwortungsbewusst annimmt und danach handelt, wird letztlich mit Glück belohnt. Die Geschichte Hiob ist eines der ältesten Beispiele für diese Erkenntnis. Selbst als seine Frau ihn dazu anhielt, sich von Gott abzuwenden, weil er ihm all seine weltlichen Reichtümer nahm, blieb er bei Gott. Hiob wurde auf die Probe gestellt und letztlich dafür belohnt, trotz und gerade wegen all der Drangsal, bis zuletzt an Gott festgehalten und an dessen Güte geglaubt zu haben. Auch wir werden, wie einst Hiob, immer wieder auf die Probe gestellt. Nun dürfen wir uns bewähren, ob wir würdig sind, diesen Planeten weiter bewohnen zu dürfen. Diese Phase unseres Lebens ist eine Probe für uns alle. Wachen wir auf, setzen wir unsere dunkel gefärbte Brille, Scheuklappen und Masken ab, um zu realisieren, was wirklich geschieht. Wirklichkeit und Wahrhaftigkeit wirken, anders als Lüge, heilsam. Unser durch unser „krankes" Ego geschaffener Übermut, Hochmut und Götzenverehrung führte zu dem, was uns heute in aller Deutlichkeit gespiegelt wird: Zu Dekadenz und geistigem Niedergang. Wir befinden uns lange Zeit auf Abwegen, fern von Wirklichkeit, Wahrhaftigkeit und vor allem fern von Gott. Doch in diesem Fanal wird uns dieser Umstand auf allen Ebenen der Gesellschaft immer bewusster und zunehmend spürbar. Um diese Welt und uns selbst wieder auf den rechten Weg von Tugenden, wahren Werten wie Freiheit, vor allem innerer Freiheit zu führen, brauchen wir einen festen Glauben und ein schöpferisches Handeln, welches naturgemäß durch einen klaren Geist geleitet ist. Am Ende wird immer alles gut, sofern wir entsprechend handeln. Und solange es nicht gut ist, ist es nicht das Ende. Diese Sicht schafft Hoffnung und Zuversicht, vor allem Klarheit.

Ziel dieses Buches ist es zudem, den Zusammenhalt einer Gesellschaft zu fördern, Einheit und Gemeinschaft zu schaffen, um selbstbestimmt, unabhängig in Freiheit und Frieden miteinander leben zu können. Es gibt keine besseren Menschen, es gibt die Menschen, die wir haben. Wer sich vom Grundsätzlichen entfernt und anfängt den Menschen an sich zu bewerten und einzuteilen, spaltet. Im Jahre 2020 feiern wir dreißig Jahre scheinbar wiedervereintes Deutschland. Eine uns vielfach unbewusste Tatsache ist es, dass wir zwar eine „scheinbare" Wiedervereinigung beider deutschen Teile feiern, da äußerlich erkennbare Landesgrenzen und Mauern verschwunden sind, jedoch sprechen wir selbst nach dreißig Jahren noch immer von „Ost"- und Westdeutschland. Bei dem von vielen beschriebenen „Osten" handelt es sich um Mitteldeutschland und nicht um „Ost"-Deutschland, wie uns auch der Mitteldeutsche Rundfunk MDR belegt. Fällt es uns wirklich so wenig auf? Wie könnte jemals eine

Vereinigung beider Landesteile und der dazugehörigen Menschen in uns reifen, wenn wir immer und immer wieder diese Landesteile dadurch teilen, in dem wir von „Ost"- und Westdeutschland sprechen und dies in unseren Köpfen und Herzen tragen? Solange wir unsere Heimat gedanklich und emotional in Landesteile teilen, wenn auch in der Bezeichnung falsch benannt, verdeutlicht uns dies, wie gespalten unsere Gesellschaft allein dadurch ist. Ein Berliner Radiosender stellte in diesen Tagen die Frage, inwiefern es selbst nach dreißig Jahren noch immer eine Spaltung in Ost- und Westdeutschland geben könne? Nun, allein diese Fragestellung belegt die Spaltung in unseren Köpfen und Herzen. Wer solch eine Frage stellt, darf diese Frage zunächst an sich selbst richten, da er noch immer, wenn auch falsch bezeichnet, von *Ost-* und Westdeutschland spricht. Sind die Akteure dieses Radiosenders so wenig reflektiert, dass sie ihre eigene konstruierte Gedankenwelt nicht wahrnehmen, oder ist dies kalkuliert?

Das grundlegende Fundament einer jeden Gesellschaft ist die Familie. Auch der Begriff Familie kann aus dem lateinischen Begriff *Familia* abgeleitet werden. Brockhaus beschreibt eine Familie in der Regel als *„Elternpaar mit unselbständigen Kindern als Einheit des Haushalts."* [ebd. Brockhaus] Die Natur definiert unmissverständlich, wer Eltern eines *„unselbständigen"* Kindes ist. Anders, als heute fälschlicherweise vielfach angenommen und verbreitet wird, ist dieser Begriff allein dadurch eben nicht der Beliebigkeit ausgesetzt, sondern als Naturgesetz, durch Abstammung zweifelsfrei definiert und von unumstößlichen Grundsätzen geprägt. Wer diesen Grundsatz infrage stellt, stellt Natur und deren Gesetze, damit auch Gott ganz grundsätzlich infrage. Doch selbst Anton Hofreiter erkennt die Existenz von Naturgesetzen und damit indirekt auch die Existenz von Gott zweifelsfrei an. Dies zeigt das oben erwähnte Zitat von ihm. Wer dennoch Familie neu zu konstruieren beginnt, belegt seine Ideologie, die auf Lüge aufgebaut ist, entfernt sich von der Natur und verstößt gegen deren Gesetze. Familie ist ein Grundprinzip und damit ein Naturgesetz. Willkür versucht auch dieses Fundament zu zerstören.

Konstruktion und Illusion haben viel mit Lüge gemein. Auf diesen Tatbestand wird an anderer Stelle noch näher eingegangen. Wenn das Fundament eines Hauses zu bröckeln beginnt und zusätzlich von außen die Abrissbirne angesetzt wird, um es zu zerstören, wird dieses Haus zwangsweise einstürzen. Dies ist eine mathematische Gewissheit, ein Naturgesetz. Ebenso, wie es sich mit diesem Beispiel verhält, wird es uns ergehen, wenn wir weiterhin Familien stören und zu zerstören versuchen. Wenn wir uns unsere selbst geschaffenen Realitäten genau ansehen, werden wir erkennen können, dass wir uns auf dem falschen Pfad der Konstruktion befinden. Natur ist Wahrheit und Wahrhaftigkeit. Vom Menschen geschaffene Konstruktion, wider die Natur, führt uns tiefer und tiefer in die Lüge, den Selbstbetrug und Fatalismus, denn Lüge benötigt Konstruktion. Beweisen nicht gerade diese Bestrebungen, Familie und deren Bedeutung neu konstruieren zu wollen, wie weit sich diese Menschen von der Natur und damit von Gott entfernt haben?

Selbstverständlich gibt es eine Vielzahl unterschiedlicher Formen des Zusammenlebens. Selbstverständlich haben alle diese Formen ihre Daseinsberechtigung, dennoch folgen diese Formen nicht zwangsweise den Grundsätzen des natürlichen Familienbegriffs. Der Status der Familie ist naturgemäß klar definiert und eben nicht jederzeit veränderbar und variabel, auch und gerade dann nicht, wenn dies einige Menschen annehmen und dies ihren Wunschvorstellungen entsprechen mag. Diese Formen mögen auf dem unumstößlichen Grundsatz der Familie aufbauen, sie sind jedoch nicht zwangsweise mit ihr gleichzusetzen. Wer jedoch alles gleichzusetzen versucht, strebt letztlich ein totalitäres Herrschaftssystem an. Die oben erwähnte Definition des Faschismus und Totalitarismus bringt dies zutage. Diejenigen, welche diese Wahrheit mit Gewalt beantworten, weil sie diese Ideologie entlarvt, offenbaren sich ihrem Umfeld und sich selbst. Dieses anschauliche Beispiel ist ein Spiegel unserer Zeit. Wir verkennen, dass es Grundsätze des Lebens, sogenannte Naturgesetze, gibt. Unser Hochmut und verirrter Fortschrittsglaube verleiht uns die scheinbare Zuversicht, dass wir uns über jegliches

Naturgesetz hinwegsetzen könnten. Doch hierbei handelt es sich um einen Irrglauben, der von Hochmut geprägt und geleitet ist, und dies hat fatale Auswirkungen, wie wir gerade in dieser heutigen Zeit in allen Lebensbereichen erkennen und anerkennen dürfen. Was fehlt, ist ein klarer und wacher Geist, der diese Naturgesetze anerkennt und unseren Verstand und unser Ego leitet, danach zu leben und zu handeln. Der am 25. September 1958 verstorbene österreichische Naturforscher Viktor Schauberger weist uns mit seinem Appell den Weg, indem er sagte, dass wir die Natur kapieren und dann kopieren[26] sollten. Unser vielfach krankes Ego und unsere Bequemlichkeit führten jedoch zu Dekadenz und Hochmut. Beides sind Untugenden, welche letztlich das Fundament einer jeden Gesellschaft zu zerstören drohen. Auch das alte Rom ist an seiner eigens geschaffenen Dekadenz gescheitert, weil es gegen Naturgesetze verstoßen hat. Schauen wir uns heute die vielfach zerstörten Familien an, dann erkennen wir, in was für einer Gesellschaft wir leben und warum.

Wir stehen vor einer weiteren großen, wenn nicht sogar vor der größten Zeitenwende, die wir in der Menschheitsgeschichte bisher erleben werden. Und diesmal betrifft es uns alle. Wir befinden uns in einem Transformationsprozess, der seinesgleichen in der Geschichte der Menschheit suchen wird. Insofern stimme ich grundsätzlich den Aussagen von Angela Merkel und Greta Thunberg zu. Dieser Transformationsprozess wird sich auf allen Ebenen unseres eigenen Mikrokosmos, als auch auf Makroebene von Gesellschaften auswirken. Geschichte wiederholt sich nicht genauso, wie sie einst geschah, dennoch spiegelt sie sich in der heutigen Zeit wider. Unser Heute ist immer mit dem Damals verbunden. Eine zentrale Frage ist und war zu jeder Zeit, was lernen wir und sind wir bereit zu lernen, um den Weg zum Guten zu ebnen? Bevormundung und Verbote sind fern von echten Lösungen, da sie Ausdruck von Macht sind und spalten. Sie stammen zudem nicht aus der Füllfeder eines

---

[26] Schauberger, Viktor: Die Natur kapieren und kopieren (Dokumentarfilm, 2008). https://www.youtube.com/watch?v=R4h_yiDIuQE

Erwachsenen. Denn durch Verbote und Bevormundung wird Zwiespalt erst ermöglicht, befördert und vertieft. Es wird nichts gut, wenn nicht jeder Einzelne seinen positiven Beitrag dafür zu leisten bereit ist. Zwang wird dies nicht ändern und schon gar nicht verbessern, Bereitschaft zum Lernen und die sich daraus ergebenen Erkenntnisse hingegen schon. Verbote und Bevormundung triggern unser Ego, aber nicht unseren Geist. Machtvolles Verhalten durch Bevormundung und Verbote schaffen Widerstand. Ist Widerstand eine Bedürfnisinformation?[27] Alle unsere heutigen, vor allem selbst geschaffenen, Herausforderungen spiegeln uns jeden Tag *lauter* und *lauter*, dass unsere Frequenz in erheblichem Maße gestört zu sein scheint, denn wir befinden uns auf Abwegen und haben offenbar unseren Sender verstellt. Es ist an der Zeit, echte, lösungsorientierte Verantwortung zu übernehmen und unsere Frequenz genau darauf auszurichten. Verantwortung ist nicht Verbot, Bevormundung, Beschneidung, Begrenzung und Schaffung von Mangel. Wer von Demokratie spricht und diese als Grundlage seines politischen und gesellschaftlichen Handelns angibt, sie immer wieder beschwört und einfordert, sollte nicht nur den Eindruck erwecken, als sei er Demokrat, sondern nach seinen Worten auch dementsprechende Taten folgen lassen. Gerade daran durfte im Zusammenhang mit der Wahl des Ministerpräsidenten in Thüringen gezweifelt werden. Seien wir dennoch dankbar für derartige Entwicklungen, weisen sie uns den Weg zur Wahrheit, denn dadurch wird Lüge entlarvt. Das Fanal unserer Gesellschaft wird auch dadurch immer deutlicher erkennbar. Umweltfragen, Bildung, Art und Weise des gesellschaftlichen Zusammenlebens, Fragen der persönlichen Entwicklung und Gestaltung der selbstbestimmten Daseinsform, Umgang miteinander, Neuschaffung und Erhalt der individuellen Freiheit sowie Ausbau eines wirklichen Friedens auf und vor allem mit diesem Planeten, sind Kernaufgaben unserer Zeit, denen wir uns friedlich widmen dürfen und mit denen wir uns zunehmend beschäftigen werden.

---

[27] Wienands, András: Choreographien der Seele. Systemische Psycho-Somatik. Kösel Verlag 2005

Ob wir es nun wollen oder nicht, wir werden uns unserer Verantwortung bewusst werden und diese entsprechend und adäquat wahrnehmen lernen. Wir werden die Fragen unserer Zeit so positiv wie irgend möglich beantworten, vorausgesetzt, wir übernehmen vor allem selbstbestimmt Verantwortung, wie Gott es von uns zu jeder Zeit erwartet hat. Verantwortung aus uns selbst heraus, selbstbestimmt, ohne Zwang, Bevormundung und menschlich konstruierte Verboten. Selbstbestimmung überwindet Spaltung, doch dafür ist Erkenntnis eine notwendige Voraussetzung. Um erkennen zu können, ist es notwendig zu lernen. *„Lernen ist wie Rudern gegen den Strom. Hört man damit auf, treibt man zurück",* soll der chinesische Philosoph Laotse[28] gesagt haben. Wenn der überwiegende Teil der Menschen in eine Richtung geht, sollte man aufmerksam werden und reflektieren, ob es noch ein guter Weg ist? Nichts mehr und vor allem nichts weniger steht vor unseren Haustüren und klopft inzwischen lautstark bei jedem von uns an. Die sogenannte „Corona-Krise" ist Auftakt für diese abzuschließende Phase. Dies sind zentrale Herausforderungen, denen sich jeder Mensch, ohne Ausnahme, nun zunehmend wird stellen dürfen, weil derzeitige und zukünftige Not es so von uns verlangen wird. Tief in unserem Innersten spüren wir diesen Umbruch, diese Veränderung, diesen Wandel, der nicht aufzuhalten sein wird. Wir wissen insgeheim, dass wir dem und unserer Verantwortung nicht entkommen werden. Vieles erscheint uns oft noch diffus. Wir sehen schemenhaft, was sich uns langsam hinter einem virtuellen Nebel offenbaren wird. Tief in unserem Bewusstsein wissen wir jedoch, dass nun der Moment für eine Zeitenwende gekommen ist. Ein „weiter-so-wie-bisher" geht zu Ende, mit und ohne uns. Dabei ist es unabhängig davon, ob wir dies nun wollen oder nicht. Unser Ego wird nun in seine natürlichen Grenzen verwiesen. Wir stehen vor diesem Wendepunkt, der uns alle betrifft und vor dem sich niemand wird mehr wegducken können.

---

[28] Schilling, Wilhelm: Laotse Zitat zum Lernen.
https://www.wirtschaftspsychologie-aktuell.de/editorial-2014-3.html

Was ist also zu tun, um die noch immer vielfach verbreitete Not auf und mit diesem einzigartigen Planeten zu wenden? Zwei entscheidende Dinge für diesen Weg sind die Bereitschaft zu Lernen und Verantwortung zu übernehmen, wie es für jeden von uns bestimmt ist. Was hat uns bisher vor allem vom wahrhaftigen Lernen abgehalten? Wir haben uns viel zu lange Sinnlosem und vor allem Geistlosem gewidmet und beten Götzen an. Das vermochte ein wirkungsvolles Fortschreiten im Sinne einer schöpferischen Kraft zu stören. Wir produzieren Plastikmüll sowie geistigen Müll und verhindern dadurch ein geistig sinnvolles Fortschreiten, weil unsere vom Ego vielfach geprägte Gier unsere Sinneswahrnehmung leitet und unsere Sinne betäubt. Es ist an der Zeit zu erwachen, um zu erkennen, worum es wirklich geht. Dies als Notwendigkeit, um unseren Blick und Geist auf Wert-volles auszurichten, unseren Verstand zu schärfen und entsprechend geistreich zu handeln. Auf diese Weise kehrt Fülle in unser Leben zurück. Wenn wir uns mit Wert-losem beschäftigen, brauchen wir uns nicht zu wundern, wenn unser Leben Wert-los wird und ist. Auch das ist ein Naturgesetz. Auch dieser Grundsatz folgt dem Gesetz der Anziehung. Es geht um Wirklichkeit und Wahrhaftigkeit. Unsere bisherige Bequemlichkeit hat unser Handeln jedoch so sehr geprägt, dass wir unfähig wurden, beides erkennen zu können. Unsere Bequemlichkeit hat auch dazu geführt, dass wir Götzen statt Göttlichem folgen. Unsere Bequemlichkeit prägt und leitet unseren Widerwillen zu lernen und unsere Verantwortung wahrzunehmen. Wir folgen vielfach dem Irrglauben, dass wir uns vor unserer Verantwortung davonstehlen könnten und dies ohne Folgen sei und merken dabei gar nicht, dass dies gegen Naturgesetze verstößt und uns letztlich sterbenskrank machen kann. Nicht ohne Grund erkranken und sterben so viele Menschen an fundamentalen Krankheiten. Unsere Bequemlichkeit führte zu unserem heutigen Fatal. Ein Mensch, der den Ast, auf dem er sitzt, absägt, beweist, dass er offenbar unzureichend bereit ist zu lernen und noch weniger bereit zu sein scheint, erkennen zu wollen, wie verantwortungslos er handelt. Wer verantwortungsbewusst und lernbereit denkt und handelt, kommt gar nicht erst auf die Idee eine Säge in die Hand zu nehmen, um dann seinen Ast abzusägen. Wir sind jedoch fleißig dabei, unseren Ast abzusägen bzw. bereitwillig zuzusehen, wie uns der Ast abgesägt wird, auf dem wir sitzen.

Verantwortung und Lernen brauchen den Grundsatz des Erwachens und Erwachsenseins. Schauen wir uns unsere von und durch uns selbst gestaltete und gespaltene Welt genau an, so dürfen wir erkennen, dass es uns vielfach offenbar und vor allem daran mangelt, überhaupt Willens zu sein, wahrhaftig zu lernen und Verantwortung zu übernehmen. Wir verhalten uns vielfach wie bockige Kinder und arrogante Eltern, die über allem zu stehen scheinen, vielfach jedoch nicht bzw. nur unzureichend erwachsen sind. Eine Welt mit echten Erwachsenen sieht anders aus, als die, die wir uns selbst geschaffen haben. Wie sagte Max Frisch doch so trefflich: *„Wir könnten Menschen sein, einst waren wir schon Kinder."*[29] Der Hinweis sei erlaubt, Kinder sind explizit auch Menschen. Wir folgen nur eben vielfach dem Irrglauben, dass erwachsen sein in erster Linie mit einem bestimmbaren Alter zu tun hat und erziehen Menschen bis zu diesem Alter als unmündige Kinder. Mit Vollendung des achtzehnten Lebensjahres wird diesem Menschen dann mitgeteilt, dass er nun erwachsen sei. Dieser Irrsinn belegt unseren Fatalismus. Es ist eine Konstruktion, eine Lüge. Die Auswirkungen sind deshalb oft ebenso fatal. Erwachsen sein ist kein Alter, erwachsen sein bedeutet in aller erste Linie Bereitschaft zu zeigen, lernen zu wollen und Verantwortung zu übernehmen. Erwachsen sein ist daher vor allem Verhalten und Verhältnis. Doch dazu ist es notwendig, zu erwachen. Dieses Wort steckt im Begriff erwachsen sein und hat deshalb sehr viel mit einem Erwachen zu tun. Ein Mensch, der nicht erwacht ist oder nicht erwachen will, kann demnach kaum Erwachsen werden oder sein. Ein Tier und eine Pflanze kämen niemals auf den Gedanken, gegen Naturgesetze zu verstoßen. Dieses „Privileg" ist allein dem freien Willen des Menschen vorbehalten. Ein Tier handelt nach dem ihm

---

[29] Frisch, Max, Zitat Donnerstag 5. Mai 2011: http://treibgut-fundstuecke.blog-spot.com/2011/05/wir-konnten-menschen-sein-einst-waren.html

verliehenen Instinkt. Der Mensch hingegen besitzt die Fähigkeit hinterfragen und Entscheidungen nach seinem freien Willen treffen zu können. Dieser freie Wille führt jedoch nur dann zu einer guten Lösung, wenn ein Mensch erwachsen ist und danach handelt. Nichts belegt uns in unserer Zeit so deutlich, in welchem Zustand wir uns wirklich befinden, wie die von und durch uns selbst geschaffenen Realitäten. Wir bewundern vielfach das Phänomen des tierischen Instinktes, glauben dabei oft fälschlicher Weise, dass wir Menschen über diesen Instinkt erhaben seien und ungesühnt gegen Naturgesetze verstoßen könnten. Unsere heutige Zeit belegt uns jedoch über alle Maße deutlich, dass wir selbst genau davon betroffen sind.

Die Erde befindet sich in einem der größten Transformationsprozesse, und wir Menschen sind zwingend Teil dieses Prozesses, da wir existenziell abhängig von ihr sind. Wir werden lernen, uns diesem Prozess anzupassen, wie es Tiere und Pflanzen von je her gewohnt waren, und zwar freiwillig. Wir werden unsere Verantwortung für uns und unser Umfeld aus der Erkenntnis heraus und freiwillig wahrnehmen, weil es die Entwicklung der Zeit notwendig macht. In der Vergangenheit waren vielleicht noch Möglichkeiten gegeben, um sich dieser Verantwortungen, zumindest gefühlt, entziehen zu können. Dieser Transformationsprozess, in dem sich diese Erde befindet, wird uns mitnehmen und dazu führen, uns hin zu selbstbestimmten Erwachsenen zu entwickeln und unsere Verantwortung für uns selbst und diese Welt, in der wir leben, wahrzunehmen. Dies betrifft jeden Einzelnen von uns!

Dieses Buch gibt Ansporn und Motivation, aktiv an diesem Transformationsprozesses teilzunehmen. Es wird Mut machen, Verantwortung zu übernehmen, denn die Welt wird nicht untergehen, wenngleich dies derzeit erneut und vielfach behauptet und angedroht wird. Panik ist der falsche Weg, auch wenn diese von einigen scheinbaren „Heilsbringern" gefordert wird. Was diese Menschen in der Beobachtung jedoch vielfach treibt, ist ihre eigene Angst und der Mangel an göttlichem Vertrauen. *„An ihren Schreien könnt ihr sie* *erkennen"*, so Abd-Ru-Shin.[30] Angst ist ein Wegweiser. Sie ist gut und vielfach notwendig, um unsere Not zu wenden. Sie ist jedoch nicht der Endpunkt und schon gar nicht die Lösung selbst, sondern Anfang eines möglichen Lösungsweges. Es heißt nicht ohne Grund, dass in der Ruhe die Kraft liegt und der Weg dort ist, wo die Angst ist. Wir Menschen haben eine Aufgabe und diese heißt, unsere naturgemäße Verantwortung zu übernehmen und nach natürlichen Grundsätzen zu handeln. Wer Freiheit bekämpft und unterdrückt, handelt alles andere als verantwortungsvoll und im Sinne von Naturgesetzen. Der Weg über die Verantwortung führt zum Erwachen und vor allem zum Erwachsenwerden. Wer bereit ist, seine Verantwortung für sich und diese Welt mit aller Konsequenz wahr- und anzunehmen, wird erwachsen werden können und dafür letztlich mit Unabhängigkeit, Selbstbestimmung und vor allem Freiheit und Fülle belohnt. Doch wer sich weiterhin weigert, Verantwortung anzunehmen und weiterhin versucht, sie von sich abzustreifen, bleibt letztlich unselbständig und fremdbestimmt. Dieser Mensch wird sein Leben vor allem in Unfreiheit fristen. Krankheit, Mangel und Verlust sind selbstgeschaffene Folgen solchen Handelns. Schauen wir uns unsere Gesellschaft an. Wer Krankheit der Gesundheit vorzieht, wird sie erleben und erleiden können. Niemand möchte jedoch ernsthaft krank sein, doch viele sind es, und dies hat seinen Ursprung und seinen Grund. Was könnte das mit Verantwortung zu tun haben? Verantwortung und alles, was mit ihr zu tun hat, ist eine Form von Energie, denn alles ist Energie und alles speist sich aus ihr. Ist der Energiefluss dauerhaft blockiert und gestört, wirkt sich das vor allem negativ auf jeden Organismus aus und wird und bleibt im schlechtesten Fall krank und/oder stirbt. Dies betrifft jeden Organismus!

Eine der wichtigsten Fragen unserer Gegenwart befasst sich mit dem Thema der Lebensqualität. Dies betrifft sämtliche Lebensbereiche. Lebensqualität wird vor allem unsere Zukunft bestimmen, denn wir

---

[30] Shin, Abd-Ru-: Gralsbotschaften. Im Lichte der Wahrheit. Hörbuchausgabe. Verlag der Stiftung Gralsbotschaften Band I-III, Mai 2017

werden uns fragen, ob wir in Fülle oder weiterhin im Mangel leben wollen. Fülle im Leben hat nicht zwingend mit materiellen Dingen zu tun, dies dürfen wir uns vergegenwärtigen. Fülle im Leben ist sehr individuell zu betrachten und anzuerkennen. Der zukünftige Mensch wird gesund sein und sich weder im Krankenhaus noch in Pflegeheimen befinden, obwohl wir uns diese Zukunft unter den bisherigen Begebenheiten noch nicht vorstellen können. Eine sehr wichtige Grundvoraussetzung dafür ist die Bereitschaft, als Erwachsener freiwillig, voller Freude Verantwortung zu übernehmen und nach Lösungen zu streben. Was wir also vor allem brauchen, um all unsere Not und Nöte dieser Zeit zu entfernen, sind Lösungen und den Willen zum Lernen. Diese werden jedoch nur auf der Ebene eines erwachsenen Handelnden erzielt und nur dort Anwendung finden können.

Erwachsen sein können Kinder ebenso, wie es sogenannte Erwachsene sein können, die nach unserer derzeitigen Vorstellung das achtzehnte Lebensjahr erreicht haben. Es ist eine Konvention, eine gesellschaftspolitische und juristische Vereinbarung, mit dem achtzehnten Lebensjahr als Erwachsener zu gelten. Deshalb sprechen wir auch von geltendem Recht. Doch wenn etwas Geltung erlangt, bedeutet dies nicht zwangsläufig, dass es auch Gültigkeit erlangt hat. Um erwachsen zu sein, bedarf es in erster Linie der Annahme unseres Selbst sowie die Annahme unserer Verantwortung, vor allem der Eigenverantwortung. Der Rest ist Ego, das letztlich uns alle zu diesem Fatalismus geführt hat. Ego will es möglichst bequem haben, und deshalb stört es immer und immer wieder unsere Fähigkeit, Verantwortung zu übernehmen.

Wir befinden uns jedoch in rasantem Tempo auf dem Weg eines Heilungsprozesses und im Status einer Art sogenannter Erstverschlimmerung. Wenn unser Ego schweigt und die Verantwortung und Vernunft obsiegt, wird Leichtigkeit und vor allem innerer Friede Einkehr halten, der sich uns dann auch im Außen präsentieren wird. Bei einem Heilungsprozess ist es oft notwendig, dass diese Erstverschlimmerung eintritt, um uns aufzuwecken, damit sogenannte Selbstheilungskräfte aktiviert werden können. Rüdiger Dahlke beschreibt dies sehr treffend mit den Worten, dass Krankheit ehrlich machen kann. Wir werden aufgeweckt, ob wir dies nun wollen oder nicht. Die Natur setzt sich letztlich immer über all unseren Willen hinweg, weil sie der göttlichen Schöpfungskraft entspricht, ihr entstammt und Naturgesetzen folgt. Die Ereignisse der heutigen Zeit weisen uns den Weg. Nehmen wir dies als wertvolles „Geschenk" an und Lernen wir diesen Prozess als den anzuerkennen, der er ist, ein Heilungsprozess.

Die heute verbreitete Vorstellung von Verantwortung ist vielfach ein Irrtum. Das belegt höchst anschaulich eine privat organisierte Gruppierung mit der Wahl und der dazugehörigen Begründung des sogenannten *Unwortes* des Jahres. *Klimahysterie* heißt es für das Jahr 2019. Begründet wird dies dadurch, dass dieser Begriff diskriminierend sei. Sie erteilen den Nutzern dieses Wortes eine Rüge, da dies eine offene Kritik an Organisationen und Akteuren sei, die sich für einen sogenannten Klimaschutz einsetzen. Verhalten sich so erwachsene Menschen? Es scheint so, wie es derzeit häufig in Erscheinung tritt. In der „Begründung" steckt ein unausgesprochenes Verbot und Bevormundung. Beides führt zu Widerstand und weiterer Spaltung, nicht zu Lösungen. Derartig einseitige Äußerungen erinnern darüber hinaus eher an die Orwell'sche Gedankenpolizei und Neusprech, als an einen verantwortungsbewussten Umgang mit Sprache. Kommt uns dies alles nicht längst bekannt vor? Ist Diskriminierung also eine Einbahnstraße? Wird nicht ebenso durch derartige Aussagen diskriminiert? *„Hört her, Bürger, das Sprach-Komitee hat entschieden, dieses Wort ist ab jetzt tabu!"* heißt es in einem am 14. Januar 2020 erschienen Bild.de Kommentar.[31] *„Einmal im Jahr rückt in Deutschland die Sprachpolizei zum Großeinsatz aus. [...] Unverkennbar will man mit dieser Schmäh-Trophäe die Wirklichkeit kuratieren und die Sprache säubern. Die Worte Lügenpresse, Genderwahn, Gutmensch, Ankerzentrum, Russland-Versteher, Humankapital, Ich-AG und Gotteskrieger wurden bereits in Haft genommen, um*

---

31 Bild.de, Piatov, Filipp, 14.01.2020:
https://www.bild.de/politik/kolumnen/kolumne/unwort-des-jahres-sprachpolizei-will-kritik-an-klimaschutz-aechten-kommentar-67323388.bild.html

sie sodann in die Verliese der Sprachpolizei zu deportieren. […] Die liberale Demokratie und ein vitaler Journalismus sollten sich diese Übergriffigkeit nicht gefallen lassen. Wir Journalisten werden das Wort Lügenpresse niemals mögen, aber wir sollten es als Denkanstoß verstehen, der diskutiert und nicht verboten gehört. Wir müssen Humankapital nicht goutieren, aber aushalten." So kommentiert es Gabor Steingart in seinem „Morning Briefing" vom 15. Januar 2020. Sein Vorschlag zur Güte: *„Vielleicht sollten wir die Sprachpolizei einfach abschieben. Zum Beispiel in die Zone medialer Nichtbeachtung. Das wahre Unwort des Jahres ist das Wort „Unwort"."*[32] Werden hier alte Weine durch neue Schläuche geleitet? Oder neue Weine durch alte Schläuche? Hatte nicht gerade Greta Thunberg dazu aufgerufen und gefordert, dass wir alle in Panik verfallen sollen, weil sie sich selbst offenbar in diesem Status befindet? Was Greta nicht gelungen ist, scheint politisch offenbar hervorragend gelungen zu sein, denn fast alle Menschen tragen, offenbar aus Angst und Panik, eine Gesichtsmaske. Das Bild in den Geschäften und öffentlichen Einrichtungen erinnert an eine finstere Vergangenheit, in der es ebenso einen Zwang zum Tragen von Masken gab. Auf dem T-Shirt-Druck mit dem Titel *„The Outlaw Legend Journal No. 026"* wird dies deutlich.

---

[32] Steingart, Gabor: https://www.gaborsteingart.com/newsletter-morning-briefing/iran-unter-druck/?wp-nocache=true

Abbildung 2

Bilder sagen oft mehr als Worte es je könnten. *„Richtig bekannt wird die Leidensgeschichte Escrava Anastacias aber erst Ende der 1960er, als in Rio de Janeiro zur Feier der 80-jährigen Abschaffung der Sklaverei im „Museu do Negro" das Konterfei einer Sklavin ausgestellt wird, deren Gesicht in eine eiserne Maske gezwängt ist. Sehr rasch mutiert die „Sklavin Anastacia" zur Schutzpatronin der Ausgestoßenen."[33]* Entscheiden Sie selbst, ob wir uns heute in einer vergleichbaren Situation befinden. Vielleicht könnte Escrava Anastacias in Corona Zeiten auch heute beispielhaft als Schutzpatronin für sogenannte „Verschwörungstheoretiker" dienen?

Selbsternannte Klimaschützer stellen radikale Forderungen nach einem sofortigen Ausstieg aus der Kohleförderung.

---

[33] Konterfei auf T-Shirts von Outlawlegend.at: Informationen zu Escrava Anastacia (Sklavin in Brasilien im 18. Jh.) http://www.outlawlegend.at/?legend=27

Der Bündnis 90/DIE GRÜNEN Politiker Anton Hofreiter fordert[34] erneut eine zeitliche Festlegung über das Aus von Verbrennungsmotoren. So schrieb die Wochenzeitung „Der Freitag" in ihrer 39. Ausgabe 2019 in einem Artikel, *„Als Cem Özdemir zum Beispiel noch Parteichef war [...] zog er mit der Forderung in den Bundestagswahlkampf, nach 2030 in Deutschland keine Autos mit Verbrennungsmotor mehr zuzulassen. [...] Aber auch Hofreiter sollte jetzt die Gelegenheit nutzen und sich an die radikalen Wurzeln seiner Partei erinnern."[35]* Handelt es sich bei dem Begriff der „Klimahysterie" wirklich um eine Diskriminierung, wenn das Bündnis 90/DIE GRÜNEN nun erneut durch Anton Hofreiter weitere Verbotsforderungen stellt, wie es regelmäßig vor allem auch von anderen SPD geführten Ministerien gefordert wird? Ein solches Verhaltensmuster erinnert sehr stark an Eltern-Kind-Verhältnisse und weniger an ein lösungsorientiertes Verhalten Erwachsener. Es wird Macht und Druck ausgeübt, ganz so, wie totalitäre Systeme es praktizieren. Ganz so wie Eltern es vollziehen, wenn sie unfähig zu sein scheinen, argumentativ und lösungsorientiert zu handeln und ihren Kindern ihre Liebe zeigen. Verbot statt Lösung?

Machtvolles Handeln führt letztlich zu innerem und äußerem Widerstand, und den erleben wir. Widerstand sei eine Bedürfnisinformation, heißt es. Welches Bedürfnis bleibt unbefriedigt, wenn sich Widerstand regt? Politische Akteure, die grundsätzlich zu Recht den Schutz ihrer Person fordern, da sie zunehmend bedroht werden, tragen zum Teil jedoch eine erhebliche Mitverantwortung daran, dass sie überhaupt bedroht werden. Eltern, die auf Dauer ihr Kind drangsalieren und unterdrücken, missbrauchen und gegen diese Gewalt anwenden, werden ihre Konsequenzen aus ihrem Handeln früher oder später erleben und ggf. selbst erleiden dürfen. Wir ernten was

---

34 Der Tagesspiegel, 08.04.2019:
https://www.tagesspiegel.de/politik/im-sinne-des-klimaschutzes-gruene-wollen-benziner-und-diesel-von-2030-an-verbieten/24193546.html
35 Der Freitag digital, Augstein, Jakob, 39. Ausgabe 2019:
https://digital.freitag.de/3919/think-greta/

wir säen. Im Volksmund nennt man so etwas auch Rache. Es heißt jedoch, dass Rache die feigste Form der Trauer sei. Ein auf Dauer misshandelter Hund wird irgendwann zurückbeißen, und dieser Biss kann tödlich sein. Wer Radikalität fordert und fördert, darf sich über eine Verrohung der Gesellschaft kaum wundern, wenn diese sich zunehmend selbst radikalisiert. *„Wer Wind sät, wird Sturm ernten"* [Hosea 8:7].[36] Es ist bedauerlich, wenn sogenannte Verantwortungsträger auch dieses Naturgesetz dauerhaft missachten. Bedauerlich ist ebenso, dass diese vermeintlich ernannten Verantwortungsträger durch ein derartiges Verhalten ihre Verantwortungslosigkeit höchst anschaulich belegen. Anstatt achtungsvoll und gegenseitig wertschätzend mit den Menschen Lösungen zu erarbeiten, wird achtlos und mit Vorliebe über diese Menschen mit Verboten hinweg dirigiert. Moses führte die Hebräer aus ihrer ägyptischen Sklaverei, auch wenn es dafür Zeit und die „Überzeugung" des Pharaos bedurfte. Wer führt uns heute aus dieser Drangsal? Und wen wundert es noch, dass vor allem diese Politiker und Politikerinnen durch ihr selbst zu verantwortendes Verhalten zunehmend an Zuspruch verlieren? Die Antwort ist einfach, denn wir selbst sind es. Wer will schon gern mit Verboten belegt werden, die vielfach vor allem nicht zu Lösungen und zum Wohle aller führen, sondern höchstens Macht und Machtmissbrauch demonstrieren? Menschen wollen frei sein, denn Freiheit ist ein Naturgesetz.

„Klimawandel ist die größte Bedrohung für die Menschheit." So beschreibt es „Zeit Online" in ihrem Artikel vom 15. Januar 2020 und weist damit auf das in diesem Jahr anstehende Weltwirtschaftsforum in Davos hin. Inzwischen dürfte es das Corona-Virus sein, oder vielleicht doch beides? *„Von den Folgen der Klimakrise und des Artensterbens geht die größte Gefahr für die Menschheit aus. Zu diesem Ergebnis kommt der Global Risks Report 2020, den das Weltwirtschaftsforum (WEF) eine Woche vor seinem jährlichen Treffen in Davos vorgestellt hat. Zum ersten Mal in der Geschichte des Reports*

---

[36] Lutherbibel 2017: Zitat Hosea 8:7. https://www.bibleserver.com/LUT/Hosea8

sind dabei die fünf größten Risiken – in Bezug auf ihre Wahrschein-
lichkeit – alle auf die Umwelt zurückzuführen. Die Expertinnen und
Experten gaben für ihre Bewertung an, für wie wahrscheinlich sie das
jeweilige Bedrohungsszenario halten und wie groß dessen Auswir-
kungen sein würden. Besonders wahrscheinlich sind demnach
extreme Wetterlagen wie Überschwemmungen und Stürme, eine
misslungene Anpassung an den Klimawandel, Naturkatastrophen
wie Erdbeben, Tsunamis, Vulkanausbrüche und geomagnetische
Stürme. Auch einen schwerwiegenden Verlust biologischer Vielfalt
sowie einen Zusammenbruch des Ökosystems halten sie für wahr-
scheinlich. Wie schon in Vorjahren droht dem Bericht zufolge durch
Massenvernichtungswaffen zwar größter Schaden, doch schätzen
die Expertinnen und Experten deren Einsatz als eher unwahrschein-
lich ein.“[37] So heißt es dort weiter. Was ist in Zeiten der *Corona-Krise*
von dieser Hysterie noch zu hören und zu lesen? Heute dürfte diese
Position der sogenannten Klimakatastrophe sicher vom „Corona-Virus“ übernommen worden sein. In der oben genannten Theorie ist
eben alles möglich. Doch wie kann dies sein, wenn Studien belegen,
dass sich die Erde eher beruhigt hat, da es u. a. deutlich weniger
Stürme gibt? Seien Sie unbesorgt, auch auf dieses Thema wird an
anderer Stelle noch näher eingegangen. Wie kann also ein natürli-
ches Phänomen, wie ein Wandel und damit auch der sogenannte
Klimawandel die größte Bedrohung der Menschheit sein? Was veranlasst diese Akteure Derartiges zu behaupten? Wissen sie erneut
mehr als der Schöpfer selbst? Sind dies vielleicht Methoden, um ein
an sich vom Niedergang geprägtes System auf diese Weise aufrechterhalten zu können? Handelt es sich bei der Nutzung des Begriffs *Klimahysterie* nun tatsächlich um eine Diskriminierung? Kann
es Absicht sein, diejenigen damit zu kritisieren, weil sie ein beste-
hendes System und deren Methoden infrage stellen? Es heißt, dass
jedes bestehende System bestrebt sei, sich unter allen Umständen
erhalten zu wollen. Wenn dem so ist, bedeutet dies, dass jedes

---

37 Zeit Online, 15. Januar 2020: https://www.zeit.de/wirtschaft/2020-01/welt-
wirtschaftsforum-studie-klimawandel-bedrohung-umweltrisiko-oekosystem

System letztlich bemüht ist, einen Status Quo zu manifestieren und einen Wandel zu verhindern. Insofern passt die Forderung von Annalena Baerbock, die fordert, dass der Klimawandel aufgehalten werden müsse. Dieses Szenario bildet nicht zuletzt auch die Finanzpolitik der sogenannten Europäischen Union höchst anschaulich ab. Der schwerkranke Patient des Euro soll unter allen Umständen am Leben erhalten bleiben, obwohl vieles für sein Absterben spricht. Insbesondere die derzeitige Entwicklung wird zu diesem Zusammenbruch des Euro-Systems beitragen. Jeder noch so irrational eingeschlagene Weg und Rechtsbruch soll dieser Maxime der Systemerhaltung dennoch dienen. Demnach scheint es eine fast logische Konsequenz zu sein, diejenigen vor allem herab zu werten, welche die bestehenden Verhältnisse in Zweifel ziehen und Systeme hin zum Besseren verändern wollen. Nachzulesen ist diese Methode bereits im Alten Testament. Die Philister unterdrückten das Volk Israel so lange, bis Samson den Tempel der Philister zum Einsturz brachte und dabei starb.

Warum und aus welchem Grund entstehen demzufolge also grundsätzlich Begriffe wie Klimahysterie? Entstehen sie aus einem luftleeren Raum? Sind sie nicht viel eher Abbild und Spiegel einer gewollt oder ungewollt geschaffenen Welt? Wie wäre es, wenn Panik und Hysterie gewollt wären? Ist ein in Panik versetztes Volk letztlich nicht sogar besser manipulierbar? Eine aus heutiger Sicht durchaus vertretbare Annahme. Unter derartigen Gesichtspunkten macht es Sinn, wenn diejenigen, welche die Situationen mit Begriffen wie Klimahysterie beschreiben, entsprechend kritisiert werden und ihnen nachgesagt wird, sie handelten diskriminierend. Doch ist es nicht ebenso diskriminierend, wenn derartige Meinungen als diskriminierend bezeichnet werden? Wie wir wissen dürften, löst Panik vielfach Angst aus. Ist eine angsterfüllte Gesellschaft nicht besonders regulier- und steuerbar? Angst engt ein und macht uns vielfach unfähig, klar zu denken und aus einer inneren Ruhe und Zuversicht heraus zu handeln, weil wir z. B. dadurch einen Vertrauens- und Existenzverlust vermuten und erleiden können. Panik lähmt uns, sofern wir ihr verfallen. Dabei geht es nicht um Verschwörung und deren Theorie. Es geht, wie so häufig, um die Benennung von Macht, Einflussnahme und möglichem Partikularinteresse, die dem Weg des Geldes folgen. Handeln dabei diese nach Macht und Geld strebenden Akteure wirklich verantwortungsbewusst, oder erwecken sie lediglich den Anschein? Warum wird also vor allem diese einseitige Kritik der *Sprachschützer* oder *Sprachhüter* medial inszeniert und zelebriert? Wie sinnvoll wäre es für uns alle, wenn wir ganz grundsätzlich aufhören zu kritisieren, destruktiv zu bewerten, zu be- und verurteilen und dafür gemeinsam lösungsorientiert zu denken und danach zu handeln? Gibt es nicht bereits unverhältnismäßig viel Destruktion in der Welt? *„Nach dem technischen Fortschritt, kommt der menschliche Fortschritt"*, sagt Petra Bock. Damit dürfte sie den Nagel auf den Kopf getroffen haben. Sie ist eine der erfolgreichsten Coaches Deutschlands. Es sind Sätze wie dieser, die dazu beitragen können, unsere destruktive Welt zu beenden und hoffnungsvoll in die Zukunft zu schauen und diese entsprechend geistreich zu gestalten. Wäre es angesichts derartiger Perspektiven vielleicht besser, persönlich Verantwortung zu übernehmen, um als erwachter und erwachsener Mensch das zu tun, wofür wir alle bestimmt sind? Selbstbestimmt und frei in Verantwortung Anderen, Anderem und uns selbst gegenüber zu leben und zu handeln, um Fülle schöpfen und erleben zu können? So dürfte sicher ein Fortschritt im Sinne von Petra Bock zu verstehen sein. Welchen Wert hat es demgegenüber also, wenn Panik und Hysterie dazu beitragen sollten, Partikularinteressen durch Verbote besser durchsetzen zu können? Welche dieser beiden Ausrichtungen fühlt sich für Sie besser an und wie schätzen Sie andere Menschen bei der Beantwortung dieser Frage ein? Wir haben immer und zu jeder Zeit eine Wahl und treffen diese letztlich bewusst und unbewusst. Selbst wenn wir den Eindruck gewonnen haben mögen, dass manchmal Entscheidungen über uns hinweg getroffen wurden, letztlich haben *wir* entschieden, dass dies so gemacht werden durfte, da wir es zugelassen haben.

Es liegt also in unser aller Verantwortung, für welchen Weg wir uns entscheiden. Schätzen wir unseren klaren Geist und setzen wir ihn dafür ein, wofür er uns gegeben wurde. Wir haben lange versucht diesen durch unseren meist Ego getriebenen Verstand zu ersetzen, weil wir glaubten, dass nur dieser unsere Entwicklung voranbringen kann. Das fatale Ergebnis wird uns allen nun präsentiert. Die sachlich ausgerichtete Aufmerksamkeit allein auf den Verstand ist ein entscheidender Grund, warum wir uns in diese Hybris hineinmanövriert haben. Dadurch haben wir in eklatanterweise gegen Naturgesetze verstoßen. Die Verstandesebene ist unmittelbar mit unserem Ego, unserer Bequemlichkeit und dadurch mit der Materie bzw. dem Materiellen verbunden. Verlust und Angst stammen aus ebendieser und ausschließlich aus dieser Ebene des Verstandes, des Ego, denn dieses ist immer und pausenlos darauf bedacht, das Materielle mit aller Macht erhalten zu wollen. Der Geist ist Hüter und Wächter des Verstandes und nicht umgekehrt. Der Grund dafür ist offensichtlich. Ein klarer Geist ist unabhängig von Materie, der Verstand nicht. Und deshalb ist es sinnhaft, ihn als Lenker und Leiter einzusetzen und zu nutzen. Nur in ihm steckt letztlich die Kraft, um vor allem positiv schöpferisch tätig werden zu können. Der Verstand ist lediglich ein Werkzeug des Geistes, um diese schöpferische Kraft wirken zu lassen und entfalten zu können. Geben wir dem Geist und dem Verstand die Aufgaben zurück, für die beide bestimmt sind und immer waren, und lernen wir ein anderes, besseres Leben in Verantwortung und Vernunft zu leben und zu gestalten, geleitet durch einen klaren und positiv ausgerichteten Geist. Ein gestörter Geist ist, wie das Wort höchst anschaulich verdeutlicht, in seiner sinnhaften und positiv schöpferischen Grundausrichtung, gestört. Die Gründe dafür können vielfältig sein, haben letztlich jedoch vor allem auch mit unserem übersteigerten Ego zu tun. Ist diese Störung aufgelöst, ist der Weg für einen klaren Geist geebnet. Dadurch wird unsere baldige Zukunft von mehr Unabhängigkeit und Selbstbestimmung geprägt sein, denn diese führt zu der Freiheit, die wir für die Entfaltung unserer individuellen Potenziale benötigen, um diese Welt besser verstehen und vor allem lebenswerter gestalten zu können. Auch wenn es bei dem Zitat von Klaus D. Koch heißt, dass Denker überall willkommen seien und Andersdenker immer woanders. Der US-amerikanische Autor Gary Zukav weist uns einen baldigen Weg: *„Seien Sie nicht überrascht, wenn die Vorlesungsverzeichnisse über Physik im 21. Jahrhundert Vorlesungen über Meditation enthalten".*[38]

---

[38] Plöger, Tilo: Das Buch des Lebens. Die Mysterien von Geist und Materie. Verlag Tredition, Hamburg, 2016

2. Spiegel unserer Zeit

Ein Polizist hält eine Frau in einem Auto an, die anstatt der erlaubten 30 km/h sehr viel schneller fuhr. Der Polizist bittet sie um ihren Führerschein. Die Frau antwortet, dass sie gar keinen Führerschein habe, denn der wurde ihr vor einiger Zeit entzogen, da sie mehrfach wegen Trunkenheit am Steuer verwarnt wurde. Daraufhin bittet der Polizist um den Fahrzeugschein für den PKW. Die Frau antwortet, dass sie den Wagen gestohlen habe und nicht genau wisse, wo die Papiere seien. Sie geht jedoch davon aus, dass diese im Handschuhfach liegen, wo sie ihre Pistole hingelegt habe. Der Polizist fragt entsetzt nach der Pistole, woraufhin die Frau ihm mitteilt, dass sie eine habe, denn damit habe sie die Fahrerin des PKW erschossen und die Leiche in den Kofferraum gelegt. Nachdem der Polizist dies hörte, rief er seinen Kollegen um Verstärkung. Das Auto wurde umstellt, und der frisch eingetroffene Kollege bat die Frau erneut um die Papiere. Diesmal antwortete die Frau, dass er diese selbstverständlich von ihr bekommen könne. Der Polizist fragte auch erneut nach den Fahrzeugpapieren, die ihm die Frau ebenso unproblematisch übergab. Der Polizist bat die Frau das Handschuhfach zu öffnen, da er überprüfen wolle, ob sich dort eine Pistole befindet. Er stellte fest, dass dies nicht der Fall war. Letztlich wollte er in den Kofferraum schauen, um die Leiche sehen zu können. Er kehrte zurück zur Frau und sagte zu ihr, dass er diese Situation nicht verstehe. Sein Kollege habe ihm berichtet, dass sie keinen Führerschein habe, das Fahrzeug gestohlen sei, sie im Besitz einer Pistole sei und sie eine Leiche im Kofferraum verstaut habe. Diesen Ausführungen fügte die Frau hinzu, dass sie wette, dass der Polizist sicher auch gesagt habe, sie sei zu schnell gefahren …

3. Wo wir uns befinden

Wenn Sie wollen, glauben Sie nichts von dem, was hier in mühevoller und langjähriger Arbeit recherchiert und niedergeschrieben wurde. Überprüfen Sie gern sämtliche Aussagen auf ihre Sinnhaftigkeit und Wahrhaftigkeit, denn so können wir voneinander lernen. *„Wir hören alle viel zu früh auf zu denken"*, so ein Zitat von Max Planck (ebd.). Was für das Denken gilt, hat sicher ebenso Gültigkeit für das Lernen. Lernen ist eine wirklich erhellende Erfahrung, sofern sie freiwillig, frei von Angst, Verboten und Bevormundung vollzogen werden kann. Dies war möglich, da kaum jemand von diesem langjährigen Buchprojekt und dessen Inhalt wusste. Der Weg war geebnet, um diese Zeilen frei und wenig beeinflusst niederschreiben zu können. Dies bescherte mir sehr viel Freude und führte mich teilweise zu erstaunlichen Erkenntnissen über das Leben, das Phänomen der Schöpfung sowie den Menschen selbst.

Herzlich Willkommen in der Welt der Dualität und Lügen. Die Welt, in der wir zu leben gewohnt sind und von der wir trügerischerweise glauben, dass sie einer Wirklichkeit und Wahrhaftigkeit entspricht, ist eine Täuschung. Wer lügt, braucht vor allem ein starkes Durchhaltevermögen. Auf Dauer eine große und sehr gut formatierte „Festplatte", von der sämtliche Lügen sowie das dazugehörige Lügengerüst jederzeit glaubwürdig abgerufen werden können. Lügner müssen sich dauerhaft sehr vieles merken und weiterhin konsequent lügen, um scheinbar glaubwürdig wirken zu können und nicht aufzufliegen. Wer hingegen Wahrheit spricht, muss sich gar nichts merken. *„Anfangen ist leicht, aufhören schwer"*, heißt es in einem Artikel der volksstimme.de.[39] Diese Erkenntnis macht Lüge jedoch nicht besser. Sie bleibt, was sie ist, eine Lüge.

---

[39] Volksstimme.de, 02.01.2020:
https://www.volksstimme.de/ratgeber/ehrlichkeit-warum-jeder-mal-luegt

Je länger ein Lügen-Prozess dauert und an diesem festgehalten wird, umso komplexer wird häufig das dazugehörige Lügenkonstrukt. Eine Falle, aus der es nur einen Ausweg gibt, Wahrheit. Diese dann jedoch auszusprechen scheuen sich viele, weil dies Konsequenzen nach sich zieht. Manche Menschen ließen ihr Leben für die Wahrheit und weil sie zu viel von der Lüge wussten. Ein Grund, warum weiterhin am Weg der Lüge festgehalten wird. Lüge widerstrebt jedoch dem Naturgesetz der Wahrheit. Von dieser wissen wir, dass sie sich letztlich immer ihren Weg bahnt. Wer zu lange und zu viel lügt, läuft Gefahr sich zu verzetteln und letztlich doch aufzufliegen. Je größer die Lüge letztlich war, desto größer die Empörung darüber. Je größer und fataler die Auswirkungen dieses Konstruktes, desto größer die Forderungen nach Prävention, um derartige Ereignisse für die Zukunft verhindern zu können. Die Politikwissenschaft sollte ihren Beitrag zur Aufklärung leisten, so der Anspruch, um Phänomene wie den des National-Sozialismus fortschreitend verhindern zu können. In Phasen der Aufklärung und Erkenntnis heißt es oftmals, Anfängen wehrhaft Stand zu halten, damit sich Geschichte in dieser oder ähnlicher Form nicht wiederholen kann. Der Mensch neigt bedauerlicherweise jedoch dazu, zu vergessen, zu verdrängen und dazu, sich oftmals wenig präventiv, dafür umso mehr schmerzhaft erfahrend zu verhalten. Wir erinnern uns: *Die Welt wird nicht bedroht von den Menschen, die böse sind, sondern von denen, die das Böse zulassen.* Aufmerksamkeit und vor allem Wachsamkeit sind notwendig, um zu verhindern, was in der Geschichte und Gegenwart bereits zu häufig und in fataler Weise vollzogen wurde. Doch Lüge scheint nach wie vor zu funktionieren. Das Dilemma der Lüge ist jedoch in vielen Fällen, dass sie genau diesen erwähnten Fatalismus zutage fördert. Der beispielsweise gescheiterte National-Sozialismus und Sozialismus der DDR belegen diese Realität. Heutige Entwicklungen scheinen jedoch erneut sowohl diese These als auch das Zitat von Einstein glaubwürdig abzubilden. Menschen, die nicht oder noch nicht mit der Tyrannei einer Diktatur oder eines vergleichbaren Unrechtssystems in unmittelbare Verbindung gekommen sind, können Gefahr laufen, derartige Phänomene lediglich als Geschichte zu betrachten und zu behandeln. Geschichte sei ein Symptom unserer Krankheit, soll Mao Zedong einst gesagt haben. Er dürfte es gewusst haben, denn unter seiner Diktatur kamen Millionen Menschen ums Leben. Der amerikanische Politologe Rudolph Joseph Rummel schätzt die Zahl der Opfer auf 40 bis 76 Millionen Tote.[40] Zum Vergleich sei festgehalten, dass in Deutschland ca. 83 Million Menschen leben. Der wahre Krieg fände in uns selbst statt, sollen ebenso Worte des Diktators Mao gewesen sein. Angesichts derartiger Worte und Auswüchse können Aufklärung und Erinnerung gute Begleiter sein, um solchen Entwicklungen entgegenzuwirken. Wenn der Gegenwart jedoch zunehmend Zeitzeugen abhandenkommen, verblasst Erinnerungskultur. Der Mensch neigt dazu, zu vergessen und vor allem Geschichte und Geschehnisse zu verklären und zu verschönern. Ein Dilemma. Das kranke – um es mit Maos Worten zum Ausdruck zu bringen – fatale Ausmaß der Geschichte, kann seine Wirkung verlieren, weil ein aktueller Bezug zu schwinden droht. Eine stets zeitgemäße und gute Methode scheint hingegen zu sein, möglichst viele Fragen zu stellen, um herauszufinden, ob jemand lügt oder Wahrheit spricht. Diese Methode wusste offenbar auch die sogenannte Stasi für sich zu nutzen. So heiß es zumindest in einem Film, in dem der leider verstorbene Bruno Ganz einen Offizier der sogenannten Staatssicherheit spielte. Wer auf diese vielen Fragen schlecht vorbereit ist, neigt dazu, sich zu verzetteln und fliegt früher oder später auf. Spätestens dann bahnen sich Wahrheit und Konsequenz ihren Weg.

Warum habe ich nun die kleine oben aufgeführte Geschichte als Eingang verwendet? Sie ist Ausgangspunkt des Buches und zeigt uns höchst anschaulich, wie unsere Welt aussieht und wie viel Wahrheit in Huxleys Zitat steckt. Der eigentliche Inhalt beider Aspekte durchzieht das gesamte noch vor Ihnen liegende Buch. Freuen Sie sich darauf, denn jedes Mal, als ich am Inhalt dieses Buches gearbeitet

---

[40] Wikipedia, Rummel, Rudolph Joseph, Aussagen zu Mao Zedong: https://de.wikipedia.org/wiki/Mao_Zedong

habe, war ich aufgeregt, und es stieg eine große abenteuerliche Freude in mir auf.

Doch nun zurück zum Inhalt. Der Polizist, der die Frau anhielt, stand vor seinen Kollegen da wie ein Trottel, obwohl er mit seinen Aussagen letztlich richtig lag. Die anderen Polizisten waren sicher sauer auf ihren Kollegen, weil sie zu diesem Einsatz mussten und sich wiederum mit ihren Nachfragen lächerlich machten. Die Frau, die grundsätzlich auch ein Mann hätte sein können, ließ den ersten Polizisten in dem Glauben, sie habe die Wahrheit gesprochen, obwohl sie gelogen hatte. Dem zweiten Polizisten hingegen sagte sie die Wahrheit, abgesehen von der Überschreitung der Geschwindigkeit. Sie konstruierte und log, um Verwirrung zu stiften und sprach letztlich Wahrheit, um diese als Lüge glaubhaft darstellen zu können, und, um schließlich vor Sanktionen bewahrt zu bleiben.

Auf den ersten Blick eine amüsante Geschichte, über deren Inhalt es leichtfällt zu lachen. Bei genauer Betrachtung spiegelt gerade diese Geschichte jedoch unser Leben in der Dualität höchst anschaulich wider. Es geht vor allem um Lüge und die dazugehörige Konstruktion und es geht um das große Thema der Verantwortung. Insofern ist diese Geschichte ziemlich makaber, weil sie uns unsere vielfach gelebte „Realität" widerspiegelt. Darüber hinaus zeigt sie auf, wohin Lüge führen kann und wozu Menschen fähig sind, wenn sie diese anwenden, um sich aus ihrer Verantwortung stehlen zu können. Selbst dann, wenn zwischenzeitlich Wahrheit gesprochen wird. Beides miteinander vermischt, schafft Verwirrung. Eine Erkenntnis, die sämtlichen gesellschaftlichen Verführer, Tyrannen, Despoten und Diktatoren der Geschichte und Gegenwart bewusst sein dürfte. Diese Aufzählung ist nicht geschlechtsspezifisch.

„Anerkennend" darf gesagt werden, dass es eine Kunst ist, Lüge vor allem dazu zu verwenden, Wahrheit als isolierte Lüge und als Unglaubwürdigkeit darstellen zu können. Dies scheint regelmäßig der Fall zu sein, wenn Menschen als sogenannte Verschwörungstheoretiker diffamiert werden. Für derartige Systeme, die auf diese Weise handeln, ist Lüge ein probates, ja, ein notwendiges Mittel, um vor allem Massen verführen und hinters Licht führen zu können. Wenn völlige Verwirrung entsteht und Menschen sich fragen, was Wahrheit und was Lüge ist, suchen sie im Regelfall ihre Antworten und ihre Orientierung im Außen. Dieses „Versprechen" geben dann genau diejenigen Verführer, die zuvor Verwirrung geschaffen haben. Ein Blick in die Geschichte und Gegenwart verdeutlicht diesen immer wiederkehrenden Mechanismus, aus dem es sich zu befreien gilt. Ein Zitat, einer der prominentesten Massen-(Ver)-Führer, der sich selbst als „Führer" bezeichnete und als solchen verstanden wissen wollte, verdeutlicht dieses „Spiel" mit Lüge und Wahrheit. Dabei ist Hitler nur einer der vielen Massenverführer der Vergangenheit und Gegenwart und wird hier lediglich exemplarisch für ein Phänomen benannt. Es hätte an dieser Stelle auch näher auf Lenin, Stalin, Mao, Pol Pot, Ho Chi Minh und andere eingegangen werden können, denn auch diese waren Mörder und Verführer. Ein Zitat von Gerd Fritz Rathjens in einem Kommentar zu dem Artikel des Online Magazins freiewelt.net vom 14.08.2019 verdeutlicht es. Er sagt: *„Wo Kommunisten regieren, gibt es immer: brüllende Parolen, leere Regale, volle Gefängnisse."*[41] Bei den ersten beiden Aspekten sind wir inzwischen auch dank der sogenannten Klimakatastrophe und Corona-Krise angekommen. Trotz aller Mahnungen durch vielfach erlebte Geschichte, die, wie wir von Mao lernen dürfen, Symptom und damit auch Spiegel unserer Krankheit ist, scheint der „Zauber" dieses Irrwegs erneut Unterstützer gefunden zu haben und die „Krankheit" noch immer nicht geheilt worden zu sein. Es scheint zu verführerisch zu sein, Völker unfrei machen zu wollen, sie zu kontrollieren, zu bevormunden, mit Verboten zu belegen und Unwillige zu sanktionieren, zu inhaftieren und zu töten. Wer seit Jahren aufmerksam die Entwicklung in Deutschland und der Europäischen Union beobachtet und den Mut findet, seine Augen vor Wahrheiten zu öffnen, erkennt unmissverständlich, dass dieser Geist erneut zum Leben erweckt

---

[41] Freiewelt.net, veröffentlicht am 14.08.2019: https://www.freiewelt.net/nachricht/totalitarismus-der-neuen-jugendbewegungen-10078673/

und von verschiedensten Seiten unterstützt wird. Die neue „Klimareligion" ist dabei ein willkommenes Instrument, um politische Pläne vollziehen zu können. Die Beschneidung von Freiheitsrechten in der sogenannten Corona-Krise geht in die gleiche Richtung. Wer diesem Weg nicht folgt, wird niedergebrüllt, diffamiert, als Nazi beschimpft und wirtschaftlich sanktioniert. Die Abschaffung des Bargeldes scheint auch in dieser Hinsicht sinnführend zu sein. Ist dies nicht auch eine Form von Diskriminierung? Argumente und unabhängige, wissenschaftliche Erkenntnisse stören dabei nur und werden ebenso niedergebrüllt. Der Mensch soll auf Linie gebracht werden. Verführung findet und fand eben nicht nur auf politischer Ebene, sondern auf allen gesellschaftlichen Ebenen statt. Heute sind es insbesondere sogenannte NGOs und Kirchen, die das politische und gesellschaftliche Bild zu prägen versuchen. Hitlers Worte, die auch heute nachklingen, waren: *„Je größer die Lüge, desto mehr folgen ihr."* [42] Menschen folgen Lügen scheinbar nur zu gern, weil Lüge vor allem den Anschein erweckt, als entbinde sie von Verantwortung. Denken Sie einmal darüber nach. Und da der Lüge offenbar nach wie vor vertraut wird, bleiben die Herrschenden dort, wo sie sind und die Kriechenden dort, wo sie immer waren.

Der Buchautor Max Frisch bringt es auf den Punkt. Er verdeutlicht eine Idiotie, die durch die oben gezeigte Geschichte von der Frau und dem Polizisten gekennzeichnet ist. Die beste und sicherste Tarnung sei immer noch die blanke und nackte Wahrheit. *„Komischerweise glaubt die niemand."* [43] Hitlers Buch *Mein Kampf* war ein offenes Bekenntnis über die Pläne eines Despoten, welches sich zum Ende dieser Herrschaft 12 Mio. Mal verkauft hatte. Eine offene und diesmal ausgesprochene Wahrheit, die in ihren Ausführungen jedoch offensichtlich kaum jemand zu glauben vermochte. Davon abgesehen, hatten es viele erst gar nicht gelesen, sondern lediglich besessen. Wie viele von denen, die es gelesen haben, hatten Inhalt und

---

[42] Naanoo.men. Adolf Hitler Zitate: https://www.naanoo.men/zitate/adolf-hitler
[43] Gutezitate.com. Max Frisch Zitate: https://gutezitate.com/zitat/144867

Tragweite tatsächlich begriffen und verstanden? Es scheint auf die heutige Zeit übertragbar zu sein. Es gibt viele Menschen, die ein Hirn besitzen, doch nicht alle scheinen dieses zu nutzen bzw. nutzen zu wollen, um Lüge von Wahrheit unterscheiden zu können bzw. zu wollen.

Lüge und Wahrheit liegen oft sehr dicht beieinander, wie die oben genannte Geschichte belegt. Und „Lügner sind sympathisch", schrieb Tobias Hürter in einer Zeit Online Ausgabe. In seinem Interview beschreibt er die Auseinandersetzung des Psychologen, Robert Feldman, mit der Ambivalenz zur Wahrheit: „Warum Ehrlichkeit unbeliebt macht und Flunkerer besonders erfolgreich sind, sich kaum jemand für eine Lüge schämt".[44] Als Konklusion wird in diesem Interview eines deutlich: Auch wenn Lügner zunächst sympathisch wirken, von Dauer bleibt dies nicht. Ein auf der Spiegel Bestseller Liste befindliches Buch des ehemaligen Finanzministers Theo Waigel, der Mann mit den buschigen Augenbrauen, ist zwar biografischer Natur, der Titel des Buches ist jedoch relevant und interessant. Theo Waigel galt als entschlossen im Handeln sowie ehrlich und fair im Umgang mit Freund und Gegner. Der Titel des Buches ist daher sicher nicht zufällig gewählt worden. „Ehrlichkeit ist eine Währung"[45] heißt er und sagt über die biografischen Inhalte hinaus vor allem viel über den Begriff der Ehrlichkeit an sich aus. Ehrlichkeit und Wahrheit sind Währungen, vergleichbar mit echtem Geld. Lüge wird früher oder später auch als solche erkannt und enttarnt, weil sie ein Konstrukt ist und eben keine Wirklichkeit. Wer lügt, muss sich vieles merken. Wer hingegen Wahrheit spricht, ist frei im Geiste und braucht sich gar nichts zu merken. Es heißt zu Recht, dass Ehrlichkeit am längsten währt und Lügen kurze Beine haben, denn Ehrlichkeit ist eine Währung, weil sie einen wahren Wert hat. Wer vor allem auf Dauer lügt, wird sich, ebenso wie bei einer falschen Aktie verspekulieren und gegebenenfalls alles verlieren, vor allem Vertrauen, vielleicht

---

[44] Tobias Hürter, 10. April 2012: „Lügner sind sympathisch".
https://www.zeit.de/zeit-wissen/2012/03/Interview-Robert-Feldman
[45] Waigel, Theo: Ehrlichkeit ist eine Währung. Ullstein Buchverlag, Berlin 2019

sogar sein Leben. Gebranntes Kind scheut das Feuer. Mit Lügnern wollen Menschen eigentlich nichts zu tun haben, weil ihre Aussagen letztlich unzuverlässig, da Konstrukte, sind. Wir reagieren nicht nur auf der Verstandsebene, wir reagieren auch emotional. Feinfühlige Menschen erkennen regelmäßig, dass sie mit Lügnern zu tun haben und fühlen sich unwohl. Unser Körper reagiert, in dem er uns innerlich signalisiert, wachsam zu sein und sich zu schützen. Selbst Bismarck war klar, wer das Vertrauen anderer Menschen leichtfertig verspielt, wird Mühe haben, es zurückzugewinnen. Wenn Wahrheit geheuchelt und Ehrlichkeit vorgetäuscht wird, fällt dieses zuvor aufgebaute Lügen-Gerüst ab einem bestimmten Moment in sich zusammen. Ein entscheidendes Indiz dafür ist, dass Lügen gegen Naturgesetze verstoßen. Auch deshalb lohnt es sich nicht zu lügen, insbesondere wenn deutlich wird, dass anstatt Wahrheit und Ehrlichkeit, diese nur vorgetäuscht wurden. Letztlich setzen sich Wahrheit, Wahrhaftigkeit sowie Freiheit durch, da sie eines mit Wasser gemein haben. Wahrheit, Wahrhaftigkeit und Freiheit finden – ebenso wie Wasser – letztlich immer ihren Weg, sie sind Naturgesetze.

Was zeichnet Lüge im Kern also aus, und woran kann sie erkannt werden? Es hält sich hartnäckig das Gerücht, dass Lüge nicht oder nur sehr schwer erkannt werden könne. Dies kann jedoch nur dann behauptet werden, wenn eine ernste Auseinandersetzung mit Lüge fehlt. Lügner verhalten sich anders, als ihre Worte es sagen. Es ist ein Widerspruch in Wort und Tat zu erkennen. Die folgende Formel belegt die Grundzüge von Lüge. Wenn Widerspruch + Konstruktion + Illusion = Lüge ergibt, ist Lüge überprüf- und verifizierbar. Wahrheit erfüllt keines dieser Aspekte. Daran schließt sich eine ganz grundsätzliche Frage an, nämlich welchen Weg wir bevorzugen? Ist es der Weg der Wahrheit, Wahrhaftigkeit und Wirklichkeit, der zur Erkenntnis, Klarheit und Freiheit führt? Ist es der wahlweise andere Pfad, der konstruierten Wortschorlen, der Wahrheit, Wirklichkeit und Wahrhaftigkeit verwässert, um durch Konstruktion Lügen zu gebären und Verwirrung zu stiften? Welchen Weg ein Mensch geht, hängt davon ab, wohin er seinen freien Willen führt und was er beabsichtigt. Lüge täuscht und führt hinters Licht, wie durch die obige Geschichte erkennbar wird. Wahrheit ist der direkte Weg zur Klarheit. Lüge ist Feigheit mittels *konstruierter Wortschorlen*. Erfahrungen durch Schmerz erleiden wir gegebenenfalls über beide Wege. Lüge zerstört jedoch Vertrauen, sofern die zuvor geschaffene Konstruktion erkannt wird. Wahrheit schafft hingegen nachhaltiges Vertrauen, da sie Zuverlässigkeit zum Ausdruck bringt. Wer Vertrauen schaffen und nachhaltig bewahren möchte, wird sich für den Weg der Wahrheit entscheiden und auf die vielen Wortschorlen, die nichts als Illusion, Konstruktion, Widerspruch und somit Lügen sind, verzichten.

Der Publizist und Politologe, Rafael Seligmann, ist trotz, vielleicht sogar wegen seiner eigenen Biografie für eine Neuauflage von Hitlers *Mein Kampf. „Die Gedanken sind frei. Ein jeder mag das Buch auf seine Weise lesen und begreifen. Entscheidend ist die Einsicht, was dieser Autor will – die Welt erobern und alle, die in seinen Augen dagegenstehen, nicht nur die Juden, vernichten. […] Für jeden human denkenden Menschen entlarvt sich dieses Buch sofort."*[46] Seligmann spricht damit das Thema der Eigenverantwortung an. Offenbar erkennt er eine vorhandene Reife in unserer Gesellschaft. Indirekt spricht er mit seiner Forderung auch eine Bevormundung und Verbote an. Als Grundvoraussetzung für einen angemessenen Umgang mit derlei Literatur braucht es eine kluge, reflektierte, wissende, aufgeklärte und verantwortungsbewusste Gesellschaft, die auf einer freiheitlichen Grundordnung basiert, damit sich Menschen unvoreingenommen und frei derartigen Herausforderungen stellen können, um verantwortungsbewusst und wissend agieren zu können. Entfaltung ohne Einschüchterung von außen. Das verbindende Element dabei ist nicht etwa ein Entweder-Oder, also die Frage, ob ein solches Werk wie „Mein Kampf" unkommentiert gelesen werden kann oder nicht, sondern ein aufgeklärter und verantwortungsbewusster Umgang mit derlei Literatur. Achtsamkeit und Verantwortung ohne

---

[46] Göttinger-tageblatt.de, Schacht, Daniel Alexander. „Dieses Buch entlarvt sich sofort". 02.01.2016: https://www.goettinger-tageblatt.de/Nachrichten/Kultur/Weltweit/Rafael-Seligmann-ueber-die-Neuauflage-von-Mein-Kampf

Verbote. Eben nicht mehr gemäß der Devise des Herrschens und Teilens, sondern das verbindende Element des >Und<. Unkommentiert lesen und achtsam und verantwortungsvoll mit solcher Literatur umgehen ist angemessen, für eine aufgeklärte und wissende, nicht ideologisch indoktrinierte, sondern freie und selbstbestimmte Gesellschaft. Leichtigkeit und Freiheit mit Verantwortung, ohne Bevormundung. So kann sich das Individuum eigenständig und selbstwirksam entwickeln, wenn es störungsfrei handeln will. Nach Auffassung von Dr. Petra Bock, eine der erfolgreichsten Coaches in Deutschland, funktioniert die heutige Welt nicht mehr nur vertikal von >oben nach unten<, sondern sowohl vertikal als auch horizontal. Sie beschreibt, dass viel Lebenswahrheit darin steckt, wenn wir uns von Extremen befreien.[47] Diese Lebenswahrheit impliziert Erfahrung und Verantwortungsbewusstsein.

Verabschieden wir uns von der Dichotomie, also der Struktur und dem Prinzip der Zweiteilung, dem >Entweder-Oder< und damit vom Dualismus, der durch den Blickwinkel der Extreme geprägt ist und lediglich spaltende Elemente in sich trägt. Es heißt nicht ohne Grund, wer nur nach links oder rechts geht, kommt nie voran. Eine Münze hat zwei Seiten, sie ist dennoch Eins. Selbst wenn Sie eine Münze teilen, behält sie zwei Seiten. Wenden wir unseren Blick ab von Extremen, denn sie führen zu Spaltung, Entzweiung von Gesellschaften und sind letztlich Auslöser für Kriege. Du oder ich! Gut oder böse! Falsch oder richtig! Oben oder unten! Transformieren wir das >Oder< in ein >Und<, so wie es unter anderem Petra Bock beschreibt. >Und< ist ein verbindendes Element, während >Oder< zwangsweise spaltet. Bist du nicht mein Freund, dann bist du mein Feind. So entstehen Unfreiheit und Druck, was bis zum äußersten, zum Krieg führen kann. Das perfide am Krieg ist, dass selbst dadurch Menschen profitieren. Worum es geht, ist Gleichwertigkeit, was nicht mit Gleichstellung und Gleichmacherei zu verwechseln ist. Gleichstellung und Gleichschaltung haben Parallelen. Beide Aspekte einer

---

[47] Bock, Petra: Mind Fuck. Warum wir uns selbst sabotieren und was wir dagegen tun können. Knaur Verlag München, 2011

Münze haben grundsätzlich Gleichwertigkeit. Es ist an der Zeit, dass wir durch sinnvolle und vereinigende Begriffe unsere Gesellschaften zum Zusammenhalt führen und Spaltungen überwinden und möglichst beenden. Die Politikwissenschaftlerin Petra Bock bezeichnet diese Entwicklung sehr treffend damit, dass wir erwachsen werden, wenn wir dementsprechend handeln. Sie beschreibt in ihrem Buch „Mindfuck", dass wir ein neues und eigenes Bewertungssystem benötigen, in dem wir uns selbst und die Außenwelt beobachten und daraus unsere Schlüsse ziehen mögen. Also einen Blick auf uns und die Welt haben und eben nicht auf die Welt oder uns bzw. nur auf das Eine oder das Andere. Wir sind Teil der Welt. Sie schreibt weiter, dass es nicht mehr darum gehen kann, möglichst gut für andere zu funktionieren, sondern darum, für sich selbst einzutreten, sich seiner eigenen Verantwortung zu stellen, sich dieser bewusst zu werden und diese letztlich anzunehmen, um dadurch selbstwirksam zu handeln. Das charakteristische einer >Oben-Unten-Welt< sei vor allem durch Fremdbestimmung gekennzeichnet, so Petra Bock. Wenn wir unsere aktuelle Gegenwart betrachten, so geht diese oftmals mit Bevormundung, Verboten, Tadel und Indoktrination einher. Sofern ich einem System *gut* diene und diesem nützlich bin, werde ich belohnt, wenn ich Glück habe. Sofern ich dieser Erwartungshaltung nicht gerecht werde, werde ich bestraft und getadelt. Jeder Akteur, der gegen einen Mainstream opponiert und gegen diesen agiert, wird diffamiert. Jeder kennt dieses System. Es findet vielfach schon früh im Elternhaus, in der Schule und allen anderen politischen Systemen statt. Es mag positive Ausnahmen geben, doch diese bestätigen die Regel und bleiben Ausnahmen. Damit Menschen einem System entsprechen, ist es wichtig, Abhängigkeiten zu schaffen. Durch Abhängigkeiten kann scheinbar beliebig Spaltung geschaffen werden, um Gesellschaften als Verfügungsmasse zu lenken und zu leiten, damit diese den Vorgaben der herrschenden Profiteure gerecht werden. Ein solches System ist ausschließlich auf Machtstrukturen aufgebaut und hat mit Demokratie höchst wenig gemein. *„Macht bedeutet immer, dass den Unterworfenen Grenzen gesetzt werden"*, so Petra Bock. Auf Dauer kann ein derartiges System jedoch nur dann erfolgreich sein, wenn Grundsätze der Verhältnismäßigkeit eingehalten werden und der Großteil einer Gesellschaft dadurch bereit ist, diesem System möglichst kritiklos zu folgen und ihm zu dienen. Die Geschichte zeigt uns jedoch regelmäßig, dass diese auf Ego und Macht basierenden, von Hochmut, Dekadenz und Arroganz geprägten Systeme unfähig und/oder unwillig sind, der *überreifen Frucht* des Missbrauchs zu widerstehen. Das ist der Beginn des Endes, auch wenn es zunächst anders erscheinen mag. Der innere Fäulnisprozess ist im vollen Gange. Dieser Prozess ist in der Natur der Weg des Vergehens. Es ist ein Naturgesetz, denn derlei Systeme können nur von bestimmter Dauer sein. Genauso wie eine faulende Frucht vom Baum fällt, um am Boden zu vergehen, werden auch derartige Systeme, die zu faulen begonnen haben, vergehen. Es ist eine mathematische Gewissheit und ein Naturgesetz, welches Friedrich Schiller wie folgt beschrieb: *„Die Großen hören auf zu herrschen, wenn die Kleinen aufhören zu kriechen."*[48] Richtlinien und Gesetzte sind Grenzen. Je mehr mit Verboten, Bevormundung und Reglementierung agiert wird, desto leichter können Menschen beherrscht werden, so eine Annahme. Wer beispielsweise das zunehmende Agieren des Systems der Europäischen Union genauer betrachtet und politische Forderungen einiger deutscher Parteien analysiert, erkennt dieses oben beschriebene Machtstreben durch Bevormundung und Verbote, durch deren Wirksamkeit Menschen beherrscht und zunehmend unfrei gemacht werden. Doch dieses Handeln entspricht alten Denkstrukturen und spiegelt uns vor allem Ego getriebenes Agieren, Kontrollsucht und Mangel an Vertrauen wider. Ein solches Denken und Handeln ist überholt und wird letztlich scheitern. Wir sind auf dem besten Wege genau dorthin. Wie eine faulende Frucht am Boden vergeht, wird auch dieses System vergehen, da es gegen Naturgesetzte, wie beispielsweise Freiheit, verstößt. Menschen und Systeme benötigen Lösungen. Bevormundung und Verbote stören diesen Prozess der Lösungsfindung, da sie auf den Erhalt eines Status

---

[48] Weisewortwahl.de, Zitat von Friedrich Schiller: https://weisewortwahl.de/die-grossen-hoeren-auf-zu-herrschen-wenn-die-kleinen-aufhoeren-zu-kriechen/

Quo und damit auf Stillstand und eben nicht auf Fortentwicklung ausgerichtet sind.

Derartige Systeme sind rückwärtsgewandt. Unsere gelebte „Realität" zeigt uns jeden Tag mehr, dass wir aufgefordert sind, diese alte Welt der Verbote und Bevormundung zu überwinden, um uns frei entwickeln zu können. Dies geht jedoch vor allem über den Weg des gegenseitigen Vertrauens, das mit Verantwortung einhergeht. Beides beinhaltet Lösungen, die wir für die zahlreichen Aufgaben gerade dieser Zeit benötigen. Es geht also vorwiegend um das große Thema der Verantwortung und Eigenverantwortung, welche wir über den Weg des Vertrauens und nicht über Verbote, Bevormundung und Kontrolle erlangen.

Solange wir uns fragen, warum Gott all das Elend in der Welt zulässt und noch immer nicht erkennen wollen, dass wir selber es sind, die dieses Elend verursacht haben und tagtäglich zulassen, wird dieses Elend voraussichtlich bleiben. Wir beweisen damit, wie wenig wir bereit sind, Verantwortung zu übernehmen, zu lernen und auf welcher Bewusstseinsebene wir uns in der Breite noch immer befinden. Es ist anmaßend und gotteslästernd, die schöpferische Kraft daran messen zu wollen, wie gut sich diese als *Ausputzer* unseres menschlichen Versagens beweist. Schlimmer noch, Vorstellungen gehen so weit, so lange diese schöpferische Kraft unseren arroganten Vorstellungen eines *Ausputzers* nicht entspricht, desto weniger scheint es nach Vorstellungen dieser Menschen zu sein, dass überhaupt eine schöpferische Kraft existiert. Was für ein Fatalismus tritt dabei zutage? Mit dieser Haltung stellen sich Menschen über die Schöpfung. Wahrscheinlich sogar, ohne, dass es ihnen in irgendeiner Weise auffällt und bewusst ist. Das ist an Hochmut und Arroganz kaum zu übertreffen. Derartige Vorstellungen können nur durch ein völlig übersteigertes Ego entstanden sein. Es belegt den heutigen Zustand des Denkens und Handelns vieler Menschen, die von sich behaupten werden, hochmodern, hoch entwickelt und vor allem *fortschrittlich* zu sein. In der Schöpfung gibt es Klarheit und Ordnung. Schauen wir uns unsere Welt an, die uns ursprünglich durch die Schöpfung anvertraut wurde. Wohin hat uns dieser selbst konstruierte, angebliche Fortschritt geführt? Wo finden und erkennen wir göttliche Ordnung? Der Mensch schafft, vor allem durch sein begrenzendes Ego, Chaos und Extreme und verstößt regelmäßig gegen Naturgesetze. Obwohl dieser Eindruck sich bei einigen Menschen vertieft und verhärtet hat, es ist auszuschließen, dass auch Sozialismus ein Naturrecht ist, sondern gegen dieses verstößt. Ein aktuelles Beispiel verdeutlicht, wohin es einen überdehnten Sozialstaat führt, der inzwischen 30 % seines Bruttoinlandsproduktes für Sozialausgaben aufwendet. *„Rund eine Billion Euro pro Jahr gaben Bund, Länder und Kommunen zuletzt für Sozialleistungen aus – was bald 30 Prozent des Bruttoinlandsprodukts entspricht. Dieses Geld wird über Steuern und Sozialabgaben vorher bei Unternehmern und Arbeitnehmern eingesammelt. Der Faktor Arbeit verteuert sich und verschlechtert international seine Wettbewerbsposition“*, hat Gabor Steingart[49] in seinem Morning Briefing vom 2. März 2020 zu berichten. Wohin derartiges Handeln führen, hat uns der Zer- und Verfall der ehemaligen sogenannten DDR höchst anschaulich verdeutlicht. Doch in der Begrenztheit des Menschen, der vielfach dazu neigt, Verantwortung auf Dritte zu übertragen, handelt in seinem vielfach ausgeprägten Hochmut und mit Arroganz dazu, letztlich Gott für dieses Chaos verantwortlich zu machen. Er hat schließlich nicht eingegriffen, um Schlimmes zu verhindern. Auch dieses Phänomen zeigt, wie weit wir uns von der Schöpfung entfernt haben und wie begrenzt sowie geistlos Denken und Handeln zu sein scheinen.

Die evangelische und katholische Kirche verliert rasant an Mitgliedern. Wer sich jedoch lieber auf seinem Kirchentag mit Workshops zum Malen von Vulven oder Podiumsdiskussionen *„Schöner kommen, zur Sexualität von Frauen“* widmet, diese *Inhalte* mit den Schöpfungsberichten des Buches Genesis zu rechtfertigen versucht,

---

[49] Steingart, Gabor, 02.03.2020: https://www.gaborsteingart.com/newsletter-morning-briefing/merkel-verfruehstueckt-schroeder/?wp-nocache=true

wie Welt.de am 20.06.2019[50] berichtete, liefert ganz persönlich seine Antwort auf den rasant zunehmenden Verlust seiner zahlenden Mitglieder sowie seine selbst konstruierte Bankrotterklärung. Folgt diese Kirche damit wirklich dem Wort Gottes, wenn sie ein eigenes Schiff auf See schickt, um sogenannte Flüchtlinge retten zu wollen? Tritt die Kirche hier – gewollt und ungewollt – vielleicht selbst auch als Schlepper auf? Handeln hier wirklich erwachsene Menschen, die nach Lösungen streben? Fungieren hier eher Akteure mit Allmachtsfunktion? Handelt es sich dabei wirklich um Nächstenliebe und Verantwortungsbewusstsein? Wer verantwortlich handelt, ist sicherlich gut beraten das große Ganze zu berücksichtigen, vor allem das Ende und nicht etwa Partikularinteressen zu vertreten. Wer nur demnach handelt, sorgt für Spaltungen von Gesellschaften und ist genau dafür verantwortlich. Denn, was ist mit den *Nächsten*, die bereits hier vor Ort leben? Sind diese keine Nächsten? Sie müssen halt etwas näher zusammenrücken und möglichst stillschweigend mehr Toleranz üben, die von ihnen wie selbstverständlich abverlangt wird. Wer sich dazu kritisch äußert und entsprechende Fragen stellt, kommt an den Pranger. Ist Toleranz und Rücksichtnahme eine Einbahnstraße? Gilt beides nur für bestimmte Menschen und für andere nicht? Darf sie von der einen Gruppe möglichst widerspruchslos abverlangt und erwartet werden, während sie für die andere Gruppe eine einzufordernde Selbstverständlichkeit ist? Verschärft dies nicht eher Probleme auf allen Seiten? Verschlimmbesserung ist ein sicher zutreffender Begriff. Hier wird im höchsten Maße Dualität und unsere polarisiert konstruierte Welt erkennbar. Der sogenannte *Oberlehrer* und Allmacht kommen hier zum Vorschein, und beides finden wir auf der Ebene des sogenannten *Eltern-Ich*. Wie wir lernen dürfen, kann auf dieser Ebene keine einzige wirkliche Lösung gefunden werden, da das Agieren mit Macht im Vordergrund steht. Mit zunehmender Entwicklung wird jedoch deutlich, dass Menschen frei sein wollen. Dies

---

[50] Welt.de, Evangelischer Kirchentag erntet Spott für Workshop „Vulven malen" – veröffentlicht am 20.06.2019: https://www.welt.de/vermischtes/article195597945/Evangelischer-Kirchentag-erntet-Spott-fuer-Workshop-Vulven-malen.html

wird auch in Schulen immer mehr erkennbar. Schülerinnen und Schüler begehren gegen die Position der gewünschten Unterwürfigkeit auf. Die ersten beiden Sätze im Refrain des Titels „Another Brick in the Wall" von Pink Floyd[51] sind nicht nur auf Schulen übertragbar, sondern auf jegliche Einrichtungen.

Gute Schulnoten seien eben kein Indikator für Intelligenz, sondern für gute Anpassungsfähigkeit, so der Neurobiologe Prof. Dr. Hüther.[52] Wenn Mädchen in Schulen bessere Noten bekommen als Jungs, haben sie diese also für ihre bessere Anpassungsfähigkeit bekommen, während die Jungen mit den schlechteren Noten dann intelligenter sind? Eine interessante Frage, welche die Diskussion um die *Leistungen* von Schülerinnen und Schülern in ein völlig anderes Licht setzt und das Schul- und Notensystem an sich völlig anders betrachtet.

Jede Medaille hat zwei Seiten, und beide Seiten einer Medaille sind gleichwertig. Wer für die eine Seite Verständnis und Nächstenliebe einfordert und ausschließlich diese unterstützt, während von der anderen Seite Demut und Toleranz abverlangt werden, schafft Disharmonien und spaltet. Oskar Ernst Bernhardt bzw. Abd-Ru-Shin definierte Konfessionen in seinem Hauptwerk „*Im Lichte der Wahrheit – Gralsbotschaften*" wie folgt: „*Konfessionen heute sind Bindung des freien Menschengeistes, systematische Entwertung.*"(ebd. „Im Lichte der Wahrheit") Neben offenbar narkotisierten sowie geistig vernebelten Individuen handeln zunehmend Menschen bewusst und unbewusst entsprechend der Weisung ihres freien Geistes und trennen sich von Konfessionen, welche deren freien Menschengeist einzubinden versuchen. Solange Konfessionen ihren Irrwegen folgen, wozu sie berechtigt sind, werden sie voraussichtlich weiter an Mitgliedern verlieren. Nachvollziehbar, denn ihre *Lämmer* haben begonnen erwachsen zu werden. Eine faulende Frucht wird ungenießbar

---

51 Pink Floyd; „The Wall", Doppel-Album veröffentlicht im November 1979 https://www.youtube.com/watch?v=HrxX9TBj2zY

52 Ostermeier.net, Zitat von Prof. Dr. Gerald Hüther: https://t1p.de/ur9c

und will niemand essen. Freiheit bahnt sich, ebenso wie Wasser, immer ihren Weg, da sie ein Naturgesetz ist. Vergegenwärtigen wir uns, die Schöpfung braucht uns nicht, wir hingegen benötigen sie mehr denn je.

Brandbeschleuniger tragen diesen Namen, weil sie Brände beschleunigen und nicht verhindern. Zielführende Lösungsansätze, die nur auf der Ebene des *Erwachsenen-Ich* stattfinden und damit Verantwortung verdeutlichen, sind in Aussagen des Dalai Lama zu finden. Seiner Auffassung nach können Flüchtlinge nach Europa kommen, jedoch nicht bedingungslos und ohne Aussicht auf Rückkehr in ihr Heimatland. Sie sollen hier ausgebildet werden, um ihr Land wieder aufzubauen. Eine begrenzte Zahl von Flüchtlingen in Europa sei denkbar, unmöglich erscheint ihm jedoch, dass Europa afrikanisch oder muslimisch wird. Hier spricht neben Verantwortung, auch Verhältnismäßigkeit, Respekt und Akzeptanz für beide Seiten, die nachvollzieh- und teilbar ist. Die von der Schiffskapitänin Carola Rackete gestellte Forderung nach kompletter Übernahme aller sich in Libyen befindlichen Flüchtlinge[53] erscheinen dem hingegen als verantwortungslos und bevormundend, denn auch hier wird deutlich, dass sie auf der Ebene des nach Allmacht strebenden *Eltern-Ich* denkt und handelt. Der von ihr erklärte *„Zusammenbruch des Klimas"*[54] verstärkt zudem die globale Ungleichheit. Sie steht über den Dingen, und das erzeugt Widerstand. Widerstand ist, wie wir gelernt haben, eine Bedürfnisinformation. Diese hat immer mit Ausgleich zu tun. Da durch derartige Forderungen Ungleichgewichte entstehen, regt sich Widerstand. Ebenso ein Naturgesetz, weil das Universum stets nach Ausgleich strebt. Auf Dauer geführte Ungleichgewichte bringen Krankheiten hervor. Carola Rackete bestimmt auch über die

---

[53] Zeit Online. Carola Rackete fordert Aufnahme aller Flüchtlinge aus Libyen, 15. Juli 2019: https://www.zeit.de/politik/deutschland/2019-07/migration-fluechtlinge-libyen-carola-rackete-sea-watch-fluechtlingslager

[54] Stern.de. Müller, Silke. Carola Rackete im Gespräch: „Der Klima-Zusammenbruch verstärkt die globale Ungleichheit", 19. September 2019: https://www.stern.de/politik/deutschland/carola-rackete-im-interview---das-konzept-von-hoffnung-ist-falsch--8912876.html

Köpfe dieser Flüchtlinge hinweg, denn nicht alle von ihnen wollen zwangsweise nach Europa. Wer mittels eines bereits vorhandenen Problems weitere verursacht, handelt nicht nur verantwortungslos und trägt ausdrücklich nicht zur Lösung eines Problems an sich bei, sondern schafft Chaos und weitere Probleme. Auf diese Weise handeln unreife Menschen.

Die Schöpfung sieht Ordnung bzw. eine Art scheinbares *Chaos* vor. Diese Ordnung ist jedoch perfekt und letztlich unüberwindbar, wenngleich es für uns Menschen nicht so aussehen mag und vielen von uns dieses Wissen fehlt. Dadurch, dass wir in unserem Wissen und unseren Vorstellungen begrenzt sind, erscheint uns das Handeln der Schöpfung als fehlerhaft, das ist mit dem oben genannten *scheinbaren Chaos* gemeint. Da sich für uns Menschen die Wege Gottes nicht erschließen lassen, glauben wir in unserer Eingeschränktheit, sie sei fehlerhaft. Doch dies ist menschlicher Irrtum, Konstruktion und eine selbst erschaffene Lüge. Nur in der Vorstellung des Menschen verlaufen Prozesse linear. Deshalb gingen die damaligen Wissenschaftler des Weltklimarates (IPCC) davon aus, dass ihr ursprünglich erkanntes Phänomen weiter linear verlaufen würde. Anfangs wurde erkannt, dass der Anstieg der Temperatur und ein höherer Ausstoß von CO_2 parallel und linear verliefen. Dies war der ursprüngliche Grund dafür, dieses Phänomen näher zu untersuchen. Im Laufe des Prozesses wurde jedoch deutlich, dass diese Entwicklungen eben nicht parallel und linear weiter verlaufen würden. Auch deshalb wurden im Report des IPCC von 2001 grundsätzlich richtige Schlüsse gezogen. Was jedoch politisch nutzbar gemacht werden kann, darf die Natur nicht aushebeln, und so wird heute eine Illusion aufrechterhalten, die mit aller Macht unter die Völker gebracht wird, um bestimmte politische und wirtschaftliche Ziele erreichen zu können. Bedauerlicherweise wird dafür erneut auch die Jugend eingespannt und missbraucht. Verirrte Seelen und Geistlosigkeit finden darin anscheinend jedoch ihr persönliches Heil. Die Erkenntnis der ursprünglichen Wissenschaftler des IPCC beweist den richtigen Umgang mit einem Phänomen. Das ursprüngliche wissenschaftliche Interesse war deshalb gut und richtig. Die Aussagen von Dr. Sebastian Lüning, offizieller Gutachter des IPCC, zeichnen zu dem ein unterstützendes Bild zu den ursprünglichen Aussagen des IPCC Reports aus dem Jahre 2001. Er sagt: *„Es macht wenig Sinn, schon jetzt für den schlimmstmöglichen Fall zu planen, wenn vieles darauf hindeutet, dass der Klimawandel möglicherweise viel weniger dramatisch ausfällt, als von einigen Protagonisten mit großer Überzeugung behauptet. Das Thema ist viel zu ernst, als dass streikende Jugendliche, ohne jegliche Fachqualifikation, die Politik vor sich hertreiben sollte."*[55] Auch andere Wissenschaftler wie der Physiker Prof Dr. Lüdecke zeigen eine andere Wirklichkeit, als uns einschlägige Medien tagtäglich einzutrichtern versuchen. Seiner Webseite ist zu entnehmen, dass ein konstantes Klima unmöglich sei. *„Es verändert sich immer und kann daher nicht „geschützt" werden."*[56] Der Nachweis einer anthropogenen globalen Erwärmung stehe bis heute aus.[57] Es gebe keinen wissenschaftlichen Nachweis für einen von Menschen verursachten Klimawandel. Der dänische Politologe Björn Lomberg, Autor des Buches *Nein zur Apokalypse*[58] betrachtet die weitere Ausrichtung des IPCC kritisch. Sind die Zeiten *ausgewogener Berichterstattung* zwischen Wissenschaft und Behauptung vorbei? Die beiden Kommunikationsforscher Michael Brüggemann, der Universität Hamburg und Sven Engesser, der Universität Zürich, stellten bei ihren Untersuchungen fest, dass der sogenannte *Klimajournalismus* die Norm der Balance hinter sich gelassen habe und stattdessen mehr einem *interpretativen Muster* folge.[59]

---

[55] Lüning, Sebastian. Wortprotokoll der 38. Sitzung des Bundestages. Protokoll-Nr. 19/38. Berlin, den 3. April 2019: https://t1p.de/qf33

[56] Lüdecke, Horst Joachim, Prof. Dr. CO2 und Klimaschutz. Fakten, Irrtümer, Politik (ClimateGate). 3. aktualisierte Auflage, Bouvier-Verlag, Bonn 2010: https://www.horstjoachimluedecke.de/co2-und-klimaschutz

[57] Lüdecke, Horst Joachim, Prof. Dr. Klimawandel. https://www.horstjoachimluedecke.de/klimawandel

[58] Lomborg, Björn. Apocalypse No! zu Klampen Verlag, Lüneburg, 1998/2001

[59] Klimafakten.de. Journalismus: Die Zeiten „ausgewogener Berichterstattung" zwischen Wissenschaft und Behauptungen sind vorbei. 28.02.2017:

Auch der Wissenschaftsjournalist Nigel David McKail Ritchie-Calder, ebenfalls Kritiker des IPCC, bestreitet Erkenntnisse der Klimaforschung zur menschengemachten globalen Erwärmung.[60] Seine Thesen sind umstritten, doch was wäre Wissenschaft noch wert, wenn eine kritische Auseinandersetzung zu unterschiedlichen Thesen ausbliebe und nur noch *die* eine, die vermeintlich richtige, These bestünde? Abweichende Meinungen jenseits des IPCC werden durch diese Art des Journalismus erkennbar unterminiert. Kritische Wissenschaftler, die dem Weltklimarat entgegenstehen, jedoch wissenschaftlich sauber arbeiten, werden aufs Abstellgleis gestellt, wie der Fall von Prof. Augusto Mangini der Uni Heidelberg höchst anschaulich belegt.[61] Es geht, wie meistens, um Geld, um viel Geld, für wenige Akteure und selbstredend um Macht. Die wirtschaftliche Ausrichtung wird nicht zuletzt durch die angestrebten Maßnahmen der Bundesregierung, die jetzt den zusätzlichen Namen *Klimakabinett* trägt, deutlich. Geplant sind Maßnahmen in einem Umfang von 70 Mrd. Euro und mehr. Fraglich dabei bleibt, um wie viel Grad die Erderwärmung durch diese Maßnahmen gesenkt wird? Selbstredend wird niemand mehr belastet als bisher, schließlich gibt der Koalitionsvertrag vor, dass es keine Steuererhöhungen geben soll. Dies dürfte spätestens durch die sogenannte Corona-Krise, die mit an Sicherheit grenzender Wahrscheinlichkeit eher als ein politischer Komplott in den Geschichtsbüchern vermerkt sein wird, durchkreuzt werden. Zuvor höchst profitable Unternehmen wie Lufthansa, mit einer täglichen Fluggastzahl von 350.000 Passagieren, hat derzeit weniger als 3.000 am Tag. Der politisch entschiedene Lockdown führte zu dramatischen Folgen, ruinierte dieses Unternehmen und wurde

https://www.klimafakten.de/meldung/journalismus-die-zeiten-ausgewogener-berichterstattung-zwischen-wissenschaft-und
[60] De.wikipedia.org. Nigel Calder: https://de.wikipedia.org/wiki/Nigel_Calder
[61] YouTube.com. Das passiert mit Kritikern des IPCC. 07.07.2019: https://www.youtube.com/watch?v=8PLrydtbVPI

letztlich durch Intervention verstaatlicht.[62] Ein über dieses wirtschaftliche Szenario hinaus denkbares Mittel zur Finanzierung des Shutdowns könnten erneute Pläne einer Zwangshypothek sein, wie das im Jahre 1952 bereits ins Leben gerufene *Lastenausgleichsgesetz* (LAG). Die damalige Abgabe belief sich auf 50 % der berechneten Vermögenswerte.[63] Auch die Vermögenssteuer könnte ein probates Mittel sein, um die Folgen dieser politischen Entscheidungen auszugleichen. Der sogenannte *ARD-Faktenfinder,* Patrick Gensing, von *tagesschau.de* wies jedoch im August 2018 darauf hin, dass *„angeblich"* Politiker der EU planten, Zwangshypotheken auf private Immobilien einzuführen. Das würde zumindest von *„dubiosen Quellen"* im Netz behauptet und erreiche Zehntausende Nutzer.[64] Nun, bei einer Pressekonferenz vom 15. Juni 1961 antwortete Walter Ulbricht auf eine Zusatzfrage der Journalistin Annemarie Doherr von der Frankfurter Rundschau, dass niemand beabsichtige, eine Mauer zu errichten.[65] Heute wissen wir es besser, denn diese Mauer stand 40 Jahre und hielt Menschen in einem Unrechtssystem davon ab, sich frei zu entfalten. So ist es, wenn aus einer Theorie eine tatsächliche Verschwörung wird. Etwa zwei Jahre später berichtete die Bildzeitung, dass der ehemalige Außenminister und SPD Chef anregt, dass ein Lastenausgleichsgesetz nach dem Vorbild des in den 50er Jahren initiierten LAG geschaffen werden solle, um die Lasten der sogenannten Corona-Krise schultern zu können.[66] Ist die Bildzeitung

---

[62] Finanznachrichten.de. Die Verstaatlichung der Lufthansa. Bernecker Research 11.04.2020: https://www.finanznachrichten.de/nachrichten-2020-04/49357165-die-verstaatlichung-der-lufthansa-665.htm

[63] De.wikipedia.org. Lastenausgleichsgesetz: https://de.wikipedia.org/wiki/Lastenausgleichsgesetz

[64] Tagesschau.de. Gerüchte im Netz: Die Angst vor den Zwangshypotheken. 15.08.2018: https://www.tagesschau.de/faktenfinder/inland/zwangshypotheken-eurorettung-101.html

[65] YouTube.com. Historische Fakes: „Niemand hat die Absicht, eine Mauer zu errichten", 15.06.2017: https://www.youtube.com/watch?v=Yz9DNSTrHBY

[66] Bild.de: Lastenausgleichs-Gesetz wie nach dem Zweiten Weltkrieg; Gabriel fordert Vermögens-Umverteilung nach Coronakrise; 17.04.2020: https://www.bild.de/politik/inland/politik-inland/lastenausgleich-nach-corona-krise-gabriel-fordert-vermcegens-umverteilung-70104176.bild.html

endlich durch den ARD-Faktenfinder Patrick Gensing als „*dubiose Quelle*" enttarnt worden? Sigmar Gabriel ist zwar kein EU Politiker, er ist jedoch auch nicht irgendein Politiker. In all diesen Maßnahmen wird eines immer klarer erkennbar, nämlich das, was der SPD Politiker Sigmar Gabriel in seinem Interview mit der Bildzeitung offenbart: eine riesige Umverteilung von Vermögen in kürzester Zeit.

Der Geschäftsmann und Buchautor Robert Kiyosaki bezeichnet diesen Prozess als den größten Geldraub aller Zeiten, der sich im Hintergrund abbildet. Die sogenannte Corona-Krise diene lediglich der Ablenkung vom eigentlichen Ziel. Dies sei eine kriminelle Operation, denn sie würden unser Geld schon seit Jahren stehlen.[67] Nach Auffassung Kiyosakis beträfe die nächste Welle vor allem Rentner, da viele Rentenfonds und Rentenanstalten pleite seien. Ist dies also die *zweite Welle*, von der immer wieder gesprochen wird? Lösung soll die sogenannte Modern Monetary Theory (MMT) sein. Also eine Theorie der sogenannten „*endogenen Kredit- oder auch Geldschöpfung*". Das bedeutet, dass Banken gegen Sicherheiten Kredite gewähren, ohne dafür auf Ersparnisse zurückzugreifen.[68] In einfachen Worten ausgedrückt, die Möglichkeit und Fähigkeit, Geld aus dem Nichts zu schöpfen, und zwar unendlich. An anderer Stelle des Buches wird darauf intensiver eingegangen.

Während politische Akteure anhand eines einzigen Gesetzes, des Infektionsschutzgesetz (IfSG),[69] über eine Gesellschaft mittels deren Ausführungsverordnungen, die in diesen Tagen an *Notstandsverordnungen und Ermächtigungsgesetze* dunkelster deutscher Vergangenheit erinnern, hinwegregiert, soll die Bevölkerung die immensen Kosten dafür tragen und den Schaden beheben? Während Akteure, wie Bill Gates, dessen Vermögen sich im Jahre 2020 auf 109,5 Mrd.

[67] YouTube.com. Der Große Bluff der Eliten (Robert Kiyosaki) Teil 1/2. – 21.06.2020: https://www.youtube.com/watch?v=uTvcxV7HUz0
[68] De.wikipedia.org. Modern Monetary Theory: https://de.wikipedia.org/wiki/Modern_Monetary_Theory
[69] Gesetze-im-internet.de. Gesetz zur Verhütung und Bekämpfung von Infektionskrankheiten beim Menschen: https://www.gesetze-im-internet.de/ifsg/

USD[70] beläuft, wovon Landeshaushalte träumen, kann Politik gemacht werden. Er will die gesamte Weltbevölkerung impfen, und ihm wird dafür reichlich *Werbezeit* in den ARD Tagesthemen zur Verfügung gestellt. Zum Vergleich: Werbung nach 20 Uhr kostet bei Privatsendern für 30 Sekunden zwischen 60.000 und 150.000 Euro. Für jede Minute nach 20 Uhr sind es demnach 120.000 bis 300.000 Euro.[71] Der ARD war dieses *Interview* mit Bill Gates, das eher einer *Werbeveranstaltung* für Impfungen entsprach, ca. 1.107.600 bis 2.679.000 Euro wert, die durch Zwangsabgaben finanziert wurden, um Partikularinteressen zu verdeutlichen, während diese zu impfende Weltbevölkerung scheinbar unbeirrt Masken tragen muss und inzwischen mit hohen Bußgeldern belegt wird, wenn diese z. B. in Bus und Bahn abgesetzt werden?[72] Es erinnert an Feudalismus, Zeiten menschlicher Unterdrückung und Sklaverei. *„Wir werden den zu entwickelnden Impfstoff letztendlich sieben Mrd. Menschen verabreichen."[...] „Wir sind die größten Förderer von Impfstoffen." [...] „Dies sind die Mittel, in die jetzt investiert werden muss"*,[73] so die übersetzten Worte von Bill Gates in den Tagesthemen. Der Mensch auf eine nützliche Ware reduziert? Es vergehen 9:23 Minuten, und der Moderator stellt nicht eine einzige kritische Frage? Wer ist mit dem von Bill Gates erwähnten *„Wir"* überhaupt gemeint? Von wem spricht Bill Gates, wenn er von *„Wir"* spricht? Wer oder was veranlasst Bill Gates und dieses *„Wir"* dazu so etwas umsetzen zu wollen, und vor allem zu können? Woher hätte er die Legitimation? Von wem und durch wen wurde er legitimiert, ein derartiges Vorhaben umzusetzen? Mit wem setzt er dieses Vorhaben um, und vor allem wer

---

[70] De.wikipedia.org. Bill Gates: https://de.wikipedia.org/wiki/Bill_Gates

[71] Werbung-marketing-pr.com. So teuer ist Fernsehwerbung; 20.01.2013: https://t1p.de/6g7k

[72] Tagesspiegel.de: Berlin beschließt weitere Lockerungen und Bußgelder für Maskenmuffel. 23.06.2020: https://www.tagesspiegel.de/berlin/die-aktuellen-corona-regeln-berlin-beschliesst-weitere-lockerungen-und-bussgelder-fuer-maskenmuffel/25943620.html

[73] Tagesschau.de. Gates über Corona-Impfstoff: „Es braucht eine globale Anstrengung"; 12.04.2020: https://www.tagesschau.de/ausland/gates-corona-101.html

partizipiert daran? Warum muss *„jetzt"* in dieses Vorhaben investiert werden? Welche Alternativen gibt es zum Impfen? Warum setzt sich Bill Gates mit dieser nachhaltigen Vehemenz für das Impfen ein? Wenn er sieben Mrd. Menschen impfen will, resultiert daraus eine Zwangsmaßnahme? Wie will und kann er seine Absicht umsetzen? Wird durch das Impfen garantiert, dass Gesundheit gefördert wird und erhalten bleibt? Wie sind die Risiken beim Impfen? Welcher Schaden kann entstehen? *Warum stellt der Moderator nicht eine einzige dieser sehr wichtigen und erkenntnisbringenden Fragen?* Zeit genug war mit 9:23 Minuten doch vorhanden. Haben die Gebührenzahler, die eineindeutig zur Zielgruppe von Bill Gates und seinem globalen Vorhaben zu subsummieren sind, nicht das Recht und den Anspruch darauf, all diese oben genannten und weitere Fragen lückenlos beantwortet zu bekommen? Schließlich geht es um nichts Geringeres, als um unser aller Gesundheit und vor allem körperliche Unversehrtheit. Wie kann Bill Gates davon ausgehen, dass alle Voraussetzungen für sein und das *„Wir"*-Handeln erfüllt seien? Für ihn und andere scheint dieser Prozess bereits entschieden zu sein, wie könnte er sonst auf diese Idee kommen, sein Vorhaben derartig selbstverständlich zu formulieren? Es bleibt abzuwarten und vor allem sehr wachsam zu sein, um zu erkennen, wohin diese Reise gehen soll.

Da Steuer unschön klingt und der Koalitionsvertrag diese nicht erhöhen wollte, heißt es „Bepreisung". Dies sind die oben genannten Wortschorlen und Konstruktionen. Und ein Virus mit dem Namen Corona wird zum Hauptschuldigen gemacht, obwohl dieser das Runterfahren der Wirtschaft und Gesellschaft sowie die Einschränkung von Freiheitsrechten nicht entschieden hat. Framing ist eher ein passender Begriff. Wie wir erneut erkennen dürfen: eine Konstruktion, um Verwirrung zu stiften. Und da sind wir wieder bei der Illusion, der Konstruktion und beim Widerspruch. Es wird, wie so oft, gelogen. Dank Greta Thunberg, anderen Protagonisten und Profiteuren sowie einem Virus mit dem Namen Corona, ist die Politik nun jedoch *gezwungen* zu handeln. Tja, und so wird, *ganz ungewollt* auf die vielen Ereignisse mit Verboten, Bevormunden und Enteignungen reagiert. Steuern werden natürlich nicht erhöht, ebenso wie es damals nicht dazu kam, eine Mauer zu bauen. Und ebenso selbstverständlich gibt es dazu, wie immer, keinerlei Alternativen. Logisch, eine demokratische Diskussion soll damit ja auch von Anfang an unterdrückt werden. Dies geschieht höchst anschaulich durch Notverordnungen, die sogar scheinbar das Grundgesetz aushebeln. Also wird uns mitgeteilt, dass das Unterlassen dieser Handlungen noch viel teurer und vor allem viel schlimmer wird und sei. Der Handel mit der Angst, der Panik und dem schlechten Gewissen funktioniert immer und ist für wenige Profiteure höchst ertragreich. Doch wenn weiterhin Menschen nach der Wahrheit suchen und diese auch finden, wird sich zeigen, dass dieses Verhalten letztlich auch dem Ansehen und der Glaubwürdigkeit vieler politisch handelnder Akteure, auch der WHO und der UNO/IPCC schadet. Wahrheit findet immer ihren Weg, und erste, auch damalige Wissenschaftler weisen diesen Weg, in dem sie sich kritisch zu den aktuellen Konstruktionen des IPCC und heutigen Akteuren äußerten und äußern. Dies wird angesichts des hier entstandenen Schadens nicht mehr aufhören. Das ursprüngliche Ergebnis der Wissenschaftler veranschaulicht das Prinzip der Schöpfung und belegt darüber hinaus, dass allein in der menschlichen Vorstellung ein linearer Verlauf von Phänomenen besteht. Dies wird auch bei den Konstruktionen der sogenannten Corona Pandemie erkennbar. Doch wer allein sein eigenes Leben betrachtet, der wird sehr schnell erkennen können, dass dies häufig eine Illusion, eine Lebenslüge ist.

Es heißt, die Wege des Herrn seien unergründlich. Nun, dies scheint unter diesen Aspekten höchst nachvollziehbar zu sein. Während die Schöpfung eine klare Ordnung vorsieht, schafft sich das auf der grobstofflichen Ebene vorhandene menschliche Ego Chaos, wie wir insbesondere in diesen Tagen erleben. Es ist ein weiteres fatales Ergebnis menschlicher Begrenztheit. Der Mensch ist durch sie unfähig, den Blick über das große Ganze, das Universelle, entwickeln zu können, da er eben nicht Gott ist, sondern bestenfalls als

Nachschöpfung betrachtet werden kann. Wenn auch viele Menschen davon ausgehen mögen, dass es weder eine Schöpfung noch schöpferische Kraft gibt und allein der Mensch das höchste aller Geschöpfe sei, so folgen diese Menschen lediglich einer Illusion, einem Irrglaube, der die menschliche Begrenztheit nur allzu sehr verdeutlicht. Während zweier Vorträge sagte der Physiker Max Planck, *„Es gibt keine Materie an sich. Alle Materie entsteht und besteht nur durch eine Kraft, welche die Atomteilchen in Schwingung bringt und sie zum winzigsten Sonnensystem des Alls zusammenhält."* [...] *„So müssen wir hinter dieser Kraft einen bewussten intelligenten Geist annehmen. Dieser Geist ist der Urgrund aller Materie."* [...] *„so scheue ich mich nicht, diesen geheimnisvollen Schöpfer ebenso zu benennen, wie ihn alle Kulturvölker der Erde früherer Jahrtausende genannt haben: Gott!"* "[...] *„Hier gibt es für einen besinnlichen Menschen nur zwei Arten der Einstellung zwischen denen er wählen kann: Entweder Angst und feindseliger Widerstand, oder Ehrfurcht und vertrauensvolle Hingabe. [...]."*[74] Diese Beschreibung scheint höchst anschaulich in der derzeitigen angst- und panikerfüllten sogenannten Corona-Krise zutreffend zu sein. Max Planck beschreibt mit seinen Worten die Zuspitzung unseres gelebten anthropogenen Dualismus. Es ist Zeit, erwachsen zu werden und diesen Dualismus zu überwinden, doch dafür ist es notwendig, Verantwortung, insbesondere *Eigen*verantwortung, wahrzunehmen.

Die menschliche Begrenztheit gilt ebenso für die heutige Wissenschaft, vor allem im Hinblick auf ihre Abhängigkeit. Der Drogist Dr. hc. Peter Jentschura beschreibt moderne Wissenschaften als *„missratene Kinder des europäischen Geistes. Sie suchen stets nach feststehenden Gesetzen des SEINS statt nach Gesetzen des fließenden Lebens."*[75] Der in Mumbai, Indien, geborene Wissenschaftler, Ingenieur, mehrfache Buchautor und Unternehmer Shiva Ayyadurai,

---

[74] manifestation-boost.de. Max Plancks größte Erkenntnis: „Es gibt keine Materie an sich." 22. Oktober 2017: https://t1p.de/ymok
[75] Jentschura, Peter Dr. hc./Lohkämper, Josef. Zivilisatoselos. Leben – frei von den Zivilisationskrankheiten unserer Zeit. Verlag Peter Jentschura 2004, Seite 52

der am Massachusetts Institute of Technology (MIT) studierte, bringt es auf den Punkt: *„Die großen Wissenschaftler sind abgeschafft worden. Jetzt gibt es nur noch Akademiker, die kuschen."*[76] Auch wenn Wikipedia ihn als *„Verschwörungstheoretiker"*[77] bezeichnet, so wird in diesem Buch noch deutlich werden, dass die oben genannten Ausführungen zum Zustand der heutigen Wissenschaft durch Professor Shiva Ayyadurai vielfach erkennbar sind. Ein entscheidend fatales Merkmal der heutigen Wissenschaft ist, so wie in vielen anderen Bereichen auch, der Aspekt der Abhängigkeit.

Wer wider besseres Wissen von Verantwortung spricht, obwohl das durch sein begrenztes Ego immer deutlicher werdende Chaos, welches er selbst verursacht hat, zutage tritt, offenbart seinen geistigen Zustand, und darüber hinaus, wie weit er sich vom Göttlichen entfernt hat. *Schuld* an diesem Chaos sind regelmäßig die anderen, das angebliche Treibhausgas CO_2, das als Naturstoff höchst gefährlich für das Klima der Welt und alle Menschen sei, und ein Virus, statt des politisch initiierten Shutdown, letztlich vor allem Gott selbst, durch dessen unendliche Fehlbarkeit – ist doch völlig klar.

Doch gerade hier wird die tragische und fatale Begrenztheit von Menschen erkennbar. Deutlich wird auch der Zustand der Verantwortung, in dem wir uns noch immer großenteils befinden. *„Was siehst du aber den Splitter in deines Bruders Auge, und wirst nicht gewahr des Balkens in deinem Auge"* (Matthäus 7:3).[78] Es erscheint mindestens widersprüchlich und im Ansatz unglaubwürdig, wenn auch die Kapitänin Carola Rackete von Verantwortung spricht, die Europa ihrer Auffassung nach gegenüber Afrika hat, während ihr Vater, Ekkehart Rackete, ehemaliger Bundeswehroffizier, freiberuflich für die Firma Mehler Engineered Defence GmbH arbeitet und ihr selbst begründete Vorwürfe gemacht werden, sie habe auch Straf-

---

[76] YouTube.com. „Es gibt keine echten Wissenschaftler mehr, nur noch Akademiker, die kuschen" – Shiva Ayyadurai. 21.04.2020: https://www.youtube.com/watch?v=w0DMuH44h1Y

[77] De.wikipedia.org. Shiva Ayyadurai: https://de.wikipedia.org/wiki/Shiva_Ayyadurai

[78] bibeltext.com. Matthaeus 7:3: https://bibeltext.com/matthew/7-3.htm

fällige auf ihrem Schiff beheimatet und widerrechtlich in den italienischen Hafen eingeschleust. Die Firma, für die Ekkehart Rackete tätig ist, stellt nach eigenen Angaben ballistische Schutzsysteme für militärische und zivile Anwendungen her. Ekkehart Rackete unterstützt als freier Mitarbeiter Vertriebsaktivitäten zur Akquise von Neuprojekten. Zwar sagt das Unternehmen, dass es keine Waffen entwickelt, herstellt und/oder vertreibt. Sevim Dagdelen, stellvertretende Vorsitzende und abrüstungspolitische Sprecherin der Fraktion DIE LINKE, hält diese Aussage jedoch eher für verfälschend. Ihrer Auffassung nach erhöhten Schutzpanzerungen die Kampffähigkeit von Waffensystemen deutlich und *„ermöglichen bzw. verbessern deren Offensivfähigkeiten"*. Tragen Ekkehart Rackete, seine Tochter[79] Carola und auch Kirchen durch ihr Handeln also zu Lösungen von Herausforderungen bei? Sind sie derzeit nicht eher Teil des definierten Problems und deren Herausforderungen? Wir werden Probleme nur durch Lösung dieser lösen, erlösen und auflösen können, doch dazu ist es notwendig, dass wir die richtigen Entscheidungen auf der entsprechenden Ebene eines Erwachsenen treffen und danach handeln. Lösungen befinden sich weder auf einer bockigen Kind-Ich-, noch auf einer überfürsorglichen und allmächtigen Eltern-Ich-Ebene. Diese beiden Ebenen sind ausschließlich durch Ego-Wille und Macht geprägt.

Was wir brauchen sind echte Lösungen und eben nicht zusätzliche Probleme oder Scheinlösungen, die vor allem durch Machtstreben zutage befördert werden. Systeme, die mit negativen Gefühlen wie Angst und Panik agieren und schlechtes Gewissen suggerieren, befinden sich in alten Denk- und Handlungsmustern, deren Zeit dem Ende entgegen strebt. Sie fördern Ohnmacht, Stillstand und Rückschritt und sind frei von jedem Lösungsansatz. Einrede von schlechtem Gewissen ist wie *„Peitschenhiebe"* alter Denkstrukturen und

---

[79] Correctiv.org. Güngör, Hüdaverdi. Ja, der Vater von Carola Rackete arbeitet auch in der Rüstungsindustrie; 03. Juli 2019:
https://correctiv.org/faktencheck/migration/2019/07/03/ja-der-vater-von-carola-rackete-arbeitet-auch-in-der-ruestungsindustrie

Ausdruck von Macht, so Petra Bock. (ebd./Mind Fuck) Wenn wir demgegenüber beginnen, Verantwortung zu übernehmen, können wir Extreme und Spaltung überwinden, da Raum für ein >Sowohl als auch< sowie ein >Und< entsteht. Beides bietet Auswege und Lösungen aus dem Dilemma einer gesellschaftlichen Spaltung in Extreme. Wie heißt es eben so treffend, wer nur nach rechts oder links geht, kommt keinen Schritt voran? Wer schöpferisch tätig wirken will, wird jedoch voranschreiten müssen. Auf diese Weise besteht die Möglichkeit zur Heilung, die wir alle und die Erde in höchstem Maße benötigen.

4. Verantwortung

Was bedeutet Verantwortung? Vielen Menschen erscheint dieser Begriff sicherlich als Fremdwort. Die meisten Menschen von uns haben dennoch zumindest eine Vorstellung von diesem Begriff und von dem, was ihn auszeichnet. Politiker nutzen diesen Begriff sehr gern, wenn sie gewählt werden wollen und gewählt wurden. Viele von uns meiden Verantwortung jedoch und schieben sie weit von sich, sofern dies tatsächlich möglich ist. Zumindest besteht vielfach die Vorstellung, dass es möglich sei. Aus den Augen aus dem Sinn, ist die Devise. Bei genauer Betrachtung fällt jedoch auf, dass es gar nicht möglich ist. Wer Müll produziert, wird eine Lösung dafür finden müssen. Ein Mensch kann ebenso wenig aus seiner Haut, wie er letztlich unfähig ist seine Verantwortung abzustreifen. Mag er sich dies noch so sehr wünschen. Je größer sein Kampf gegen die Annahme seiner Verantwortung ist, desto größer ist die Wahrscheinlichkeit sowohl geistig als auch seelisch und körperlich krank zu werden. In diesem Zusammenhang dürfen wir uns wahrlich fragen, warum so viele Menschen krank sind und warum fast jeder Zweite inzwischen an Krebs erkrankt? Je mehr wir also gegen unsere Verantwortung und damit gegen uns selbst kämpfen, desto mehr wird sich dies in negativer Form auf uns selbst auswirken. Verantwortung ist eines der Naturgesetze und diese sind unüberwindbar, mag der Wille noch so groß sein. Auf kurze oder längere Sicht wird uns dieser Kampf krankmachen, körperlich, seelisch und geistig, wie erwähnt.

Doch was ist Verantwortung nun überhaupt? Was kennzeichnet diesen Begriff? Eine relativ einfache und eng gefasste Definition für Verantwortung findet das Gabler Wirtschaftslexikon. Verantwortung bedeutet dort, „..., *dass jemand gegenüber einer Instanz für sein*

Handeln Rechenschaft abzulegen hat."[80] Als Instanz können z. B. Gerichte, Schulen, das Elternhaus, der Arbeitgeber u. ä. betrachtet werden. Verantwortung bedeutet „*Verpflichtung und Berechtigung, zum Zwecke der Erfüllung einer Aufgabe oder in einem eingegrenzten Funktionsbereich selbstständig zu handeln*", heißt es dort weiter.(ebd.) Wie erwähnt, eine eher eng gefasste und vor allem obrigkeitsstaatliche Vorstellung dieses Begriffes. Dennoch, im Kern dürfte sie mit der Vorstellung vieler von uns übereinstimmen. Und gerade deshalb dürfte der Widerstand so groß sein, sich bei dieser Vorstellung von Verantwortung aufzulehnen und diese von sich zu weisen. Verantwortung ist jedoch ein umfassender Begriff und bezieht sich auf sämtliche Lebensbereiche unseres Daseins und eben nicht nur auf Institutionen. So ist ebenso die Eigenverantwortung, die Verantwortung Mitmenschen gegenüber, der Umwelt, der Tier- und auch der Pflanzenwelt etc. zu erwähnen. Schauen wir uns den Begriff der Verantwortung noch etwas genauer an, um ihn besser verstehen zu können.

Die deutsche Sprache ist meines Erachtens eine der schönsten und reichhaltigsten Sprachen der Welt. Unsere Muttersprache drückt so oft so unglaublich wunderbar aus, was Begriffe uns zu vermitteln versuchen. Sprache ist aus einer Entwicklung entstanden. Ihre vortrefflichsten Ziele sollten daher Verständnis und Verständigung sein. Sprache sollte deshalb von Konstruktionen und Missbräuchen ferngehalten und vor allem verschont bleiben. Zu oft kommt es leider vor, dass wir mit unserer eigenen Sprache sehr unaufmerksam umgehen und Worte vielfach wie *Fastfood* verwenden. Allein das Wort Verantwortung drückt sehr viel mehr aus, als uns die Definition von Gabler zu erklären vermag und wir selbst oft in diesen Begriff hinein interpretieren. Wir reden viel zu wenig über und miteinander zu diesem Begriff und stellen uns zu wenig Fragen wie die, was er ist, was er will, warum er so wichtig für uns ist? Dieser Begriff und alles, was

---

[80] Wirtschaftslexikon.gabler.de. Verantwortung.
https://wirtschaftslexikon.gabler.de/definition/verantwortung-50418

mit ihm verbunden ist, scheinen tabuisiert zu werden. Schauen wir uns zunächst den Begriff genauer an. Ver-ant-wort-ung ist aus vier Silben zusammengesetzt. Es beginnt mit dem Präfix bzw. der Vorsilbe „Ver" und endet mit dem Suffix „ung". Ein Präfix kann als Gegenteil eines Suffix bezeichnet werden, welches auch als Nachsilbe, in diesem Wort „ung" bezeichnet wird und an das Ende eines Wortes angehängt sein kann. Der Begriff Präfix ist hergeleitet aus dem Lateinischen „praefixum" und bedeutet so viel wie „vor etwas befestigen" bzw. an etwas befestigen. Im Kern bedeutet diese Vorsilbe *Ver*, „..., dass sich eine Person oder Sache [im Laufe der Zeit] zu etwas (was im Substantiv oder Adjektiv genannt wird) hin verändert".[81] Eine traumhafte Beschreibung. Das Präfix *Ver* führt bzw. leitet also zu etwas und ist eine Überleitung zu etwas. Darüber hinaus stärkt bzw. befestigt es sich an den Kern des Wortes. Beim Begriff der Ver-Ant-Wort-ung ist es die *Ant-Wort* bzw. das Substantiv *Wort*. In der Mitte des Wortes „Verantwortung" stehen demnach im Grunde zwei Substantive, nämlich einmal die *Antwort* und das *Wort*. Wie oben erwähnt, weist das Präfix oder die Vorsilbe *Ver* auf eine Richtung bzw. Entwicklung hin und befestigt sich an diese zugleich. Die Ausrichtung und der Sinn des Wortes *Verantwortung* scheinen also einerseits eine Antwort zu finden und zu geben bzw. sich dahingehend zu entwickeln und zu seinem Wort bzw. seiner Antwort zu stehen. Verantwortung bedeutet daher in erster Linie dem Wortlaut entsprechend, eine Antwort auf etwas zu geben, möglichst wahrheitsgetreu bzw. etwas beantworten zu können und darüber hinaus zu diesem gegebenen Wort zu stehen bzw. dafür einzustehen. Im Kern geht es also um die Ausrichtung und Findung von Lösungen für sich und seine Situation im Zusammenhang mit der Außenwelt. Zugegeben, eine vielleicht ungewöhnliche Betrachtung des Begriffs der Verantwortung, dennoch eine aus meiner Sicht sehr anschauliche und vor allem für jeden Menschen nachvollziehbare, die dazu ermuntern mag, dass Menschen Freude entwickeln, Verantwortung zu übernehmen, weil darin ihre Lösungen verborgen sind. Die Natur sieht

---

[81] Google.de. Was bedeutet ver. https://t1p.de/0vrn

ohnehin vor, dass wir Verantwortung übernehmen. Gerade weil darin unsere individuellen Lösungen stecken. Die leider verstorbene und wenig bekannte Berliner Autorin Ursula Kliesch sagte, dass nur im unmöglichen Neues erwachsen könne und vor der Schöpfung nichts unmöglich sei.[82] Insofern macht auch aus dieser Sicht eine neue Betrachtung des Begriffs der Verantwortung Sinn. Jeder Mensch hat im Laufe seines Lebens Fragen, auf die er Antworten sucht und Lösungen benötigt. Die Wege sind oft sehr individuell. Deshalb gibt es im Leben der Menschen auch nicht *die* Lösung, sondern sehr viele.

Erfreulich ist, dass es immer Lösungen gibt. Wir brauchen uns nur danach auszurichten. Es gibt die unterschiedlichsten Vorstellungen für Wünsche und Lebensziele eines jeden Menschen, die wiederum auf höchst unterschiedliche Art erreicht werden wollen und können. Aus Zielen und Wünschen ergeben sich Fragen, die beantwortet werden wollen. Ratschläge bewirken inzwischen bei den meisten Menschen eher eine abneigende Haltung, da sie oft grenzüberschreitend und bevormundend wirken. Es entsteht ein Verhältnis von Eltern- und Kind-Ich. Verantwortung ist derzeit also immer noch auch eine Frage von Macht. Vielleicht geben auch deshalb viele Menschen gern Ratschläge zu diesem oder jenem Thema, vor allem unaufgefordert. Wenn nur wenige Menschen offen sind, Ratschläge von anderen Menschen anzunehmen und inneren wie äußeren Widerstand zeigen, was vollkommen nachvollziehbar ist, warum weigern sich Menschen dann, ihre Verantwortung zu übernehmen? Widerstand, das wissen wir nun, ist eine Bedürfnisinformation. Welches Bedürfnis bleibt also auch hier unbefriedigt? Verantwortung zu übernehmen, bedeutet immer Konsequenz. Verantwortung abgeben zu wollen, bedeutet jedoch selbiges. Darüber hinaus wird vielfach die These vertreten, dass in Fällen der Verantwortungsübernahme davon ausgegangen wird, diese stünde im unmittelbaren und ausschließlichen Zusammenhang mit negativen Sanktionen. Ein Freund von mir berichtete von einem Erlebnis. Als Außendienstmitarbeiter

---

[82] Kliesch, Ursula. Der Träumebrunnen. Hörspiel CD. Berlin 2010

rief er einen Kunden an und fragte eine Mitarbeiterin, ob sie mit den Produkten zufrieden sei. Diese antwortete mit den Worten, sie wüsste es nicht, da sie nur dort arbeite. Was treibt einen Menschen zu derartigen Aussagen? Ist es die Angst, Wahrheit zu sagen, Verantwortung zu übernehmen? Angst vor Sanktionen, falls sie etwas sagt, was ihrem Chef oder ihrer Chefin nicht gefallen könnte? Nachteile will bekannterweise niemand erleben. Das ist menschlich und vor allem nachvollziehbar. Auf diese Weise wird Menschen Stück für Stück aberzogen, sich frohen Mutes ihrer Verantwortung zu stellen und diese wahrzunehmen. Die Sorge um mögliche Sanktionen kann zu Ängsten führen, die wiederum unser Denken, unsere Emotionen und Handeln stört und hemmen kann. Demnach ist es durchaus sinnvoll, dem Begriff sowie dem Umgang mit Verantwortung eine andere, vor allem positiv gestalterische Bedeutung beizumessen, die uns allen hilft, unser Leben im positiven Sinne zu gestalten und uns motiviert, unsere persönlichen Antworten zu finden und möglichst glücklich dementsprechend zu leben. Auf diese Weise können wir selbstbestimmt unsere ganz persönlichen Ziele und Wünsche erreichen. Wer sich weigert, Antworten auf seine Fragen zu finden und die entsprechenden Wege zu gehen, wird weiterhin fremdgesteuert und unfrei leben. Er wird zum Spielball anderer. *„Wenn du ein glückliches Leben willst, verbinde es mit einem Ziel, nicht aber mit Menschen oder Dingen", so ein Zitat von Albert Einstein.*[83] Wer sich demnach also zu sehr von Dingen und anderen Menschen abhängig macht, kann und wird auf Dauer unzufrieden und letztlich krank. Einsteins Zitat drückt allerdings auch Dualität aus. Es ist auch möglich, dass alle drei Aspekte, Ziele, Menschen und Dinge zum Glück führen können. Einstein wird Abhängigkeiten angesprochen haben, von denen wir uns mit und durch unseren freien Willen befreien dürfen. Es braucht Mut und die Erkenntnis, dass die eigene Verantwortung, die uns spätestens mit der Geburt ein Leben lang begleitet, gleichzeitig eine Art Schutzengel ist. Wer sich treu bleibt und seinem

---

[83] Zitate-online.de. Albert Einstein Zitate: https://www.zitate-online.de/literaturzitate/allgemein/19652/wenn-du-ein-glueckliches-leben-willst-verbinde.html

Herzen folgt, wird letztlich glücklich sein können. In diesem Sinne kann das Sprichwort des griechischen Philosophen Demokrit verstanden werden, dass am Anfang unseres Handelns Mut und am Ende Glück steht. Ein selbstbestimmter Mensch wird sein Leben letztlich glücklich meistern und in seinem Sinne gestalten können. Das ist innere Freiheit, die auch im Außen gelebt werden will und kann, sofern der Mensch bereit ist, die dafür notwendige Verantwortung zu übernehmen. Davon abgesehen, es ist höchst unwahrscheinlich, dass andere Menschen und Institutionen mir die exakt passenden Antworten für mein Leben geben werden, die ich auf meine Fragen an mich, an die Welt und an Gott habe, um innerlich und äußerlich im Einklang mit mir und der Welt sein zu können. Auch deshalb ist es eine ganz persönliche Aufgabe, seine eigene Verantwortung wahrzunehmen.

Wie heißt es so treffend: Jeder ist Experte seines Lebens. Da Institutionen diese Aufgabe nicht übernehmen können, neigen sie dazu, einen Einheitsmenschen schaffen zu wollen, um eine bessere Kontrolle und scheinbare allgemeingültige Antworten zu finden bzw. zu haben. Dies ist auch in der derzeitigen sogenannten Corona-Krise durch die Möglichkeit einer allgemeinen Impfpflicht zu beobachten. Diese Kontrolle ist Illusion. Ausgehend von diesen Erkenntnissen, kann deshalb auch nur jeder selbst seines eigenen Glückes Schmied sein. Sofern sich ein Mensch weigert, eigenverantwortlich zu handeln, um sich dadurch auf seine Lösungen auszurichten, sind tatsächliche Lösungen und ihre Umsetzung weitestgehend ausgeschlossen. Diese Menschen neigen dazu, regelmäßig in die sogenannte Opfer-Rolle zu verfallen. Verantwortung und Lösungen stehen in direktem Zusammenhang. Es heißt, wer streitet, will Recht haben. Wer hingegen diskutiert, will Lösungen erarbeiten. Es besteht also ein Unterschied darin, ob gestritten oder diskutiert wird, denn Streit und Diskussion haben demnach eine unterschiedliche Zielsetzung. Im traditionellen Coaching ist dieses Bild im sogenannten „Coaching Dreieck" zu finden. An der oberen Spitze steht das Erwachsenen-Ich. An den jeweils unteren Ecken stehen Kind-Ich und das Eltern-Ich. Solange wir uns auf diesen beiden letzten Ebenen befinden, kennzeichnen wir unser Verhalten durch scheinbare Ohnmacht (Kind-Ich), die sich z. B. durch trotziges Verhalten ausdrückt oder durch strenge Allmacht und Überfürsorglichkeit (Eltern-Ich). Diese Ebene ist insgesamt jedoch von Macht geprägt. Erkennbar wird ein solches Verhalten häufig auch dadurch, dass Verbote und Bevormundung ausgesprochen werden. Strenge drückt vor allem diese Eltern-Ich-Ebene aus. Wer sich im Eltern-Ich-Modus befindet, verhält sich oft so, als schwebe er über den Dingen. Wirkliche Verantwortung findet daher nur auf der Erwachsenen-Ich-Ebene statt und nur dort können deshalb auch echte Lösungen, die von allen getragen werden, erarbeitet und gefunden werden. Hierdurch wird erkennbar, dass Erwachsensein nicht mit dem Alter, sondern mit Verhalten und Einstellung zu tun hat. Dieses Schema ist flexibel und in ständiger Bewegung, denn alle drei Positionen können jederzeit wechseln. Das Verhalten und die Auswirkungen charakterisieren die jeweiligen Positionen. Wem dies bekannt ist, kann sich darauf einstellen und lernen, damit umzugehen. Jeder Mensch spürt intuitiv, auf welcher dieser drei Ebenen er sich gerade befindet. Was ihm jedoch häufig fehlt, ist das notwendige Bewusstsein bzw. das Wissen darüber. Auf der Kind-Ich- und der Eltern-Ich-Ebene wird durch starres bzw. machtvolles Verhalten versucht, den jeweils unbändigen Willen durchzusetzen. Um Lösungen zu erarbeiten, bleibt einzig die Ebene des Erwachsenen-Ich, die einzige Position, um eine Situation zu entkrampfen und eine tragfähige Lösung für alle beteiligten Personen zu schaffen. Forderungen, Verbote und Bevormundung entspringen der Kind-Ich- bzw. Eltern-Ich-Ebene, weil sie das Ego berücksichtigen bzw. dieses befriedigen wollen. Macht und Ego sind Brüder im Geiste. Es wird klar, auf welcher Ebene die angebliche Aussage von Greta Thunberg zu finden ist, als sie sagte, dass sie will, dass wir alle in Panik geraten. Dadurch jedoch werden Lösungen verhindert und boykottiert. Der Blick für Lösungen ist auf diesen Ebenen versperrt und wird dadurch unmöglich. Nach dem Motto: Ich habe keine Lösung, bewundere aber das Problem. Anschauliche Beispiele bieten folgende Situationen. *„In Schweden beispielsweise* fordert die Jugendorganisation der schwedischen Sozialdemokraten, dass alte Leute in Seniorenheimen nur noch vegetarisch ernährt werden sollen. Warum dieser Autoritätsanspruch? Seit wann haben junge Menschen Senioren vorzuschreiben, was diese essen sollen und was nicht?" So ein Bericht von Freiewelt.net.[84] Ein weiteres Beispiel für ein überfürsorgliches Verhalten auf der Eltern-Ich-Ebene zeigt ein australisches Elternpaar. *„Wegen der streng veganen Ernährung seiner kleinen Tochter ist ein Elternpaar aus Australien zu jeweils 300 Stunden gemeinnütziger Arbeit verurteilt worden. Um eine Gefängnisstrafe kamen die 33-jährige Mutter und der 35-jährige Vater am Donnerstag in Sydney herum. Die beiden hatten ihr Baby in den ersten anderthalb Lebensjahren strikt ohne Fleisch oder andere Lebensmittel von Tieren ernährt. Das Mädchen bekam Obst, Haferflocken, Kartoffeln, Reis, Tofu, Brot, Erdnussbutter und Reismilch"*,[85] so der Bericht. Eltern, die überfürsorglich im Modus des Eltern-Ich gehandelt haben, ohne eine Lösung aus der Sicht eines Erwachsenen zu schaffen. Der ehemalige Ministerpräsident Kurt Biedenkopf sorgte sich um eine mögliche Regierungsbeteiligung der AfD in Sachsen, schrieb wallstreet.online am 09.08.2019. *„Der frühere sächsische Ministerpräsident Kurt Biedenkopf hat vor einer Regierungsbeteiligung der AfD gewarnt." „Schon jetzt zeigt sich, dass ihre Führungsleute zwar die Macht, aber nicht das Wohl der Bevölkerung anstreben"*, sagte Biedenkopf dem Magazin der *„Frankfurter Allgemeinen Zeitung"* (Samstagsausgabe). *„Wenn die Populisten wirklich Macht gewinnen können und damit die Freiheit bedrohen, zerfällt Europa. Wenn die europäische Bevölkerung das nicht begreift, dann wird sie verlieren."* Und weiter heißt es dort: *„Der AfD warf er eine „tiefe Verlogenheit" vor, weil sie vieles verspreche, aber nirgendwo sage, wie sie ihre Pläne finanzieren wolle. Mit Blick auf die Landtagswahlen in Sachsen riet der CDU-Politiker jedoch zu Gelassenheit. Die*

---

84 Freiewelt.net. Totalitarismus der neuen Jugendbewegungen. Veröffentlicht: 14.08.2019: https://t1p.de/a3n6
85 Welt.de. Eltern wegen streng veganer Ernährung der Tochter verurteilt. Veröffentlicht am 22.08.2019: https://t1p.de/9jgw

AfD sei im Freistaat „politisch nicht sonderlich bedeutsam", weil es ihr an Partnern fehle. Sachsens Wähler forderte er auf, die Augen nicht vor der Wirklichkeit zu verschließen. „Wenn sie die AfD wählen wollen, sind sie frei, aber an den Folgen selbst schuld." Es gebe politisch genügend andere Alternativen. „Wer trotzdem die AfD wählt, sorgt dafür, dass die Leute auf Sachsen nicht mehr stolz sein können." Kurt Biedenkopf, der im Januar 2020 90 Jahre alt geworden ist, regierte von 1990 bis 2002 mit absoluter Mehrheit in Sachsen. Vor zwei Jahren zogen seine Frau und er zurück nach Dresden. Er fühle sich in dem Land heute genauso wohl wie früher, sagte Biedenkopf. *„Die positive Grundstimmung hier hat sich nicht verändert." Hart ging Biedenkopf mit seinen Nachfolgern als Ministerpräsident ins Gericht. Er habe in seiner Regierungszeit versucht, das zu hinterlassen, was notwendig ist, um vernünftig weiterzumachen. „Aber die Leute, die weitergemacht haben, haben es nicht begriffen."* Sie hätten weder Ziele gesetzt noch den Menschen, die sich immer schneller verändernde Welt erklärt. Genau das aber sei Aufgabe von Politik, sagte Biedenkopf. Außerordentlich lobte er den heutigen sächsischen Ministerpräsidenten Michael Kretschmer (CDU). *„Er beeindruckt mich sehr durch seine Art und Weise und seinen Mut, mit dem er in einer sehr schwierigen Situation antritt."* Ein dazugehöriger Kommentar dieses Artikels spiegelt die Position, auf der sich Kurt Biedenkopf befindet. *„Der WO-Follower Leser2009 hat vor einer nochmaligen Regierungsbeteiligung der CDU gewarnt. „Schon jetzt zeigt sich, dass ihre Führungsleute zwar die Macht, aber nicht das Wohl der Bevölkerung anstreben",* meinte Leser2009. *„Wenn die Populisten sich wirklich an der Macht halten können und damit die Freiheit bedrohen, zerfällt Europa. Wenn die europäische Bevölkerung das nicht begreift, dann wird sie verlieren."* Der CDU warf er eine *„tiefe Verlogenheit"* vor, weil sie vieles verspreche, aber nirgendwo sage, wie sie ihre Pläne finanzieren wolle. Die einzige Aussage über die Machbarkeit der wahnsinnigen CDU-Pläne ist Merkels *„Wir schaffen das"* – eine Aussage, deren Blödheit schlechterdings nicht zu überbieten ist (das schafft nicht mal der ehemalige sächsische

Ministerpräsident Kurt Biedenkopf, und das will was heißen). Sachsens Wähler forderte er auf, die Augen nicht vor der Wirklichkeit zu verschließen. *„Wenn sie die CDU wählen wollen, sind sie frei, aber an den Folgen selbst schuld."* Es gibt eine politische Alternative. *„Wer trotzdem die CDU wählt, sorgt dafür, dass die Leute auf Sachsen nicht mehr stolz sei können."*[86] Inhaltliche Fehler wurden übernommen, da es sich um ein wörtliches Zitat handelt. Beide Aussagen belegen höchst anschaulich die Positionen, auf denen sich beide Autoren (Ministerpräsident & Kommentator) befinden. Wobei der Kommentar die Reaktion auf die Aussagen Biedenkopfs ist und sicher eher als Provokation betrachtet werden darf. Der Kommentar kritisiert darüber hinaus die Position und Haltung des ehemaligen Ministerpräsidenten und relativiert dessen Aussagen. Kurt Biedenkopf, der während seiner Amtszeit sicherlich auch deshalb gern als „König Kurt" bezeichnet wurde, weil er die Regierung mit absoluter Mehrheit führen konnte. Mit seinen oben aufgeführten Aussagen macht er dieser Bezeichnung alle Ehre. Denn damit befindet auch er sich auf der Eltern-Ich-Ebene und erscheint durch seine „oberlehrerhafte" Art, als schwebe er über allen Dingen. Er und andere Politiker müssen dem „unmündigen" Bürger die Welt erklären. Eine eher antiquierte und überholungswürdige Sicht auf Menschen. Interessanterweise ist den Ausführungen von Kurt Biedenkopf darüber hinaus ein zusätzlicher Aspekt zu entnehmen. Ganz im Sinne von Petra Bock verwendet er „Katastrophen Mindfuck". Konstruierte Manipulation durch Wenn/Dann-Szenarien, die Angst machen sollen und/oder seine eigene Angst spiegeln, rufen den alten Geist des CDU Wahlwerbeplakats aus dem Jahre 1957 auf den Plan: *„Keine Experimente",*[87] wie Adenauer forderte. Die Absicht, die dahinter stehen könnte, ist, Menschen in ihrem freien Willen zu beeinflussen. Wir erinnern uns,

---

[86] Wallstreet-online.de. Biedenkopf fürchtet AfD-Regierungsbeteiligung in Sachsen. 09.08.2019:
https://www.wallstreet-online.de/nachricht/11667044-sachsen-biedenkopf-fuerchtet-afd-regierungsbeteiligung-sachsen
[87] Google.de. CDU Wahlplakat von 1957: https://t1p.de/hcpw

schlechtes Gewissen machen ist wie „Peitschenhiebe" alter Denkstrukturen. Sie bieten keine Lösung, dafür regen sie Widerstand an. Und Widerstand, das wissen wir, ist eine Bedürfnisinformation. Die Reaktion durch den Kommentar auf die Worte von Kurt Biedenkopf, belegt dies höchst anschaulich. Kurt Biedenkopf handelt in ernüchternder Weise nicht als Erwachsener, obwohl er dies mit seinen 90 Lebensjahren sein könnte. Er bevorzugt einen bevormundenden und oberlehrerhaften Ton, der frei von jeglichen Lösungsansätzen ist. Wählerinnen und Wähler scharf anzugehen, dürfte den Entschluss, eine andere Partei zu wählen, eher noch weiter festigen. Auf diese Weise zeigt sich Widerstand und auf diese Weise fällt ein Teil dieser von Biedenkopf kritisierten Wählerschaft sicherlich in den Modus des Kind-Ich, verhält sich bockig und wählt nun erst recht die AfD. Dies allein als Reaktion auf die Aussagen von Kurt Biedenkopf. Was hat er durch sein Verhalten also tatsächlich gewonnen? Ein erfahrender Politiker, wie Kurt Biedenkopf, müsste dies eigentlich wissen. Verantwortung hat also auch damit zu tun, auf welcher Ebene wir uns befinden und in der Lage sind, diese zu erkennen und entsprechend erwachsen wahrzunehmen.

In den folgenden Ausführungen werden weitere Beispiele auch von anderen prominenten Persönlichkeiten zu lesen sein, die sich auf der Eltern-Ich und Kind-Ich-Ebene befinden. Wenn wir davon ausgehen, dass Lösungen lediglich auf der Erwachsenen-Ich-Ebene zu finden sind und diese als Wegweiser für eine bessere und verantwortungsvollere Zukunft dienen, dann ist es ebenso notwendig und an der Zeit, dass wir uns vom *römischen Grundsatz* des Herrschens und Teilens verabschieden, denn dieser Ansatz spaltet. Er basiert, ebenso wie die Kind-Ich-Ebene und Eltern-Ich-Ebene, auf der Grundlage der Macht. Wer Macht ausübt, benötigt gleichzeitig Kontrolle, um seine Macht zu festigen und möglichst ausbauen, mindestens jedoch erhalten zu können. Doch nichts vom Menschen Geschaffene ist für die Ewigkeit bestimmt, da es nicht von Gott ist. Das allein beweist uns die Geschichte. Im Gegensatz zur Macht geht Freiheit mit Vertrauen einher, welche durch Aufklärung, Reflektion und durch wahrhaftiges Wissen geschaffen werden kann. Freiheit steht im krassen Gegensatz zur Macht und Kontrolle und öffnet Systeme. Ein System, das immer mehr Kontrollmechanismen installiert und die dafür notwenigen gesetzlichen Grundlagen schafft, schafft irrtümlicherweise jedoch nicht mehr Sicherheit, sondern festigt zunächst Macht und Kontrolle, wie vorwiegend in Monarchien, sozialistischen und kommunistischen sowie totalitären Systemen erkennbar ist und war. Außerdem bewirkt es, anders als regelmäßig konstruiert und gefordert wird, eben nicht Offenheit und Toleranz, sondern führt zum genau Gegenteiligen, wie wir auch heute erleben dürfen. Macht und Kontrolle schaffen Unfreiheit.

Am 58. Jahrestag des Mauerbaues in Berlin, den 13. August 2019, rief der regierende Bürgermeister von Berlin Michael Müller dazu auf, *„Freiheit und Demokratie zu verteidigen"*. Der 13. August sei eine Mahnung, dass Freiheit verloren gehen könne, so ein Bericht des SWR.[88] Heute müssen Menschen ohne Maske bei wiederholtem Verstoß bis zu 500 Euro Bußgeld zahlen. Ein seltsames Verständnis von Demokratie und Freiheit. Wenn Freiheit ein Naturgesetz ist, können wir davon ausgehen, dass sich dieses letztlich gegen jegliche Form der Störung durchsetzen wird. Alles, was einer Bevormundung, Spaltung oder Verboten entspricht, stört die Entfaltung von Freiheit. Jeder, der dennoch mit Verboten und Bevormundung agiert, dadurch Spaltung fördert und trotzdem von Freiheit spricht, schafft durch diese Konstruktion eine Illusionen und Lüge. Vor der EU-Parlamentswahl, Ende Mai 2019, äußerte sich der zum damaligen Zeitpunkt amtierende österreichische Kanzler Sebastian Kurz zum Zustand der EU und kritisiert diese als mittlerweile bevormundend. Er bezeichnet das ursprüngliche Europa als *„Freiheitsprojekt"* und kritisiert weiter, dass es immer mehr zum „Bürokratiekorsett" für Bürger werde. Seine Partei setze im EU-Wahlkampf daher ganz auf das

---

88 swr.de. Berlins Bürgermeister Müller erinnert an Mauerbau. 12.8.2019: https://www.swr.de/swraktuell/mueller-mauerbau-100.html

Thema „Veränderung".[89] Könnte dies ein Grund sein, dass England den sogenannten *Brexit* vollzogen hat, weil es der EU-Bevormundung überdrüssig war?

Wenn Prozesse und Systeme fragiler werden, ist dies ein deutliches Anzeichen für größere Veränderungen. Kann es angesichts einer solchen Sichtweise sinnvoll sein, ein professionelles Veränderungsmanagement als Begleitung zu diesen Veränderungen anzubieten? Dies, um Menschen mit deren oft einhergehenden, allgegenwärtigen Ängsten zu begleiten und zu unterstützen? Es gibt sehr unterschiedliche Möglichkeiten mit Veränderungen umzugehen. Neugierde könnte ein positiver Impuls und Reaktion auf Veränderungen sein. Heutige Systeme neigen bedauerlicherweise jedoch eher dazu, sich unter allen Umständen erhalten, sprich konservieren zu wollen. Angst und Panik werden geschürt, um vom längst überkommenen Weg abzulenken und gerade mit diesen Mitteln das System zu erhalten. Dieser Wille zum unbedingten Machterhalt bremst leider längst notwendig gewordene Veränderungsprozesse aus und will diese verhindern. Eine kritische Diskussion um den sogenannten Klimawandel und das sogenannte Corona-Virus wird mit allen Mitteln zu unterbinden versucht. Im Kern zeigt sich auch hier, dass es um den Erhalt eines zunehmend erkennbar überkommen Systems, dessen Prinzipien und um Machterhalt geht. Was könnte Anlass des ARD Chefredakteurs Rainald Becker gewesen sein, der politisch handelnde Akteure der Vereinigung *Widerstand 2020* als „*Wirrköpfe*" tituliert und die These vertritt, dass es keine Rückkehr „*zur Normalität*"[90] geben könne? Was veranlasst eben diesen Medienexperten, renommierte Fachärzte wie Dr. Bodo Schiffmann, einer der führenden Köpfe dieser Bewegung, dessen Praxis für Schwindelambulanz

---

[89] gmx.net. Österreichs Kanzler legt bei EU-Kritik nach – weniger Verordnungen. Aktualisiert am 12. Mai 2019: https://t1p.de/7wli

[90] Merkur.de. Wolfsperger, Naima. Coronavirus: ARD-Kommentar kritisiert Debatte um Rückkehr zur Normalität – „Wirrköpfe". Aktualisiert: 24.06.2020: https://www.merkur.de/politik/corona-ard-tagesthemen-merkel-kommentar-lockerungen-lockdown-normalitaet-neu-wirtschaft-zr-13753873.html

mehrfach ausgezeichnet wurde, auf diese Weise zu verunglimpfen? Was bewegt diesen erfahrenen Chefredakteur zu derartigen Verbalattacken und persönlichen Entgleisungen? Dessen Aussage, wir kehrten nicht in die bisherige Normalität zurück, kann dem hingegen grundsätzlich als eine gute und richtige Sichtweise betrachtet werden, folgen wir der Auffassung des erfolgreichsten Motivationstrainers Europas Jürgen Höller. Dieser vertritt die Auffassung, Normalität sei ohnehin „Scheiße".[91] Was dieser Chefredakteur vor allem zum Ausdruck bringen will, wird in seinem Kommentar höchst offenkundig. Ein Loblied auf die noch amtierende Kanzlerin. Doch selbst der Spiegel scheint zu erkennen, dass ein System sich dem Ende neigt, denn er schreibt, dass es derzeit nicht auf die Kanzlerin ankomme. In dieser Phase der sogenannten Corona-Krise übernehmen die Ministerpräsidenten nun Führung. Wie schön, wird doch hierdurch erkennbar, dass wir scheinbar doch in einer Föderation leben und demokratische Mitsprache möglich zu sein scheint. „Das alles zeigt, dass sich die politischen Verhältnisse in Deutschland in der kurzen Zeit der Krise dramatisch verschoben haben", so spiegel.de[92] vom 10. Mai 2020. Hier wird offensichtlich, welche Position dieser Chefredakteur nun wirklich vertritt. Er möchte offensichtlich am überkommenden System mit aller ihm zur Verfügung stehender Macht festhalten und diese offenkundig schützen und stützen. Dabei müsste dieser erfahrene ARD-Koordinator für Politik, Gesellschaft und Kultur seinen eigentlichen Auftrag doch längst verinnerlicht haben und auch er diesem gesetzmäßigen Auftrag folgen. Dessen aktueller Kommentar im öffentlich-rechtlichen Rundfunk ist gleich aus mehrerlei Hinsicht schwierig. Scheinbar unbeirrt verstößt dieser in radikaler Weise gegen dessen gesetzlichen Auftrag. Er scheint damit jedoch seiner aus dem Jahre 2011 eigens entwickelten Verschwörungstheorie erneut folgen zu wollen. Wir erinnern uns, im Jahre 2011

---

[91] Höller, Jürgen. Teilnahme am Power Day in Berlin. 23./24. Februar 2019
[92] Spiegel.de. Kurbjuweit, Dirk. Das Ende der Kanzlerindemokratie; 10.05.2020: https://www.spiegel.de/politik/deutschland/angela-merkel-in-der-corona-krise-das-ende-der-kanzlerindemokratie-a-3f98f45a-95e0-4eea-95d2-5bf053d2cc41

gab es einen terroristischen Anschlag des norwegischen Rechtsextremen Anders *Breivik, dem 77 Menschen zum Opfer fielen. Der ARD Chefredakteur stellt die Verschwörungstheorie auf, es handle sich dabei um einen islamistischen Anschlag, so ist es einer „Kritik" bei Wikipedia zu entnehmen.*[93] Auch dieser ARD Chefredakteur ist Teil der sogenannten vierten Macht. Diese hat grundsätzlich die Aufgabe, die politische Macht zu kontrollieren und eben nicht Teil dieser zu sein und zu werden. Abgesehen davon, wird auch er durch milliardenschwere Zwangsabgaben mittels sogenanntem Beitragsservice finanziert. Seine jetzige Weltsicht, die seinem Kommentar zu entnehmen ist, könnte ihm erneut zum Verhängnis werden, weil er damit gegen seinen klaren gesetzlichen Auftrag verstößt und erneut falsch liegen könnte. *„Der öffentlich-rechtliche Rundfunk hat den verfassungsrechtlichen vorgegebenen Auftrag, einen Beitrag zur individuellen und öffentlichen Meinungsbildung zu leisten und so zu einem funktionierenden demokratischen Gemeinwesen beizutragen",* so ein Beitrag auf der Seite daserste.ndr.de vom 15. Oktober 2015.[94] Dieser Auftrag scheint inzwischen jedoch unsexy geworden zu sein. Stimmung in einer Gesellschaft zu verbreiten und sich scheinbar unbeirrt anmaßend, beleidigend und diffamierend verbal äußern zu können, scheint dabei viel aufregender zu sein. Krisen, wie diese, bringen nicht immer nur das Beste in uns Menschen hervor. Das Grundgesetz und der Rundfunkstaatsvertrag dienen als rechtliche Grundlagen, auch und insbesondere für ARD Chefredakteure sowie ARD-Koordinator für Politik, Gesellschaft und Kultur. Dementsprechend sollen die Programmangebote *„zur Information, Bildung, Beratung, Kultur und Unterhaltung einen Beitrag zur Sicherung der Meinungsvielfalt und somit zur öffentlichen Meinungsbildung"* (ebd.) leisten. Der aktuelle Kommentar des ARD Chefredakteurs determiniert und *kontaminiert* jedoch diesen klar definierten Auftrag. Wo

---

[93] De.wikipedia.org. Rainald Becker (Journalist)
https://de.wikipedia.org/wiki/Rainald_Becker_(Journalist)
[94] Daserste.ndr.de. Aufgabe und Funktion des öffentlich-rechtlichen Rundfunks/der ARD. Stand: 19.10.15: https://t1p.de/imep

wird hier Verantwortungsbewusstsein erkennbar? Der Arzt und SPD Mitglied Wolfgang Wodarg prägte in einem anderen Kontext in diesen Tagen erneut den Begriff der *Hofschranze*.[95] Er verwies dabei auf Wissenschaftler, die für die Bundesregierung arbeiten. Der Internetseite dwds.de ist die Definition einer Hofschranze zu entnehmen. Eine Hofschranze ist ein *„Angehöriger der Hofgesellschaft, der dem Fürsten schmeichelt und bindungslos dessen Interessen vertritt, Höfling."* Weiter steht dort, *„überflüssiger Wichtigtuer (geringschätzig und spöttisch für einen ergebenen Beamten, Würdenträger, Höfling)"*.[96] Warum handelt ein erfahrener Chefredakteur als Hasardeur, während dessen Auftrag doch klar definiert ist? Erkennt er, ebenso wie auch der Spiegel, den Wandel der Zeit und will ihn nicht wahrhaben? Geht es ihm um sein offenbar ausgeprägtes Ego? Der Kommentar kommt dem Verhalten eines trotzigen Kindes gleich. Während Jugendbewegungen zwischen ihrer trotzigen Kind-Ich-Ebene und Eltern-Ich-Ebene wechseln, in dem sie ständig neue Verbote und Bevormundung fordern, scheinen ebenso Teile des sogenannten öffentlich-rechtlichen Rundfunks die Allmachtsfunktion des Eltern-Ichs und trotzigen Verhaltens des Kind-Ichs verinnerlicht zu haben und offenkundig den Mächten dienen, die sie als vierte Macht im Land kontrollieren sollten. Sogenannte NGOs, politische Einrichtungen, Kirchen und Regierungen verharren ebenso auf der Eltern-Ich-Ebene und verfehlen damit den Sinn der Verantwortung. Lösungen, auch für das Thema Klimaschutz, was immer ein sogenannter Klimaschutz auch beinhalten mag, finden wir ausschließlich auf der Erwachsenen-Ich-Ebene, doch diese wird scheinbar zu oft durch Unkenntnis außer Acht gelassen. *„Von Dreiecksbeziehungen weiß oft das dritte Eck nichts"*, beschreibt es der Theologe Walter Ludin[97] sehr trefflich. Auch hier handelt es sich um eine Art Dreiecksbeziehung:

[95] Br.de. Corona-Virus: Arzt setzt viele falsche Behauptungen in die Welt. 20.03.2020: https://www.br.de/nachrichten/deutschland-welt/ohne-fundament-arzt-nennt-corona-massnahmen-panikmache,RtaPFlQ

[96] Dwds.de. Hofschranze: https://www.dwds.de/wb/Hofschranze

[97] aphorismen.de. Ludin, Walter. Von Dreiecksbeziehungen weiß oft das dritte Eck nichts: https://www.aphorismen.de/zitat/151346

Kind-Ich, Eltern-Ich und Erwachsen-Ich. Während auf den zwei Ebenen, Eltern-Ich- und Kind-Ich Ebene, oft gestritten und um Macht gerungen wird, liegt die Lösung auf der dritten Ebene, der Erwachsen-Ich-Ebene. Aussagen wie die des ARD Chefredakteurs fördern Widerstand, da Bedürfnisse anderer missachtet und verhöhnt werden. Panikmache, Angstmache und Hysterie treten stattdessen an die Stelle von Lösungsfindung, um Macht durchsetzen und erhalten zu können. Politische Kräfte haben dieses Thema längst für sich beansprucht, um politische Willensbildungsprozesse zu ihren Gunsten zu beeinflussen. Doch jedes Mal, wenn dies geschieht, regt sich an anderer Stelle Widerstand. Die AfD, Widerstand 2020 und Demonstration in Deutschland sind demnach Ergebnisse aus derartigem Handeln. So wird die Kanzlerin der Bundesrepublik Deutschland von einer barmherzigen Flüchtlingskanzlerin zu einer Klimakanzlerin, bis hin zur Corona-Kanzlerin, die mit drakonischen Forderungen auf Stimmenfang geht. Im Jahre 2021 ist Bundestagswahl, vielleicht fällt diese ja auch aus, weil das Corona-Virus dann noch immer nicht ausgerottet wurde?

Die Lösung für den sogenannten Klimaschutz ist hingegen längst beschlossen. Eine noch höhere Belastung der Bevölkerung, die mithilfe des *Nürnberger Trichters* auf ihre neue Unfreiheit und zunehmende individuelle Immobilität eingestimmt werden soll. Die Maßnahmen der sogenannten Corona-Krise könnten noch sehr viel weiter gehen. In der DDR wurden Mauern gebaut, heute wird Menschen die Möglichkeit genommen mobil zu sein, innerhalb der Landesgrenzen zu reisen, sich mit anderen Menschen zu treffen, zu feiern, in die Schule zu gehen, obwohl eine sogenannte Schulpflicht besteht, und Masken zu tragen, obwohl alle Menschen darunter leiden und auch hierdurch ihre Gesundheit gefährden. Sogenannte Aktivisten, wie die mit dem Asperger-Syndrom lebende Greta Thunberg, die ihrerseits ihre Vorstellung der Welt auf den Rest der Welt übertragen will, versucht wiederum den Willensbildungsprozess der gesamten Welt auf ihre Vorstellung einzustellen. Die Schwedische Kirche spricht von direkter Nachfolge Jesu. Das Bild der Einstellung auf etwas, kennen wir auch aus unserem Krankheitswesen. Der Kranke wird auf seine Krankheit eingestellt, damit er ja nicht gesund, dafür jedoch abhängig gemacht wird. Die Verantwortung dafür ist jedoch nicht etwa bei den politischen Akteuren und der Industrie zu finden, sondern bei jedem einzelnen Menschen selber, der sich darauf einlässt. Jeder Mensch besitzt einen sogenannten freien Willen, doch diese Wahrheit scheinen viele Menschen, gerade in dieser Zeit, völlig vergessen zu haben.

Das Asperger-Syndrom ist eine Form des Autismus. Autismus ist, anders als viele behaupten, keine Krankheit. Menschen mit Autismus sind geprägt durch *„Schwierigkeiten in der sozialen Kommunikation"*, *„Schwierigkeiten in der sozialen Interaktion"*, durch *„Schwierigkeiten im sozialen Verständnis"*, *„andere Wahrnehmungsverarbeitung"*, *„ungewöhnliche Denkweise & Problemlösung"*, *„intensive, oft spezielle Interessen"*, *„atypische, manchmal repetitive Bewegungen"* und *„Bedürfnisse nach Beständigkeit"*, so die Aussagen von autismus-kultur.de. *„Menschen mit Asperger-Syndrom finden den Umgang mit anderen Menschen und den Aufbau von Beziehungen schwierig"*, heißt es dort. Und weiter heißt es dort, dass sie Körpersprache und Gesichtsausdrücke oft sehr schwer zu verstehen fänden, *„ebenso die „ungeschriebenen" Regeln des sozialen Zusammenlebens."* Wenn sie ein Schild in einer Bibliothek lesen auf dem z. B. *„Bitte leise reden"* steht, sind sie verwirrt und fragen sich, mit wem sie nun leise reden sollen und warum? Sie wollten doch eigentlich nur lesen und nicht reden. Der eigentliche Sinn wird inhaltlich nicht richtig verstanden und deshalb missinterpretiert. Auf diese Weise entsteht Unsicherheit und Missverständnisse im sozialen Umgang miteinander. Anders ausgedrückt: *„Menschen mit Asperger-Syndrom interpretieren Äußerungen oft, ohne den sozialen Kontext in Betracht zu ziehen. Das nennt man wörtliches Verständnis"*, so nachzulesen bei autismus-kultur.de.[98] Wie kann eine Kirche unter diesen Voraussetzung im Fall Greta Thunberg nun davon ausgehen,

---

[98] Autismus-kultur.de. Was ist das Asperger-Syndrom?
https://autismus-kultur.de/autismus/asperger.html

sie sei eine direkte Nachfolgerin Jesu? Wie in anderen Bereichen des Lebens, besteht auch hier die Möglichkeit, dass daraus krankhafte Entwicklungen entstehen können. Wer ein Bedürfnis nach Beständigkeit verspürt, dürfte regelmäßig Probleme mit Veränderungen und Wandel bekommen, so auch mit einem sogenannten Klimawandel. Doch wie Schopenhauer einst so trefflich formulierte, ist der Wandel die einzige Beständigkeit in unserem Leben. Demnach ist auch der Klimawandel im Sinne Schopenhauers eine Beständigkeit und als Naturgesetz zu betrachten, nicht mehr und nicht weniger. Doch dies könnte Menschen mit klassischen Eigenschaften des Asperger-Syndroms, die ein ausgeprägtes Bedürfnis nach Beständigkeit haben und einen solchen Wandel eben nicht als Beständigkeit betrachten, Probleme bereiten. Insofern ist ein Verhalten, wie es diesem inzwischen 17-jährigen Mädchen zu entnehmen ist, zumindest dadurch erklär- und nachvollziehbar. Fraglich ist jedoch, ob sie durch ihre „Vorbelastung" Teil der Lösung sein kann. Was steckt also wirklich hinter den vielschichtigen Interessen beim Thema Klimaschutz? Für die einen gilt Greta als „selbstlose Prophetin" und wurde erneut für den Friedensnobelpreis gehandelt. Bekommen hat sie ihn bisher nicht. Warum auch, trägt allein ihre oben genannte Aussage doch eher zur Spaltung bei. Wer Panik verbreitet und vertiefen will, kann kaum zum Frieden beitragen, ein Widerspruch in sich. Für andere ist sie wiederum politisches Sprachrohr, um deren parteipolitischen Interessen und Ideologien durchsetzen zu können. Wieder andere verbinden sich mit ihr, um ihre wirtschaftlichen Interessen durchsetzen zu können. Kritiker betrachten sie gar als *„öko-religiöse Putte" und ihr Tun als „grünen Katastrophenklamauk".* Sie sei eine *„Wunderwaffe der Grünen", um der Welt eine neue Öko-Ideologie einzuflüstern",* so ein Artikel des Publizisten und Gründer des Magazins „Cicero" Dr. Wolfram Weimer. Weiter heißt es dort: *„Doch selbst für viele Sympathisanten sind die jüngsten Inszenierungen ihrer Person unglücklich bis befremdlich. Es wächst im Publikum die Skepsis, wer warum den neuen Superstar des Öko-Zeitgeistes eigentlich so professionell inszeniert und wie es dem kranken Kind im politischen Getümmel wohl geht? Greta Thunberg hat mittlerweile den Terminplan* *eines Supermodells und Spitzenpolitikers; Pressekonferenzen, Foto-Shootings, Interviews, Parlamentsreden und Demonstrationsauftritte wechseln sich immer hektischer ab. Auf einem Fototermin im Braunkohle-Revier Hambacher Forst hat sie sich mit einer vermummten Aktivistin – der Verfassungsschutz stuft die gewaltbereite Szene als linksextremistisch ein – fotografieren lassen und einige Kritik dafür einstecken müssen. Auch die Segeljachtfahrt wird vielfach kritisch kommentiert, weil es sich um eine der teuersten Rennjachten der Welt handelt, weil ihr „Team Malizia" aus Monaco stammt und also aus einem Steuerparadies, weil das Schiff einem ominösen Stuttgarter Immobilienmillionär gehört, weil man Greta unnötig in atlantische Sturmgefahren begibt."* Bei dieser Gemengelage stellt sich bei genauer Betrachtung letztlich die Frage, was bedeutet dies alles eigentlich für den sogenannten Klimaschutz, um den es doch angeblich geht? Oder geht es in Wirklichkeit um etwas ganz anderes, nämlich um die oben genannten Partikularinteressen? *„Ist sie womöglich ein kalt inszeniertes Produkt cleverer Marketingstrategen, die Profit aus dem medialen Hype schlagen wollen?"* stellt Weimer als Frage auf.[99] Bei all dem Hype um das 17-jährige Mädchen aus Skandinavien, zeigt sich zu alle dem auch die Vorsitzende der AfD Bundestagsfraktion Alice Weidel skeptisch, indem sie sagte, dass über Umweltpolitik auf wissenschaftlicher und nicht auf pseudomoralischer Grundlage debattiert werden solle. Außerdem empfiehlt sie, dass das Nobelpreiskomitee es vermeiden solle, sich erneut zu blamieren.[100] Derweil trat Greta Thunberg eine Reise über den großen Teich nach USA an.

Eines wird inzwischen immer klarer erkennbar: Es lässt sich Profit machen, sowohl monetär und insbesondere parteipolitisch – wie den

---

[99] web.de. Weimer, Wolfram. Dubiose Geschäfte mit Greta Thunberg. Aktualisiert am 14. August 2019: https://web.de/magazine/politik/greta-thunberg/dubiose-geschaefte-greta-thunberg-33928184

[100] Tagesspiegel.de. Breite Unterstützung in Deutschland für Greta Thunberg. 13.08.2019: https://www.tagesspiegel.de/politik/friedens-nobelpreis-breite-unterstuetzung-in-deutschland-fuer-greta-thunberg/24898932.html

Umfragen zu entnehmen ist. Aktivistinnen wie Greta sollten allein deshalb omnipräsent sein und das Thema sowieso. Was für den sogenannten Klimaschutz gilt, funktioniert natürlich auch in der sogenannten Corona-Krise. Erkennen Sie, was sich abspielt und auf welcher Ebene? Wird hier tatsächlich verantwortlich gehandelt? Wo befinden sich die Akteure, die ihren Profit mit Greta Thunberg und der Bewegung Fridays for Future erkannt haben und dies auch in der sogenannten Corona-Krise für sich zu nutzen wissen? Ob Medien, die ihre Quoten erhöhen, ob Wirtschaftsfunktionäre, die Politik der Regierung und einzelner Parteien, alle wissen um die Möglichkeiten, die sich daraus für sie ergeben können. Ich wage eine Prognose und schließe mich insofern einem Artikel von Welt.de an, dass der Plan von Greta Thunberg – und ich komplettiere sowie aller dbzgl. Akteure – auch und insbesondere in dieser sogenannten Corona-Krise scheitern werden. Nun, von Greta und ihrer Bewegung hören und sehen wir inzwischen so gut wie nichts mehr. Der Klimawandel schreitet dennoch unaufhaltsam voran. Anders als Welt.de betrachte ich darüber hinaus diese Bewegung ohnehin und an sich als falsch, da sie einer Konstruktion und Illusionen folgt und in ihrer Gesamtheit eben nicht aus der Erwachsenen-Ich-Ebene entstammt. Nur dann wäre sie Teil der Lösung und nicht des Problems. Sie stammt aus der Kind-Ich- und der Eltern-Ich-Ebene, die beide eine verantwortungsvolle Lösung ausschließen. Außerdem ist Wandel ein fester Bestandteil unseres Lebens, Gott sei es gedankt. Klimawandel ist ein Naturgesetz und kann auch durch Willen und Ideologie, Kontrolle und Machtstreben nicht aufgehalten werden, und schon gar nicht durch eine CO_2 *Bepreisung*. Aber darum geht es wahrscheinlich auch gar nicht.

Doch auch der Artikel von Welt.de ist eine Konstruktion, was sich darin zeigt, dass auch er mit dem Stilmittel der Angst Konstruktionen und Illusionen schafft. Sie können eine Uhr auf 2 Minuten vor 12 stellen, um Angst noch weiter zu befeuern und noch mehr Panik zu verbreiten, was aber machen diese Initiatoren, wenn der Weltuntergang auch dieses Mal ausbleibt …? Die Prozesse im Natürlichen verlaufen nun einmal nicht linear, wie insbesondere der Report des IPCC aus dem Jahre 2001 bestätigt. Einzig in der Vorstellung von uns Menschen verlaufen Prozesse linear, zumindest in der Theorie, in der ohnehin alles funktioniert und möglich ist. Fraglich bleibt auch, was wird passieren, wenn Greta, die gesundheitlich vorbelastet ist, die vielen Anforderungen und Erwartungen, die inzwischen an sie gerichtet sind, nicht erfüllt? Was passiert, wenn sie selbst erkennt, dass sie diesen nicht ansatzweise gerecht werden kann, sie dadurch erheblichem Stress ausgesetzt ist und dies im Burnout endet? Erste Anzeichen in diese Richtung sind erkennbar, denn sie deutet bereits ihren Rückzug an. Bleibt die Frage, wofür das alles? Des Weiteren stellt sich die Frage, wer wird sie dann unterstützen? Was passiert ganz grundsätzlich mit ihr? Sie hat Angst vor ihrer Zukunft, was respektiert werden darf. Doch was daran ist so viel anders, als es in anderen Generationen vor ihr zu erkennen war? Ein Phänomen, welches übrigens zu jeder Zeit vorhanden war. Angst entsteht, wenn der Blickwinkel und Perspektivenwechsel zu Lösungen gestört ist und dadurch ausbleibt. Ein Aspekt, den jeder nachvollziehen kann. Was wird dann als Begründung konstruiert? War es Folge des Klimawandels, der das Scheitern und den Rückzug von Greta verursachte? War es die Erderhitzung, die zum möglichen Burnout geführt hat? War es vielleicht sogar das durch Menschen verursachte CO2? Die nahe Zukunft wird es uns offenbaren.

Dennoch, dieses Thema wird teilweise bis zur Unkenntlichkeit mit dem von Petra Bock sehr anschaulich beschriebenen „Katastrophen-Mindfuck" missbraucht. Anstatt verhältnismäßig und gemäß unabhängiger! Wissenschaft aufzuklären, um für alle Teile einer Gesellschaft positive Lösungen zu entwickeln und zu formulieren, wird Angst und Hysterie erzeugt, um wirtschaftliche, politische sowie Partikularinteressen im Streit und mit Macht durchzusetzen. Wir können dieses Phänomen ebenso beim Verhalten im Kontext der sogenannten Corona-Krise erkennen. Jede Form der offenen und kritischen Diskussion wird abgewürgt, da sie den Ebenen des trotzigen Kind-Ich und des bevormundenden Eltern-Ich im Wege stehen. Wer streitet, will Recht haben. Wer diskutiert, sucht nach Lösungen und befindet sich damit auf der Ebene des Erwachsenen-Ich, weil auf diese Weise Verantwortung übernommen wird. Sind sogenannte Verschwörungstheoretiker nun also erwachsener als diejenigen, die sie als solche bezeichnen?

Eines ist deutlich und zunehmend erkennbar, wer sich kritisch und damit letztlich lösungsorientiert äußert, läuft Gefahr, diffamiert zu werden, denn Widerspruch ist explizit unerwünscht. Das zeigen auch gelöschte Videos auf Youtube, Berichte und die Suspendierung von Beamten, die sich gemäß ihrer Fürsorge verhalten. Wer dauerhaft auf der Ebene des Kind-Ich und/oder der Ebene des Eltern-Ich verweilt und ausschließlich danach handelt, dient der Macht und schafft ein Klima der Spaltung. Lösungsorientiertes Verhalten und entsprechende Verantwortung finden jedoch auf einer anderen, der Erwachsenen-Ich-Ebene statt. Insofern spiegelt uns unsere gelebte Realität eine sehr wichtige und spannende Frage wider. In der Auseinandersetzung mit der sogenannten Corona-Krise und dem Klimawandel geht es vor allem um die Frage, ob wir in der Breite der Gesellschaft die Rolle und Funktion eines Erwachsenen einnehmen möchten. Lösungen, die auf dieser Ebene entwickelt werden, fördern Frieden, Freiheit, Zusammenhalt und vermeiden Spaltung von Gesellschaften. Die derzeit noch anhaltende Ausübung von Macht basiert auf obrigkeitsstaatlichem Denken und dementsprechendem Handeln. Gemäß dem Prinzip des Herrschens und Teilens. In der Machtfrage ist Spaltung von Gesellschaften ein probates Mittel und eine gewünschte Voraussetzung, um herrschen zu können. Wer sich davon distanziert, gilt als Verschwörungstheoretiker, Abweichler, Corona- und Klimaleugner und weiterer Konstruktionen, um ja nicht auf die Idee zu kommen, sich vom herrschenden System weiter zu distanzieren. Was bleibt jedoch vom Vorwurf des Verschwörungstheoretikers übrig, wenn die Theorie abhandenkommt? Sogenannte Verschwörungstheoretiker, Abweichler, Corona- und Klimaleugner usw. sind jedoch zunehmend dabei, sich zu emanzipieren und eigenverantwortlich zu handeln. Dies scheint in dieser Entwicklung eher erkennbar zu werden. Da gegen eine Entwicklung, deren Zeit gekommen ist, kein Kraut wächst, wird Populismus betrieben, um die Abweichler wieder auf die Spur bringen zu können. Ob dies gelingen wird, ist aber höchst fraglich. In der Wissenschaft ist Beobachtung eine legitime Methode, doch selbst diese wird radikal als Verschwörungstheorie verunglimpft. Was passiert nun, wenn die Menschen ihren Weg unbeirrt weitergehen und sich zunehmend vom System des machtbewussten und machtvollen Herrschens und Beherrschens distanzieren?

Die Christenverfolgung war letztlich ebenso erfolglos, wie voraussichtlich diese „Verfolgung" der „Verschwörungstheoretiker" sein wird. Wir werden uns von jeglicher Obrigkeit trennen und verabschieden dürfen, sofern wir erwachsen werden und danach leben wollen.

Greta Thunberg und Hauptakteure der sogenannten Corona-Krise spiegeln uns unseren Fatalismus wider und zeigen uns in Wirklichkeit ein Bild, welches viele von uns jedoch nicht sehen können und/oder sehen wollen. Die Welt befindet sich tatsächlich in einem riesigen Transformationsprozess. Auf der einen Seite diejenigen, die eine andere, verantwortungsvollere, eigenverantwortungsvollere, friedliche und weniger zentralmachtvolle Welt wollen und sich dafür einsetzen, und auf der anderen Seite diejenigen, die diese Macht ausüben sowie diejenigen, die dieser Macht noch immer folgen, da sie Angst vor dem unbekannten Terrain der Selbstverantwortung haben. Bei aller Diskussionswut scheint es daher höchst sinnvoll zu sein, wenn wir uns genau darüber mehr und mehr austauschen. Für dieses Spiegelbild können wir den handelnden Akteuren dankbar sein.

Greta steht für die Offenbarung unseres allgemeinen Zustandes der Unfähigkeit, Unwissenheit und/oder des Mangels an Wollen, echte Verantwortung in der Breite der Gesellschaft zu übernehmen und vor allem: zu lernen. Sie belegt uns, auf welcher Ebene sich Großteile unserer Gesellschaft noch immer befinden. Was hält uns nun im großen Umfang davon ab, Verantwortung zu übernehmen? Angst?

Propaganda? Populismus? Erschwerend kommt hinzu, dass uns vielfach die Kenntnis über die dritte, oft unbekannt scheinende, Ebene des Erwachsenen fehlt. Darüber hinaus fehlen Vertrauen in uns selbst und unser eigenes Potenzial sowie der Glaube und das Vertrauen in die Schöpfung. All das hindert und stört unsere Fähigkeit zu lernen. In Zeiten scheinbarer Orientierungslosigkeit, die vor allem durch Ablenkung und massive Manipulation erzeugt wird, begeben sich dennoch Menschen auf die Suche nach Antworten und Lösungen, und genau dafür gehen sie zunehmend auf die Straße. Wer sich auf die Suche begibt und dabei der falschen Weggabelung der Illusion und Konstruktion folgt, befindet sich auf dem Weg, auf dem sich auch Rotkäppchen befand. Das Ende ist jedem bekannt, der dieses Märchen gelesen hat. Wer sich jedoch wirklich auf die Suche nach wahren Antworten und Lösungen macht und sich dabei weder ablenken, beirren noch verführen lässt, Konstruktionen und Illusionen aus dem Wege geht, wird den Pfad der Erkenntnis und Wirklichkeit finden, erwachsen werden und zu Lösungen geführt. Wer hingegen dem Weg der Illusion folgt, folgt der Lüge, die in eine Sackgasse der Ernüchterung und Enttäuschung führt, da daraus früher und später die Erkenntnis erwächst, gegen Naturgesetze verstoßen zu haben. Enttäuschung jedoch ist etwas sehr Positives, denn Lüge und Illusion schafften zuvor Täuschungen. Die Entscheidung, welchen Weg ein Mensch geht, liegt bei jedem selbst. Es ist sein freier Wille, der ihm den Weg weist. Doch es ist jederzeit möglich, sich für einen neuen Weg zu entscheiden, sobald wir erkennen, dass wir den Weg in eine Sackgasse gegangen sind. Folgen wir jedoch wider besseren Wissens der Illusion und Lüge, wird dies als logische Folge in unser Verderben führen. Wobei Verderben als Vergänglichkeit zu betrachten ist. Die Natur sieht es vor, dass das „Üble" vergeht.

Der Wissenschaftler und Projektmanager der Züricher Hochschule für Angewandte Wissenschaft, Prof. Dr. Daniel Baumann, beschreibt in seinem Handout zu einer Frühjahrstagung im Jahre 2013, eine Formel für Leistung: Leistung = Wissen x Können x Wollen x Dürfen. Im übertragenen Sinne beschreibt er eine angewandte Terminologie und Technologie aus dem Bereich des Projektmanagements, welche seiner Meinung nach möglich sei. In seinen Ausführungen beschreibt er auch, warum so viele Projekte und Systeme letztlich scheitern. Eine kürzere Formel für Leistung beschreibt Petra Bock. Ihre Formel für Leistung lautet: Potenzial minus Störungen. Geschichte ist ein immer während er Prozess, und so bietet die gelebte Gegenwart demgegenüber viel Potenzial. National-Sozialismus, Sozialismus, Kommunismus, Monarchien, Diktaturen und totalitäre Systeme sind gescheitert, weil die Leistungsformel von Baumann in diesen Systemen nicht erfüllt wurde. Der Leistungs-Begriff kann auch durch eine andere Variable ersetzt werden. Ersetzen wir den Begriff Leistung durch den der Freiheit, Verantwortung oder den Begriff der Demokratie, so können wir auch hier erkennen, dass sämtliche Parameter erfüllt sein müssen, um diese Begriffe zum Erfolg führen zu können. Es ist quasi eine mathematische Gewissheit, dass alle Faktoren wie «Wissen», «Können», «Wollen» und «Dürfen» gleichzeitig erfüllt sein müssen, damit seine Leistungsformel funktioniert bzw. erfolgreich sein kann. Baumann beschreibt es in seinen Ausführungen wie folgt: „Wenn einer der Faktoren Null ist, ist das ganze Produkt" [oder die Gleichung] „gleich Null". *„Es braucht also sowohl das Wissen wie die Kompetenz, dieses Wissen situationsgerecht anzuwenden, eine Motivation, die sich in einem ausgewogenen Denken und Handeln manifestiert, und die Bereitschaft Verantwortung zu übernehmen, aber auch die Übernahme von Verantwortung zuzulassen."*[101] Verantwortung, im Sinne von Baumann, setzt demnach Interaktion voraus. Wer Menschen dadurch verunglimpft, dass er sie als Verschwörungstheoretiker abhandelt, verstößt gegen den Grundsatz der Formel, *Verantwortung zuzulassen.* Hierbei kommt der Aspekt des von Baumann beschriebenen *„Dürfen"* zum Tragen. Fehlt dieser oder andere für die Übernahme von Verantwortung entscheidende Aspekt, so ist die

---

[101] Docplayer.org. Baumann, Daniel. Leistung = Wissen*Können*Wollen*Dürfen; spm/ BWI-Frühjahrstagung 2013:
https://docplayer.org/7415042-Leistung-wissen-koennen-wollen-duerfen.html

Übernahme von Verantwortung nicht gegeben, sie bleibt erfolglos. In seinem Handout schließt Baumann mit einem grundsätzlich folgerichtigen Zitat von Goethe ab: *„Es ist nicht genug, zu wissen, man muss es auch anwenden. Es ist nicht genug, zu wollen, man muss es auch tun.“*[102] Dies übertragen auf den Begriff der Freiheit, lautet ein Zitat von Jonathan Swift: *„Was nützt die Freiheit des Denkens, wenn sie nicht zur Freiheit des Handelns führt?“*[103] Auch hier ist der Aspekt des Dürfens elementar. Der Erfolg der Übernahme von Verantwortung sowie die Erfüllung von Freiheit sind abhängig vom Aspekt des „Dürfen“. Wenn beides verwehrt wird, werden Freiheit und Verantwortung erfolglos bleiben, bis zu dem Zeitpunkt, an dem selbstbewusste Menschen ihr Schicksal selbst in die Hand nehmen. Dieser Zeitpunkt scheint zunehmend erkennbar zu werden und dürfte dem bestehenden System in hohem Maße missfallen.

Totalitäre Herrscherinnen und Herrscher wussten und wissen, wie manipulativ das *„Spiel“* mit Wahrheit und Lüge ist und wie sie dieses Wissen darüber für sich und ihre Zwecke nutzen können, um ihre Macht erhalten und möglichst ausbauen zu können. Da totalitäre Systeme regelmäßig gegen Naturgesetze sowie gegen die schöpferische Ordnung verstoßen, fehlt letztlich deren Legitimation des *„Dürfens“*. Diese Position ist und war *„Null“*, um es mit Baumanns Worten auszudrücken. Es steht bereits in den Zehn Geboten: denn du sollst nicht töten, heißt es dort. Der National-Sozialismus und Maoismus war ein industrieller Tötungsmechanismus, der auf einer menschen- und naturverachtenden Grundlage basierte. Ein Höchstmaß an Egowahn. Krieg ist kein Naturgesetz. Er entspringt ausschließlich einer menschlichen Vorstellung, Egowahn und zerstörerischem Machtbewusstsein. Die Geschichte und Gegenwart belegen uns bis heute die Existenz von Unrechtssystemen, die auf einem

---

[102] Gutzitiert.de. Zitat von Goethe, Johann Wolfgang: https://www.gutzitiert.de/zitat_autor_johann_wolfgang_von_goethe_thema_wissen_zitat_22324.html
[103] aphorismen.de. Zitat Swift, Jonathan: Was nützt die Freiheit des Denkens, wenn sie nicht zur Freiheit des Handelns führt? https://www.aphorismen.de/zitat/10685

Macht-Ego und Kontrollmechanismus sowie des letztlich zerstöreri-schen Dualismus basiert. Die Geschichte beweist uns jedoch auch, dass derartige Systeme nicht von Dauer sind und auch nicht sein können, da sie nicht nur anhand der Formel von Baumann scheitern, sondern insbesondere die unüberwindbaren Naturgesetze außer Kraft zu setzen versuchen. Doch letztlich sind Naturgesetze wie Frei-heit, Verantwortung oder Liebe nicht außer Kraft setzbar und damit ewig beständig, da sie Teil der unüberwindbaren schöpferischen Kraft und universellen Ordnung sind. Sie sind Naturgesetze. Mög-lichkeiten zu Machtsystemen ergeben sich dann, wenn Verantwor-tung der Mehrheit gegenüber den handelnden *Verführern* überwie-gend fehlt. Dadurch wird es erst möglich, ein Unrechtssystem zu im-plementieren. Wenn wir Verantwortung ablehnen und uns weigern, genau hinzuschauen, ja sogar wegschauen, um zu lernen, entsteht eine Lücke, die gefüllt werden will. Auf diese Weise schaffen wir durch unsere Un-Verantwortung Grundlagen für Missbrauch. Wir werden vielfach blind für die Dinge, die geschehen. Dann besteht die Möglichkeit, dass jemand anderer diese Lücke füllt und Gesellschaf-ten zu formen beginnt. Individuelle Lebensentwürfe werden verein-facht und eine möglichst uninformierte Gesellschaft wird durch In-doktrination geformt, so eine der vielen Möglichkeiten. Ein Zitat von Hitler bringt es auf den Punkt: *„Was für ein Glück für die Regieren-den, dass die Menschen nicht denken!"*[104] Doch wer sich weigert zu denken, vor allem zu lernen und Verantwortung zu übernehmen, läuft Gefahr, seine Individualität und Freiheit zu verlieren. Diktaturen und andere Unrechtssysteme sind Teil dieser Realität. Nichtsdestotrotz gab es zu jeder Zeit auch denkende Menschen, wie beispielsweise Bertold Brecht, der letztlich auch dazu beitrug, dass Un-Rechts-Sys-teme wie der National-Sozialismus zu Fall gebracht wurden. Brecht sagte: *„Adolf Hitler, dem sein Bart, ist von ganz besonderer Art, Kin-der, da ist was faul. So ein kleiner Bart, und so ein großes Maul."*[105]

---

[104] De.wikiquote.org. Zitat Hitler, Adolf: Was für ein Glück für die Regierenden, daß die Menschen nicht denken! https://de.wikiquote.org/wiki/Adolf_Hitler
[105] Naanoo.men. Zitat zu Adolf Hitler, Brecht, Bertolt:

Der sicher für viele weitestgehend unbekannte Berliner Autor Wilhelm Lotze offenbarte in einem Vortrag folgenden Satz: „*Wem nichts heilig ist, der wird alles zerstören, auch sich selbst.*"[106] Die bisherige Menschengeschichte der letzten Jahrtausende ist geprägt durch dieses Zitat und findet ihren bisherigen Endpunkt in dieser aktuellen Zeit. Es ist an der Zeit, endlich aus diesen Erfahrungen zu lernen, zu erwachen und vor allem aus ihnen zu erwachsen. Dabei können uns die oben genannten Leistungsformeln höchst dienlich sein, um durch Wissen, Dürfen, Können und selbstwirksames Wollen im Sinne und zum Nutzen des großen Ganzen möglichst ohne Störungen erwachsen zu werden. Es ist an der Zeit, durch diese Aspekte motiviert Ver-Antwortung, vor allem Selbst-Ver-Antwortung zu übernehmen, um die Not in der Welt, in der wir leben, zu wenden und zu beenden. Dabei ist jeder Einzelne gefragt entsprechend zu handeln. Das Konzept der Übertragung von Verantwortung auf andere ist gescheitert, sofern dies ein Konzept und überhaupt möglich war. Es fördert vor allem die Gefahr des Missbrauchs zutage, der regelmäßig zu Unrecht führt. Wer eine bessere Welt will, wird letztlich erkennen, dass diese über den Weg des Wissens, Könnens, Dürfens und vor allem Wollens, im Sinne von *erwachsenen* Lösungen, realisierbar wird, und dies vor allem in Eigenverantwortung geschieht.

Es schließt sich der Kreis zum Ausgangspunkt. Eine Frau belügt einen Polizisten, um Wahrheit in Lüge zu wandeln und dafür unbestraft davonkommen zu können, scheinbar zumindest. Letztlich bleibt zumindest die *Strafe*, mit dieser Lüge leben zu müssen. Mit einer *kleinen* Lüge kann es beginnen und dort enden, wohin es Europa und die Welt im letzten Jahrtausend und bis heute durch die Folgen von Lüge geführt hat. Wehret den Anfängen, hieß und heißt es sehr zutreffend. Doch Lüge kann wirken wie eine Droge. Wer einmal erfolgreich diese Droge nahm, ist geneigt, diesen Weg zu *professionalisieren*. Kleingeistigkeit und Kleinbürgertum tragen regelmäßig dazu bei,

---

https://www.naanoo.men/zitate/adolf-hitler
[106] Lotze, Wilhelm. VORTRAG, DA SEIN!

dass sich Böses durchsetzen und manifestieren kann, um es mit den Worten von Albert Einstein zum Ausdruck zu bringen. Diese beiden Aspekte führen außerdem regelmäßig zu Denunziation, Gutgläubigkeit und Kadavergehorsam. Leo Trotzki sagte dazu sehr passend: *„Der Kleinbürger ist dem Entwicklungsgedanken feind, denn die Entwicklung geht beständig gegen ihn."* [...] *„Der Kleinbürger braucht eine höchste Instanz, die über Natur und Geschichte steht, gefeit gegen Konkurrenz, Inflation, Krise und Versteigerung."*[107] Schauen wir unsere gelebte Realität an: Wo erkennen wir einen sinnvollen Entwicklungsgedanken und wo eine sinnstiftende Entwicklung, die dem großen Ganzen positiv dient? Schauen wir uns an, wo genau dies nicht geschieht. Schauen wir uns darüber hinaus an, wie sich Menschen verhalten, besonders in Krisen geschaffenen Zeiten. Denken wir daran, *„nicht jeder erbitterte Kleinbürger könnte ein Hitler werden, aber ein Stückchen Hitler steckt in jedem von ihnen."*(ebd.) Deshalb bedarf es nicht der Notwendigkeit, dass jeder ein Hitler wird, es genügt die Duldung eines einzigen Hitlers, um Kontinente in menschliche Abgründe zu führen. Es ist wie Krebs, der auch in jedem von uns *schlummert*. Einzig der Ausbruch dieser Krankheit kann zum Äußersten führen. Haben Sie schon einmal darüber nachgedacht, wie viel Menschen Hitler, Mao, Stalin und andere Despoten bzw. Tyrannen selbst getötet haben? Es waren Menschen, die diesen zerstörerischen Geist eines einzigen Diktators mitgetragen und vor allem ausgeführt haben. Dabei ist das Geschlecht ohne Bedeutung. Was demgegenüber jedoch von Bedeutung ist, das sind der Gedanke und das entsprechende Handeln, das zu dieser Un-Tat führt. Das sind Gründe, warum Prävention, allein in Form von Wachsamkeit, Aufmerksamkeit, Wissen und kritischem Hinterfragen notwendig und essentiell sind. In jedem Moment, in dem wir Lüge der Wahrheit vorziehen, bewegen wir uns in gewisser Weise auf dem Pfad eines Hitlers und ebnen gerade diesem den Weg. Doch wir haben immer und zu jedem Zeitpunkt unseres Lebens die freie Wahl, uns anders zu

---

[107] Mlwerke.de. Trotzki, Lew Dawidowitsch. Porträt des Nationalsozialismus: http://www.mlwerke.de/tr/1933/330610a.htm

entscheiden. Es liegt immer in unserer Entscheidungskraft, die durch unseren freien Willen geleitet ist. Der am 18. April 1875 in Bischofswerda geborene Autor des Buches *Gralsbotschaft*, Oskar Ernst Bernhardt, dessen Autorennamen Abd-Ru-Shin war, was so viel bedeutet wie *Diener des Lichts*, wurde aufgrund seiner Autorentätigkeit von den Nationalsozialisten enteignet, in Haft genommen, später von der Gestapo unter Beobachtung gestellt und kontrolliert. Besuche wurden untersagt. Ebenso wurde ihm untersagt, für seine Anliegen öffentlich tätig zu werden. Die Folgen seiner Isolation und Verbannung führten letztlich dazu, dass er mit nur 66 Jahren, am 6. Dezember 1941 verstarb. In Anlehnung, insbesondere an sein von den Nationalsozialisten verbotenes Werk „*Im Lichte der Wahrheit*" und seiner außerordentlich bemerkenswerten Autorentätigkeit, finden seine Ausführungen hier in höchst anerkennender Weise Widerhall. Oskar Ernst Bernhardt ging davon aus, dass jeder Mensch die unverbrüchliche schöpferische Gabe erhalten hat, seinen Willen immer und überall frei leben zu können. Auch wenn viele Menschen dem festen Glauben folgen, dass dies eben nicht möglich sei, so wird in seinem Werk ausführlich und höchst anschaulich verdeutlicht, warum dieser Glaube falsch ist. Der freie Wille ist zu jedem Zeitpunkt und in jeder Lebensphase erlebbar. Was uns oft ohnmächtig erscheinen lässt und scheinbar dazu zu zwingen vermag, fremdgesteuert zu handeln, ist unser auf grobstofflicher oder materieller Ebene befindliches Ego, das uns suggeriert, diesem Zwang von außen unterlegen zu sein. Unser Ego treibt uns in Situationen wie Angst und Panik. Es redet uns ein, so oder so handeln zu müssen, weil es immer danach strebt, das rein stoffliche oder materielle Dasein unter allen Umständen erhalten zu müssen und die Kontrolle zu haben. Angst hält uns wiederum oft davon ab, uns von unserem Geist leiten zu lassen. Doch dieser ist in der Regel klar, um wahrhaftige Antworten geben zu können. Der Geist ist der eigentliche Hüter unseres Verstandes. Dieser erhebt jedoch zu oft seinen Ausschließlichkeitsanspruch und will jedes Handeln bestimmen. Wenn sich das auf der materiellen Ebene befindliche Ego einschaltet und ausschließlich verstandsmäßig gehandelt wird, besteht die Möglichkeit, dass alles andere überlagert wird und falsche Entscheidungen getroffen werden. Dies vor allem deshalb, weil oft nicht alle Informationen zur Verfügung stehen und sämtliche Kanäle genutzt werden, um vervollständigt Entscheidungen treffen zu können. Auf diese Weise werden oft Seele und Geist vernebelt und bei Entscheidungen ausgeschaltet. Um jedoch klare Entscheidungen treffen zu können, die in Ruhe entwickelt werden sollten, bedarf es des Hüters von Verstand und Ego, des Geistes.

Petra Bock bezeichnet das Ego auch als Wächter, der uns vor allem durch gemachte Erfahrung und der daraus entstandenen Einrede leitet. Die Einrede dieses „Wächters" beschreibt sie sehr passend mit Begriff „Mindfuck". Es ist immer unser Ego, welches bewertet, herabsetzt, uns in Panik versetzt, uns irgendetwas einredet, sobald wir ein scheinbar unsicheres oder neues Terrain betreten. Deshalb ist es auch ausschließlich unser Ego, welches mentalen Stress auslöst. Ein klarer Geist führt zu innerer Ruhe. Eine dazu ergänzende Empfehlung gibt die Buchautorin Leila Eleisa Ayach in Ihrem Werk *Seelenverträge Band 2 & 3: „Denkt mit dem Herzen und spürt mit dem Verstand"*.[108] Was uns also von der Vollendung abhält, ein Abbild Hitlers zu werden, ist vor allem die Tatsache, ein wirklich verantwortungsbewusst-moralisch handelnder Mensch zu sein, der vom klaren Geist geleitet ist. Doch wer bereit ist, diese Moral in Gänze abzulegen, diese zu überschreiten, der wird bereit sein, den schmalen Pfad eines Despoten oder einer Despotin zu gehen. Demnach ist es gleichgültig, welche Form des Faschismus herrscht. Der Bayerische Kabarettist Siggi Zimmerschied konstatiert dazu sehr treffend, dass der heutige Antifaschismus Faschismus ohne schlechtes Gewissen sei.

Huxleys Vorstellung von Lüge beschreibt er mit seinem, *so tut als ob*. Wer so tut als ob, lügt. Eine kleine Lüge, wie es in einem Lied von Max Raabe heißt, ist auch nicht fast Wahrheit. Im Prinzip geht es genau darum. Was aber ist Wahrheit? Eines ist sie vor allem anderen. Wahrheit ist letztlich nicht änderbar, weil sie wahrhaftig und einzig ist. Lüge hingegen ist in derart vielen Facetten erkenn- und erlebbar,

---

[108] Ayach, Leila Eleisa. Seelenverträge Band 2+3. Smaragd Verlag. 2015

wie Wahrheit dies hingegen niemals sein könnte. Es ist das Verwirr-spiel mit der Wahrheit und der Lüge, was uns oft unsicher macht. Dies, weil wir oft zu wenig über Lüge und Wahrheit wissen. Demje-nigen, dem es gelingt, Lüge als Wahrheit erscheinen zu lassen, wirkt glaubwürdig. Hitler sagte einst, *„je größer die Lüge, desto mehr Men-schen folgen ihr"*. Letztlich bleibt es dennoch dabei, dass Lüge eben Lüge ist und Wahrheit eben Wahrheit. Im Zusammenhang mit Huxleys Worten ist zu konstatieren, dass wir oft zu voreilig der Lüge vertrauen. In dieser Tatsache steckt große Gefahr, da Menschen die-ses missbräuchlich für sich zu nutzen wissen. Die oben geschilderte Geschichte lädt vordergründig zum Schmunzeln ein, und es darf selbstverständlich darüber gelächelt werden. Doch bei näherer Be-trachtung wird deutlich, worum es tatsächlich geht und warum diese Geschichte so wertvoll ist. Wenn der Inhalt des oben geschilderten Beispiels unser Leben zunehmend und letztlich überwiegend beein-flusst, wie wirkt sich dies dann auf unser aller Zusammenleben aus?

Lüge ist einfacher als Wahrheit, denn zur Wahrheit, Wahrhaftigkeit und Entscheidung für das richtige Handeln gehört vor allem Mut. Lüge ist bequem, und auch deshalb lässt sie sich so gut in unser Leben integrieren. *„Denn wir haben die Lüge zu unsrer Zuflucht und Heuchelei zu unserm Schirm gemacht"* (Jesaja 28:15).[109] Ist dies der wahre, der richtige Weg, oder haben wir uns nur so weit von der Wahrheit entfernt, weil wir aus reiner Bequemlichkeit den Wert der Verantwortung verachten und möglichst weit von uns wegschieben? Macht Lüge feige und bequem? Und, können wir uns diesen Weg überhaupt leisten? Glauben wir wirklich, dass dieser Weg ohne ernsthafte Folgen bleibt? Was ist mit unserer Freiheit? Ist sie uns so wenig wert? Wenn Sie Menschen fragen, ob sie belogen werden wollen, sagen diese Ihnen im Regelfall, dass sie das gerade nicht wollen. Eine mutige und starke Gesellschaft ist also auch daran zu erkennen, ob viel Lüge und wie viel Wahrheit gesprochen und da-nach gehandelt wird. Wenn Lüge zunehmend zur Normalität wird

---

[109] bibeltext.com. Jesaja 28:15: https://bibeltext.com/isaiah/28-15.htm

und sie anstelle von Wahrheit rückt, ja sogar als Wahrheit empfunden wird, läuft eine Gesellschaft aus dem Ruder und Gefahr, sich selbst zu zerlegen.

Kommen wir daher zu einer der zentralen Fragen dieser Zeit. Wie steht es nun um „die" Demokratie? Gibt es sie überhaupt, DIE DEMOKRATIE? Verhält es sich mit ihr vielleicht sogar genauso wie mit der Wahrheit und der Lüge? Wie viel Wahrheit gibt es? Und wie viel Lüge? Gibt es die eine und einzige Wahrheit oder gibt es vielleicht sogar viele Wahrheiten? Ebenso viele, wie es Lügen gibt?

Fragen wir uns doch zunächst einmal, wie es heute mit „unserer" Demokratie bestellt ist. Ein recht aktueller Blick auf das kleine und bisher eher unbedeutende Bundesland Thüringen verdeutlicht uns den sehr kranken Zustand *unserer* Demokratie. Gabor Steingart bringt diese Sicht in seinem Morning Briefing, vom 07.02.2020, mit einem Zitat von „Tichys Einblick" auf den Punkt: *„Der Tag von Thüringen hat den finalen Beweis erbracht, dass das Modell der parlamentarischen Demokratie mit unabhängigen Bürgervertretern der Vergangenheit angehört. Es wurde ersetzt durch eine Parteienautokratie, deren Parlamentsvertreter nur noch willenlose Erfüllungsgehilfen ihrer linksgestrickten Eliten sein dürfen."*[110] Der Begriff *unsere Demokratie* wird sehr gern von etablierten Parteien im scheinbar unendlichen Modus des sogenannten Wahlkampfs verwendet, ohne jedoch zu erörtern und zu klären, wer unter diesem Begriff „unsere" subsumiert wird. Nun, das lässt weitere Fragen und Interpretationen zu. Sind mit diesem Begriff wirklich alle Teile einer Gesellschaft einbezogen? Schauen wir uns Realitäten an. In den letzten Jahren haben immer mehr Aufrufe in Form von Petitionen ihren Weg in die Politik und an die, üblicherweise, politisch Verantwortlichen gefunden. Beantworten Sie sich selbst, wie viele dieser Petitionen Anklang gefunden haben und letztlich tiefgreifenden Einfluss auf die Gesetz-

---

[110] web.de. Steingart, Gabor. Morning Briefing: Schicksalstage für Christian Lindner; Aktualisiert am 07. Februar 2020: https://web.de/magazine/politik/morning-briefing-schicksalstage-christian-lindner-34410464

gebung fanden. Wenn Sie eine Antwort darauf gefunden haben, beantworten Sie sich als nächstes, wer nun wirklich unter den Begriff *unsere* Demokratie zu subsumieren ist.

In einer jüngst veröffentlichen Umfrage eines US-amerikanischen Meinungsforschungsinstitutes Pew wurden 30.000 Probanden aus 27 Staaten weltweit befragt, wie zufrieden sie mit der Funktionalität ihrer jeweiligen Form der Demokratie sind. Dort heißt es, dass 43 % aller befragten Deutschen nicht zufrieden seien. Ein Anstieg von 17 %-Punkten, im Vergleich zum Vorjahr 2018. Fast zwei Jahre nach der letzten Bundestagswahl 2017, hieß es auf einem CDU Wahlplakat, dass diese Partei ein Deutschland schaffen wolle, *„in dem wir gut und gerne leben"*. Heute werden Menschen in diesem Land ins Gefängnis gesperrt, wenn sie säumige Rundfunkgebühren-Zahler sind. Ist das die Vorstellung von einem guten Land, in dem wir „gerne" leben? Was ist und wer gehört also zu diesem Begriff *„Wir"*? Schafft diese Diskrepanz zwischen Wirklichkeit und „Plakat" Vertrauen in einem System, welches sich Demokratie nennt?

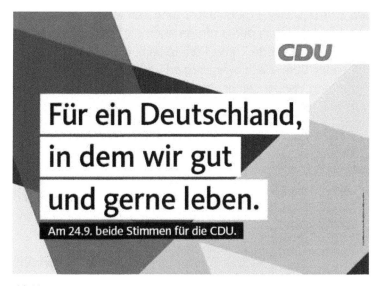

Abbildung 3

In drei weiteren Ländern Europas betrachten die dort Befragten den Zustand ihrer Demokratie besser als in Deutschland eingeschätzt. Dazu gehören Schweden mit 30 %, die Niederlande mit 34 % und Polen mit 44 %. Die Unzufriedenheit wird hingegen in Ländern wie Frankreich (51 %), Ungarn (53 %), Großbritannien (55 %), Italien (70 %), Spanien (81 %) und Griechenland (84 %) jedoch sehr deutlich.[111]

Dabei wundert es kaum, dass insbesondere Italien, Spanien und vor allem die Mutter der Demokratie, Griechenland, dazugehören. Während der Finanzkrise in Griechenland war der Einfluss von Institutionen außerhalb des Landes enorm. Sowohl IWF, Europäische Zentralbank als auch die Europäische Kommission, die sogenannte Troika, beeinflusste das Schicksal eines Landes und seiner Bevölkerung. Im Zusammenhang mit der Flüchtlingskrise, ab dem Jahr 2015, wurde Italien mit den dort in Massen ankommenden Migranten von Institutionen der EU letztlich allein gelassen, was ein Grund für den politischen Machtwechsel des Landes war. Nachdem Italien den Zugang für Flüchtlinge deutlich erschwert hatte, wurde Spanien, unter der sozialistischen Regierung, das Land, an dem nun Migranten aufgenommen wurden. Das Ergebnis der jüngsten Parlamentswahl in diesem Land findet sich in der Umfrage auch dieses Landes durchaus wieder. Eine formulierte These könnte sein, wer an der Bevölkerung vorbei oder über sie hinweg regiert oder sogar gegen diese agiert, riskiert den Verlust seiner „Macht" und die Anerkennung und Akzeptanz eines bestehenden Systems. Dabei mag noch so sehr beteuert werden, dass „die" Demokratie in Gefahr sei. Der Begriff Demos steht für Volk und dessen Wille. Kann es demnach also sein, wenn über und gegen das Volk agiert und entschieden wird, dass noch von Demokratie im oben erwähnten Sinne gesprochen werden kann und darf? Verhält sich das Volk, der Souverän, nicht sehr viel demokratischer, wenn sie ihren Unmut über Bevormundung und

111 Zeit.de. Unzufriedenheit über Funktionieren der Demokratie gewachsen. 30. April 2019: https://www.zeit.de/news/2019-04/30/unzufriedenheit-ueber-funktionieren-der-demo-kratie-gewachsen-190430-99-19069

Verbote kundtun, als seine sogenannten Vertreter, die sich gern als echte und einzig wahre Demokraten präsentieren?

Jede Gesellschaftsform benötigt Vertrauen als Grundlage. Echtes Vertrauen kann jedoch nur dann entwickelt werden und auf Dauer Bestand haben, wenn Wahrheit gesprochen und danach gelebt wird. Es geht um Authentizität. Wer anders handelt als er spricht, schafft Unsicherheit und ist unglaubwürdig. Es ist das Gegenteil von Wahrheit und Wahrhaftigkeit, nämlich Lüge und Illusion. Eine demokratische Gesellschaft benötigt neben Vertrauen vor allem Bewusstsein, welches durch Wissen, Lernen und Wachsamkeit geschaffen wird. Wer bereit ist zu lernen, braucht Mut, um sein Wissen entsprechend wahrheitsgetreu anzuwenden. Wer dieses Grundprinzip infrage stellt und anstelle der Wahrheit die Lüge setzt, trägt dazu bei, dass Vertrauen, Moral und letztlich Gesellschaften zerstört werden. Eine Gesellschaft ohne Wahrheit und Vertrauen läuft Gefahr, in Unfreiheit und Sklaverei zu münden. Der Volkswirt Dr. Markus Krall weist in einem seiner zahlreichen Vorträge auf eine zentrale Kernfrage hin. Was für eine Gesellschaftsform wollen wir? Anhand einer Grafik verdeutlich er die Konsequenzen, die diese zentrale Frage mit sich führt.

Abbildung 4

Das wachsame Auge erkennt, in welcher Phase sich die Welt befindet, nicht nur in Deutschland. Freie und noch selbst denkende Menschen werden im Modus eines Orwell'schen Neusprech als *gefährliche Rechtspopulisten*, *Reichsbürger*, *Verschwörungstheoretiker*, *Wirrköpfe* oder gar als *Nazi* diffamiert und freie Meinungsäußerung als *Hassrede* abqualifiziert. Renommierte Wissenschaftler, die kritisch nachfragend Begriffe wie Klimaschutz infrage stellen, um dem Anspruch einer freien Wissenschaft Rechnung tragen zu können, werden als *Klimaleugner* diffamiert. Ein Bild, welches sich auch in der sogenannten Corona-Krise zu wiederholen scheint. Was auch immer dieser politisch erfundene Begriff beinhalten mag. Obwohl gerade diese sogenannten *Klima- und Corona-Leugner* den Klimawandel und ein mögliches Corona-Virus und seine möglichen Auswirkungen grundsätzlich anerkennen, diffamieren deren Kritiker diese Wissenschaftler, propagieren diesen natürlichen Prozess als Untergangsszenario und wollen ihn stoppen, was bei ebenso genauer Betrachtung als unmöglich angesehen werden darf. Autoren, freie bzw. unabhängige Journalisten laufen Gefahr, als *Rechtspopulisten* und *Verschwörungstheoretiker* diffamiert zu werden und letztlich als politischer Flüchtling dieses Land zu verlassen, um einer möglichen Inhaftierung zu entgehen? Vielleicht steht dann auf großen Transparenten in der neuralen Schweiz *Refugees Welcome?*

Namhafte Buchautoren, deren Namen an dieser Stelle aus Schutz nicht genannt werden, Menschen, die sich in diesem Land weigern die Zwangsgebühren für den sogenannten öffentlich-rechtlichen Rundfunk zu zahlen, werden inhaftiert, wie Spiegel Online am 5. April 2016 in seinem Artikel „*GEZ-Rebellin nach 61 Tagen aus Haft entlassen*" höchst anschaulich beschreibt.[112] Während *Unfolgsame* und Kritiker diffamiert oder inhaftiert werden, bleiben echte Straftäter oft auf freiem Fuß und werden im Zuge der sogenannten Corona-Krise sogar aus Gefängnissen entlassen. Worum könnte es also wirklich

---

[112] Spiegel.de. „GEZ-Rebellin" wird nach 61 Tagen aus Haft entlassen. 05.04.2016: https://www.spiegel.de/panorama/justiz/gez-gebuehren-nicht-bezahlt-frau-nach-zwei-monaten-aus-gefaengnis-entlassen-a-1085585.html

gehen? Um es erneut mit George Orwells Worten zu beschreiben, es geht um *Deutungs-* oder *Meinungshoheiten* einer angeblichen gesellschaftlichen Elite, die mit dem Instrument eines Orwell´schen *Neusprechs* indoktrinieren und deren gewünschten Transformationsprozess vollziehen möchten, wenn es sein muss mit Gewalt. Die Antifa erinnert dabei an einstige Schlägertruppen Hitlers, die sogenannten Sturmtruppen der SA, wie beim G20 Gipfel in Hamburg erleb- und erkennbar wurde.[113] Der *Vollstrecker* Boris Johnson, hat mit dem Vollzug des Brexit neue Maßstäbe für Europa gesetzt, deshalb musste er auch vehement bekämpft werden. Er fordert, neben dem Brexit, eine Überprüfung des dortigen öffentlich-rechtlichen Rundfunksystems und die Aufhebung von Gefängnisstrafen bei Nichtzahlung der dortigen Zwangsabgabe. Diese Entwicklung lässt hoffen. Der Brexit und die Forderung Johnsons legen offen, in welcher Schieflage sich sogenannte Demokratien in Europa befinden. Weiteres Zeugnis vom kranken Mann Demokratie ist zunehmend die Beschneidungen freier Meinungsäußerungen im Internet. Die *Zensur*, des bisher offenen Kanals YouTube wird neuerdings dadurch deutlich, dass bei jedem geöffneten Video die Seite mit den neuen Nutzungsbedingungen geöffnet wird. Dort heißt es, *„Wir ändern unsere Nutzungsbedingungen im Europäischen Wirtschaftsraum und der Schweiz am 22. Juli 2019"*. Die Aspekte, *„Ihre Nutzung des Dienstes"*, *„Ihre Inhalte und Ihr Verhalten"* sowie vor allem der Aspekt *„Sperrung und Kündigung von Konten"* sind hierbei genau zu lesen und vor allem richtig zu deuten.[114] Diese *„Nutzungsbedingungen"*, die scheinbar als Hinweis dienen, können bei genauer Betrachtung als *Warnung* für diejenigen betrachtet werden, die sich kritisch oder gemäß Orwell´schem Neusprech *rechtspopulistisch* mit sogenannten „Hasskommentaren" äußern. Auffällig dabei ist, anders als bei jedem

---

[113] Buergerrecht-direkte-demokratie.de. Die Antifa im Fahrwasser von SA, Klu Klux Klan und Hamas; 3. Juni 2020: https://www.buergerrecht-direkte-demokratie.de/die-antifa-im-fahrwasser-von-sa-klu-klux-klan-und-hamas/

[114] Youtube.com. Unsere Nutzungsbedingungen wurden im Europäischen Wirtschaftsraum und der Schweiz am 22. Juli 2019 aktualisiert. Gültig ab 22. Juli 2019: https://www.youtube.com/static?gl=DE&template=terms&hl=de

anderen Internetanbieter, der auf seine neuen „Nutzungsbedingungen" hinweist, dass bei jedem Öffnen eines Videos diese Bedingungen als Ganzes geöffnet werden. Vieles deutete bereits ab dem 22. Juli 2019 darauf hin, dass *kritische* Portale gekündigt bzw. geschlossen und/oder abgeschaltet werden, da eine angeblich „missbräuchliche Nutzung" gemäß „Nutzungsbedingungen" vorliegt. Nun, wie wir erkennen dürfen, geschieht genau dies inzwischen hunderttausendfach. So werden Verschwörungstheorien in weniger als einem Jahr zu Verschwörungen, denn eine theoretische Annahme, wird zur Gewissheit. Selbstredend kann *„Beschwerde"* eingelegt werden. Fraglich ist und bleibt jedoch, inwiefern diese von Erfolg gekrönt sein wird. Worum geht es also?

Es geht darum, bestimmte Informationen auch aus unseren Köpfen zu entfernen, damit gemäß Orwell´scher „Deutungs- und Meinungshoheit" eine, „die richtige", Meinung ungestört Einzug halten kann. So wird Verzicht – dieses Wort wird vor allem gern im Kontext zum sogenannten Klimaschutz und Klimawandel verwendet, der, bekanntermaßen, unter allen Umständen aufgehalten werden muss – zur neuen Freiheit umgedeutet. Wir kennen diesen Ansatz der geistigen Umerziehung in totalitären Systemen, aus dem National-Sozialismus und Kommunismus. Worum es dabei definitiv nicht geht, ist Wahrheit, Wahrhaftigkeit, Ehrlichkeit und echte Moral. Eine wahrlich freiheitlich-demokratische Grundordnung sucht den Diskurs, damit um die besten Lösungen *gerungen* werden kann, um ein für eine lebendige Gesellschaft notwendiges Fortschreiten gewährleisten zu können. Sozialismus hingegen verhindert dies vor allem durch die Erhaltung eines meinungsgemachten Status Quo. Wir erinnern uns: Die Partei hat immer recht. Dies erzeugt jedoch Stillstand und Stillstand, das wissen wir, erzeugt Rückschritt und Verfall, das erleben wir. Dieser Rückschritt, verstärkt durch Planwirtschaft, führt letztlich zum Verfall einer Gesellschaft und all ihrer Teile, wie zuletzt auch äußerlich an den Immobilien der ehemaligen DDR erkennbar wurde. Planwirtschaftlich organisierte Gesellschaften verhindern Innovationen, um einen politisch gewollten Status Quo erhalten zu können.

Doch dadurch entwickelt sich diese Gesellschaft rückschrittlich, wie seit über dreißig Jahren in Japan erkennbar ist. Diese Gesellschaften werden jedoch von freiheitlich-demokratischen Grundordnungen überholt werden. Eine wirkliche freiheitlich-demokratische Grundordnung ist demnach also höchst sinnvoll, weil sie ein notwendiges Fortschreiten durch ein freiheitliches Entwickeln erst ermöglicht. Dadurch können Potenziale freigesetzt werden, die unter planwirtschaftlichen Gesichtspunkten unterdrückt werden.

Es ist also höchste Zeit, dass wir ernsthaft darüber diskutieren und uns vor allem die Frage beantworten, ob wir Lösungen wollen und welche Ziele wir uns damit setzen? Die derzeitige Entwicklung weist zunehmend den Weg in Richtung eines Orwell'schen Überwachungs-, Bevormundungs- und Verbotssystems auf, dass letztlich rückschrittlich dem Verfall und nicht nur die *Verrohung* von Gesellschaften erwarten lässt. Rückschritt verhindert Entwicklung. Und wie wir von Trotzki und Laotse lernen dürfen, lernt nur der, der gegen den Strom schwimmt. Der Kleinbürger und Kleingeist, von dem Trotzki sprach, strebt nach Bequemlichkeit und ist der Entwicklung, wozu sinnvolles Lernen gehört, größter Feind.

Die Bilder des Films „1984" und sozialistisch sowie kommunistisch prägende Gesellschaften verdeutlichen dies unlängst. Es ist kaum verwunderlich, dass der warnende Roman von George Orwell in der DDR verboten war und wer ihn in seinem Besitz hatte, mit Gefängnis bestraft wurde, wie von welt.de am 8. Juni 2009 berichtet wurde.[115] Es lohnt sich also darüber nach- und vorzudenken, offen und frei darüber zu diskutieren und vor allem voneinander zu lernen, um die besten aller Möglichkeiten frei und unabhängig auszuhandeln. *„Ein jeder ist dir auf irgendeinem Gebiet überlegen, und von jedem kannst du etwas lernen"*, so die Worte des amerikanischen Philosophen und Schriftstellers Ralph Waldo Emerson, der an der US-amerikanischen Verfassung beteiligt war. Ist nicht gerade so etwas Grundlage einer

---

[115] Welt.de. Lepenies, Wolf. Wer Orwells „1984" las, wanderte in den DDR-Knast; Veröffentlicht am 08.06.2009: https://t1p.de/r6gz

funktionierenden Demokratie? *„Wir müssen uns darüber im Klaren sein, dass Sinn und Zweck eines Verfassungsstaates in erster Linie der Schutz der Freiheit ist"*, so ein Zitat vom ehemaligen Präsident des Bundesverfassungsgerichts, Professor Hans-Jürgen Papier.[116] Um genau diese Freiheit erhalten zu können ist es eben notwendig, dass wir alle, jeder Einzelne von uns den Mut aufbringt, eigenverantwortlich, friedvoll, mit Rücksichtnahme, Akzeptanz und Respekt allen Akteuren gegenüber zu denken und zu handeln, um beste Lösungen für eine freie Gesellschaft zu entwickeln. Je lauter die *Schreie* in Form von Diffamierungen und Beleidigungen wie *Wirrköpfe, Verschwörungstheoretiker*, *Rechtspopulisten* und weitere Verunglimpfungen sind, desto mehr wird offenkundig, dass aktive Menschen, die ihr Leben selbstverantwortlich in ihre Hände genommen haben und nach Freiheit streben, auf dem richtigen Weg zum erwachsenen Menschen sind. Abd-Ru-Shin sagte zu Recht, an ihren *„Schreien"* werden wir sie erkennen können. Wir alle sind Bestandteil dieser Gesellschaft. Was uns oft von einer aktiven Übernahme unserer Verantwortung abhält, hat vielfach mit einem *gestörten* Ego zu tun. Widerstand ist Ausdruck von Mangel unerfüllter Bedürfnisse. Eine sehr wichtige Aussage, gerade in dieser Zeit. Je größer die Spaltung einer Gesellschaft erkennbar wird, desto stärker fällt diese Aussage ins Gewicht. Unwissenheit schützt vor Strafe nicht, heißt es. Wer diese letzten Sätze liest, kann jedoch nicht mehr behaupten, er wüsste nicht. Wer wider besseres Wissen handelt und dennoch durch aktives und/oder unterlassenes Handeln dazu beiträgt, Spaltung in einer Gesellschaft zu fördern, hat jederzeit die Möglichkeit, sich neu zu positionieren, zu reflektieren und nach neuen Lösungen auszurichten. Eigenschaften, wie Hochmut, Arroganz, Eitelkeit, Mutlosigkeit, die scheinbare Unfähigkeit und/oder der Unwille begreifen und lernen zu wollen, sind Auswüchse des Egos und können, sofern unser Ego dadurch *gestört* ist, die Wahrnehmung unserer wirklichen Verantwortung verhindern. Was bedeutet nun gestört?

---

[116] Rsw.beck.de. Coronavirus-Krise: Verfassungsrechtler Papier mahnt zu „Schutz der Freiheit". Redaktion beck-aktuell, 5. Mai 2020: https://t1p.de/yf5c

Ein Mensch ist nicht grundsätzlich hochmütig, eitel, arrogant und mutlos. Wenn ein ihm wichtiges Bedürfnis unbefriedigt und/oder unerfüllt bleibt, äußert sich dies letztlich auch durch eine Haltung und Handlung. Diese kann sich in Form von beispielsweise Arroganz zeigen. Wer im zwischenmenschlichen Verhältnis und Verhalten nicht weiß, dass es sich dabei grundsätzlich um eine Bedürfnisinformation handelt, wird sich in dieser „gestörten" Form verhalten. *„Hat man sein Warum? des Lebens, so verträgt man sich fast mit jedem Wie?"* Ein Zitat von Friedrich Nietzsche.[117] Wer also weiß, warum er sich arrogant und sonst wie verhält und sein Gegenüber ebenso die Hintergründe kennt, ist der Weg für eine Lösung aus dieser Misere grundsätzlich möglich. Wer Verantwortung abzugeben bereit ist, wird in der letztlichen Konsequenz bereit sein, seine Freiheit und seine faktische Existenz preiszugeben. Wer hingegen bereit ist, Verantwortung für sich zu übernehmen, ermächtigt sich selbst und schafft Grundlagen für seine Selbstwirksamkeit und Freiheit. Es ist ein Geschenk, welches wir lediglich ablehnen oder annehmen können. Verantwortung ist eine Option. Solange auch nur eine Option besteht, ist jedoch Freiheit möglich. Die Entscheidung liegt bei jedem Einzelnen, in Freiheit leben und sterben zu wollen und eben nicht.

Die Übernahme von Verantwortung und Entscheidung für das Recht und Richtige führt jedoch zu wahrer Menschlichkeit. Wer eine solche Welt will, wird erkennen dürfen, dass er aktiv werden und sich für das Richtige einsetzen muss. Das dabei Richtige ist Wahrheit und Wahrhaftigkeit, die jeder Mensch in sich trägt und wiederum nur durch einen klaren Geist verwirklicht werden kann. Verantwortung ist immer Entschluss und Entscheidung. Beides ist zu jedem Zeitpunkt frei wählbar. Das Naturgesetz des freien Willens ist, so wie jedes andere Naturgesetz auch, unumstößlich. Wahrhaftige Demut führt zu Verantwortung, Wahrheit und zu richtigen Entscheidungen, wohingegen uns ein rein „gestörtes" Ego-Handeln zum Entgegengesetzten

---

117 Falschzitate.blogspot.com. Zitat von Friedrich Nietzsche. Sonntag, 13. Mai 2018: https://falschzitate.blogspot.com/2018/05/wer-ein-warum-hat-zu-leben-ertragt-fast.html

führen wird, sofern dieses vor allem durch Bequemlichkeit geprägt ist. Wahrheit ist, anders als Lüge, eben nicht zu widerlegen, und schon gar nicht durch die Lüge selbst.

Auf Wahlplakaten steht in großen Lettern der Begriff des Fortschritts. Dieser soll um jeden Preis verwirklicht werden. Doch fortschreiten, so beschreibt es Oskar Ernst Bernhardt sehr zutreffend, kann der Mensch nach zwei Seiten, zu Höherem und Niederem, je nach Einsicht und Entscheidung. Dies liegt, so wie immer, in der Verantwortung im Umgang mit dem freien Willen. Der freie Wille ist ein Naturgesetz und ebenso unverrückbar. Das Bewusstsein darüber fehlt leider nur zu oft. Wer also Verantwortung verweigert, setzt sich selbst herab. Wirklichkeit ist klar und unveränderbar. Sie gehört zur göttlichen Ordnung und ist Teil der schöpferischen Kraft. Lüge ist Illusion und immer interpretierbar, weil sie einer Konstruktion zugrunde liegt. Denn was der Mensch sät, das erhält er in vielfacher Form zurück. Saat und Ernte stehen im direkten Zusammenhang. Auch dies ist ein Naturgesetz. Wenn ich Gewalt säe, werde ich im Regelfall noch mehr davon ernten. Es ist wie ein Pendel, welches immer stärker ausschlägt. Wenn ich Chaos säe, werde ich kaum Ordnung ernten können. *„Der Entschluss ist das Erwachen eines ernsten Wollens"*, so Bernhardt. (ebd. Im Lichte der Wahrheit) Der Entschluss steht vor der eigentlichen Tat, von der Leo Trotzki in den oben genannten Ausführungen sprach. Wir alle kennen den angeblichen Auszug aus dem Talmud, der laut *Jüdische Allgemeine* eher vom englischen Schriftsteller Charles Reade stammen soll: *„Achte auf deine Gedanken, denn sie werden Worte, achte auf deine Worte, denn sie werden Handlungen, achte auf deine Handlungen, denn sie werden Gewohnheiten, achte auf deine Gewohnheiten, denn sie werden dein Charakter, achte auf deinen Charakter, denn er wird dein Schicksal!"*[118] Verantwortung entsteht bereits mit dem Entschluss zum Handeln und nicht erst durch das Handeln selbst! Der Entschluss, Weizen zu

---

[118] Juedische-allgemeine.de. Guski, Chajm. Wer die Quelle kennt. 22.11.2018. Ausgabe 01. Juli 2020 – 9. Tamus 5780: https://www.juedische-allgemeine.de/religion/wer-die-quelle-kennt/

säen, ist also die Grundlage für die spätere Ernte. Wer Weizen sät, wird Weizen und eben nicht Kartoffeln ernten. Ist der Entschluss also mit der Tat erst einmal vollzogen, die immer nur Folge eines Entschlusses sein kann, so ist diese unumkehrbar. Es ist daher immer der freie Wille des Menschen, der zum *guten* oder *bösen* Ende, mittels der Gedanken und der Tat, führt. Dieses Ende liegt deshalb auch immer in der Verantwortung des Menschen selbst. Wer eine bessere Welt will, ist aufgefordert dem Guten zu folgen und das Böse als solches zu erkennen, dieses jedoch am Wegesrand liegen zu lassen und nicht aufzunehmen. Es liegt an uns selbst, in welche Richtung wir unsere Entscheidung lenken wollen und wodurch wir uns beeinflussen lassen. Ein durch Hochmut, Arroganz, Eitelkeit geführter Egoismus oder gar krankhaft übersteigerter Egoismus, hindert uns an der Entscheidung für das Richtige und Gute. Leben ist immer auf Licht und damit aufwärts ausgerichtet. Es ist zwar richtig, dass eine Pflanze ihr Wurzelwerk möglichst fest im Boden verankert, dies jedoch deshalb, um den Stürmen im Leben standhalten zu können und Bodenhaftung zu bewahren. Ein Baum, Gras, Blumen und Pflanzen, ja selbst der Mensch, richten sich auf die Sonne aus und wachsen dem Licht entgegen. Was für die Pflanzenwelt gilt, ist ebenso für den Menschen bestimmt. Es sind die ebenso unverbrüchlichen Lebensgesetze bzw. Naturgesetze, die immer und zu jeder Zeit Bestand haben und haben werden. Nichts und Niemand kann sich diesen Gesetzen entziehen oder diese überwinden, auch nicht Ideologien. Sie sind allgegenwärtig und gelten für alle Zeiten, da sie die schöpferische Kraft in sich tragen. Im Universum ist letztlich alles auf Ausgleich und vor allem auf Leben ausgerichtet. In der Bibel heißt es daher zu Recht und richtigerweise, *„es werde Licht".* Ein von Menschenhand geschaffenes System, welches den Naturgesetzen widerstrebt, wird, ebenso wie ein überreifer Apfel, abfallen und am Boden vergehen, da es gegen Nuturgesetze verstößt. Ein wärmeres Klima trägt dazu bei, dass der Prozess des Verfaulens beschleunigt wird. Insofern hätte die angebliche *Erderhitzung* auch hier etwas Positives.

George Orwells „1984" lässt am Schluss zwar den Eindruck zu, dass es kein Entkommen aus der Trübsal gibt. Und obwohl in den Folterszenen gesagt wurde, dass das dort geschilderte Unrechtssystem durch irgendetwas aufgehalten werden muss, so lässt der Autor bewusst oder unbewusst offen, ob es diese Kraft gibt, die das System zum Einsturz bringt. Orwell erwähnt mit keiner Silbe die Kraft und die Gesetze der Natur. Doch genau diese führen letztlich immer dazu, dass ein in sich faulendes System ebenso fallen wird, wie ein überreifer Apfel, der am Boden vergeht und transformiert wird. Und auch die Geschichte hat immer und wiederholt bewiesen, dass jedes Unrechtssystem letztlich scheitern muss, da es gegen die Naturgesetze verstößt.

Wir ernten Vielfaches von dem, was wir gesät haben. Wer nach Gott fragt, warum er das Elend der Welt nicht stoppt und ihm vorwirft, er sehe angeblich nur zu, wie Unrecht geschieht, beweist seinen Kleingeist, seine Arroganz und seinen Hochmut gegenüber der Schöpfung. Er beweist zudem, dass er die eigene schöpferische Kraft des freien Willens nicht erkennt oder erkennen will. Der Schöpfer hat uns diese Kraft verliehen, und so sind wir aufgefordert verantwortungsvoll mit dieser einzigartigen Kraft umzugehen. Unser Unvermögen soll nun vom *Ausputzer*, dem Schöpfer selbst bereinigt werden? Wenn er dieses oder jenes nicht erfüllt, dann gibt es ihn nicht? Wie arrogant ist eine derart geistesleere Sichtweise, die uns den Anschein verleiht, über dem Göttlichen zu stehen. In der ersten salomonischen Spruchsammlung heißt es, *„kommt Übermut, kommt auch Schande, doch bei den Bescheidenen ist die Weisheit zu Hause"*.[119]

Folgende Zitate und Erscheinungsbilder verdeutlichen einen getrübten, vernebelten Geist der Zeit und die daraus erwachsene Arroganz, die einzig durch Egoismus getrieben und von Dualität geprägt zu sein scheint. *„Deutschland verschwindet jeden Tag immer mehr, und*

---

[119] Uibk.ac.at. Die Bibel in der Einheitsübersetzung:
https://www.uibk.ac.at/theol/leseraum/bibel/spr11.html#2

das finde ich einfach großartig." (Jürgen Trittin Bündnis90/DIE GRÜNEN).[120] Dieses Zitat von Jürgen Trittin ist umstritten und gilt laut Aussage der Frankfurter Allgemeinen Zeitung (FAZ) als *„frei erfunden".*[121] *„Das Beste wäre für Europa, wenn Frankreich bis an die Elbe reicht und Polen direkt an Frankreich grenzt."* Dieses Zitat verwendet Sieglinde Frieß, Bündnis90/DIE GRÜNEN bei einer Rede im alten Bundestag, in Bonn. Der Spiegel schrieb dazu: *„Lieber als ein wiedervereinigtes Deutschland sähen linke Grünen-Abgeordnete, wie Siggi Frieß, offenbar gar kein Deutschland."*[122] Ihre Forderung, dass der Begriff *„Deutsches Volk"* aus dem Grundgesetz entfernt werden soll, erhärtet die radikale Position dieser Politikerin.(ebd.) *„Das Hauptvergnügen eines Grünen besteht darin, ein besserer Mensch zu sein als die anderen. Doch ganz befriedigend ist das noch nicht; richtig glücklich ist ein Grüner erst, wenn er anderen etwas verbieten kann. Das tut er mit Akribie und Fanatismus, und je belangloser die Gegenstände sind, die er sich zum Distinktionsgewinn auserwählt, desto größer der grüne Verbotsfuror",* so eine Kritik des Sängers und Satirikers Wiglaf Droste.[123] Christin Löchner, Partei DIE LINKE, sagte Folgendes: *„Es mag Sie vielleicht überraschen, aber ich bin eine Volksverräterin. Ich liebe und fördere den Volkstod, beglückwünsche Polen für das erlangte Gebiet und die Tschech/innen für die verdiente Ruhe vor den Sudetendeutschen."*[124] Oben genannte Zitate, wenn auch teilweise umstritten, verdeutlichen, wie wir miteinander umgehen bzw. gegeneinander reden. Warum vermeiden wir oft einen behutsamen Umgang mit unseren Gedanken und vor allem Worten,

---

[120] Heise.de. Zu viel Hass: Lübecker Nachrichten verzichten bei Facebook auf Thema Flüchtlinge. Quellenlage der Zitate. 18.06.2015: https://t1p.de/6180

[121] Faz.net. Giammarco, Francesco. Wenn Politiker verleumdet werden. Aktualisiert am 18.10.2015: https://www.faz.net/aktuell/politik/inland/verschwoerungstheorien-wenn-politiker-verleumdet-werden-13849907.html

[122] Spiegel.de. „Leere Hände, leere Hirne". 19.02.1990: https://www.spiegel.de/spiegel/print/d-13507379.html

[123] Yumpu.com. Droste, Wiglaf. Krieg ja, aber nikotinfrei. Ein Bericht aus dem innersten der Grünen: https://www.yumpu.com/de/document/read/4422272/krieg-ja-aber-nikotinfrei-ein-bericht-aus-dem-innersten-der-grunen

[124] Ditzel, Holger. Die gelbe Karte. E-Book. 1. Auflage 2017

denen Taten folgen können? Solange wir einen derartigen Umgang mit uns selbst pflegen, wird die tiefe Spaltung in unserer Gesellschaft bleiben.

Aktuelle Forderungen von Bündnis90/DIE GRÜNEN sehen u. a. eine höhere Mehrwertsteuer für Fleisch vor, da es angeblich nicht sein kann, dass beispielsweise Hafermilch teurer sei als Fleisch, welches mit 7 % Mehrwertsteuer besteuert wird. Dass Fleisch z. B. mit einer geringeren Mehrwertsteuer belegt wurde, damit auch weniger wohlhabende Menschen die Möglichkeit haben, Fleisch kaufen zu können, um auf diese Weise wichtige Vitamine zu sich nehmen zu können, wird komplett ausgeblendet. Am 23.10.2019 sprach Jürgen Trittin, Mitglied des Auswärtigen Ausschusses des Bundestages, im Info Radio Forum, in einem anderen Zusammenhang von *„Handlungsverantwortung"*. Wie können Politiker von Handlungsverantwortung sprechen, während genau diese ein derartig spaltendes Verhalten offenbaren, wie oben genannte Zitate belegen? Entspricht dies den Vorstellungen von Verantwortung eines Ausschussmitgliedes des Deutschen Bundestages? Es geht um eine pseudomoralische Haltung, die in ein ideologisches Konstrukt passt. Also das Ausleben von Ego. Selbstredend geht es um Klimaschutz, Naturschutz und Tierschutz. Wer sollte bei scheinbar derartig wichtigen Themen eine Gegenrede formulieren?

Vor allem „Klimaschutz" ist zu einer Art Ersatzreligion hochstilisiert worden. Anstatt an die Schöpfung zu glauben und sich nach dieser auszurichten, soll Götzendienst vollzogen werden und Ideologien durch Pseudoreligionen wie Klimaschutz alles, jeder und allem unterworfen werden. Im ersten Gebot steht, *„Ich bin der Herr, dein Gott! Du sollst nicht andere Götter haben neben mir!"* Es ist das erste und damit wichtigste Gebot. Wo ist der Aufschrei der Kirchen, wenn es um die neue Klimareligion geht? Das Gegenteil wird propagiert und postuliert, vor allem von Kirchen. Sollte uns diese Tatsache nicht aufhorchen lassen?

Ein höchst fragwürdiges Szenario, welches uns dort geboten wird. Fraglich ist ohnehin, wovor und wie Klima überhaupt geschützt werden soll und kann? Eine Redakteurin der Zeitung „Neues Deutschland", Katharina Schwirkus, fordert die Abschaffung von Hunden und Katzen. Ihrer Meinung nach seien diese Tiere eine Belastung für das Klima, denn ihr ökologischer Fußabdruck durch den Futterbedarf sei zu groß. Kindern solle daher frühzeitig klargemacht werden, dass es *„egoistisch"* sei, derartige Tiere in Städten zu halten. Wieso in Städten? Auf dem Land ist ihnen dieser *Fußabdruck* erlaubt? Das logische Schlussplädoyer der Redakteurin ist daher auch konsequenterweise die Forderung danach, dass ihrer Meinung nach Hunde und Katzen aus unserem Leben verschwinden sollen. So sehen also Vorstellungen von Anhängern dieser neuen, alles überspannenden Religion des Klimaschutzes aus? Ist das also *„Handlungsverantwortung?"* Es stellt sich zumindest mir folgende Frage: Was denn nun? Höhere Mehrwertsteuer für Fleisch, um das Klima, die Umwelt und vor allem die Tiere zu schützen oder Klimaschutz, Umweltschutz und Tierschutz durch deren „Abschaffung", da sie einen zu großen ökologischen Fußabdruck aufgrund ihres Futterbedarfs haben? Natürlich nur in Städten. Also Tierschutz durch „Abschaffung" von Tieren? Was denn nun? Sollen Tiere am Leben bleiben und lebendig geschützt werden oder sollen sie durch *Abschaffung*, also nicht mehr Vorhandensein geschützt werden? Etwas zu schützen, was grobstofflich oder materiell gar nicht vorhanden ist, ist zu schützen? Oder wird vielleicht dies als der beste Schutz an sich angesehen, wenn es erst gar keine Tiere gibt? Wer konstruiert und lügt, muss sich vieles merken, heißt es. Wie wahr! Ist es eine Frage der Zeit, wann die Forderungen lauter werden, dass auch Wespen, die gerne Fleisch fressen, *abgeschafft* werden sollen. Momentan scheint dies noch nicht ins Bewusstsein vorgedrungen zu sein, denn derzeit setzt man sich für deren Schutz ein. Also alles nur eine Frage der Zeit? Wird der Planet und das Klima dadurch wirklich geschützt, in dem Hunde und Katzen *abgeschafft* werden?

Es sind interessante Stilblüten, die diese neue Religion zutage führt. In der aktuell geführten CO2 Debatte, die zu einer *Bepreisung* des Naturgutes CO2 führen soll, gibt es die Forderung des Bundesumweltamtes, dass zunächst 30 Euro pro Tonne CO2 vom Verbraucher oder Nutzer fossiler Energien abverlangt werden sollen. In fünf Jahren könnte dieser Betrag bis zu 180 Euro angehoben werden. Profiteure sind, wer hätte es gedacht, die Netzbetreiber, denn sie sollen von denen vom Umweltbundesamt (UBA) geschätzten Einnahmen von 10 Milliarden Euro partizipieren. Auf der Webseite des UBA heißt es dazu wortwörtlich: *„Diese Einnahmen könnten aus dem Bundeshaushalt direkt und gesetzlich verankert auf das EEG-Konto der Netzbetreiber gezahlt werden."*[125] Zur Erinnerung sei erwähnt, dass Autofahrer bereits mehrfach Steuern zahlen. Neben der Energiesteuer für Mineralöle wie Diesel und Benzin, folgt die Mehrwertsteuer, die ebenfalls auf den Kraftstoff erhoben wird. Hinzu kommen Mehrwertsteuern für den Kauf des Fahrzeugs, Service, die Reparaturen, für Ersatzteile, die KFZ-Steuer, die beim Dieselfahrzeug ohnehin höher ist, sowie die bereits vorhandene Ökosteuer, von der in diesem Zusammenhang niemand mehr spricht. Zu erwähnen ist auch die GEZ Zwangsabgabe für PKW. Der europäische Automobilherstellerverband (ACEA) errechnete, dass Autofahrer im Jahre 2018 insgesamt 92 Milliarden Euro Steuern zahlten. Nun sollen weitere 10 Milliarden hinzukommen, wie das Umweltbundesamt errechnet hat. Dafür also gehen Schüler und Studenten demonstrieren? Dafür reist Greta Thunberg durch die Welt, verbreitet gewollte und von ihr gewünschte Panik, verunsichert Menschen, und macht ihnen Angst, die sie selbst in sich trägt? Instrumentalisierung nennt man diese Art, und es darf eine vorsichtige These aufgestellt werden: Schüler, Studenten und Gretas dieser Welt werden durch ihr Unwissen und ihre zum Teil naive Leidenschaft missbraucht und fehlgeleitet. Warum selber die Hände schmutzig machen, wenn es doch diese „verirrten" Protagonisten ganz freiwillig tun?

Fleisch soll teurer werden, Energieverbrauch noch teurer als er ohnehin bereits in Deutschland ist. Auch darin sind wir Spitzenreiter. Wer wird wohl vor allem von diesen steigenden Kosten betroffen

---

[125] Umweltbundesamt.de. EEG-Umlage durch andere Finanzierung senken & Klimaschutz stärken. 24.08.2018: https://www.umweltbundesamt.de/themen/eeg-umlage-durch-andere-finanzierung-senken

sein? Haushalte, mit kleinem und mittlerem Einkommen und vor allem Familien, die sich Wohnraum in unseren Städten nicht mehr werden leisten können und dadurch gezwungen sind, zu pendeln. Menschen ohne ausreichendes Einkommen! Die Auswirkungen des Shutdown tragen zu einer weiteren Belastung bei, denn Mio. Menschen wurden bereits auf Kurzarbeit gesetzt, verlieren gegebenenfalls ihren Arbeitsplatz und damit ihr Einkommen. Eine pseudomoralische Politik für eine kleine Gruppe Privilegierter? Angeblich sollen diese Privilegierten es jedoch sein, die mehr belastet werden. Oder handelt es sich lediglich um eine Art Feudal-Sozialismus? Wie sieht die Realität aus? Sämtliche etablierte Parteien stehen für diese Politik des sogenannten Klimaschutzes. Während fossile Brennstoffe verboten werden sollen, werden andererseits Wälder abgeholzt, um dort Windräder *aufzuforsten*. Ein Hektar Wald *darf* einer einzigen Windanlage weichen. Ein Hektar Wald weniger, der nicht mehr bereit sein kann CO_2 zu binden. Zwei Schilder der Niedersächsischen Landesforsten, die bei einer Wanderung im Harz entdeckt wurden, verdeutlichen die Wichtigkeit des Waldes an sich. Ein Hektar weniger Wald durch Abholzung für angeblich klimaneutrale Windenergie bedeutet 10 Tonnen weniger CO_2 Bindung pro Jahr, 23 Tonnen weniger Sauerstoff pro Jahr, maximal 50 Tonnen weniger Luftreinigung von Ruß und Staub pro Jahr, 1.500 Kubikmeter weniger Trinkwasserbildung, 0,06 weniger Arbeitsplätze, 0,1 Stück Wild pro Jahr weniger.

Die sogenannte Tesla Giga-Factory, welche im brandenburgischen Grünheide gebaut werden soll, wird nicht nur Unmengen des dort ohnehin zu wenig vorhandenen Wassers in Anspruch nehmen, sie benötigt darüber hinaus ca. 300 Hektar Wald, der für einen ebenso klimaneutralen Bau von E-Autos weichen „darf". Wie kann der Bau einer Fabrik klimaneutral sein, wenn zuvor durch das Abholzen eines etwa 300 Hektar großen Waldes das Klima verändert wurde? Davon abgesehen ist es unerheblich, ob Tesla ankündigt, für jeden gefällten Baum drei neue Bäume zu pflanzen. Diese kleinen Setzlinge ersetzen keinen einzigen ausgewachsenen Baum des bestandenen Waldes, auch wenn es sich um einen scheinbar minderwertigen

Wald handelt, da er als Monokultur diffamiert wurde. Davon abgesehen, muss diese Ankündigung auch erst einmal in die Tat umgesetzt werden. Dieser neu aufzuforstende Wald bietet darüber hinaus keine neue Lebensgrundlage für die vielen dort ansässigen Tiere. Ist hier nicht auch Rassismus herauszuhören?

Wirtschaftsinteressen auf beiden Seiten, unter dem Deckmantel eines angeblichen Klimaschutzes. Wie kann von Klimaschutz gesprochen werden, wenn auch durch das Abholzen und den Bau des Werkes das Klima möglicherweise verändert wird? Nun, der Wald kann sich eben nicht wehren, die Natur wird es tun. Wenn Sie die oben genannten Werte, die auf Grundlage der Niedersächsischen Landesforsten beruhen, auf die Werte der geplanten Giga-Factory übertragen, erkennen Sie, dass dadurch 300 x 10 Tonnen, also 3.000 Tonnen pro Jahr weniger CO_2 natürlich gespeichert werden und damit dazu beigetragen wird, dass der sogenannte Treibhaus-Effekt und der daraus folgende sogenannte Klimawandel auch dadurch verschärft wird, folgt man der Annahme, dass das CO_2 einen sogenannten Treibhaus-Effekt und Klimawandel begründet und begünstigt. Die Werte können ebenso auf die weniger Produktion von Sauerstoff, Grundwasser, Verlust von Arbeitsplätzen etc. übertragen werden. Allein für die Sauerstoffproduktion bedeutet dies, dass durch die Abholzung etwa 6.900 Tonnen weniger Sauerstoff pro Jahr produziert werden. Wenn wir davon ausgehen, dass ein PKW im Durchschnitt etwa eine Tonne wiegt, E-Autos sogar noch mehr, entspräche dies dem Gewicht von 6.900 PKW, die dieser Wald weniger an Sauerstoff Pro Jahr produziert. Besonderes Augenmerk sollte der ohnehin wasserarmen Region geschenkt werden, denn durch die Abholzung der Bäume entsteht ein jährlicher Verlust von 450.000 Kubikmetern Trinkwasser. Um es besser verdeutlichen zu können, ein Kubikmeter entspricht 1.000 Liter Trinkwasser. Für die Abholzung in Grünheide bedeutet dies umgerechnet 450.000.000 Liter Trinkwasser weniger, dafür eine Fabrik, die noch mehr Trinkwasser benötigen wird. Es darf sicherlich davon ausgegangen werden, dass es der Bildung von Trinkwasser ganz gleich sein wird, ob es sich um einen Mischwald oder eine sogenannte Monokultur handelt.

Abbildung 5

Abbildung 6

Angesichts dieser Grundlagen erscheint es höchst verwunderlich, dass die Beteiligung von sogenannten Aktivisten und Umweltschützern im Hambacher Forst teilweise sogar militant war, während inzwischen Waldfläche in Grünheide abgeholzt wurde. Der Hambacher Forst ist übrigens 100 Hektar kleiner als der Wald in Grünheide. Während es zudem eine riesige mediale Aufmerksamkeit für den Hambacher Forst gab und das Oberverwaltungsgericht Münster die Rodung des dortigen Waldes stoppte, wurde gegen die Abholzung des Waldes in Grünheide kaum bis gar nicht demonstriert. Im Gegenteil, denn die Umweltorganisation, welche die Rodung zunächst aufhalten konnte, wurde für ihr Handeln scharf kritisiert. Der ideologische Aspekt wird auch hier zutage gefördert. Im Hambacher Forst handelte es sich um den Abbau von Braunkohle, was ideologisch geprägt ist. In Grünheide darf der Wald einer „guten" Ideologie weichen, da es sich um den Bau von E-Autos handelt, deren Fabrikbau zwar ebenso dazu beiträgt, Umwelt zu zerstören und nur scheinbar dazu beiträgt das Klima zu schützen. Ist der Hochmut eines Menschen größer als die Fähigkeit von Gott? Manche mögen dieser Idee Glauben schenken. Letztlich dürfen wir erkennen, dass dies ein Irrglaube ist.

Wer sind diese Menschen, die glauben Natur in Klassen einteilen zu können und zu dürfen? In Grünheide handelt es sich um einen „minderwertigen Wald", hörten wir den ehemaligen Bezirksbürgermeister von Neukölln früh morgens im Radio sagen. Belegen uns derartige Aussagen nicht höchst anschaulich, in welchem Zustand unser Geist zu sein scheint? Benötigen wir kein Trinkwasser, dass wir bei derartigen Aussagen schweigen? Ja, derartige Aussagen sogar noch befürworten? Können diese Menschen ohne Sauerstoff leben? Ein Wald in der Größenordnung von Grünheide produziert jährlich 6.900 Tonnen Sauerstoff. Wie kann von Minderwertigkeit geredet werden, wenn die Natur uns das gibt – dazu gehört explizit auch der Wald in Grünheide – was wir zum Leben benötigen? Haben wir nichts Besseres zu tun, als uns dieser Grundlage Stück für Stück selbst zu entziehen, indem wir derartige Rodungen befürworten und schließlich sogar noch von Minderwertigkeiten sprechen? In der Natur ist es wohl einzigartig, dass sich ein Lebewesen seiner eigenen Lebensgrundlage entzieht und dabei noch dem Hochmut verfallen ist, Natur als minderwertig zu bezeichnen. Ein Baum ist und bleibt ein Baum, unabhängig davon, ob dieser Baum von Menschenhand angepflanzt wurde oder natürlich gewachsen ist. Weniger Wald, weniger Sauerstoff. Weniger Wald, weniger Regen und Trinkwasser. Hier kommen wir der von Menschen gemachten „Klimakatastrophe" sicher ein Stück näher.

Wie lange hält ein Mensch ohne Lebensmittel durch, bis er stirbt? Ohne Essen kann ein Mensch bis zu 60 Tage überleben. Ohne sauberes Trinkwasser bis zu vier Tage. Und ohne Sauerstoff ...? Sauerstoff ist ein Lebensmittel. Wahrscheinlich sogar das wichtigste Lebensmittel, denn ohne Sauerstoff leben wir ca. 2 Minuten.

Im Zusammenhang mit der Rodung im Hambacher Forst schrieb Welt.de am 16. Oktober 2018: *„Die Grünen in NRW schwelgen im Hambi-Hype."*[126] Doch der damalige Minister für Klimaschutz, Umwelt, Landwirtschaft, Natur- und Verbraucherschutz Johannes Remmel (Bündnis90/DIE GRÜNEN) sowie die damalige Ministerpräsidentin Hannelore Kraft (SPD) trugen gemeinsam Verantwortung für die beabsichtigte Abholzung des Hambacher Forstes, denn sie haben diese nicht verhindert. Auch die ursprünglich mögliche Abholzung des Hambacher Forstes bedurfte einer Genehmigung, im Regelfall von der dortigen Forstbehörde und der Kreisverwaltungsbehörde. Was für ein Klimaschützer kann dieser Minister sein, der dazu beitrug, dass eine von Menschen verursachte Klimaveränderung durch die Abholzung gewährleistet werden kann?

Dieser Umweltminister lehnte letztlich den zuvor von ihm geforderten Dienstwagen Tesla S90 D, der als die stärkste und luxuriöseste Stromlimousine gilt und einen Wert von ca. 110.000 Euro hat, ab, weil er für ihn als *„unbrauchbar"* zu bezeichnen ist. Die Reichweite dieses Luxuswagens liegt bei lediglich 500 km, so ein Bericht des

---

[126] Welt.de. Nitschmann, Johannes. Die Scheinheiligkeit der Grünen. Veröffentlicht am 16.10.2018: https://www.welt.de/regionales/nrw/article182016678/Hambacher-Forst-Die-Scheinheiligkeit-der-Gruenen.html

Stern Redakteurs Gernot Kramper.[127] Im genannten Artikel von Welt.de titelte das Blatt: *„Die Scheinheiligkeit der Grünen."* (ebd.) Gibt es also ein gutes und ein weniger gutes Abholzen von Bäumen? Wenn es ideologisch passt, wie beim Abbau der Braunkohle, wird Widerstand „demonstriert". Warum ist von diesen Aktivisten kaum etwas zu sehen, wenn in Brandenburg 300 Hektar Bäume abgeholzt werden, um eine Autofabrik für E-Autos zu errichten? Eine höchst merkwürdige Vorstellung und sehr fragwürdige Art, sich für einen sogenannten Klimaschutz einzusetzen. *„Die Deutsche Post wird die Produktion ihrer Streetscooter-Elektrotransporter im Laufe des Jahres einstellen. Konzernchef Frank Appel sagte, dass die kleinen Elektrofahrzeuge im Jahr 2019 rund 100 Millionen Euro Verlust erwirtschaftet hätten. Das Aus für die Produktion sei daher „die logische Konsequenz""*, so Gabor Steingart in seinem Morning Briefing vom 3. März 2020.[128] Als Konsequenz daraus folgert der Hersteller dieser Fahrzeuge Professor Günther Schuh, er sei traurig und lediglich an den *„falschen Partner gekommen. „Hier waren Erfinder und total begeisterte 500 Leute am Werk. Die wollten die Welt retten.""* (ebd.). Ein ehemaliger Umweltminister, dessen Ideologie ihn ganz persönlich einholt. Erfinder, die erkennen dürfen, dass ihre Erfindung scheinbar ebenso *„unbrauchbar"* zu sein scheint und sie dadurch offenbar nicht die Welt werden retten können. Sind dies Anzeichen vorschnellen Handelns? Wird Brandenburg mit Tesla ein erneutes Desaster auf Kosten des Steuerzahlers erleben, wie einst mit der Cargolifter AG? Bleibt am Ende die Erkenntnis, dass der Wald letztlich für eine Ideologie weichen musste und Umwelt sowie Klima dafür gerade durch diese Ideologie belastet wurden?
Einem Video auf Youtube ist folgende weitere Erkenntnis zu entnehmen: *„Um unsere Lebensgrundlage zu erhalten, brauchen wir kein*

---

[127] Stern.de. Kramper, Gernot. Wieso ein Tesla S90 D für einen Grünen-Minister nicht gut genug war. https://www.stern.de/auto/news/wieso-ein-tesla-s90-d-fuer-einen-gruenen-minister-nicht-gut-genug-war-7593540.html

[128] web.de. Steingart, Gabor. Gabor Steingarts Morning Briefing: Merkel verfrühstückt Schröders Erbe. Aktualisiert am 03. März 2020: https://web.de/magazine/politik/gabor-steingarts-morning-briefing-merkel-verfruehstueckt-schroeder-34482636

Green Washing sondern ein Wirtschaftssystem, das nach Bedürfnissen statt nach Profit organisiert ist."[129] Eine sicher weise Erkenntnis, die unsere Zukunft prägen dürfte, sofern wir eine geistvolle haben wollen. Ein Berliner Unternehmer berichtete mir, dass seine Tochter, die seiner Aussage nach eine glühende Anhängerin des Bündnis90/DIE GRÜNEN sei, vom Bau der Giga-Factory in Grünheide schwärmte. Im selben Raum befand sich ein Kongolese. Je länger sie sich positiv dazu äußerte, desto mehr schwoll diesem anwesenden Kongolesen der Hals, so der Unternehmer. Als es ihm zu viel wurde, platze es aus ihm heraus. Er stellte den angeblichen Umweltschutz infrage und verwies darauf, dass in seinem Land Raubbau an der Umwelt betrieben und diese zerstört würde, um die notwendigen Rohstoffe für die Akkumulatoren abzubauen. Arbeitsplätze und Wohlstand vor Ort würden dadurch ebenso wenig entstehen. Die Tochter des Unternehmers schwieg daraufhin. Der Unternehmer wies des Weiteren darauf hin, dass die Akkumulatoren zu 98 % recyclebar seien. Das mag einige von Ihnen beruhigen. Bei genauer Betrachtung bedeutet es, dass diese Akkus, sofern sie für das Fahrzeug nicht mehr benötigt werden bzw. taugen, für andere Bereiche genutzt werden. Dies so lange, bis sie gar nicht mehr genutzt werden können. Und dann? Nun, auch das dürfte dann ein Problem für die Umwelt werden. Darauf wies auch der Unternehmer hin.

So beißt sich die Katze in ihren eigenen Schwanz. Hauptsache, der Ideologie wird Genüge getan? Was ist also dran, am sogenannten Klimaschutz und vor allem an der Glaubwürdigkeit dieser selbsternannten Klimaschützer? Findet hier nicht gerade durch diese vermeintlich umweltfreundliche Technologie auch eine Art Diskriminierung, Diffamierung und Rassismus gegen Mensch und Natur statt? Die oben genannten Beispiele dürften auch diese Hybris verdeutlichen. Letztlich darf der sogenannte Steuerzahler bei derartigen Großprojekten, wie der Giga-Factory in Grünheide, nicht fehlen. Dieser „darf" seinen Beitrag durch die Subventionen für das Werk, die

---

[129] Youtube.com. Nicht aussterben: Schmeckt nicht nur Weltverbesserern. 25.05.2019: https://www.youtube.com/watch?v=slzCd-jew6l

Subventionen beim Kauf der E-Autos und durch seine sogenannte CO_2 Bepreisung an der Tankstelle leisten. Interessant dabei ist, dass dieser abstrakt erwähnte Steuerzahler scheinbar nichts mit jedem Einzelnen von uns zu tun hat. Interessant auch, dass dieser Steuerzahler an den Gewinnen des sogenannten Investors, in diesem Falle der Inhaber der Firma Tesla, selbstredend nicht beteiligt wird, obwohl er zuvor diese oben genannten Investitionen tätigen „durfte". Eine interessante Aussicht, vielleicht sogar eines Tages für ein Bundesverfassungsgericht. Steuern und Abgaben steigen nicht nur, um diese dann vermeintlich *guten* Unternehmen als Subventionen angedeihen zu lassen. Strom wird noch teurer, obwohl Deutschland inzwischen Spitzenreiter ist. Benzin ist ab 1. Januar 2021 teurer, obwohl es bereits mehrfach besteuert wird und dies eigentlich verboten ist. Abgaben für Anwohnerparkplätze im öffentlichen Bereich von Städten sollen nun ebenso erheblich teurer werden. Dort wird von Erhöhungen von derzeit 10 € auf bis zu 240 € pro Jahr und Anwohner gesprochen. Auf diese Weise werden erst die Autos weniger und dann die Bewohner der Städte bzw. umgekehrt. Handelt es sich dabei nicht auch um eine Form von Diskriminierung? Dies betrifft übrigens alle dortigen Anwohner, unabhängig von ihrer Herkunft und Hautfarbe.

Lebensmittel sollen durch politische Zwangsmaßnahmen teurer werden, ebenso wie Erhöhungen von Zwangsabgaben für öffentlich-rechtliche Rundfunkanstalten gefordert werden. Alles, um mehr Gerechtigkeit für Lebensmittelproduzenten zu schaffen und vor allem, um unabhängige Medienberichterstattung gewährleisten zu können? Diese Politik dürfte unter derzeitigen Vorzeichen eher noch weiter ausgedehnt werden. Erinnern wir uns, was einst der ebenso große wie bedeutende deutsche Dichter und Denker Friedrich Schiller so treffend sagte: *„Die Herrschenden hören auf zu herrschen, wenn die Kriechenden aufhören zu kriechen".* Was dürfte diese Politik der Verbote, Bevormundung, Beschneidung und Belastung also zur Folge haben? Weniger Autos auf deutschen Straßen und Städten? Reiche erkaufen sich ihre Freiheiten und leben wie Könige in Frankreich? Wenn ein Großteil der Menschen sich weder Auto, damit

Mobilität und individuelle Freiheit, noch Parkplatz, noch Lebensmittel werden leisten können, werden auch diese Diskriminierten sich auf Dauer Gehör verschaffen. *Widerstand ist Ausdruck von Mangel.* Dr. Markus Krall dürfte in seinem neuen Werk *Bürgerliche Revolution* sicherlich auch diesen Aspekt berücksichtigt haben.

Der sogenannte *„New Green Deal"* der amtierenden EU Kommissionspräsidentin von der Leyen weist einen weiteren Weg dieses neuen Feudalismus auf. Da der deutsche Steuerzahler nicht allein zur Kasse gebeten werden soll, obwohl er dies mit seinen angeblich vorhandenen 5 Billion Vermögenswerten tun könnte, sollen EU Steuerzahler zukünftig eine Billion Euro aufbringen, um planwirtschaftlich Gelder an die Profiteure dieser Politik verteilen zu können. Verstehen Sie jetzt vielleicht besser, warum Boris Johnson und seine Anhänger mit dem Brexit eine andere Weggabelung gegangen sind, ein anderer Ministerpräsident, nämlich der der FDP in Thüringen, verhindert werden sollte und ein riesiger pseudomoralischer Aufstand der *Anständigen* zelebriert wurde?

Die dadurch möglich werdende Politik musste unter allen Umständen verhindert werden. Eine These, die angesichts oben erwähnter Aspekte durchaus vertreten werden kann. Dabei dürfte es nur höchst vordergründig um Demokratie gegangen sein, wie die planwirtschaftlichen Subventionspläne sowie Abgaben- und Steuerlast der deutschen und EU Regierungen höchst anschaulich belegen dürften. Mit England hat es schon einmal nicht mehr geklappt. Wir werden erleben, was aus dieser politischen Absicht mit Thüringen geschieht. Wie lautete das Zitat von Koch doch gleich so zutreffend: Denkende sind überall gern gesehen, andersdenkende halt woanders. Diese Andersdenker der sogenannten Werte-Union in der CDU sollen ihr Andersdenken nun deshalb auch woanders denken, eben nicht mehr in der **C**hristlich **D**emokratischen **U**nion (CDU), denn innerhalb der CDU werden Stimmen lauter, diese Gruppe aus der Partei auszuschließen. Einer der Wortführer ist der EU Parlamentarier der CDU Elmar Brok. Er bezeichnet diese Werteunion sogar als *„Krebsgeschwür"*, so in einem Kommentar von Welt.de vom 16.02.2020 nachzulesen.[130] Sind dieses Verhalten und derartige Aussagen christlich? Sind Politiker, die sich derartig äußern, wie Elmar Brok es mit seiner Bezeichnung eines Krebsgeschwüres tat, werteorientierte Menschen? Handelt es sich um werteorientierte Menschen, die 1 % der Reichen im Land töten wollen, wie Anfang März 2020 beim Strategietreffen der Partei DIE LINKE gefordert wurde? Wie werteorientiert ist die Reaktion des Parteivorsitzenden dieser Partei Bernd Riexinger, wenn er erwidert *„Wir erschießen sie nicht, wir setzen sie für nützliche Arbeit ein".*[131] Jeder, der auch nur ansatzweise im Geschichtsunterricht aufmerksam war, wird sich daran erinnern, was derartige Aussagen beinhalten können. Die Menschenrechtlerin Vera Lengsfeld, die gegen das Unrechtsregime der sogenannten DDR aufbegehrte, verdeutlicht den Ansatz von Herrn Riexinger in ihrem Kommentar auf freiewelt.net wie folgt: *„Für die politischen Gefangenen im Lager Nr. 13, Schacht 9 und 10, in Workuta, 160 km nördlich des Polarkreises war dieser Tag zunächst ein Tag wie jeder andere: Um sieben Uhr am Morgen mussten sie nach einem Zählappell vor das Lagertor treten, wo sie vom „Konvoi" in Empfang genommen wurden. Dieser bestand aus einer Gruppe von mit Maschinenpistolen bewaffneten Soldaten, die dafür zu sorgen hatten, dass die Gefangenen zum ihnen zugewiesenen Arbeitsobjekt gebracht wurden, und dass keiner von ihnen die Flucht wagte. Eine alltägliche Prozedur. Alltäglich auch die Warnung vor einem Fluchtversuch. Der Kommandeur des Konvoi verkündete mit lauter Stimme: „Ein Schritt nach links, ein Schritt nach rechts wird als Fluchtversuch gewertet. Der Konvoi schießt ohne Vorwarnung. Hände auf den Rücken! Im*

---

130 Welt.de. Broder, Henryk M. Die Werteunion hat „null Einfluss"? Wirklich? Veröffentlicht am 16.02.2020: https://www.welt.de/debatte/kommentare/plus205900867/Elmar-Brok-Die-Werteunion-hat-null-Einfluss-Wirklich.html
131 Wallstreet-online.de. Zitelmann, Rainer. Das 1 Prozent der Reichen erschießen? 03.03.2020: https://www.wallstreet-online.de/nachricht/12234981-linken-1-prozent-reichen-erschiessen

Schritt – vorwärts!"[132] Es ist davon auszugehen, dass Vera Lengsfeld wissen wird und besser noch nachvollziehen kann, wovon sie schrieb.

Offenkundig wird derweil Gleiches mit der sogenannten Werteunion der CDU zelebriert, was die SPD seit langem mit ihrem prominentesten Beispiel eines politisch anders denkenden Mitgliedes durchexerziert. Thilo Sarrazin soll nun endlich aus der Partei ausgeschlossen werden. Das sogenannte Strategietreffen der Partei DIE LINKE belegt zu dem höchst anschaulich, in welchem vor allem geistigen Zustand sich sogenannte Verantwortungsträger befinden. All dieses Verhalten erinnert eher an zuletzt in Teilen dieses Landes erlebte Zustände des Unrechtssystems der sogenannten DDR, den Faschismus der Nationalsozialisten und andere Unrechtssysteme. Dafür weniger an ein freiheitlich demokratisches Verständnis.

Wie wird in Thüringen nun weiter regiert? SPD, DIE LINKE und Bündnis 90/ DIE GRÜNEN haben an der Kandidatur Bodo Ramelows erneut festgehalten. Was wäre jedoch gewesen, wenn die gesamte Fraktion der AfD diesmal Bodo Ramelow unterstützt hätte? Wäre dieser dann auch sofort zurückgetreten und hätte er sich selbst und alle anderen Fraktionen, bei Annahme der Wahl, beschimpft, weil auch er von vermeintlichen Nazis gewählt wurde? Würde die Fraktionsvorsitzende Susanne Hennig-Wellsow (DIE LINKE) dann auch Bodo Ramelow den Blumenstrauß vor dessen Füße werfen? *„Als das Wahlergebnis verkündet wurde, habe sie „tiefe Verachtung" gegen Kemmerich empfunden. Ihre Aktion mit dem Blumenstrauß bereue sie daher „keine Sekunde"*, so Welt.de. Thomas Kemmerich warf ihr *„reine Machtgeilheit"* vor.[133] Wie gut, dass *„Machtgeilheit"* ausschließlich bei dem jeweils anderen zu finden ist und nicht bei sich selbst.

---

[132] Freiewelt.net. Lengsfeld, Vera. So sah Rixingers nützliche Arbeit im Kommunismus aus. Veröffentlicht: 05.03.2020: https://www.freiewelt.net/blog/so-sah-rixingers-nuetzliche-arbeit-im-kommunismus-aus-10080592/

[133] Welt.de. Thüringer Linke-Fraktionschefin würde die Blumen wieder werfen. Veröffentlicht am 13.02.2020: https://www.welt.de/politik/deutschland/article205820569/Markus-Lanz-zu-Thueringen-Hennig-Wellsow-wuerde-Blumen-wieder-werfen.html

Die Frankfurter Allgemeine Zeitung (FAZ.net) findet klare Worte und schreibt am 10.02.2020: *„So versicherte Weidel, dass die Thüringer AfD-Abgeordneten einen Bodo Ramelow ganz sicher nicht wählen werden. Das ist allerdings auch nicht mehr nötig. Diskutierten doch die anderen Gäste* (bei Anne Will) *die meiste Zeit über die seltsame Frage, wie unüberbrückbare Meinungsunterschiede über den linken Kandidaten zu überbrücken wären. Gleichzeitig wollten sie nicht als homogener Block gegen die AfD wirken, obwohl man genau das ist, wenn die Abgrenzung zur AfD das einzige Kriterium für politisches Handeln wird. Die Parteien sind offenbar in eine Art „schwarzes Loch" geraten, wo das Licht der Erkenntnis nicht mehr durchdringen kann."* […] *„Die geheime Wahl soll aber die freie Entscheidung jedes einzelnen Abgeordneten garantieren, damit er unbeeinflusst von Restriktionen jeglicher Art handeln kann. Es geht um das Vertrauen in die Persönlichkeit des Kandidaten."* […] *„Wundert sich anschließend noch jemand über den Vertrauensverlust des Bürgers in seine Institutionen?"*[134] Wie wir heute wissen, wurde Bodo Ramelow mit einfacher Mehrheit gewählt, sodass dieser Eventualfall sowohl für Frau Hennig-Wellsow als auch für Herrn Ramelow ausblieb. Interessant daran ist, während Frau Henning-Wellsow Herrn Kemmerich *„Machtgeilheit"* vorwirft, bezeichnet der alte und nun neu gewählte Ministerpräsident Bodo Ramelow den damaligen FDP Kandidaten Herrn Kemmerich in seiner Antrittsrede respektvoll als *„Verfassungsorgan"*, welches der Fraktionsvorsitzende der AfD Björn Höcke durch sein zuvor gezeigtes Verhalten beschädigt habe. Scheinbare Moral, von jemandem der sich unmoralisch verhält, ist eher unglaubwürdig. Letztlich ist es, wie so häufig, eine Lüge.

Es ist ein Novum, dass Fraktionsvorsitzende, hier Frau Henning-Wellsow, sich derartig verhalten und frisch gewählten Ministerpräsidenten den Handschlag bei einer Gratulation verweigern. Hochmut bahnt sich seinen Weg. Es heißt, liebe deine Feinde. Doch für wen

---

[134] Faz.net. Lübberding, Frank. Rauchende Ruinen. Aktualisiert am 10.02.2020: https://www.faz.net/2.1755/kritik-anne-will-zu-thueringen-mit-weidel-und-kuehnert-16626217-p2.html

gilt auch dieser Grundsatz? Es ist eher weniger davon auszugehen, dass Björn Höcke Bodo Ramelow liebt bzw. umgekehrt. Dennoch reichte Björn Höcke dem neu gewählten Ministerpräsidenten die Hand. Bodo Ramelow, der erneut und diesmal mit einfacher Mehrheit gewählte Ministerpräsident, verweigerte ihm diese mit der Begründung, Höcke habe etwas „aufzuarbeiten". Nun, für Funktionäre der Nachfolgepartei eines Unrechtsregimes dürfte dieser Appell ebenso Gültigkeit haben, sofern der Gleichheitsgrundsatz bzw. politisch gewollte Gleichstellungsgrundsatz einen Wert haben sollte? Ist dies alles also das Verständnis von anständigen, werteorientierten, lupenreinen Demokraten? Hat dies überhaupt etwas mit Freiheit und Demokratie oder eher mit Despotismus, Hochmut und Fatalismus zu tun? Es heißt, wer nicht gehört wird, verhält sich unerhört. Führende Funktionäre der AfD haben stets erwähnt, dass ein politischer Ausschluss eines Viertels der Wählerschaft, die in Thüringen die zweitstärkste Fraktion abbildet, auf Dauer nicht standzuhalten sei. Dieses Vorgehen funktionierte schon nicht bei den damaligen Grünen in der ehemaligen Bundesrepublik Deutschland. Damalige Politiker anderer Parteien verhielten sich den Grünen gegenüber nicht annähernd so feindselig, wie es DIE LINKE, SPD und Bündnis90/DIE GRÜNEN heute vollziehen. Diese Fairness scheint heute komplett verloren gegangen zu sein. Die Erfahrung der heutigen Bündis90/DIE GRÜNEN hätte sie dazu veranlassen müssen, sich klar gegen das Verhalten von Bodo Ramelow und Frau Hennig-Wellsow zu positionieren. Gerade Bündnis90/DIE GRÜNEN hätten es aus ihrer eigenen erlebten Praxis doch besser wissen und auch aus demokratischer Sicht danach handeln müssen. Doch ein adäquates Handeln blieb aus. Macht und Geld verderben nicht den Charakter, beides belegt ihn.

Josef Fischer wurde damals der erste Minister im hessischen Landtag. Das, wofür die Grünen damals kämpften, soll nun ausgerechnet mit Hilfe und Unterstützung von Bündnis 90/DIE GRÜNEN verhindert werden. Die AfD stellt die zweitstärkste Fraktion des Thüringischen Landtages. Demokraten dürften diese Tatsache anerkennen. Ein Gericht hat eine Demonstration gegen den *„Faschisten"* Björn Höcke für zulässig erklärt. Es sah in dieser Bezeichnung des Thüringer AfD-Chefs keine Schmähkritik, sondern ein von der Meinungsfreiheit gedecktes Werturteil", schrieb die Frankfurter Allgemeine Zeitung am 28.09.2019.[135] Richtig ist, dass das Meininger Verwaltungsgericht entschieden hat, dass Björn Höcke als *„Faschist"* bezeichnet werden darf. Dieses Urteil belegt dadurch jedoch ausdrücklich nicht, dass er ein Faschist ist. *„Das Gericht führte nun aus, die Bezeichnung „Faschist" könne durchaus ehrverletzenden Charakter haben. „Im politischen Meinungskampf" seien aber auch „übertreibende und verallgemeinernde Kennzeichnungen des Gegners ebenso hinzunehmen wie scharfe, drastische, taktlose und unhöfliche Formulierungen, die in der Hitze der Auseinandersetzung als bloßes Vergreifen im Ton erscheinen". Fällt die Äußerung „im Rahmen einer geistigen Auseinandersetzung (...), die die Allgemeinheit berührende Themen zum Gegenstand hat und daher im weitesten Sinne der öffentlichen Meinungsbildung dient", überwiege das Recht der freien Meinungsäußerung."* (ebd.) Gemäß Medienrechtler Joachim Steinhöfel, der das sogenannte Netzwerkdurchsetzungsgesetz (NetzDG) als *„automatisierte Massenvernichtung freier Rede"* bezeichnet, vergleicht dieses Gesetz mit dem *„Heimtückegesetz"* des Dritten Reiches und dem *„Verbot staatsfeindlicher Hetze"* der DDR. Mittels dieses Gesetzes wurden Oppositionelle inhaftiert.[136] Hier wird erkennbar, dass sich ein Außenminister durch das NetzDG mit Methoden zweier sozialistischer Unrechtssysteme bedient. Wie kann so etwas in einem System, dass sich ansonsten freiheitlich demokratisch nennt, geschehen? Verhält es mit der sogenannten BRD inzwischen vielleicht eher so, wie mit der *Deutschen Demokratischen Republik,* die lediglich mit ihrem Namen den Anschein erweckte, demokratisch gewesen zu sein? Wie widersprüchlich sind Aussagen dieses Außenministers,

---

[135] Faz.net. Höcke darf „Faschist" genannt werden. Aktualisiert am 28.09.2019: https://www.faz.net/aktuell/politik/inland/thueringens-afd-chef-bjoern-hoecke-darf-faschist-genannt-werden-16407680.html

[136] Youtube.com. Das Facebook-Gesetz: Justizminister Maas' Anschlag auf die Meinungsfreiheit. 03.05.2017: https://www.youtube.com/watch?v=-b1qhsXXm9E

der die in erheblichem Maße freiheitseinschränkende Maßnahmen des NetzDG verteidigt und das, wie oben erwähnt, an dunkelste Epochen deutscher Vergangenheit erinnert?[137] Wie ist angesichts dieser Erkenntnisse dessen Aussage zu verstehen, wenn er anderenorts fordert *„für eine freie Gesellschaft einzutreten und die Demokratie gemeinsam zu verteidigen."*[138] Obwohl eine im Kern völlig richtige Forderung des Außenministers zu erkennen ist, so besteht ein eklatanter Widerspruch in seiner Aussage und seinem Handeln.

Erinnern wir uns an die oben genannte Formel für Lüge. Sie braucht Konstruktion, Illusion und wird erkannt am Widerspruch. Joachim Steinhöfel prophezeit diesem Gesetz einen ähnlichen Verlauf, wie einst Konrad Adenauer mit seiner Absicht ein *„Staatsfernsehen"* zu errichten. Das NetzDG sei unnötig und würde vor dem sogenannten Bundesverfassungsgesetz scheitern.[139] Auch diese Szenerie erinnert *Orwell'sche Zustände.* Der Jurist kritisiert jedoch nicht nur, er bietet eine Lösung und übernimmt mit seinem Gegenentwurf zum NetzDG Verantwortung.[140] Während der Politiker Björn Höcke als *Faschist* bezeichnet werden darf, was durch ein *Meinungsfreiheit gedecktes Werturteil* gedeckt zu sein scheint, und ein Gericht entscheidet, dass er dennoch kein Faschist sei, wird ein Gesetz implementiert, das Methoden des Faschismus nutzt, um freie Meinung zu beschneiden. Wo ist hier eine Handlungsverantwortung erkennbar?

In der rbb Abendshow vom 31. Oktober 2019 berichtete die SPD Politikerin Sawsan Chebli, dass sie 20 bis 30 Anzeigen pro Woche, demnach 1.060 bis zu 1.590 Anzeigen pro Jahr stellt, weil sich ihrer Auffassung nach strafrechtlich relevante Aussagen in Kommentaren

---

[137] Spiegel.de. Maas verteidigt Gesetz gegen Hass im Internet. 04.01.2018: https://www.spiegel.de/netzwelt/netzpolitik/netzdg-heiko-maas-verteidigt-netzwerk-durchsetzungsgesetz-gegen-kritik-a-1186118.html

[138] Youtube.com. Diskussion nach Grönemeyer-Rede | WDR aktuell; 16.09.2019: https://www.youtube.com/watch?v=A1NRZUEcYbU

[139] Youtube.com. Das Facebook-Gesetz: Justizminister Maas' Anschlag auf die Meinungsfreiheit. 03.05.2017: https://www.youtube.com/watch?v=-b1qhsXXm9E

[140] Steinhoefel.com. Das Meinungsfreiheitsgesetz – Ein Gegenentwurf zu Heiko Maas: https://www.steinhoefel.com/2017/05/herr-maas-so-geht-gesetzgebung-richtig.html

über Twitter etc. befänden.[141] Es ist denkbar, möglich und vor allem überprüfbar. Es könnte sich jedoch auch, wie bei Björn Höcke um ein durch Meinungsfreiheit gedecktes Werturteil handeln. Demgegenüber wird das Ausmaß Ego getriebenen Irrsinns auf beiden Seiten deutlich. Neunzig Prozent der Fälle würden eingestellt, äußert sich die SPD Politikerin gegenüber ARD/Maischberger.[142] Es darf die Frage geäußert werden, welchen Auftrag hat sie sonst noch als Staatssekretärin, wenn sie derartig viel Zeit aufwendet, Anzeigen zu formulieren? Wie fühlen sich Polizei, Behörden und Richter bzw. Richterinnen in diesem Land, wenn sie mit derart vielen Anzeigen, allein durch Frau Chebli, belastet werden *dürfen*? Handeln so verantwortungsbewusste Mandatsträger und Staatssekretärinnen? Scheinbar erkennt sie dennoch einen Lösungsweg, denn sie stellt Fragen, die grundsätzlich in eine sinnvolle und verantwortungsvolle Richtung weisen. Sie sagt, dass sie nicht bei der Angst, der Ohnmacht und der Wut bleiben könne. Sie fragt, was wir machen könnten und was daraus folgen müsse.(ebd.) Bedauerlicherweise verfällt sie dann jedoch wieder in den Kampfmodus der Spaltung. Es gibt Rassismus in Deutschland, das dürfte völlig unbestritten sein, doch wo auf dieser Welt gibt es diesen nicht ebenso? Dieses Land stellt keine Ausnahme dar. Selbst im Alten Testament wird erkennbar, dass es diesen vielfach gab. Liegt die Lösung da nicht eher bei der Überwindung des Rassismus an sich, um Spaltung überwinden zu können? Wie fühlt sich dieser Gedanke für Sie an?

Widerstand könnte eine Bedürfnisinformation sein. Könnte das im Fall dieser Politikerin bedeuten, dass die ihr zugewandten *Hasskommentare* Ausdruck einer solchen Bedürfnisinformation sein könnten? Wie tief ist diese Gesellschaft einstiger Dichter und Denker gefallen, dass wir derartig einseitige *Diskussionen* führen, die dann durch

[141] Youtube.com. rbb Abendshow vom 31. Oktober 2019. 01.11.2019: https://www.youtube.com/watch?v=EYl5BHzwobA

[142] Daserste.de. Video: Sawsan Chebli über Rassismus und Hanau. 26.02.20. Verfügbar bis 26.02.2021: https://www.daserste.de/information/talk/maischberger/videos/sawsan-chebli-maischberger-die-woche-video-100.html

öffentlich-rechtliche Rundfunkanstalten Widerhall finden können? Wie tief sind diese Medien gefallen, die auf fragwürdig finanzierte Weise Darstellungen dieser Art zeigen? Es ist anzunehmen, dass nicht nur Politiker, sondern ebenso Medien den Rest ihrer ohnehin kaum noch vorhandenen Reputation auf diese Weise gänzlich verlieren. Warum leben wir auf solch einem geistig niederschwelligen Niveau, wenn Gerichte sich mit solcherart gegenseitigen Diffamierungen, Herabsetzungen und Schmähungen befassen müssen? Warum wird so etwas überhaupt zugelassen? Auf welchem Niveau befinden sich diese Wortführer, die gegebenenfalls auch noch glauben, durch derartiges Verhalten Frieden und Versöhnung schaffen zu können? Wir ernten, was wir säen. Ist dies wirklich das Niveau, auf dem wir uns bewegen wollen?

Solche Geschehnisse beschreibt Eckhart Tolle höchst anschaulich mit seinem durch ihn entwickelten Begriff des Egowahns. Warum nutzen wir nicht den von ihm empfohlenen *Bewusstseinssprung*, anstelle der von vielen von uns gelebten Selbstzerstörung? Wer mit aller Macht nicht gehört werden soll, wird sich auf die eine oder andere Weise Gehör verschaffen. Sollte auch weiterhin versucht werden, den sogenannten Souverän, sprich das Wählervotum, zu ignorieren und dennoch in heuchlerischer Weise von Demokratie gesprochen werden, dürfte die Spaltung nicht nur, sondern auch in Thüringen und anderswo noch größer werden. Zudem dürfte erkennbar werden, was der große Thüringer Denker und Dichter Goethe einst in seinem Zauberlehrling beschrieb. *„Herr, die Not ist groß! Die ich rief, die Geister, werd ich nun nicht los.“*[143] Vielleicht verschafft sich die zweitstärkste Partei des Landtages in Thüringen auf ihre ganz eigene Weise Gehör. In diesem Falle insbesondere ohne Anwendung von Gewalt, die andernorts gern angewendet wird, sofern durch Grölen ideologischer Parolen nicht das gewünschte Ergebnis erzielt wird.

---

[143] Deutschland-lese.de. Der Zauberlehrling. Johann Wolfgang von Goethe: https://www.deutschland-lese.de/index.php?article_id=311

Im November 2019 äußerte sich der Bundesvorsitzende der AfD, Jörg Meuthen, zur *Lage der Nation*. Dieses Land sei in einem *„lausigen Zustand"*, äußerte er sich gegenüber mopo.de, am 16.11.2019. Es bestünde ein Mangel an *„echter Freiheitlichkeit"*. Jörg Meuthen führte bereits damals weiter aus, dass uns stattdessen sogenannte selbsternannte Volkserzieher erziehen würden. *„Ein „links-rot-grüner Mainstream" gebe den Ton an. Dinge wie Fleiß, Ehrlichkeit, Gesetzestreue oder Bescheidenheit gälten als ewiggestrig und würden niedergegrölt."* Letztlich bezeichnete er diese Agitatoren als *„Merkelisten"*. Dieser Begriff dürfte auch die inzwischen erkennbaren „Gleichschaltungs-Tendenzen" innerhalb der CDU beinhalten. Ebenso, wie sie seit langem in der SPD zelebriert werden.[144] Es scheint, als fehlt noch immer der Mut zu einem klaren Bekenntnis zur Demokratie, vor allem jedoch Reife! Obwohl regelmäßig selbsternannte anständige Demokraten von einer angeblichen Demokratie reden. Wie aber können wir in einer solchen Demokratie leben, wenn wir uns lediglich in einem von Carlo Schmid beschriebenen *„Staatsfragment"* befinden? Wie seine bereits erwähnte Rede belegt: Was in diesem noch immer bestehenden *„Staatsfragment"* der sogenannten BRD zu fehlen scheint, ist in der EU nicht weniger erkennbar. Nach der letzten Wahl wurde eine sogenannte Kommissionspräsidentin eingesetzt, nicht etwa vom Souverän gewählt und schon gar nicht demokratisch. Um was für eine Wertevorstellung kann es sich handeln, wenn auf diese fragwürdige Weise gehandelt wird? Derartige Prozesse dürften herzlich wenig mit einem wirklichen Demokratieverständnis zu tun haben. In Thüringen wurde nun erneut mit Macht ein Wählervotum außer Kraft gesetzt und politisch *aufgeräumt*, um auch hierbei Partikularinteressen durchsetzen zu können. Das System zeigt zunehmend sein wahres Gesicht. Vielleicht muss auch deshalb immer wieder davon gesprochen werden, dass die Demokratie in Gefahr sei. Wie kann jedoch etwas in Gefahr geraten, das regelmäßig durch Machtbestre-

---

[144] Mopo.de. AfD-Mann ätzt gegen Kanzlerin Meuthen spricht von „Dunkeldeutschland der Merkelisten". 16.11.19: https://www.mopo.de/news/politik-wirtschaft/meuthen-afd-dunkeldeutschland-merkelisten-parteitag-33475572

bungen außer Kraft gesetzt wird und allein dadurch inexistent ist? Ist es nicht gerade dieses Handeln, welches viel demokratisches Porzellan zerstört?

Zurück zum sogenannten Klimaschutz. Wie kann eine Klimapolitik betrieben werden, die auch durch den Bau einer Mega-Giga und sonstigen Fabrik den angeblichen Klimaschutz genau dadurch konterkariert, dass sie gebaut wird? *Klimakiller* Nummer eins soll doch der Naturstoff CO_2 sein. Dieser Naturstoff ist übrigens auch im Bier enthalten. Eine Steuer auf Alkohol gibt es ja bereits. Konsequenterweise müsste es dann doch auch eine entsprechend neue und zusätzliche *„Bepreisung"* auf jedes Getränk geben, welches mit CO_2 versetzt wurde. Werden wir nun davon ausgehen können, dass auch Bier höher besteuert oder gleich ganz verboten oder abgeschafft wird, weil es CO_2 beinhaltet oder ist es gut, weil es auf diese Weise im menschlichen Körper verklappt wird? Wie kann von Klimaschutz und vor allem von Umweltschutz gesprochen werden, wenn Aktivisten von Extinction Rebellion, die sich scheinbar für einen *radikalen* Klimaschutz einsetzen, vor allem jedoch Müll und Unrat bei ihren Demonstrationen für mehr *Radikalität* hinterlassen? Wer diese *Rebellen* sind und welch Geistes Kind ihr Wortführer ist, verdeutlicht ein Artikel von Patrick Meyer. *„Ihr Mitgründer Roger Hallam plant den politischen Aufstand und sorgt gleichzeitig mit heftigen Holocaust-Vergleichen für Aufsehen. In Wales führte er jenes polarisierende Interview mit der „Zeit", das auch die eigenen Anhänger in Aufruhr versetzte. „Genozide sind in den vergangenen 500 Jahren immer wieder geschehen", meinte er. „Um ehrlich zu sein, könnte man fast sagen: Das ist fast ein normales Ereignis." Hallam stellte das Alleinstellungsmerkmal der Judenvernichtung infrage: „Für mich ist es nur ein weiterer Scheiß in der Menschheitsgeschichte",* heißt es dort. [145]
Offenbar produziert deren *Geistiger Führer* nicht nur geistige Fragwürdigkeiten, sondern deren Aktivisten auch ganz handfesten Müll.

---

[145] web.de. Mayer, Patrick. Roger Hallam: Das ist der umstrittene Mitgründer von „Extinction Rebellion". Aktualisiert am 10. Dezember 2019: https://web.de/magazine/panorama/roger-hallam-umstrittene-mitgruender-extinction-rebellion-34247080

Allein bei der Aktion im Oktober 2019, am Berliner Potsdamer Platz, musste die Berliner Stadtreinigung (BSR) 11,5 Kubikmeter Müll dieser Aktivisten entsorgen. Dazu gehörten neben Verpackungsmüll auch Schlafsäcke, Matratzen und sogar Mobiliar. Im Verhältnis zur Straßenfläche, die für die Aktion in Anspruch genommen wurde, sei das Abfallaufkommen recht hoch gewesen, äußerte sich der BSR-Sprecher Sebastian Harnisch gegenüber der BZ.[146] Als Auswirkung des Strukturwandels in der Autoindustrie, auf die es diese Politik und Aktivisten vor allem abgesehen haben, prognostiziert der Pforzheimer Wirtschaftsprofessor Rudi Kurz einen Arbeitsplatzverlust dieser Schlüsselindustrie in den nächsten Jahren von 360.000 Stellen.[147] So beschreibt es ein Artikel von spiegel.de vom 1. November 2019. Wohl bemerkt, jeder siebte Arbeitsplatz in Deutschland hängt mittel- oder unmittelbar mit der Autoindustrie zusammen. Den politisch gewollten Wandel in der Automobilindustrie dürfen letztlich auch hier die sogenannten Steuerzahler subventionieren, die sich ein solches politisch gewolltes Elektroauto wahrscheinlich gar nicht werden leisten können. Der Staat, also wir alle, *dürfen* jedes E-Auto mit bis zu 9.000 € bei Kauf subventionieren, obwohl nach wie vor der größte Teil der Autonutzer ein solches E-Auto offenbar ablehnt.[148] Wer heute einen Smart kaufen will, ist bereits gezwungen sich ein solches Auto als E-Variante zu kaufen. Wo bleibt da die freie Wahlmöglichkeit? Am 12. November 2019 veröffentlichte spiegel.de, dass der US-amerikanische E-Auto Hersteller Elon Musk (Tesla Chef), in Brandenburg die „*erste europäische Gigafactory*" bauen wolle.[149] Eine Milliarden-

---

[146] Bz-berlin.de. Gruner, Marlen. Sieht so eine umweltfreundliche Klima-Demo aus? 8. Oktober 2019: https://www.bz-berlin.de/berlin/mitte/sieht-so-eine-umweltfreundliche-klima-demo-aus

[147] Spiegel.de. Hage, Simon/Hesse, Martin. Umweltverband befürchtet Verlust von 360.000 Jobs in der Autoindustrie. 01.11.2019: https://www.spiegel.de/wirtschaft/soziales/bund-befuerchtet-verlust-von-360-000-jobs-in-der-autoindustrie-a-1294431.html

[148] Autobild.de. Alle Infos zum Umweltbonus für E-Autos! 08.06.2020: https://www.autobild.de/artikel/e-autos-infos-zur-innovationspraemie-kaufpraemie-zum-umweltbonus-und-zur-foerderung-8535657.html

[149] Spiegel.de. Tesla baut Gigafactory in Deutschland. 12.11.2019:

Investition. Nun, ist es nicht etwas seltsam, wenn nach der Entscheidung einer vom Steuerzahler zu entrichtenden Subventionierung für E-Autos, ein paar Tage später veröffentlicht wird, dass der *Vater* des E-Autos in der Nähe von Berlin ein solches Werk bauen lassen will? Woher kommen, neben der Aussicht auf Subventionen für den Verkauf von E-Autos, die für den Bau eines solchen möglichen Megaprojektes benötigten Milliarden? Es bleibt abzuwarten, wie viel Steuergelder an Subventionen Tesla für sein Autowerk im brandenburgischen Grünheide zusätzlich erhalten wird.

Woher kommen eigentlich die angeblich bis zu 15.000 dafür benötigten Fachkräfte? In der Lausitz werden zukünftig viele Menschen durch den ebenso politisch gewollten *Strukturwandel* der Dekarbonisierung arbeitslos. Ein wenig Umschulung, Umzug in eine andere Region, und alles ist geritzt? Gibt es überhaupt die notwendig werdende Infrastruktur in Grünheide und Umgebung, um diese vielen Tausend angeblich benötigten Menschen z. B. mit der Bahn, bei der ständig Waggons fehlen und sich Fahrten verspäten oder gleich ausfallen, zu ihrem neuen Arbeitsplatz bringen zu können? Nein! Stattdessen gibt es kindlichen Streit darüber, wer Tesla nach Brandenburg gelockt hat. Mit welchen Versprechungen auch immer. Das alles ist also die Vorstellung von heute gelebter Demokratie und vor allem von erwachsenen Menschen, die sich für einen sogenannten Klimaschutz einsetzen? Oder handelt es sich doch eher um sozialistisch geprägte Planwirtschaft, die, wie die Geschichte mehrfach bewiesen hat, konsequenterweise in den Ruin führt? Eine solche Entwicklung erinnert an Szenarien, die dem gelebten Sozialismus bekannt sein dürften und weniger an Demokratie erinnert. Während von Politikerinnen wie Frau Baerbock gefordert wird, dass der Klima-Wandel gestoppt werden solle und dies vor allem möglich sei, wird ein anderer Wandel, nämlich der Strukturwandel in der Auto- und Agrarindustrie vorangetrieben. Natürlich durch alternativlose E-Autos, Bevormundung und Verbote. Wie kann ein natürlicher Wand-

https://www.spiegel.de/wirtschaft/unternehmen/elon-musk-tesla-baut-gigafactory-bei-berlin-a-1296172.html

lungsprozess einerseits gestoppt werden können, während ein anderer, menschengemachter Wandel vorangetrieben wird? Steckt in dieser Sicht- und Denkweise nicht ein ganz grundsätzlicher Widerspruch, also eine Lüge? *„Haltet den Herd Eurer Gedanken rein"*, heißt es sehr treffend in den Gralsbotschaften von Oskar Ernst Bernhardt. Ebenso sinnvoll und wenig widersprüchlich erscheint zudem ein Zitat des Philosophen Arthur Schopenhauer, der ganz grundsätzlich sagte, dass die einzige Beständigkeit der Wandel an sich sei. Auch bzw. wenn genau darin *„Unsicherheit"* besteht, wie sich Robert Habeck, erneut gewählter Vorsitzender von Bündnis90/DIE GRÜNEN, beim Wirtschaftsgipfel gegenüber der Süddeutschen Zeitung vom 12. November 2019 äußerte.[150] Nun, unbekanntes ist nur solange unbekannt, bis es uns bekannt ist. Davon abgesehen, *„sicher ist, dass nichts sicher ist. Selbst das nicht"*, wie uns Joachim Ringelnatz mitzuteilen hatte.[151] Wandel und Veränderungen sind Naturgesetze, welche eine ganz grundsätzliche Gültigkeit und vor allem Sinnhaftigkeit besitzen. Beide Aspekte dienen uns Menschen, damit wir lernen können. Wer Veränderungen und Wandel stoppen und verhindern will, weigert sich demnach offensichtlich, lernen zu wollen. Dies gilt gerade dann, wenn politische Gruppierungen und deren Teile, welche eigentlich im Sinne durch Jürgen Trittins *„Handlungsverantwortung"* geleitet sein sollten, dem Glauben verfallen zu sein scheinen, dass Wandel, insbesondere Klimawandel, zu stoppen sei. Dies zeigt und belegt einmal mehr, wie weit sich Menschen von Natur und Schöpfung entfernt haben.

Dem gegenüber spricht der FDP Bundesfraktionsvorsitzende Christian Lindner indirekt einen empfehlenswerten Wandel an. Er wies darauf hin, dass es ein Klima des Misstrauens und der Bevormundung gebe und von der Regierung ausginge.[152] Diese weitere Entwicklung

---

[150] Sueddeutsche.de. Von Bullion, Constanze „Wir haben Innovationskraft verloren". 13. November 2019: https://www.sueddeutsche.de/wirtschaft/habeck-gruene-wirtschaftsgipfel-1.4679936
[151] 1000-zitate.de. Joachim Ringelnatz Zitate: https://1000-zitate.de/3653/Sicher-ist-dass-nichts-sicher-ist.html
[152] Fdp.de. GroKo betreibt nur Verwaltung der Gegenwart. 27.11.2019:

könnte in der Tat zu einer *Klimakatastrophe* führen. Deutlich wird dies auch durch den erheblichen Protest, der tausendfach von deutschen Landwirten in Hamburg und Berlin erkennbar wurde. Die Landwirte fühlen sich bevormundet, da auch sie mit immer mehr Auflagen belastet werden. Thüringen ist ein weiteres deutliches Zeichen einer wahrhaft von Menschen gemachten *Klimakatastrophe* gegen Demokratie. Oben genannte politische Vorhaben zu einem Klimawandel, der angeblich zu stoppen sei, entsprechen und entstammen menschlichem Wunschdenken und widersprechen Naturgesetzen. Sie sind von Menschen entworfene Konstruktionen und leider nur zu oft Lüge. Wer diesen von Menschen geschaffenen Konstruktionen folgt, die letztlich gegen Naturgesetze verstoßen können, wird erleben, dass dieser Selbstbetrug scheitert.

Dennoch, aktuellen Umfragen zufolge würden angeblich trotzdem mehr als ein Viertel der Wahlberechtigten Politiker wie Robert Habeck und Co. wählen.[153] Funktionäre wie Robert Habeck, Annalena Baerbock und Bernd Riexinger vertreten und propagieren den aus den USA stammenden *Green New Deal*. Robert Habeck und Annalena Charlotte Alma Baerbock dürften dem Kurs von Shamus Cooke, Mitglied des Democratic Socialists of America in Portland, sicher gern folgen, denn auch er fordert einen *„Green New Deal"*. So äußerte sich Cooke im Counter Punch, einer sozialistischen Zeitschrift, zum *„Green New Deal"* wie folgt: *„Ein Green New Deal ist eine gute Forderung, aber letztendlich ist das Projekt hoffnungslos, wenn es unter einem kapitalistischen Dach durchgeführt wird. Nur ein sozialistischer Green New Deal kann eine tiefgreifende Transformation der Gesellschaft bewirken, die von der Situation gefordert wird. Er koordiniert den enormen Wohlstand und die Technologie des Landes und lädt mehr Nationen in das Projekt ein, da der*

---

https://www.fdp.de/_groko-betreibt-nur-verwaltung-der-gegenwart
[153] Tagesspiegel.de. Grüne erreichen erstmals 27 Prozent – gleichauf mit CDU. 27.09.2019: https://www.tagesspiegel.de/politik/politbarometer-von-zdf-und-tagesspiegel-gruene-erreichen-erstmals-27-prozent-gleichauf-mit-cdu/25062554.html

Klimawandel so global ist wie der Kapitalismus".[154] Eine in der am 25.11.2019 in der Frankfurter Rundschau erschienen Kolumne des Parteivorsitzenden der Partei DIE LINKE, Bernd Riexinger, steuert in eine sehr ähnliche Richtung. So heißt es dort, dass es eine der größten Menschheitsaufgaben der Gegenwart sei, *„den Klimawandel zu stoppen".*[155] Wie wir zuvor lernen durften, handelt es sich beim Wandel um ein Naturgesetz, der zu unserem Leben dazugehört. Wie uns unser Leben immer wieder vergegenwärtigt, können Naturgesetze nicht außer Kraft gesetzt werden. Jeder Versuch, dies realisieren zu wollen, führt letztlich zu der Erkenntnis, mit diesem Vorhaben gescheitert zu sein. Bernd Riexinger schreibt weiter, dass der Emissionshandel ein Ablasshandel sei und das Klima nicht retten werde. Diese Aussage zum Ablasshandel kann unterstützend vertreten werden. Fraglich ist, ob ein *linker Green New Deal* und ein kapitalistisch geprägter *Green New Deal* dazu beitragen werden, eine auch von ihm angenommene Notwendigkeit zur Rettung des Klimas zu ermöglichen. Ist diese Vorstellung überhaupt notwendig?

Deutlich wird auch an diesem Beispiel der Dualismus. Bisher ist jede Ideologie an Naturgesetzen gescheitert, weil sie menschliche Konstruktionen sind. Allein dadurch sind sie letztlich zum Scheitern berufen. Die von Shamus Cooke zunächst harmlos klingende Aussage, dass ein *„sozialistischer Green New Deal"* die Koordination eines enormen Wohlstandes und der Technologie eines Landes eine Einladung sei, mehr Nationen in das Projekt einzubeziehen, darf erneut als Theorie und Konstruktion betrachtet werden. Die Geschichte, aus der wir nun endlich lernen und erwachsen dürfen, belegt höchst anschaulich, dass sozialistische Ideologien den Wohlstand von Gesellschaften und deren Technologien in ein erkennbares Scheitern geführt haben. Doch in der Theorie ist alles möglich, und so wächst

---

[154] Counterpunch.org. Wird ein grüner New Deal das Klima retten oder den Kapitalismus retten? 8. MAI 2019: https://www.counterpunch.org/2019/05/08/will-a-green-new-deal-save-the-climate-or-save-capitalism/

[155] Fr.de. Riexinger, Bernd. Klima retten anstatt Kapitalismus. Aktualisiert am 25.11.19: https://www.fr.de/meinung/bernd-riexinger-linke-klima-retten-anstatt-kapitalismus-13243997.html

erneut die Annahme, dass Fehler der Vergangenheit dadurch behoben werden könnten, in dem sie erneut begangen werden. Stellt sich angesichts derartiger Aussagen und Erkenntnisse also auch die Frage, wie verantwortlich handelt die Wählerschaft, die Vertreter eines derartigen *Green New Deal* wählen? Dabei stellt sich vor allem die Frage, inwiefern diese bereits erwähnte *„Handlungsverantwortung"* auch dabei Berücksichtigung findet? Solange wir uns durch konstruierte Wirtschaftsformen und Ideologien daran hindern lassen, im Sinne der Schöpfung zu handeln und den Dualismus weiter fördern und danach, wird uns der Blick auf eine der Schöpfung entsprechenden Lösung verwehrt bleiben. Wir werden weiterhin gegen Naturgesetze verstoßen und damit gegen uns selbst. Der Weg zurück ins Paradies ist der Weg über die Einhaltung der Naturgesetze.

Am 22. Mai 2019 fand im Audimax, dem größten Saal der Uni Leipzig, eine Veranstaltung/Vollversammlung statt.[156] Das Motto der Veranstaltung war: *„Studis aller Fakultäten, vereinigt euch!"*[157] Ein Satz, der in starker Anlehnung zum *„Manifest der Kommunistischen Partei"* steht. Dort heißt es: *„Proletarier aller Länder, vereinigt euch."*[158] Da heute dieser Unterbau zu fehlen scheint, wie Wahlergebnisse der einstigen Arbeiterpartei SPD höchst anschaulich verdeutlichen, werden diese Aufrufe entsprechend angepasst. Die sogenannte *„Tür Policy"* dieser Veranstaltung beinhaltete folgenden Text: *„Die Veranstaltenden behalten sich vor, Personen, die rechtsextremen Parteien oder Organisationen angehören, der rechtsextremen Szene zuzuordnen sind oder bereits in der Vergangenheit durch rassistische, nationalistische, antisemitische oder sonstige menschenverachtende Äußerungen in Erscheinung getreten sind, den Zutritt zur Veranstaltung zu verwehren oder von dieser auszu-*

---

[156] Stura.uni-leipzig.de. Einberufung einer Vollversammlung am 22.05.2019:
https://stura.uni-leipzig.de/news/einberufung-einer-vollversammlung-am-22052019
[157] Lernenimkampf.net. Lernen im Kampf. 23. Mai 2019:
https://lernenimkampf.net/2019/05/23/studis-aller-fakultaeten-vereinigt-euch/
[158] De.wikipedia.org. Manifest der Kommunistischen Partei:
https://de.wikipedia.org/wiki/Manifest_der_Kommunistischen_Partei

schließen. Während der Veranstaltung können Teilnehmer*Innen, welche die Veranstaltung „gröblich stören", das heißt sich in diskriminierender, menschenverachtender oder respektloser Weise äußern, von der Veranstaltung ausgeschlossen werden."[159] Im Hinblick auf den Inhalt dieser *„Tür Policy"* wären Autoren der oben genannten Zitate damit Personae non gratae, also Personen, die nicht willkommen sind und vor der Türe stehen bleiben müssten. Inhalte dieser *„Vollversammlung"* waren Klimagerechtigkeit, also die Diskussion um die sogenannte CO2 *„Bepreisung"*, Klimastreik von Studenten und Neo-Sozialismus. Hätte diese Veranstaltung, die offenbar von der Leitung dieser Universität genehmigt wurde, so überhaupt stattfinden dürfen?

Auch dieser Veranstaltungsraum wird und wurde mit Steuergeldern finanziert. Liegt hier bereits ein Missbrauch vor? Wurde darüber hinaus gegen den Gleichheitsgrundsatz des Artikels 3 Grundgesetz verstoßen? Wenn andersdenkende Menschen an deutschen Universitäten ausgeschlossen werden und dies von Deutschen Universitäten sogar geduldet und befördert wird, sollte uns dieses Handeln aufhorchen lassen. Ähnliche Transparente wie bei dieser mindestens fragwürdigen Veranstaltung in Räumen der Universität Leipzig, waren die Forderungen der Konzertveranstaltung *„Wir sind mehr"*. Dort hieß es auf der Wand am Hintergrund der Bühne: *„Aufstehen gegen rechte Hetze – Solidarität statt Rassismus."* Im Grunde eine Kurzzusammenfassung der *„Tür Policy"* der Veranstaltung im Audimax der Universität Leipzig. Am 31. August 2018 „teilte" der Bundespräsident Frank-Walter Steinmeier diese Konzertveranstaltung *„Wir sind mehr"*. Eine teilnehmende Gruppe dieses Konzerts war die Band mit dem Namen *„Feine Sahne Fischfilet"*. Textpassagen dieser Band waren unter anderem: *„Die Bullenhelme, sie sollen fliegen, eure Knüppel kriegt ihr in die Fresse rein! Und danach schicken wir euch nach Bayern, denn die Jungs sind geheilt von Polizei."* Und weiter heißt es dort: *„Lieber Hartz 4 beziehn, im Bett bis um vier liegen, Bier*

---

[159] Youtube.com. Skandal: Uni Leipzig StuRa wirbt offen für Sozialismus! 06.08.2019: https://www.youtube.com/watch?v=C5WK-87MyYw

trinken, Weed dealen, Speed ziehen, als Geld im Staatsdienst verdien.“ Die Band fragte das Publikum, ob es bereit sei, für einen *„marxistischen Partysong“?* In diesem *„Partysong“* hieß es wie folgt: *„Ich mach Mousse aus deiner Fresse – boom, verrecke, wenn ich den Polenböller in deine Kapuze stecke. Die halbe Schule war gelähmt von meinen Nackenklatschern, meine Hausaufgaben mussten irgendwelche deutsche Spasten machen … ich ramm die Messerklinge in die Journalistenfresse. Trete deiner Frau in den Bauch, fresse die Fehlgeburt. Für meine Taten werd´ ich wiedergeborn als Regenwurm. Sei mein Gast und nimm ein Glas von meim Urin und entspann dich.“* Eine weitere Sängerin, Nura, die besonderen Wert auf ihre Hautfarbe legte, machte deutlich, woran ein Nazi zu erkennen sei. Denn, so sang diese Künstlerin, *„wer nicht hüpft, der ist ein Nazi.“*[160] Also, wer im Rollstuhl sitzt oder wem Beine fehlen, um hüpfen zu können, der ist ein Nazi? Demnach sind unsere Seniorenheime und Sanatorien also voller Nazis?

Es stellen sich folgende Fragen: Sollte ein verantwortungsbewusst handelnder Bundespräsident derartige Veranstaltungen „teilen“? Sich gegen Rassismus zu wenden ist nachvollziehbar und richtig. Wenn Rassismus, Häme und Menschenverachtung in Gut und Böse eingeteilt werden kann und Veranstaltungen dieser Art und Form von hohen politischen Amtsträgern unterstützt werden, entsteht Verantwortungslosigkeit, Unverhältnismäßigkeit, Verlust an Glaubwürdigkeit, Verlust an Vertrauenswürdigkeit und die Untergrabung von Recht. So entstehen Willkür und Tyrannei, und auf diese Weise wird beides gefördert.

Davon einmal abgesehen, das Konzert sollte ein *„Aufstehen gegen rechte Hetze“* sein. Ist die Hetze dieser Protagonisten also legitim und besser? Gibt es also gute und schlechte Hetze? Richtige und falsche? Es kommt halt darauf an, von wem diese Hetze ausgeht? Des Weiteren hieß es dort *„Solidarität statt Rassismus“.* Was für eine Form von Solidarität gegen Rassismus spiegeln diese zitierten Texte

---

[160] Youtube.com. Die Wahrheit über #wirsindmehr! 07.09.2018:
https://www.youtube.com/watch?v=ZtKFu9HzFsc&has_verified=1

der Band *Feine Sahne Fischfilet* wider, wenn sie nicht nur Gewalt ausdrücken, diese verherrlichen und indirekt sogar dazu aufrufen? Was ist so solidarisch daran, wenn Polizisten oder Journalisten, die in ihrem Leben und Dienst Verantwortung wahrnehmen, mit derartig menschenverachtender Hetze zu belegt und zu diffamieren?

Bei all diesen Dingen fällt eines immer wieder auf, der riesige Widerspruch in sich. Widerspruch in sich ist nichts anderes als Ego konstruierte Illusion. Sie ist Lüge und Selbstbetrug, weil sie nicht der Wirklichkeit entspricht, noch dieser in irgendeiner Weise gerecht wird oder entspringt. Wirklichkeit, Wahrheit und Wahrhaftigkeit benötigen keinerlei Konstruktion, sie entsprechen den hier aufgezählten Eigenschaften. Was wäre also gewesen, wenn Teilnehmer dieser Konzertveranstaltung *„Wir sind mehr"* der oben genannten Bandmitglieder, die sich offenkundig und für jeden hörbar in gröbster Form rassistisch und menschenverachtend geäußert haben, zu der Veranstaltung in die durch Steuern finanzierten Räumlichkeiten der Universität Leipzig hätten gehen wollen? Wären sie gemäß der *„Tür Policy"* der Türe verwiesen worden, oder ist diese erwähnte Form des Radikalismus und Rassismus besser und gewünschter als die von Rechtsradikalen? Was wäre gewesen, wenn Jürgen Trittin, der angeblich die *„Zurückdrängung des deutschen Bevölkerungsteils"* im eigenen Land fordert, vor dem Audimax in Leipzig gestanden hätte, um an dieser Veranstaltung teilnehmen zu können? Wäre auch er an den Regeln der *„Tür Policy"* gescheitert, da auch seine Forderungen rassistischer und menschenverachtender Natur sind? Abgesehen davon, die Vorfälle im Frankfurter Bahnhof, bei dem ein achtjähriges Kind vor einen einfahrenden Zug geworfen wurde und ums Leben kam, oder in Stuttgart, in dem ein Mensch mit einem Samurai-Säbel regelrecht hingerichtet wurde, sind weder Einzelfall noch Ergebnis einer *„Handlungsverantwortung"*. Sie sind das Ergebnis verantwortungsloser Handlungen, deren oben genannte Forderungen vorausgehen. Versteht Christin Löchner (DIE LINKE) derartige Vorfälle wie die in Stuttgart auch als *„Liebe und Förderung"* ihres selbst geprägten Begriffs *„Volkstod"*? Immerhin wurde ein Deutscher, mit ursprünglich anderer Herkunft, getötet.

Ich gebe zu, eine vielleicht etwas sarkastische Frage. Doch diese drastische Zuspitzung zeigt höchst anschaulich die völlig geistige Vernebelung unverantwortlich auch handelnder politischer Akteure. Dabei ist es unerheblich, welcher Partei jemand angehörig ist. Es spielt schlicht überhaupt keine Rolle, denn es geht einzig und allein um den Tatbestand des Denkens, der zur Handlung werden kann und in seiner Gesamtheit diese Verantwortungslosigkeit zum Ausdruck bringt. Aus diesem Grunde wird durch diese Kritik auch niemand diskriminiert, diffamiert oder gegen irgendjemanden persönlich gehetzt. Die Kritik richtet sich zu Recht an das schlicht unverantwortliche Handeln und eben nicht gegen den Menschen an sich. Ein Mensch kann so und so denken und handeln. Das Ergebnis wird dabei im Regelfall jedoch unterschiedlich ausfallen. Wir ernten, was wir säen, ebenso ein Naturgesetz.

Ein geladener Redner der Veranstaltung in der Universität Leipzig war Prof. Dr. Klaus Dörre, Universitätsprofessor der Universität Jena und Herausgeber des Buches *Neo-Sozialismus*. Seiner Aussage nach, muss es nach wie vor eine Umverteilung geben. *„Und deshalb gehören ökologische und ökonomische Nachhaltigkeit unbedingt und zwingend zusammen."* Damit folgt er den Aussagen von Shamus Cooke zum oben erwähnten *„sozialistischen Green New Deal"*. Dörre zitierte den Artikel 15 Grundgesetz, in dem *„Grund und Boden, Naturschätze und Produktionsmittel [...] zum Zwecke der Vergesellschaftung durch ein Gesetz, das Art und Ausmaß der Entschädigung regelt, in Gemeineigentum oder andere Formen der Gemeinwirtschaft überführt werden."* Seine ablehnende Position zu Individualrechten und offensichtliche positive Haltung von Enteignungen macht er wie folgt deutlich: *„...Wir brauchen ein ganz neues Mobilitätssystem. Die allmähliche Abkehr vom privaten PKW."*[161]

---

[161] Youtube.com. Skandal: Uni Leipzig StuRa wirbt offen für Sozialismus! 06.08.2019: https://www.youtube.com/watch?v=C5WK-87MyYw

Das zehnte Gebot besagt: „*Du sollst nicht begehren deines nächsten Haus, Hof, Vieh und alles, was sein ist!*"[162] Für Prof. Dörre scheint die Deutsche Bahn ein ausgewiesenes Unternehmen zu sein, welches geradezu prädestiniert sei, um im vollen Umfang verstaatlicht zu werden, denn den Ausbau des öffentlichen Nah- und Fernverkehrs betrachtet er als Lösung für die „*Abkehr*" vom Individualverkehr, was einer Abschaffung durch Enteignung und Verbote sicher gleichzusetzen ist. Orwell würde diese Art Sprache sicher als Neusprech bezeichnen. Also fahren in Zukunft wieder alle Menschen im und als Kollektiv in den Urlaub, natürlich mit der Staatsbahn? In seiner Rede verteilt Dörre dann auch gleich neosozialistische Geschenke an sein Auditorium, in dem er davon spricht, dass Studierende zukünftig öffentlichen Nahverkehr kostenfrei nutzen können. Der Kampfbegriff darf auch hier nicht fehlen, denn „*wenn wir den Kampf schnell gewinnen wollen, dann müssen wir auf ökologische und soziale Nachhaltigkeit brennen und das bedeutet, Klimaziele, ökologische Ziele und Dekarbonisierungsziele,*" (die Schaffung einer kohlenstofffreien Wirtschaft) „*soziale Nachhaltigkeit – im Sinne substantieller Gleichheit, Umverteilung von oben nach unten […] und von Nord nach Süd […] ohne das lässt sich ökologische Nachhaltigkeit nicht erreichen*".[163] Was das bedeutet, dürfte jedem klar sein. Ein dramatischer Rückgang von selbstgeschaffenem Wohlstand und Anerkennung von Leistung, der bereits im vollen Gange stattfindet. Als bekennender Sozialist gibt Dörre großzügig zu, nichts von Naturwissenschaften zu verstehen, und seiner Meinung nach sei Harald Lesch der einzige Naturwissenschaftler, der diese erklären könne. Mir fallen da gleich mehrere ein, die vor allem unabhängiger sind, als der von den öffentlich-rechtlichen Medienanstalten bezahlte Dr. Harald Lesch. Er zitiert Lesch wie folgt: „*Es gibt irgendwo auch Naturgesetze. Es gibt*

[162] Gralsbotschaft.org. Im Lichte der Wahrheit. Gralsbotschaften https://gralsbotschaft.org/du-sollst-nicht-begehren-deines-naechsten-haus-hof-vieh-und-alles-was-sein-ist/
[163] Youtube.com. Skandal: Uni Leipzig StuRa wirbt offen für Sozialismus! 06.08.2019: https://www.youtube.com/watch?v=C5WK-87MyYw

zwar eine Partei in Deutschland, die meint, sie außer Kraft setzen zu können. Sie nennt sich Alternative für Deutschland und leugnet den menschengemachten Klimawandel."(ebd.) Interessant, dass Dörre ausgerechnet von der Alternative für Deutschland spricht, die angeblich Naturgesetze außer Kraft zu setzen vermag, während inhaltlich widersprüchliche Forderungen und das dazugehörige Verhalten anderer, auch bereits erwähnte Parteien, allein aus ideologischen Aspekten diesen Tatbestand längst erfüllen. Welcher Vorwurf wird dieser erwähnten Partei doch gleich gemacht, sie sei eine populistische Partei? Fatalistisch wird es, wenn sogenannte Klimaaktivisten wie Greta Thunberg, die häufig mit der Bündnis90/DIE GRÜNEN Politikerin Luisa Neubauer in Verbindung gebracht wird und richtigerweise eher als parteipolitische Aktivistin des Bündnis90/DIE GRÜNEN zu bezeichnen ist, dazu aufruft, ihre eigene Ausbildung zu vernachlässigen. Dies, weil für *„uns junge Menschen"* die Zeit nicht mehr reiche, *„um erwachsen zu werden und die Verantwortung zu übernehmen, es muss jetzt sofort etwas passieren"*, so ein am 19. Juli 2019 veröffentlichter Artikel zu einem Auftritt von ihr.[164] Man kann also nur als sogenannter Erwachsener, nach dem Verständnis von Greta Thunberg, Verantwortung übernehmen? Im Kern richtig, wie oben ausführlich aufgeführt. Hier wird jedoch deutlich, dass sie Verantwortung lediglich mit Alter gleichsetzt. Doch auch ein 17-jähriges Mädchen kann Verantwortung übernehmen, indem es lösungsorientiert denkt und handelt und das große Ganze berücksichtigt. Doch genau dies ist erkennbar gar nicht ihre Absicht. Sie möchte Panik verbreiten und wirft mit Vorwürfen um sich, wie der Kölner Karneval mit Kamelle. Wie oben erwähnt, wird Panik von unserem Ego geleitet.

---

[164] Berlinertageszeitung.de. Greta Thunberg fordert in Berlin stärkeren Einsatz der Politik für den Klimaschutz. 19.07.2019: https://www.berlinertageszeitung.de/politik/44134-greta-thunberg-fordert-in-berlin-staerkeren-einsatz-der-politik-fuer-den-klimaschutz.html

Greta Thunberg habe auch Depressionen, wie ihr Vater durch bild.de am 30. Dezember 2019 mitteilen ließ.[165] Zu Luisa Neubauer sei informativ erwähnt, dass sie sehr gerne Fernreisen unternimmt z. B. nach Kanada, Hongkong, Polen, Schweden, England, Marokko, Österreich, Italien, Belgien, China, Deutschland, Frankreich, Indonesien, Niederlande, Schottland, Schweiz, Tanzania. Diese Reisefreude teilt sie gern in sozialen Netzwerken. Die Verantwortung für den Klimawandel sei wenigen Akteuren zuzuschreiben.[166] Auch sie forderte eine CO2 Steuer für den Klimaschutz. Ein sehr vergleichbares Verhalten, wie beim oben genannten Außenminister. Handeln und Reden liegt auch hier weit auseinander und ist widersprüchlich. Am 28. November 2019 stimmte das sogenannte EU-Parlament darüber ab, dass in Europa der sogenannte Klimanotstand ausgerufen werden solle. Mit 429 Stimmen, 225 Gegenstimmen und 19 Enthaltungen wurde diese Resolution mehrheitlich entschieden. Diese Resolution gilt zwar als *symbolischer Akt*, sie soll jedoch dazu führen, dass dementsprechend politisch gehandelt wird.[167] In der konkreten Umsetzung entspricht dieses Vorhaben dem oben bereits angesprochenen *„Green New Deal"*. Hier offensichtlich mit einem kapitalistischen Ansatz und sozialistischen Methoden. Bis zum Jahre 2030 sind dafür drei Billion Euro eingeplant. Ein Drittel des EU Haushalts, das entspricht einer Billion Euro, sollen aus dem EU Haushalt stammen. Zusätzlich zu den ohnehin eingeplanten Geldern, die dem Klimaschutz dienen sollen. Die restlichen zwei Billion Euro sollen von

[165] Bild.de. Ich wollte mein Kind retten – nicht das Klima. 30.12.2019: https://www.bild.de/politik/ausland/politik-ausland/greta-vater-spricht-ueber-klimaschutz-ich-habe-es-getan-um-mein-kind-zu-retten-67007858.bild.html

[166] Youtube.com. Reisetagebuch von Luisa Neubauer – Grüne. 08.02.2019: https://www.youtube.com/watch?v=NoB36JFN0WQ

[167] Welt.de. Europaparlament ruft „Klimanotstand" für Europa aus. Veröffentlicht am 28.11.2019: https://www.welt.de/politik/deutschland/article203879486/Europaparlament-ruft-Klimanotstand-fuer-Europa-aus.html

der Europäischen Investitionsbank, den Mitgliedsstaaten und dem Privatsektor stammen, was immer das heißen soll.[168]

Europa ist damit der erste Kontinent, der einen sogenannten Klimanotstand ausgerufen hat. Städte wie Köln, Kiel, Saarbrücken, Bochum, Karlsruhe und Gelsenkirchen leben exemplarisch vor, was der politischen Absicht eines sogenannten Klimanotstandes folgen soll.[169] Der Umbau von Autospuren zu Radwegen oder höhere Parkgebühren in Innenstädten, Mietendeckel und *Zwangsumbau* von Heizungen und weitere gesundheits- und umweltschädliche Dämmung von Häusern dürften lediglich als Anfang bzw. Fortführung betrachtet werden. Wer sich einen Umbau nicht leisten kann oder will, wird zwangsweise durch Verbote sanktioniert, wie Bundesministerin für Umwelt, Naturschutz und nukleare Sicherheit Svenja Schulze fordert.

Die Ausrufung des Klimanotstandes ist ein Konstrukt und eine Illusion, die sich schon jetzt als Lüge entpuppt. Es sei die Frage erlaubt, wofür diese Billion von Euro wirklich versanden und ob es dem Klima tatsächlich in irgendeiner Weise nutzt? Glaubwürdiger erscheint eher, dass zwei Fliegen mit einer Klappe geschlagen werden sollen. Kapitalistischer und sozialistischer *Green New Deal*, der bestenfalls ein Deal, kaum jedoch Green sein wird. Wer sich dem nicht fügt, wird sanktioniert und indirekt und wahlweise direkt enteignet? Die Lebenshaltungskosten können weiter empfindlich steigen, wenn die Braunkohleverstromung wegfällt. Auch, weil es dann keine Müllverbrennung mehr geben wird, die im Zusammenhang mit dem Abbau der Braunkohle steht. So wird nicht nur der Strom noch teurer werden, sondern der Müll gleich mit? Wird das Klima auf diese Weise wirtschaftlich und ideologisch missbraucht, weil es als große

---

[168] Freiewelt.net. EU-Kommission soll mit drei Billionen Euro für Klimaschutz planen. Veröffentlicht: 27.11.2019: https://t1p.de/tnn7

[169] Welt.de. Europaparlament ruft „Klimanotstand" für Europa aus. Veröffentlicht am 28.11.2019: https://www.welt.de/politik/deutschland/article203879486/Europaparlament-ruft-Klimanotstand-fuer-Europa-aus.html

Richtschnur allen gesellschaftlichen Handelns *dienen* soll? Alles und jeder wird dieser ideologischen Ma(r)xime unterstellt?

Auch dies erinnert an finstere Zeiten deutscher Geschichte. Wie hieß es in dem Lied der DDR Staatspartei SED doch so trefflich? *„Die Partei, die Partei hat immer recht"!*[170] Eine gefährliche Mischung aus Gier und Ideologie, der wir uns zunehmend bewusst werden dürfen. Denn die Auswirkungen treffen uns alle in erheblichem Maße. Betroffen davon sind vor allem Individualrechte wie Freiheit, wie auch der hysterische Umgang mit dem sogenannten Corona-Virus belegt. Weitere Enteignung, Bevormundung, Gängelung und Verbote dürften folgen. So schreibt „Die Freie Welt" weiter, dass der nun auch auf europäischer Ebene ausgerufene sogenannte Klimanotstand die perfekte Panikstimmung sei, *„um Gesetze durchzubringen, die man sonst wegen ihrer Unpopularität nicht durchsetzen kann."*[171] Nun, was für den Klimawandel gilt, dürfte insbesondere für den Corona-Virus Geltung haben. Der Journalist und Buchautor Gabor Steingart schrieb am 29. November 2019 in seiner Kolumne dazu Folgendes:

„In einer apokalyptisch gestimmten Welt möchte niemand seinen Einsatz verpassen, das Europäische Parlament schon gar nicht. Der Notstand ist der kleine Bruder des Autoritären, merkten einige wenige Abgeordnete an. Aber da loderte schon das Feuer des Furors durch die Reihen. Das Haus stand in Flammen, und als erstes Opfer wurde das historische Gedächtnis gelöscht. Die ständigen Notverordnungen der Weimarer Republik, die nach und nach die Bürgerrechte außer Kraft setzten, waren der rote Teppich auf dem Adolf Hitler schließlich in Richtung Diktatur marschierte. Die europäischen Abgeordneten aber wollen jetzt nicht geschichtsbewusst oder auch nur vernünftig sein. Zwei Forderungen sind laut des Parlamentsbe-

---

[170] Youtube.com. Lied der Partei (Die Partei hat immer recht).
https://www.youtube.com/watch?v=_KyGUNiYHlk
[171] Freiewelt.net. Von Storch, Sven. EU im Klimawahn | Freie-Welt-Wochen-Revue. Veröffentlicht: 29.11.2019: https://www.freiewelt.net/blog/eu-im-klimawahn-freie-welt-wochen-revue-10079678/

schlusses unverzüglich zu vollziehen, um das Überleben der Menschheit zu sichern:

▶ *Die EU-Kommission soll radikale Maßnahmen gegen den Klimawandel ergreifen. Das Ziel ist die Dekarbonisierung Europas, ohne Rücksicht auf den industriellen Kern. Oberste Priorität: Die Erderwärmung auf unter 1,5 Grad zu drücken.*

▶ *Die neue EU-Präsidentin Ursula von der Leyen muss laut dieser Resolution ihre gesamte Arbeit auf dieses Ziel ausrichten. Die anderen großen Vorhaben der EU – als da wären die Bekämpfung der Armut, das Lösen der Flüchtlingsfrage oder der Aufbau einer Gegenmacht zu Amerika und China – haben in der Stunde des Notstands beiseite zu stehen. Der Parlamentarier als Weltenretter. Europa hat als dritten Weg zwischen Kapitalismus und Sozialismus den Alarmismus entdeckt.*"[172]

Diese Maßnahmen dürften Gesellschaften in Europa weiter spalten und die Kluft zwischen arm und reich noch schneller vergrößern. Dies, obwohl 60 % der 12.100 befragten Menschen in Europa andere, sehr substanzielle Themen, wie beispielsweise den Erhalt ihres Arbeitsplatzes als wichtiger empfinden.(ebd.) Menschlich nachvollziehbar, denn dadurch können Rechnungen, Hauskredite und Mieten bezahlt werden. Die Bewältigung von steigenden Lebenshaltungskosten, die Folge dieser Politik sind, steht ganz oben auf der Agenda der Befragten. In der Haushaltsdebatte des Deutschen Bundestages, vom 27. November 2019, wies die Fraktionsvorsitzende der AfD Alice Weidel auf die erkennbaren Auswirkungen dieser sogenannten Klimapolitik hin. Sie erwähnte den Verlust von 20.000 Arbeitsplätzen beim Reifenhersteller Continental, 15.000 Arbeitsplätze beim Maschinenbauhersteller Bosch, 10.000 Arbeitsplätze bei Mercedes Benz, 9.500 Arbeitsplätze (sogar bis zu 15.000) beim

---

[172] web.de. Steingart, Gabor. EU-Parlament ruft „Klimanotstand" aus. Aktualisiert am 29. November 2019: https://web.de/magazine/politik/gabor-steingarts-morning-briefing-eu-parlament-ruft-klimanotstand-34225544

Autohersteller Audi, 7.000 Arbeitsplätze bei VW und 3.000 bei BASF.[173] Allein bei dieser Aufzählung handelt es sich um 64.500 Menschen, die ihre Arbeit aufgrund dieser Politik verlieren bzw. verloren haben. 64.500 Menschen und die dahinter verborgenen Existenzen, Familien und Kinder. Damit nicht genug, denn bis zum Jahre 2022 *„will BMW rund zwölf Milliarden Euro einsparen, auch auf Kosten der Mitarbeiter. Verzichten müssen sie ab 2020 auf bis zu einem Fünftel ihrer Erfolgsprämie“*, so der Hinweis des Kolumnisten Gabor Steingart, vom 28. November 2019.[174] Existenzen dieser Menschen und ihren Angehörigen werden aus ideologischen Gründen als Kollateralschäden billigend in Kauf genommen. Der Ratingagentur Standard & Poor's geht das alles trotz der Einschnitte nicht weit genug, denn sie geht davon aus, dass diese nicht ausreichen werden, und bewertet BMW gleich von *„stabil“* auf *„negativ“*.(ebd.)

Kennen Sie den im Jahre 2018 verstorbenen Ingenieur und Architekten Konrad Fischer? Nein? Dann haben Sie insbesondere als Hausbesitzer viel Sachverstand versäumt. Seine Expertise belegt den Irrsinn, der durch das Befolgen von Ideologien des sogenannten Klimaschutzes durch angeblich umweltfreundliche Dämmung von Häusern und des immer teurer werdenden sogenannten Ökostromes, den dieser als *„Schundenergie“* bezeichnet, nach sich zieht. Dies auch deshalb, weil diese Energie nach seiner Auffassung *„nicht richtig verbraucht werden kann“*. In einem höchst informativen Video zeigt der Architekt die Risiken zu den Folgen der Dämmung von Häusern auf.[175] Die Politik hält dennoch daran fest, denn auch dieser Irrweg soll ja weiterhin staatlich subventioniert werden. So stoppte der

[173] Youtube. Phoenix. Alice Weidel (AfD) in der Generaldebatte am 27.11.19: https://www.youtube.com/watch?v=So_3I-wQVpc

[174] web.de. Steingart, Gabor. Macrons publizistische „Schocktherapie". Aktualisiert am 28. November 2019: https://web.de/magazine/politik/gabor-steingarts-morning-briefing-macrons-publizistische-schocktherapie-34222146

[175] Youtube.com. Wärmedämmung – Was ist sinnvoll? 17.09.2015: https://www.youtube.com/watch?v=2gw5-TUpOLk

Bundesrat die Pläne der Bundesregierung zum sogenannten Klima-schutz, der auch die Dämmung von Häusern berücksichtigt. Oliver Holtemöller, leitender Professor für Volkwirtschaft der Universität Halle-Wittenberg, ist für eine Bepreisung des Naturstoffes CO_2. Dies teilte er in einem Radiointerview von Info Radio des Senders rbb am 29. November 2019 mit, welches ich eher zufällig hören durfte. Zu klären, wo genau der Vorteil dieser auch von ihm geforderten Bepreisung dieses Naturstoffes CO_2 für die Umwelt sei, blieb er bis zum Schluss des Interviews allerdings schuldig.

Im Zusammenhang mit der am 29. November im Bundesrat stattgefundenen Abstimmung zum sogenannten *Klimapaket* der Bundesregierung, forderte der Baden-Württembergische Ministerpräsident Winfried Kretschmann (Bündnis90/DIE GRÜNEN) eine deutlich höhere Bepreisung des Naturstoffs CO_2, da die derzeitige Regelung zu wenig Lenkungsfunktion habe. Der sogenannte Verbraucher, der sich ein E-Auto, das mit immer teurer werdendem sogenanntem Ökostrom beladen werden muss, nicht wird leisten können und deshalb die stetig steigenden Spritpreise wird hinnehmen müssen – solange er es noch kann – ist sicher höchst dankbar für derartige Forderungen. In welchem Bundesland wurden doch gleich die Autos eines großen noch deutschen Autoherstellers gebaut? War es Baden-Württemberg? Die aufgrund der Klimapolitik entlassenen Mitarbeiter bei Mercedes und Co. sind sicher ebenso dankbar für derartige Forderungen. Ideologie und Gier frisst Hirn. Jetzt kommt das Corona-Virus offenbar hinzu und erledigt den Rest. Diejenigen, die sich für diese politisch und vor allem ideologisch gewollt herbeigeführte Entwicklung werden eher früher als später verantwortlich zeigen müssen, sehen die Verantwortung für eine gesellschaftliche Spaltung an anderer Stelle verortet. Nun, Populisten scheint es offenbar allen Ortes und parteiübergreifend zu geben.

Charakteristisch für Populismus *„ist eine mit politischen Absichten verbundene, auf Volksstimmungen gerichtete Themenwahl und Rhetorik"*, so ist es beispielsweise bei Wikipedia nachzulesen.[176] Diese

---

[176] De.wikipedia.org. Populismus: https://de.wikipedia.org/wiki/Populismus

Definition dürfte sicher auch und insbesondere auf die Vorhaben zum sogenannten Klimanotstand übertragbar sein. Was ist also grundsätzlich schlimm am Populismus an sich, wenn viele ihn nutzen? Der eine darf es, und dann ist es in Ordnung? Wenn es andere Akteure nutzen, sind es Spalter und Nazis? Nun, im Wort National-Sozialismus steckt auch das Wort Sozialismus. Methoden des Sozialismus sind hinlänglich bekannt und wurden insbesondere im National-Sozialismus auf besonders menschenverachtende Art und Weise vollzogen. Ob ein Begriff eine positive oder negative Bezeichnung bekommt, ist also auch eine Frage der Propaganda. Populismus an sich ist grundsätzlich weder negativ noch positiv, es ist ein Mittel der Einflussnahme. Dualismus benötigt jedoch Spaltung und deshalb wird auch dieser Begriff entsprechend bewertet.

Wenn wir also unser Leben zu einem Besseren wenden wollen, werden wir uns entsprechend ausrichten müssen, ein Naturgesetz. Um eines erneut und mit Nachdruck zu wiederholen. Es geht nicht darum, Menschen und politische Verantwortungsträger zu verunglimpfen. Es geht darum, zu verdeutlichen, wie *„Handlungsverantwortung"* naturgemäß aussieht, um den Terminus Technicus von Jürgen Trittin zu verwenden und, um zu verdeutlichen, wie sehr und rücksichtslos Willkür und Ideologie dagegen verstoßen. Anstatt Innovationen zu fördern, werden Ideologien mit aller Macht, Verboten und Zwangsmaßnahmen durchgesetzt. Ideologien sind Verstöße gegen Naturgesetze. Wir erleben schon jetzt das Ausmaß und die Folgen dieser Ideologie getriebenen Verstöße. Damit sind nicht die klimatischen Veränderungen gemeint, die es seit Beginn dieses Planeten gibt! Gabor Steingart zitierte den Kabarettisten Dieter Nuhr mit dessen Worten, dass die Titanic nicht nur ein Schiff gewesen sei, sondern jetzt offenbar auch eine Regierungsform. *„Alles, was im Einklang mit dem höchsten göttlichen Willen schwingt, bringt Liebe, Harmonie und Schönheit."*[177] Schauen wir uns unsere selbst initiierte und konstruierte Welt und deren Auswirkung einmal genauer an und stellen

---

[177] Ayach, Leila Eleisa. Seelenverträge. Smaragd Verlag. 8. Auflage 2015

uns die Frage, ob wir es richtig finden, was geschieht? Womit fühlen wir uns wohler, und was erhellt unser Herz. Nicht Gott schafft dieses Chaos auf Erden, wir selbst sind es! Demnach liegt auch die Verantwortung für diese Ereignisse in der Welt bei uns allen und bei niemand anderem. Es liegt also ebenso an uns allen, ob wir dieses Chaos weiter fördern und unsere Gesellschaften weiter spalten und zerstören wollen. Nur Liebe erzeugt Liebe, nur friedvolle Gedanken und friedvolles Handeln erzeugt Frieden. Nur ein mitfühlendes Herz auf allen Seiten, schafft eine mitfühlende Umgebung. Letztlich schafft eine beständig positive innere und äußere Ausrichtung ein gutes Leben in Fülle und zwar für alle. Krieg ist kein Naturgesetz, Frieden hingegen schon. Krieg ist gestörtes Ego in Reinkultur. Er ist eine von Menschen geschaffene Konstruktion der Zerstörung, des Tötens, der Unterdrückung, des Hungers und Leidens, geschaffen durch eine Illusion. Wie kann es Kriege in der Welt geben, wenn wir vorgeben angeblich aufgeklärte Menschen zu sein?

Was wollen wir also wirklich, und wie finden wir den Weg zur wahren Welt, in der wir Naturgesetze anerkennen und diesen freiwillig folgen? Wohin wird unsere Reise gehen, wenn endlich Wahrhaftigkeit in unser aller Leben Einzug hält? Wir alle sind Architekten unseres Lebens und unseres Umfeldes. Unser freier Wille trägt dazu bei, ob wir Fülle und wahlweise Mangel erleben. Es kommt darauf an, wie wir uns geistig und gedanklich ausrichten und dann durch Entscheidungen unser Handeln leiten. Aktivisten, die mit angstvollem Blick in ihre Zukunft sehen und sich einzig und allein von ihrer apokalyptischen Angst treiben lassen, werden erleben, wonach sie streben. Derartige Ereignisse bezeichnen wir auch als selbsterfüllte Prophezeiung. Auch dies ist eine mathematische Gewissheit und Naturgesetz. Es kommt darauf an, auf wen und was wir unsere Aufmerksamkeit ausrichte und wohin wir unsere Energien leiten, denn so wird es sich entwickeln. Greta Thunberg ist eine Gefangene ihrer Angst, aus der nur sie selbst sich wird befreien können, sofern sie fähig ist, ihren Blick darauf zu verwenden und sie es will. Dabei helfen ihr alle Panikmache und Vorwürfe nichts. Derzeit ist jedoch zu erkennen, dass sie weiterhin dem Pfad ihrer Angst und Unsicherheit folgen wird.

Auch ihre Lösung liegt nicht darin, weiterhin nur und ausschließlich auf ihre Angst ausgerichtet zu sein, sondern zu erkennen, was ihre Angst ihr mitteilen will. Ein klarer Geist wird auch ihr helfen können, Wege aus ihrer Angst zu finden. Angst vernebelt den Verstand und schöpft einzig und allein seine Kraft aus dem Ego. Das Ego entfacht und feuert unser Handeln an, sofern wir es ihm gestatten. Es formuliert Wenn-Dann-Sätze, wodurch Angst und Stress produziert werden. Beides schadet un auf Dauer. Einzig in der menschlichen Vorstellung gibt es lineare Entwicklungsprozesse, was im Geistigen so nicht vorgesehen ist. Das Ego suggeriert diese Angstszenarien, weil es besorgt ist, unterzugehen. Materie ist vergänglich, der Geist nicht und deshalb macht es unbedingt Sinn, sich auf seine geistige Kraft und Stärke auszurichten und sich durch diese leiten zu lassen Derzeit sind wir jedoch auf unser materiell ausgerichtetes Ego fixiert, das noch immer unseren Verstand zu leiten vermag. Das Ego kennt Angst, der klare Geist eben nicht. Angst ist daher ein gern genutztes Stilmittel, welches gern genutzt wird, um politische Ziele erreichen zu können. Einschüchterung und Lähmung durch Schaffung von Angst. Ego will seinen Willen durchsetzen, mag kommen was will, da es Angst vor dem *Untergang* bzw. vor dem Verlust seiner materiellen Existenz hat. Die 17-jährige Klimaaktivistin macht dies höchst anschaulich, indem sie diese Haltung explizit mit folgender Forderung zum Ausdruck bringt. „Ich werde nicht aufhören, für das Klima zu kämpfen, denn es ist ein Kampf um Leben und Tod."[178] Geht es ihr dabei wirklich ausschließlich um das Klima? *„Es reicht! Wir wollen Klimaschutz jetzt und für alle!"* und *„Wir fordern: #NeustartKlima!"*[179] Darum geht es also wirklich? Um die Durchsetzung eines Willens, getrieben von Angst und Ohnmacht? Handelt es sich hierbei

---

[178] Tagesspiegel.de. Liebertrau, Niklas & Nietfeld, Joana. „Es sind die Politiker dieser Welt, die nichts gegen den Klimawandel tun". 19.07.2019: https://www.tagesspiegel.de/berlin/greta-thunberg-in-berlin-es-sind-die-politiker-dieser-welt-die-nichts-gegen-den-klima-wandel-tun/24678408.html
[179] Bundjugend.de. #Neustartklima: Klimaschutz jetzt und für alle! https://www.bundjugend.de/neustartklima-klimaschutz-jetzt-und-fuer-alle/

tatsächlich um ein erwachsenes und verantwortungsvolles Verhalten für die Weltgesellschaften?

Vordergründig mag es so aussehen, doch bei genauer Betrachtung wird deutlich, auf welcher Ebene sich das Verhalten dieser Akteure wirklich abzeichnet. Und was sagt das Klima, um das es angeblich geht, genau dazu? Wurde dies zuvor mit dem Klima so besprochen und abgeklärt, ob es gleicher Meinung ist? Hier wird das Klima genutzt, es könnte auch ein beliebiges anderes Thema sein, z. B. ein Virus. Dementsprechend handeln Aktivisten oft angstgetrieben durch Panikmache und Ideologie, die letztlich Illusion und Konstruktion des eigenen Egos sind. Wille allein soll durchgesetzt werden? Wenn es sein muss, gegen jegliche Sinnhaftigkeit von Naturgesetz, Vernunft und klarem Geist. Diese Aspekte werden durch Egowahn und sturen Willen außer Kraft gesetzt. Ist dieses Verhalten von Verantwortung geprägt? Kann hierbei wirklich von *„Handlungsverantwortung"* gesprochen werden? Handelt es sich darüber hinaus nicht auch um eine Form von Populismus? Agieren hier erwachsene Menschen? Ebenso wie beim Verhalten des Prof. Dörre? Ist Populismus teilbar oder auch unteilbar? Ebenso wie Rassismus und menschenverachtende Hetze? Eine Gruppe darf, während es der anderen Gruppierung als Vorwurf formuliert wird? Bei Konstruktionen dieser Art und Form wird auch erneut der Widerspruch in sich höchst anschaulich.

All dies schafft der Dualismus, weil er teilt, trennt und unvereinbar ist mit Wirklichkeit. In der Wirklichkeit gibt es diese Trennungen nicht. Dualität ist durch Menschen geschaffen und ist Ausdruck einer selbst geschaffenen Illusionen, Konstruktion und Widerspruch, damit Lüge. In der Dualität ist Lüge möglich, denn Konstruktion und Illusion, in Verbindung mit inhaltlichem Widerspruch, ist Lüge. Angst ist ein Konstrukt der Dualität. Wer sich ernsthaft mit seiner Angst auseinandersetzt und sich fragt, ob diese tatsächlich mit Wirklichkeit zu tun hat, wird erkennen, dass sie eine vom Ego konstruierte Illusion ist, denn das Ego hat immer Angst *unterzugehen*. Wohin uns unsere Angst inzwischen getrieben hat, zeigt auch folgendes Beispiel.

Eine am 28. Juni 2019 veröffentliche dpa Meldung beschreibt eine Situation in Bayern, die exemplarisch für unsere inzwischen phobische Angst steht. Ein See vor den Toren von München hat eine Liegewiese, einen Kiosk, Grillplatz und eine Badeinsel.[180] Doch dieser Badespaß wurde eingeschränkt und die Insel entfernt. Andernorts wurden Stege gesperrt. Der Grund ist Angst. Angst der Gemeinden vor Badeunfällen, an Orten die nicht beaufsichtigt werden. Sie befürchten haftbar gemacht werden zu können oder sogar, dass Strafprozesse gegen sie angestrebt werden. Angst raubt Freiheit und einen klaren Geist. Dieses Beispiel steht lediglich als Synonym für ein angstgetriebenes Handeln. Der Umgang mit dem Corona-Virus ist ebenso exemplarisch. Wer Freiheit will, kann sie unmöglich allein durch die *Haftanstalt* der Angst erreichen. Dazu braucht es einen klaren Geist, Verantwortung aller beteiligten Personen, Mut für den Weg der Lösung und schöpferische Schaffenskraft.

Wie widersprüchlich unverantwortliches Handeln von politischen Akteuren ist, zeigt ein Artikel von Stern.de. Dreizehn Jahre saß Matthias Berninger für die Fraktion Bündnis90/DIE GRÜNEN im Bundestag, dann wechselte er die Seite und wurde *„Glyphosat-Lobbyist"* für den Chemieriesen Bayer. Ausgerechnet ein Bündnis90/DIE GRÜNEN Politiker? Stern.de schreibt, dass dies ein *„ungewöhnlicher Seitenwechsel"* sei, womit er in jeglicher Hinsicht richtig liegen dürfte.[181] Die sogenannte Deutsche Umwelthilfe fordert nun auch ein privates Böllerverbot, natürlich der Umwelt zuliebe, wie am 29. Juli 2019 in einem Artikel berichtet wurde.[182] Sie wolle keine Spaßbremse sein, doch Feuerwerke sollen außerhalb von Städten stattfinden und von professionellen Gewerken zelebriert werden. Zur Not, dafür ist

---

[180] web.de. Angst vor den Gerichten behindert Badespaß. Aktualisiert am 28. Juni 2019: https://t1p.de/n9oq

[181] Stern.de. Wilk, Jannik. 13 Jahre saß er für die Grünen im Bundestag – jetzt ist er Glyphosat-Lobbyist bei Bayer: https://www.stern.de/politik/deutschland/matthias-berninger--ehemaliger-gruener-ist-nun-cheflobbyist-bei-bayer-8521180.html

[182] Mdr.de. Deutsche Umwelthilfe will privates Feuerwerk aus Städten verbannen. 29. Juli 2019: https://www.mdr.de/nachrichten/politik/gesellschaft/umwelthilfe-verbot-silvester-feuerwerk-100.html

diese Institution bekannt, wird geklagt. Wie soll eine solche Forderung in der Realität umgesetzt werden? Hunderttausende Gäste feiern Silvester am Brandenburger Tor in Berlin und fahren dann mit der noch zu bauenden S-Bahn ins Land Brandenburg, um sich das von Profis vorbereitete Feuerwerk ansehen zu können und um danach wieder zum Brandenburger Tor zu fahren? Das alles ganz bequem und völlig unproblematisch? Derartige Vorfälle und Erscheinungsbilder, wie hier exemplarisch aufgezeigt, belegen höchst anschaulich das wachsende Chaos, die moralisch-politische Offenbarung sowie den geistig verarmten Zustand und Verfall, durch Ego-geprägtes Denken und Handeln. Derartige Ereignisse sind zudem Spiegelbild einer mehrfach in der Geschichte gescheiterten Illusion, die weder geistig entwickelt und vor allem in ihrer Konsequenz ebenso wenig verantwortungsvoll zu Ende gedacht wurde.

Friedrich Wilhelm Nietzsche beschrieb den Sozialismus *„Der Sozialismus — als die zu Ende gedachte Tyrannei der Geringsten und Dümmsten, der Oberflächlichen, der Neidischen und der Dreiviertels-Schauspieler — ist in der Tat die Schlussfolgerung der modernen Ideen und ihres latenten Anarchismus: aber in der lauen Luft eines demokratischen Wohlbefindens erschlafft das Vermögen, zu Schlüssen oder gar zum Schluss zu kommen.“*[183]

Das *Manifest der Kommunistischen Partei* beginnt mit folgenden Worten, die uns dringend wieder in unser Bewusstsein rücken sollten: *„Ein Gespenst geht um in Europa – das Gespenst des Kommunismus.“*[184] Wer es noch nicht wissen sollte, das *Manifest der Kommunistischen Partei* ist seit Juni 2013 Bestandteil des UNESCO-Dokumentenerbe.(ebd.) Der CSU Vorsitzende und Ministerpräsident Markus Söder fordert dazu auf, Klimaschutz in das Grundgesetz mit aufzunehmen.[185] Warum? Klimaschutz ist nun mal in aller Munde,

[183] aphorismen.de. Zitat von Friedrich Nietzsche. Der Sozialismus: https://t1p.de/se3q
[184] De.wikipedia.org. Manifest der Kommunistischen Partei:
https://de.wikipedia.org/wiki/Manifest_der_Kommunistischen_Partei
[185] Tagesschau.de. Söders grüne Agenda. 29.07.2019:
https://www.tagesschau.de/inland/soeder-klima-grundgesetz-101.html

und dieser Ministerpräsident ist sehr karrierebewusst und scheint aus diesem Grunde sogar nicht einmal ausreicheichend Achtung vor dem Grundgesetz zu haben. Bei der Entscheidung, wer als nächster Kanzlerkandidat der CDU/CSU infrage kommt, möchte er seinen Hut in den Ring werfen können und seinen möglichen Koalitionspartnern signalisieren, wozu er aus Machtkalkül willens und vielleicht auch fähig sein wird, würde er nur Kanzler werden. Eben dieses Bild gibt er insbesondere in der sogenannten Corona-Krise ab. *„Söder drohte Ärzten, die ihre Patienten nicht impfen wollen und ihnen gar „Unbedenklichkeitsbescheinigungen" für einen Verzicht auf Impfungen ausstellten, mit dem Entzug der Approbation."*[186] Auf diese Weise wird das Grundgesetzes politisch missbraucht und ausgehöhlt. So bringt sich ein Ministerpräsident erneut in Position.

Diese hier aufgeführten Erscheinungsbilder sind nur ein kleiner Auszug aus der konstruierten Welt dieser Ego getriebenen Illusionisten. Diese dürften jedoch bereits ausreichend sein, um zu verdeutlichen, wie wichtig es inzwischen ist, zu erwachen, erwachsen zu werden und Verantwortung zu übernehmen, um einem gesunden Geiste förderlich zu sein. Denn es stellt sich die Frage, wie ein derartiger Selbsthass, wie wir ihn heute erleben, entsteht? Um nochmals präventiv darauf hinzuweisen und vor allem klarzustellen, es geht nicht um Diffamierung, Herabsetzung oder Bashing einzelner Personen, denn letztlich handelt es sich vielfach um eigene Zitate einzelner Protagonisten. Wenn Autoren dieser oder ähnlicher Zitate oder deren Fürsprecher sich nun möglicherweise kritisch äußern und die bloße, exemplarische Erwähnung dieser Zitate als Hass gegen sie und oder andere missinterpretiert werden, belegt dies lediglich, dass sie sich der Tragweite ihrer eigenen Worte offenbar nicht bewusst sind oder sein wollen, von diesen ablenken und den bereits erwähnten Widerspruch in sich tragen. Verantwortung im oben genannten Sinne sähe anders aus. Wer Dualität durch Spaltung fördert, wie gerade die

---

[186] Presse.online. Söder will Ärzten die Zulassung entziehen, wenn sie nicht impfen: https://www.presse.online/2020/07/07/soeder-will-aerzten-die-zulassung-entziehen-wenn-sie-nicht-impfen/

oben ausgewählten Zitate erkennbar machen, und sich dann erneut durch mögliche weitere Angriffe zu erkennen gibt, ist lediglich auf Streit und weitere Spaltung ausgerichtet und zeigt, dass eine Lösung mit ihm aussichtslos sein wird. Dabei geht es ihnen offenbar allein um die Durchsetzung ihres Ego getriebenen Willens. Wer in diesem Sinne agiert, offenbart die Vernebelung seines Geistes und verdeutlicht zudem, wie sehr sein übersteigertes Ego von ihm Besitz ergriffen hat. Es geht daher nicht um einzelne Personen, es geht um deren Denk- und Handlungsweise. Personen sind lediglich *Träger* dieser Information und werden deshalb erwähnt.

Bei einer Podiumsdiskussion der Wochenzeitung Junge Freiheit, die am 14. Februar 2019 in Wien stattfand, fasste der Publizist Hendryk M. Broder im Zusammenhang mit genderneutralen Toiletten den Zustand in Deutschland wie folgt zusammen: *„Deutschland ist ein Irrenhaus. Könnte man die Bundesrepublik überdachen, wäre es eine geschlossene Anstalt.“*[187] Die derzeitige Gesamtwicklung hätte kaum zutreffender beschrieben werden können.

Worum geht es also im Kern? Es geht um die vielfach erkennbar fehlende Verantwortung, durch ein entsprechendes Denken und Handeln, und zwar von jedem Einzelnen von uns. Politisch handelnden Akteuren, denen verantwortungsvolles Denken und Handeln abhandengekommen zu sein scheint, fehlt weitgehend der kritische gesellschaftspolitische Unterbau, das Korrektiv, das wissende und verantwortungsbewusste Volk. Gründe dafür erklärt Petra Bock in ihrem aktuellen Buch *Der entstörte Mensch* sehr anschaulich mit dem von ihr geprägten Begriff des *„Störungsframe“* der *„Selbstverleugnung“*. Dort beschreibt sie, dass Selbstverleugnung gesellschaftlich zu einem Problem wird, *„wenn die Kleineren vor den Großen kuschen, wenn man es anderen recht macht, weil man Angst vor ihnen hat oder sich Vorteile erhofft.“* […] *„Selbstverleugnung ist die Kehrseite der Dominanz. Erst wenn beide zusammenkommen, entstehen*

---

[187] Jungefreiheit.de. Broder: „Deutschland ist ein Irrenhaus“. 14.02.2019: https://jungefreiheit.de/politik/deutschland/2019/broder-deutschland-ist-ein-irrenhaus/

ungerechte und brutale Herrschaftsverhältnisse. "[188] Auch aus diesem Grunde haben wir eben keine Demokratie im Sinne einer Volksherrschaft. Auch so sind Umfrageergebnisse zu erklären, die derzeit Parteien und bestimmten politischen Akteuren Stimmen zu sichern scheinen. Wer die Arroganz und den Hochmut besitzt, Menschen herabzusetzen, sie zu bevormunden und mit Verboten belegt, ihnen individuelle Freiheitsrechte und Rechte zur Berufswahl zu entziehen vermag, um Selbsterkenntnis, Selbstentwicklung und Selbstverwirklichung zu verhindern, kann nur von seinem allein materiell ausgerichteten Ego getrieben sein. Wer diese *politischen Führer* in ihrem Ego-Handeln unterstützt und wählt, kann kaum ein aufgeklärter Demokrat im Sinne einer freiheitlich-demokratischen Grundordnung und Volksherrschaft sein. Selbstverleugnung wird auch dadurch sichtbar.

Hochmut kommt vor dem Fall, auch das ist ein Naturgesetz, so wie eine faulende Frucht vom Baum fällt und am Boden vergeht. Wer von Freiheit und Demokratie spricht, kann nicht gleichzeitig damit Enteignungen meinen. Sozialismus und Freiheit gleichzeitig, ist ein Widerspruch in sich. Allein die Geschichte ist voll von Beweisen dieser klaren Erkenntnis. Es geht um Wahrheit, Klarheit und vor allem um Verantwortung, die wir alle übernehmen dürfen, sofern wir eine wahrhaft friedliche und freiheitlich-demokratische Grundordnung wollen. Ein gesundes Fortschreiten im aufwärtsgerichtetem Sinne, wie von Oskar Ernst Bernhardt beschrieben, zeigt uns die Natur Tag für Tag. Gras, Bäume, Blumen und Pflanzen wachsen gen Himmel und orientieren sich nach der Ausrichtung des Lichtes, auch das ist ein Naturgesetz. Die derzeitige gesellschaftliche Entwicklung ist jedoch in der öffentlichen Wahrnehmung nicht auf eine schöpferische Ordnung, auf Naturgesetze und das Licht ausgerichtet, sondern vielfach auf das genaue Gegenteil. Wir selbst tragen die Verantwortung dafür, ob diese Entwicklung so weitergehen soll oder eben nicht. Richten wir unseren Blick darauf, was diesen zerstörerischen Rückschritt, diese Willkür und Tyrannei zu beenden vermag, und zwar durch

---

[188] Bock, Petra. Der entstörte Mensch. Droemer Verlag. Mai 2020

jeden Einzelnen von uns. Demokratie ist ein gegenseitig anerkennender und respektvoller Aushandlungsprozess und eben nicht ein von oben herab Bestimmen, eine Bevormundung und ein Belegen mit Verboten. Derartige Attribute resultieren eher aus Ideologien und totalitären Systemen. Demokratie achtet das Individuum und die individuelle Freiheit, da durch sie und das nötige Wissen ein positives Fortentwickeln in Verantwortung möglich ist. Bevormundung, Verbote, Restriktion und Abschaffung von Individualrechten haben nichts mit Demokratie und Recht zu tun. Dafür umso mehr mit Despotismus und Unrecht.

Im Zusammenhang des 75. Jahrestages des Attentats auf Adolf Hitler, bezeichnete Kanzlerin Angela Merkel den Attentäter Claus Schenk Graf von Stauffenberg als *„Vorbild"*. *„Auch wir sind heute verpflichtet, uns allen Tendenzen entgegenzustellen, die die Demokratie zerstören wollen"*, so das Zitat von Angela Merkel.[189] Wie ist diese Aussage mit den freiheitlichen Einschränkungen in der sogenannten Corona-Krise zu deuten? Wenn es sich um einen Grundsatz handelt, ist ihre Aussage nachvollziehbar. Diese Aussage erscheint jedoch eher so, einem Menschen bei Sonnenschein einen Regenschirm zu geben und ihm diesen bei Regen wieder wegzunehmen. Auch hier wird die Konstruktion, eine sich daraus ergebene Illusion und Widerspruch erkennbar. Dass Stauffenberg ein Vorbild sei, ist vordergründig erklärbar. Hintergründig jedoch schwierig, zeigt dieses Attentat doch die scheinbare Hilflosigkeit und Ohnmacht des Attentäters selbst, der dadurch sein Leben verlor. Einen Täter und Anstifter zum Mord, wie Hitler es ohne Zweifel war, durch ein Attentat zu beseitigen, ist letztlich ebenso Mord. Das fünfte Gebot heißt jedoch, *„Du sollst nicht töten"*.[190] Kann Töten durch abermaliges Töten gerechtfertigt werden? Kommt es also darauf an, wer tötet und aus welcher Motivation heraus? Gibt es also ein richtiges und gutes und

---

[189] Zeit.de. Merkel nennt Hitler-Attentäter „Vorbild". 13. Juli 2019:
https://www.zeit.de/news/2019-07/13/merkel-nennt-hitler-attenaeter-vorbild
[190] Katholisch.de. Steiner, Till Magnus. „Du sollst nicht töten!" Das fünfte Gebot. 05.05.2019:
https://www.katholisch.de/artikel/21568-du-sollst-nicht-toeten-das-fuenfte-gebot

ein falsches und ungutes Töten? Allein diese Fragen zeigen uns das Dilemma unseres Dualismus auf. Töten ist und bleibt Töten. Wenn ein Mensch einen Attentäter, der die Absicht und den freien Entschluss gefasst hat, töten zu wollen, nun als Vorbild definiert wird, fördert dies das Töten an sich weiterhin.

75 Jahre nach diesem misslungenen Attentat wurde ein Buch von der Enkelin des damaligen Attentäters Sophie von Bechtolsheim veröffentlicht. Auch wenn diese Historikerin den Begriff des „*Tyrannenmordes*" anstelle des Attentäters bevorzugt, die klare Absicht von Stauffenbergs war es, zu töten. Dennoch erkennt sie diese Problematik an und sagt, dass es einerseits einen Tyrannen gab, der beseitigt werden solle – *„wie aus einer Art gesellschaftlicher Notwehr. Andererseits haben wir aber auch den drastischen Ausdruck des Mordes als Gewaltdelikt."* In diesem moralischen Spannungsfeld befanden sich ihrer Auffassung nach die Verschwörer.[191] Dennoch heißt es, „*Du sollst nicht töten*" und nicht, bestimmte Menschen dürfen töten und andere nicht. Hitler war ein Despot, das steht außer Frage. Und auch er ist für das massenhafte Sterben und Morden hauptverantwortlich gewesen. Mao und Stalin waren ebenso für die Massenmorde ihrer Zeit verantwortlich. Doch getötet haben in erster Linie andere. Wenn jemand scheinbar *gute* Absichten verfolgt, darf er dann töten? Wer das Schwert nimmt, soll durch das Schwert umkommen (Matthäus 26). Nur wer das Töten vermeidet, schützt und erhält Leben. Diese Verantwortung tragen wir alle. Deshalb ist das Morden jederzeit ein fatales Zeichen für das Verhalten von Menschen. Das trifft auch beim Thema Abtreibung zu. Seit Jahren finden jährlich allein in Deutschland über 100.000 Abtreibungen statt.[192] Das sind fast 274 Schwangerschaftsabbrüche an jedem einzelnen Tag des Jahres. Von diesen Zahlen sind wir bei der sogenannten Corona

---

[191] web.de. Busch, Fabian. Enkelin von Stauffenberg: „Mein Großvater wollte Terror und Gewalt beenden". Aktualisiert am 19. Juli 2019: https://web.de/magazine/wissen/geschichte/enkelin-stauffenberg-grossvater-terror-gewalt-beenden-33857150

[192] Destatis.de. Schwangerschaftsabbrüche: https://www.destatis.de/DE/Themen/Gesellschaft-Umwelt/Gesundheit/Schwangerschaftsabbrueche/_inhalt.html

Pandemie weit entfernt. Werden für das Töten der kleinen Lebewesen Veranstaltungen abgesagt? Werden Grenzen geschlossen? Werden vielleicht Verbote ausgesprochen, die diese Entwicklung aufhalten könnte? Tragen wir Masken, wenn auch nur zur Mahnung und zum Gedenken? Verfällt deshalb die Politik in Panik? Regt sich dadurch irgendetwas beim Gesundheitsminister? Wo sind die warnenden und mahnenden Worte des SPD Politikers Professor Karl Lauterbach? Ist dadurch Panik beim Familienministerium erkennbar? Hier erfreut sich die Ministerin über ein *Gute Kita Gesetz*. Gesetze werden heute geframt, also in Szene gesetzt, um ein nettes, positiv manipulierendes Bild zu inszenieren. Meist sieht die Wirklichkeit anders aus. Aber es hört sich eben gut an und beruhig die Bevölkerung. Wer macht sich schon die Mühe, das Gesetz zu hinterfragen, geschweige denn, sich dieses zu Gemüte zu führen? Es scheint auch die Familienministerin nicht sonderlich zu stören, wenn ungeborenes Leben getötet wird. Ihr ist es offenbar wichtiger, Männer und Frauen gleichzustellen und den „*Gender-Pay-Gap*" zu schließen.[193] Der Physiker Albert Einstein sagte einst, dass die Welt nicht von denen bedroht wird, die böse sind bzw. nach diesem Maßstab handeln, sondern von denen bedroht wird, die das Böse zulassen und damit eben nicht ihrer Verantwortung gerecht werden. Jegliche Form von Töten durch äußeres Einwirken sollen wir ausschließen, so sagt es uns unmissverständlich das fünfte Gebot. Jegliches Umdeuten oder Interpretieren dieser klaren Worte zeigt die Überheblichkeit und Arroganz unseres Egos. Letztlich forderte die Kanzlerin in dem oben genannten Artikel vom 13. Juli 2019 dazu auf, dass jeder dazu eingeladen sei, sich für eine starke Demokratie einzusetzen. Nun, diese Einladung wird mit diesem Buch gern angenommen, denn dafür wurden unter anderem diese Zeilen geschrieben.
Der britische Wirtschaftswissenschaftler Paul Collier stellt zudem folgende These auf, die bei volkspetition.org News von Guido Grandt

---

[193] Zeit.de. Gleichstellung wird künftig stärker berücksichtigt. Aktualisiert am 8. Juli 2020: https://www.zeit.de/politik/deutschland/2020-07/bundesregierung-erste-deutsche-gleichstellungsstrategie-franziska-giffey-chancengleichheit-frauen-maenner

wie folgt zitiert wird: „*Ohne das Wissen der Menschen, dass sie alle Mitglied ein und derselben Gemeinschaft sind und zusammen Ziele verfolgen müssen, ist kein Fortschritt möglich. Für eine gemeinsame Identität und ein Wir-Gefühl brauchen wir ein bestimmtes Gebiet. Denn nur hier können wechselseitige Verpflichtungen füreinander entstehen, da alle ‚Mitglied` dieses Gebiets sind.*"[194] Patriotismus auf nationalstaatlicher Ebene kann seiner Auffassung nach zu einer gesellschaftlichen Einigung führen. Also ein sowohl als auch. Ein *Wir* und *Die* anstatt ein *Wir* gegen *Die*. Doch was bedeutet der Begriff *Wissen* überhaupt? Wissen bedeutet, was das Gehirn zu begreifen und zu erfassen vermag, so ist den Worten Oskar Ernst Bernhardt und seinen bereits viel zitierten *Gralsbotschaften* zu entnehmen. Wissen, Dürfen und Wollen sind Grundlagen für jeden Erfolg, so heißt es bei dem sehr erfolgreichen und bekannten Coach und Buchautor Dr. Stefan Frädrich.[195] Basis eines erfolgreichen Handelns, um eine Demokratie Wirklichkeit werden lassen zu können, ist Freiheit. Diese kann gemäß der Definition von Frädrich nur erfolgreich sein, wenn alle Tatbestände gleichzeitig erfüllt sind. Es ist wie bei der oben aufgeführten Leistungsformel von Baumann. George Orwell, Bestseller und Autor des weltberühmten Buches *1984* sagte, dass Freiheit das Recht sei, anderen zu sagen, was sie nicht hören wollen. Es gilt also zunächst eine solche Freiheit zu schaffen, um dann durch freiheitlich, wahrheitsgetreues Wissen, Dürfen und vor allem Wollen bestmögliche Lösungen für eine Gesamtgesellschaft schaffen zu können. Solange diese Tatbestände systematisch verwehrt, unterdrückt und damit nicht erfüllt sind, bleibt eine wahrhaft freiheitlich-demokratische Grundordnung reine Theorie. Das alleinige Reden davon und darüber ist eben nicht zwangsweise mit Demokratie gleichzusetzen. Dass ein solches Gebilde notwendig und ein Weiter-so-wie-bisher beendet werden darf, wird nicht zuletzt auch durch aktuellere

---

[194] Ipg-journal.de. „Meuterei gegen die Eliten". 26.02.2019:
https://www.ipg-journal.de/interviews/artikel/meuterei-gegen-die-eliten-3282/
[195] Frädrich, Stefan. Günter, der innere Schweinehund, hat Erfolg.
Gabal Verlag. 6. Auflage 2012

Flüchtlingszahlen des UN-Flüchtlingswerks UNHCR deutlich bzw. widergespiegelt. Noch nie in der fast 70-jährigen Geschichte der UN-HCR gab es eine solche Flüchtlingswelle. Fast 26 Mio. der insgesamt über 70 Mio. weltweiten Flüchtlinge sind Vertriebene ihrer Heimat und befinden sich fern von dieser. Mehr als die Hälfte dieser Geflohenen sind sogenannte Binnenvertriebene, die im eigenen Land vertrieben wurden.[196] Auch und insbesondere diese Realität zeigt, dass wir vor einer Zeitenwende stehen und erkennen dürfen, dass Bevormundung, Unterdrückung, Freiheitsentzug, Folter, Willkür und Verbote erst zu diesen Entwicklungen geführt haben. Doch anstatt einzulenken und neue, sinnvolle Wege zu gehen, dürfen wir erkennen, dass das Feuer mit noch mehr Benzin gelöscht werden soll, indem durch noch mehr „Sozialismus" auch dieser Fortschritt verhindert wird. Wir sind aufgefordert, allesamt Verantwortung zu erkennen und verantwortlich diese zu übernehmen. Freiheit ist der Weg aus diesem globalen Desaster, welches auch zunehmend in der Europäischen Union erkennbar wird. Wie heißt es so treffend, global denken, lokal lenken. Unter verantwortlich und Verantwortung ist dabei jedoch nicht das machtbewusste Handeln grüner Politakteure zu verstehen, wie oben gezeigte Zitate verdeutlichen, sondern das genaue Gegenteil. Missbrauch hat nichts mit Verantwortung zu tun. Ein solches Handeln wird letztlich scheitern, da es schließlich zerstört, sich gegen Naturgesetze richtet und eben nicht heilt. Wenn sich bei dieser Diskussion selbst der emeritierte Papst Benedikt trotz seines damaligen Versprechens, im Verborgenen bleiben zu wollen, nun zu Wort meldet, so kann dies auch als Zeichen gewertet werden, dass die Zeit reif ist, Wahrheiten zu erkennen, diese anzusprechen und sich Verantwortungen zu stellen.

Dieser Papst bricht mit seinem damaligen Versprechen und setzt sich mit seinen 92 Jahren kritisch mit der Vergangenheit und Gegenwart auseinander. Angesichts seiner Reputation und seines hohen

---

[196] Unhcr.org. Weltweit erstmals mehr als 70 Millionen Menschen auf der Flucht. 19 Juni 2019: https://www.unhcr.org/dach/de/31634-weltweit-erstmals-mehr-als-70-millionen-menschen-auf-der-flucht.html

Alters müsste er dies nicht. Dennoch, er stellt sich der gerade für die katholische Kirche erheblichen Herausforderung des sehr schwierigen Themas des Missbrauchs von Kindern und greift dabei auch eine geschichtliche Entwicklung auf, die in dieser Zeit zu ihrem Höhepunkt zu kommen scheint. Eine durchaus gerechtfertigte Kritik seiner Monierer ist die Tatsache, dass Benedikt dies einseitig vollzieht und die Verantwortung für eine gesellschaftliche Unmoral ausschließlich in der *„außerkirchlichen Entwicklung"* sieht. Eine Welt ohne Gott sei eine morallose Welt. Er spricht dabei die 1968er Bewegung an, die dazu führte, dass die Liberalisierung von Sexualität zur Gottlosigkeit geführt habe. Moralisch scheinen Gesellschaften durch Gottlosigkeit und sexuelle Unmoral völlig aus dem Ruder geraten zu sein.[197] Wenn sich ein emeritierter Papst derart kritisch äußert, sind dessen Kritiker natürlich nicht weit. Die Kritik, die sich an Benedikt wendet, ist sicher insofern gerechtfertigt, als dass er die Verantwortungslosigkeit der katholischen Kirche durch den Missbrauch an Kindern nicht in der Klarheit und Schärfe kritisiert, wie er mit der 1968er Generation ins Gericht geht. Dabei stellt sich jedoch nicht die Frage, wer Schuld hat, die Kirche oder die 1968er Generation, sondern, warum derartig verantwortungslos gehandelt wurde und wird?

Das oben aufgezeigte Schema zur Freiheit vs. Sozialismus wird an diesem Beispiel höchst anschaulich. Wir befinden uns bereits erneut im Sozialismus. Dadurch jedoch, dass er fälschlicherweise im Geschichtsunterricht als Rechte Bewegung deklariert und durch die sogenannte Wiedervereinigung der ehemaligen DDR mit der Bundesrepublik vollzogen wurde, ist uns dieses nicht bewusst. Die Mehrheit der Bevölkerung ging und geht bisher davon aus, dass der Sozialismus spätestens mit dem „Untergang" der DDR Geschichte war. Ein trügerischer Irrtum oder um es mit Goethes Worten zu sagen, es irrt der Mensch so lang er strebt. Ein entscheidendes Charakteristikum des Sozialismus ist es, Kontrolle über sämtliche Lebensbereiche zu

---

[197] web.de. Missbrauch in der Kirche: Ex-Papst Benedikt sieht Schuld bei 68ern. Aktualisiert am 12. April 2019: https://web.de/magazine/politik/missbrauch-kirche-ex-papst-benedikt-schuld-68ern-33656072

erlangen bzw. zu erobern, wie im oben gezeigten Schaubild deutlich wird. Andreas Popp beschreibt in seinem Werk *„Brot und Spiele"* sehr deutlich einen Zustand auf, der indirekt an unsere Eigenverantwortung appelliert. *„Wir haben 1000 Jahre gebraucht, um zu merken, dass wir keine Kaiser, Könige und Fürsten brauchen. Ich befürchte, dass es weitere 1000 Jahre dauern wird, bis wir merken, dass wir auch keine Politiker brauchen!"*[198] Am 20. Juni 2019 besuchte die Kanzlerin Angela Merkel die Stadt Goslar. In einem dazu veröffentlichten Artikel über diesen Besuch stellte sie eine sehr interessante und wichtige Frage. Wozu bedürfe es überhaupt Politiker? Sie beantwortete diese Frage selbst mit den folgenden Worten: *„Ich glaube, dass im Augenblick uns etwas fehlt, und daran müssen wir arbeiten: Dass wir nicht positiv genug in die Zukunft schauen."*[199] Angesichts der weltweit vorhandenen Begebenheiten dürfte sie mit dieser Aussage erstaunlich richtig liegen. Wie können Menschen zuversichtlich in die Zukunft schauen, wenn jeden Tag und immer mehr Nachrichten in eine völlig andere Sicht weisen? Zwar weist der Artikel darauf hin, dass mit den Worten angeblich die derzeitige noch CDU Vorsitzende Annegret Kramp-Karrenbauer gemeint sein könne, es darf die These vertreten werden, dass die von Angela Merkel gesprochenen Worte ein deutlich größere Dimension beinhalten. Auf den ersten Blick können die vielen negativen Nachrichten als heillos bezeichnet werden und uns den Mut für eine positive Sicht in die Zukunft durchaus nehmen. Doch wir kennen es von schweren Krankheitsbildern, bei denen es zunächst notwendig erscheint, schwerstkrank zu werden, bevor es zu einem Gesundungsprozess kommen kann und die Not gewendet wird. Die Medizin nennt einen solchen Prozess Erstverschlimmerung. Auf einer Internetseite der pharmazeutischen Fabrik Dr. Reckeweg & Co GmbH wird die Erstverschlimmerung wie folgt beschrieben: *„Die Erstverschlimmerung*

---

[198] Popp, Andreas. Brot und Spiele. Verlag: Books on Demand GmbH.
4. Überarbeitete und erweiterte Neuauflage 2008
[199] zdf.de. Merkels kleine Lehrstunde. 19.06.2019: https://www.zdf.de/nachrichten/heute/merkel-in-goslar-ueber-cdu-und-politik-und-rezo-100.html

wird als positives Zeichen der korrekten Arzneiwahl gedeutet, da der Körper beginnt, zu reagieren. Sie klingt oft rasch wieder ab und geht dann in den Besserungsprozess über."[200] Wenn wir dieses Bild auf die allgemeine Weltlage übertragen und davon ausgehen, dass wir uns – obwohl vordergründig anders erleb- und erkennbar – in einer solchen Phase der Erstverschlimmerung befinden, wird per oben genannter Definition auch erkennbar, dass eine Medaille zwei Seiten aufweist. Insofern hat auch hier die Kanzlerin recht, wenn sie sagt, dass uns im Augen-Blick etwas fehlt.

Blicken wir also mit unseren Augen und fokussieren uns auf die andere Seite dieser Medaille, nämlich auf das Sinnhafte, Sinnstiftende und Positive. In jeder Herausforderung steckt genau diese Botschaft. Wir sprechen zu oft von einer Krise, deren Begrifflichkeit uns zu oft ängstigt und lähmt. Angst ist ein riesiges Geschäft. Angst ist jedoch insbesondere ein wichtiger und Not-wendiger Begleiter in unserem Leben. Er weist uns die Herausforderungen, die vor uns liegen und die wir aufgefordert sind zu meistern. Wir sind Menschen und haben alle Not-wendigen Werkzeuge, um jegliche Herausforderung meistern zu können, wenn wir Mut, Wissen und Können anwenden und wir bei diesem Handeln gelassen werden. Wenn letztlich sogar gewaltsam versucht wird, dieses Handeln zu unterbinden, können wir nicht erfolgreich sein, egal was wir uns vornehmen umzusetzen. Um es mit den Worten der Kanzlerin aufzuzeigen. Ja, es fehlt etwas. Vor allem die Erkenntnis, was wir durch Lernen und Wissen – das Gold der Zukunft – erlangen. Mut, dieses Wissen anzuwenden, um die Not zu wenden und, um die Frage der Kanzlerin und Worte von Andreas Popp nochmals aufzugreifen, vor allem die Erkenntnis, dass wir selbst die Lösung und Er-Lösung sind, indem wir Verantwortung übernehmen, anstatt diese viel zu bereitwillig an sogenannte Ab-Geordnete, welcher Art auch immer, zu verschenken.

Wir können unsere eigene Verantwortung nicht auf andere übertragen. Das wäre das Gleiche, als wenn wir unser ganzes Leben auf ein

---

[200] Reckeweg.de. Was ist eine Erstverschlimmerung? https://www.reckeweg.de/de/produkte/faq-fragen/356-faq-erstverschlimmerung.html

Zweit-Ich übertragen, auch das ist letztlich nicht möglich. Wenn wir uns allein die Realitäten der Europäischen Union und auch die der Bundesrepublik Deutschland vergegenwärtigen, fällt bei genauer Betrachtung auf, dass planwirtschaftlich gehandelt wird und der für den Sozialismus entscheidende Tatbestand der Kontrolle und Einschränkung der persönlichen Freiheit immer deutlicher wird. Freiheit und Demokratie kommen nicht von allein und offenbar schon gar nicht durch die Ab-Geordneten, die offenkundig unser Vertrauen immer wieder missbraucht haben. Doch schieben wir den *schwarzen Peter* nicht allein auf die Politiker, wir selbst haben nur zu bereitwillig zugesehen, wie diese Welt sich entwickelt, ohne dafür vor allem mit uns selbst ins Gericht zu gehen. Wir stehen vor einer Zeitenwende, vielleicht sogar vor der größten der Menschheit. Der aus der griechischen Antike entstandene Begriff Demos (das Volk oder Staatsvolk) ist das Korrektiv einer solchen Entwicklung. Es liegt also in erster Linie an uns selbst, in was für einer Welt und in was für Verhältnissen wir leben wollen. Es lohnt sich, sich dafür einzusetzen, um erfolgreich, durch Wissen, Dürfen und Wollen Zukunft positiv zu gestalten. Wie heißt es in einem Lied der deutschen Musikband „Wir sind Helden", welches im Jahre 2003 veröffentlicht wurde: *„Wir müssen nur wollen."*[201] Wenn wir alle Helden sein wollen, um diese Welt in eine bessere, lebenswertere zu transformieren, sind wir allesamt aufgefordert, verantwortungsvoll diesen Prozess zu begleiten, denn erkennbar ist, dass dies bisher extrem schiefließ. Insofern hat die Kanzlerin vollkommen recht, wenn sie sagt, dass etwas fehlt. Es liegt also in unserer aller Verantwortung, ob sich Geschichte so oder so ähnlich wiederholt, wie einige noch Lebende es unter uns erlebt haben. Kriege sind Irrsinn und nützen höchsten einer sehr kleinen Interessengruppe, mit sehr viel und großem Zerstörungspotenzial, Machtstreben und Gier.

Der emeritierte Papst Benedikt sprach jüngst bei seinen Ausführungen von Moral bzw. von Morallosigkeit. Diese sieht er einseitig in der

---

[201] Google.de. Wir sind Helden: https://t1p.de/pg8o

1968er Bewegung, die ohne Zweifel sozialistisch geprägt war. Die Kritik seiner Kritiker ist insofern angebracht, als dass sie auch an die Verantwortungslosigkeit der Kirche selbst adressiert ist. Außerdem sind es auch andere Teile unserer Gesellschaft, die derartiges Handeln zulässt. Eine weitere Frage fügt sich demnach an: Hat Benedikt deshalb mit seiner Aussage Unrecht? Ist seine Analyse falsch und fatalistisch? Nein! Was fehlt, ist nicht die Kritik, die gibt es immer sehr schnell und vor allem ausreichend. Es fehlt, wie in häufiger Regelmäßigkeit, eine differenzierte Betrachtung und eine ehrliche und wahrheitsgetreue Auseinandersetzung sowie vor allem ein verantwortungsbewusstes Handeln. Nur wer den Mut aufbringt, Wahrheiten zuzulassen, wird Lösungen für Situationen finden können, die zu einer freien, unabhängigen und wahrhaft toleranten sowie gesunden Welt und deren Gesellschaften führen. Eine Gesellschaft ohne wahre Werte, ist wertlos. Insofern können Benedikts Worte interpretiert werden, wenn es heißt, dass eine Welt ohne Moral eine Welt ohne Gott ist und nicht umgekehrt.

Es ist Zeit, uns die Frage zu beantworten, was für eine Gesellschaft wir wollen, so wie sie auch vom Volkswirt Dr. Markus Krall gestellt wird. Es stellt sich zudem die Frage, in was für einer Weltordnung wir leben wollen? Eine moralische Welt hat Normen, die gemäß Benedikts Betrachtung, durch die 1968er Bewegung überwunden werden sollten. Wer jedoch dem Trugschluss unterliegt, dass eine normfreie Gesellschaft zur wahren Freiheit führt, sofern die Forderungen der 1968er Bewegung und der damit einhergehende Sozialismus vollzogen ist, der irrt gänzlich. Nicht nur darin, sondern darüber hinaus auch und insbesondere darin, dass es sehr wohl Normen, Kontrolle und eine scheinbare Moral gibt. Eine unheilvolle Gesellschaft mit scheinbaren Normen sowie einer Scheinmoral durch eine scheinbar morallose und normenlose Gesellschaft zu ersetzen, ist, als ob wir den Teufel mit dem Beelzebub austreiben wollten. Wir dürfen erkennen, dass Scheinmoral über den politisch gewollten Weg eine neue Art von Glaubensbekenntnis werden soll.

So ist im Sinne eines Orwell'schen Neusprech immer wieder von einer *demokratischen Legitimation* die Rede. Dies, insbesondere im

Zusammenhang mit der Forderung nach Enteignungen. Es waren eben diese Methoden, die sich auch die National-Sozialisten des sogenannten Dritten Reiches zunutze machten, um sich an die Macht zu putschen. Begriffe, wie der sogenannte Klimaschutz stehen exemplarisch für diese Art der normativen „Wertevorstellung", für die die bisherigen Werte weichen sollen. Fraglich ist jedoch, ob diese scheinbare Moralvorstellung tatsächlich moralisch ist. Wird hier erneut ein Begriff, in diesem Fall Klimaschutz, lediglich als Pseudomoral systematisch missbraucht und zu einer Art neuen Weltreligion hochstilisiert, um monetäre und ideologische Interessen mit Macht und Ego-Willen durchsetzen zu können?

Bringen wir etwas mehr Licht ins Dunkel. Der Internationale Währungsfond (IWF) und die Weltbank haben darüber geredet, dass Nutzer oder sogenannte Verbraucher für ihren Verbrauch von fossilen Brennstoffen noch mehr bezahlen sollen als sie es ohnehin schon vollziehen. Treibstoff wird mehrfach besteuert. Wenn die sogenannte CO2 Steuer hinzukommt, werden Nutzer weiter belastet. Bei genauer Betrachtung wird dies ohne tatsächliche Grundlage vollzogen. Es spielt keine Rolle, denn die politische Entscheidung steht. Wenn diese Forderung allein im Raume steht, ohne ernsthafte, strukturgefestigte Alternativen zu bieten, dann erscheint sie jedoch eher als Pseudomoral. Alternativlosigkeit ist ein Begriff, der im Sozialismus des Unrechtsregimes der DDR geprägt wurde und nun neu kultiviert wird. Dieses Handeln führt jedoch zu Rückschritt und eben nicht zum notwendigen Fortschritt, wie es Dr. Krall höchst anschaulich im oben genannten Vortrag beschreibt. Soll deshalb auch der Klimawandel gestoppt werden? Jeglicher Wandel ist notwendig, um eine Gesellschaft entwickeln zu können. Wie kann ein steter Wandel aufgehalten werden? Wenn Wachstum fehlt, wird es halt erzeugt. Wenn nötig, eben auch durch eine CO2 Steuer. Doch wie heißt es so zutreffend in der zweiten salomonischen Spruchsammlung: *„Ein König richtet das Land auf durch Pflege des Rechts, wer Abgaben erpresst, zerstört es."*[202] Die zweite, sehr wichtige Komponente ist die Ideologie,

---

[202] Die Bibel des 20. Jahrhunderts. Pattloch Verlag. 1998

mit der das Thema zu Machtverschiebungen führen soll. Die EU-Parlamentswahl macht dies deutlich, zumindest durch das bundesrepublikanisch-deutsche Wahlergebnis. Ideologie geht einher mit Machtstreben. Ideologie, so beschreibt es der Experte für Finanzsysteme und Geldmengenpolitik Andreas Popp sehr trefflich, ist das Gegenteil Logik. Es ist unlogisch, weil es durch etwas ge- oder betrieben wird, dass letztlich nicht der Majorität, sondern einer Minorität nutzen soll und dadurch den Charakter von Unfreiheit in sich trägt. Erkennbar wird zunehmend, dass Politik für wenige vollzogen wird und erneut die Mehrheit unter dem Mittel dieser Pseudomoral zu leiden hat. Der Unterschied ist klar erkennbar. Wer moralisch handelt, berücksichtigt verantwortungsvoll eine gesamte Gesellschaft. Pseudomoralisch begründet sich hingegen in der Berücksichtigung von Partikularinteressen übersteigertem Egoismus und besetzt dabei scheinbare Moralbegriffe wie den unbedingt zu realisierenden Klimaschutz. Normierte politische Regelungen durch höhere Abgaben und Steuern treffen viele Teile einer Gesellschaft, da sie aus Mangel an Möglichkeiten oder Alternativen dazu gezwungen werden, ihren „Tribut" zu zahlen oder zu verzichten. Dieser Verzicht kann jedoch existenzielle Folgen nach sich ziehen. Hier wird Moral für einen, wie übrigens meistens, monetären Zweck entwendet und letztlich missbraucht, um scheinbare Interessen, die hinter dieser Scheinmoral stehen, durchsetzen zu können. Wer will schließlich nicht das Klima schützen, sofern wir überhaupt in der Lage sind, dieses tun zu können. Doch anstatt sich wahrheitsgetreu und thematisch ehrlich Inhalte zu vermitteln und sich damit offen auseinanderzusetzen, wird wieder und wieder in Form eines sich ständig wiederholenden Mantras Pseudomoral eingetrichtert. Dies insbesondere von der Klientel, die uns mit ihrer Vorstellung von sexueller Freiheit zwangsbeglücken will, indem sie Gesellschaften auch durch Indoktrination den Gender Mainstreaming als Norm und Maß aller Dinge aufzwingt. Pseudomoralisch und manipulativ wird Menschen ein schlechtes Gewissen einzutrichtern versucht und jeder Tag dazu genutzt, vorgegebene Forderung nach Klimaschutz und anderen vorbestimmten Themen ohne Widerspruch zu tolerieren und zu akzeptieren.

Eine seltsame Vorstellung von Freiheit und Selbstbestimmung. Wer einseitig Forderungen stellt und diese teilweise mit Gewalt durchzusetzen versucht, hat kaum Sinn für Freiheit und Selbstbestimmung. Frei nach dem Motto, wenn es nur oft genug wiederholt wird, dann wird auch der letzte Mensch daran glauben. Die Französische Revolution ist letztlich auch deshalb gescheitert, weil das von Rousseau geforderte Gemeinwohlinteresse notfalls auch mit Gewalt durchgesetzt werden sollte. Freiheit durch und mittels Gewalt? Wie unreif sind wir bis heute, wenn wir einem solchen *Glauben* folgen? Anstatt an die schöpferische Kraft und an die Naturgesetze zu glauben und diese zu respektieren, gibt es neue Glaubensbekenntnisse und Pseudoreligionen, wie den sogenannten Klimaschutz, dem – gemäß einer „Ökodiktatur" – alles unterworfen werden solle. Jegliches politische und gesellschaftliche Handeln solle diesem Maßstab unterworfen werden, so die Protagonisten. Der Klimaschutz gehöre ins Grundgesetz. Durch Mantra ähnliche Wiederholungen nach Klimaschutz, wird den Menschen regelrecht eingebläut, sie seien für diesen Umstand alleine verantwortlich zu machen und haben *gefälligst* in Form von Abgaben ihren Tribut zu zollen.

In einer am 20.06.2019 veröffentlichten *Kritik* des Autors Fabian Busch zur ausgestrahlten Sendung von Sandra Maischberger konstatiert der Autor des Artikels, dass offenbar nicht alle Zuschauer überzeugte Klimaschützer seien. Benannt wurde ein Chemiker aus Köln, der bezweifle, dass CO_2 für die Erderwärmung verantwortlich sei. Dem hingegen wiedersprach der im Artikel als „ARD-Wetter-Experte" bezeichnete Karsten Schwanke. Es sei zu 100 % sicher, dass der Klimawandel vom Menschen gemacht sei. Die Folgen aufzufangen, würde uns 1.000 Mal mehr kosten als alle Vorsorgemaßnahmen, so der „ARD-Wetterexperte".[203] Wie wir durch den

[203] web.de. Busch, Fabian. Maischberger: Merz will über Kanzlerkandidatur „nachdenken". Aktualisiert am 20. Juni 2019: https://web.de/magazine/politik/politische-talk-shows/maischberger-merz-kanzlerkandidatur-nachdenken-33797830

renommierten Klimatologen und unabhängigen Wissenschaftler Prof. Kirstein lernen dürfen, sind Wetter und Klima zwei unterschiedliche Phänomene. Es stellt sich also die Frage, wie ein „ARD-Wetterexperte", der übrigens kein ausgewiesener Klimatologe ist, die von ihm ausgesprochene Behauptung aufstellen kann, dass – wohl bemerkt – der Klimawandel und nicht der Wetter-Wandel oder Wetterwechsel, durch Menschen verursacht, also anthropogen Ursprungs sei? Wie kann dieser „Wetter-Experte" zudem behaupten, dass diese Behauptung, der Klimawandel sei anthropogenen Ursprungs, zu 100 % sicher sei? Dies insbesondere, wenn dieser „Experte" sich allerhöchstens mit Wetter auskennt, was bewiesener und bekanntermaßen nicht mit Klima gleichzusetzen ist?

So schön kann Lernen sein. Widerspruchslos wird dies von der Moderatorin hingenommen, ohne zu intervenieren. Es dient der Einschaltquote, und 100 % Zahlen machen immer Eindruck, unabhängig davon, ob sie stimmen oder nicht. Wenn dann noch eine Steigerung von 100 % auf 1.000 Mal geschaffen werden kann, gerät der Rezipient hoch beeindruckt und voller Angst geradezu in eine Schockstarre. Immer noch beeindruckt setzen Verstand und dessen Wächter, der Geist, zu oft aus. Horrorszenarien dienen der Durchsetzung von Interessen. Anstatt aufzuklären, wird Angst geschürt. Die Versuchung scheint wie immer zu groß zu sein, von diesen eigentlich längst überholten Methoden Abstand zu nehmen. Fraglich dabei ist ohnehin, welchen tatsächlichen Wert die Aussagen eines vom ARD-Apparat abhängigen „Experten" haben können. Verdeutlicht die Bezeichnung „ARD-Experte" doch höchst anschaulich, wie unabhängig dieser ist. Wie heißt es doch gleich: *Wes Brot ich ess, des Lied ich sing?*

Es ist einfach, mit dem machtvollen Instrument der Angst zu agitieren, anstatt Wissen zur Aufklärung zu vermitteln und gemeinsame Lösungen für die Herausforderungen der Zeit zu finden. Wie groß war doch gleich das Universum? Könnte es sein, dass neben den kruden Schein-Moralvorstellungen, die vorwiegend auf Angstszenarien beruhen, vielleicht doch eher *ein wenig* Klientelpolitik dieser

Pseudomoralisten betrieben wird? *„Es irrt der Mensch, solang er strebt",* heißt es bei Goethes Faust.[204]

Verwenden wir unseren Verstand und nutzen unseren Hüter des Verstandes, unseren Geist, adäquat, dafür haben wir beides. Stellen wir die richtigen Fragen, dann bekommen wir auch die richtigen Antworten. Passend sind hier die Worte des emeritierten Papstes Benedikt, der dort sagt, dass einer von uns selbst gemachten Kirche [hier z. B. der Klimaschutz] keinerlei Hoffnung innewohnt. Vervollständigen wir Kirche mit dem Begriff Glaubensbekenntnis. Was das *Neue Glaubensbekenntnis* des geforderten angeblichen Klimaschutzes betrifft, so trifft den Kern auch hier ein zweites Zitat von Goethes Faust: *„Ich finde nicht die Spur von einem Geist, und alles ist Dressur."*[205] Um richtig verstanden zu werden. Es geht nicht um Anklage bestimmter Akteure. Es geht um Wahrheit und Lüge sowie um Freiheit und Selbstbestimmung oder totale Kontrolle und Unfreiheit. Indoktrination von Ideologien sowie Verbote und Gewalt führen eher zu Zwietracht denn zu Eintracht. Wer streitet, will keine Lösung, er will seinen Willen durchsetzen, mag kommen, was will. Wer hingegen bereit ist, ergebnisoffen, respektvoll und vor allem neugierig zu diskutiert, um Lösungen zu erarbeiten, schafft Einheit. Um der Kritik vorzubeugen. Wille an sich ist nicht per se falsch oder verwerflich. Sofern es jedoch nur um die Durchsetzung eines Ego getriebenen Willens allein geht, ist es fragwürdig, weil es nichts Positives schöpft, im Sinne von Schaffen und Erschaffen. Diese Art von Willen folgt ausschließlich dem Ego. Merkwürdigerweise neigt der Mensch zu oft zur Rechthaberei. Ein Verhaltensindikator, der uns verdeutlicht, auf welcher Ebene wir uns befinden. Die Politologin Petra Bock bezeichnet dies als „Kind-Ich". Der Bestseller Autor Eckhart Tolle bezeichnet ein solches Verhalten, wie bereits anfangs erwähnt, als „Egowahn". Shakespeares Worten zufolge, gibt das im 17. Jahrhundert geschriebene

---

204 aphorismen.de. Zitat von Goethe. Es irrt der Mensch, solang' er strebt: https://www.aphorismen.de/zitat/296

205 Deutschestextarchiv.de. Goethe, Johann Wolfgang von: Faust. Eine Tragödie. Tübingen, 1808: http://www.deutschestextarchiv.de/book/view/goethe_faust01_1808?p=83

Drama *„Antonius und Cleopatra"* einen sehr ähnlichen Hinweis. Dort sagt Cleopatra, *„wenn mich das Alter auch nicht schützt vor Torheit, doch wohl für Kindischsein."*[206] Eine Hoffnung, deren Realität noch immer zu oft ein anderes Bild zeigt. Daher das Sprichwort, dass das Alter eben nicht vor Torheit schützt. Gewiss, wertorientierte Diskussionen brauchen Reife, Wissen und Mut. Wie reif ist eine Gesellschaft, die sich letztlich vor ihrer Verantwortung drückt, und sich auch durch Gewalt und Machtmissbrauch einen Willen aufzwingen lässt? Wie kann ein allein kindlich geprägter Wille zu Lösungen führen? Liegt wieder einmal die scheinbar einzig „ehrliche" Lösung in einer vor allem zusätzlich finanziellen Belastung einer Gesellschaft, diesmal durch die Abgabe einer CO2-Steuer?

Wer sich die Mühe machen will, wird anhand einer Grafik auf der Seite des Umweltbundesamtes erkennen, wer die wirklichen Profiteure dieses Klimaschutzes sind. Die dortige Grafik wurde vom Forum Ökologisch-Soziale Marktwirtschaft e. V. und Prof. Dr. Stefan Klinski erstellt. Zu den Profiteuren gehört das Wählerklientel der Partei Bündnis90/DIE GRÜNEN. Also sind Bündnis90/DIE GRÜENEN Sprachrohr für Lobbyisten? Wie bereits oben erwähnt, werden alte Baumbestände abgeholzt, um Windparks in diesen gerodeten Wäldern dafür *aufzuforsten*. Gegen Firmen wie RWE und das Abholzen von Wäldern für den Braunkohleabbau durch teilweise fragwürdige Formen zu demonstrieren und gleichzeitig alte Baumbestände abzuholzen, die wiederum für sogenannte alternative Energieformen zu weichen haben, ist nicht nur höchst widersprüchlich, sondern eine weitere Form des Irrsinns, um bei den Worten von Hendrik M. Broder zu bleiben. Scheinbarer Klimaschutz als Wirtschaftsfaktor auf Kosten des Umweltschutzes? Ist diese Form der Politik wirklich verantwortungsvoll und wählbar? Wachstum will finanziert sein und diesmal durch eine CO2 Abgabe. Welche seltsame Vorstellung von einem angeblichen Klimaschutz, wie immer dieser auch auszusehen vermag.

---

[206] William-shakespeare.de. Williams Shakespeare und der Rest ist Schweigen: http://www.william-shakespeare.de/antonius/anton13.htm

Warum Jugend eben kein Garant von Reife ist und Forderungen von jungen Aktivisten, oft mit mangelndem Wissen einhergehen, beweist unter anderem eine Petition auf dem Portal Change.org. Dort fordert ein angehender Abiturient gleich die Abschaffung des Föderalismus, weil er der Auffassung ist, dass das Bildungssystem *„überarbeitet"* werden müsse, und ebenso der Auffassung folgt, dass das föderalistische Schulsystem ungerecht sei. Seine Forderung ist daher *„Schluss mit Föderalismus!"* Ist es Unwissenheit oder wirkliche Absicht dieses jungen Aktivisten? Sollte es sich tatsächlich um einen Aktivisten mit dem Namen Benedikt Glück handeln.[207] Was wird in Schulen gelehrt und gelernt, wenn ein Schüler die Abschaffung eines elementaren Bestandteils einer demokratischen Grundordnung fordert? In dieser Hinsicht wäre die Forderung nach *Überarbeitung* des Bildungssystems in der Tat höchst notwendig. Fake-Schüler und Kampagne oder tatsächlicher Schüler? Auch das Video des YouTube Aktivisten Rezo und anderen zeigt den missbräuchlichen Charakter von politischen Kampagnen. Nachvollziehbar ist, dass auch YouTuber monetäre Ziele verfolgen. Auch deshalb brauchen sie Aufmerksamkeit. Ein zweiter, sehr wichtiger Aspekt wird jedoch der Mangel an Anerkennung sein, der zu diesem Handeln bewegen könnte. Wer heute eine ganz herkömmliche Berufsausbildung vollzieht, wird vielleicht wenig oder gar keine Anerkennung für seine Tätigkeit bekommen. Der Weg über YouTube benötigt weder Ausbildung noch Abschluss noch sonst irgendeine Qualifikation in dieser Hinsicht. Eine funktionierende Gesellschaft kann jedoch nicht nur aus YouTubern, Fußballprofis oder Instagramern, Bloggern, Influencern etc. bestehen. Doch das sei nur am Rande erwähnt.

Bei dem angesprochenen Video von Rezo und anderen YouTubern zur „Zerstörung der CDU", steht die These im Raum, es handle sich um eine durch Bündnis90/DIE GRÜNEN finanzierte Kampagne. In der Spiegel Ausgabe 23 wird getitelt: *„Rezoluzzer". „Die neue APO: Wie die Generation YouTube die deutsche Politik aufmischt".* Der

---

[207] Change.org. Bildungssystem in Deutschland überarbeiten – einheitlich! #BildungNeuBedenken: https://t1p.de/jj0m

Spiegel schrieb weiter: *„Kinder der Apokalypse und Bewegungen, Die Europawahl war nur der Anfang: Eine junge, politische, lautstarke Generation macht das Klima zur sozialen Frage. Wie die 68er wollen die Protestierenden den radikalen Wandel – und das Netz macht sie wirkmächtiger als ihre Vorgänger"*.[208] Wie verhält es sich nun wirklich mit der Kampagne der sogenannten Klimaaktivisten? Ist dies die wahre Vorstellung von Klimaschutz? Vor dem Hintergrund, dass vor allem IWF und Weltbank diesen Begriff mit monetären Forderungen prägen und die Politik dieser Maßgabe folgt, erscheinen o. g. Kampagnen eher dazu zu dienen, den Maßgaben von IWF und Weltbank zu folgen. Es braucht Unterstützer, um diese Millionen und Milliarden an Steuergeldforderungen auch in der Bevölkerung zur Akzeptanz zu führen. Durch die Schaffung von Abhängigkeiten werden erneut Jugendliche missbraucht. Wahrheit kommt immer ans Licht, das ist das Naturell von Wahrheit. Und, um es auch an dieser Stelle erwähnt zu wissen, es geht nicht um Diffamierung einzelner Personen, denn diese sind gewollt oder ungewollt lediglich ein Teil dieser konstruierten Lügen. Es geht um Wahrheit, die Klarheit schafft und dies vor allem durch Wissen, um letztlich Frieden zu sichern.

Ist es angesichts dieser Szenarien nicht sinnvoller, achtungsvoll, nachhaltig und eigenverantwortlich durch Vermittlung von Wissen der schöpferischen Vielfalt zu begegnen, anstatt Steuern zu erheben? Fraglich ist ohnehin, wohin das Geld tatsächlich fließt und wofür es ge- oder gegebenenfalls auch missbraucht wird? Die Lösung eines konstruierten Problems liegt also erneut in der Erhebung von Steuern und Abgaben, statt angstfreier Aufklärung durch Vermitteln von wahrheitsgemäßem Wissen? Meinungen werden erzeugt, um einer Zielsetzung zu entsprechen und vor allem eine möglichst breite Akzeptanz zu erzeugen. Widerstand ist Zwecklos, denn der Zweck heiligt die Mittel. Hat jemand recht, weil er die gleiche Meinung vertritt, wie eine Mehrheit der Menschen, die zuvor geschaffen wurde,

[208] Spiegel.de. Kinder der Apokalypse. 23/2019:
https://www.spiegel.de/spiegel/print/index-2019-23.html

um, wie so oft, vor allem wirtschaftliche Partikularinteressen durchzusetzen?

Ein am 15.02.2018 bei Spiegel Online erschienener Artikel veranschaulicht den Missbrauch des Begriffs Klimawandel. Gehen wir realitätsnah davon aus, dass es einen Wandel an sich immer gab und geben wird, dann erkennen wir, dass dieser Wandel das Klima mit einbezieht. Der erwähnte Artikel trägt die Überschrift *„Desinformation zum Klimawandel"/„Das Geschäft mit der Katastrophe."*[209] Der dortige Autor Axel Bojanowski schildert eine Situation, bei der er vor allem die Bahn für deren missbräuchliches Verhalten kritisiert. Er schreibt, dass **Konzerne […] gerne dem Klimawandel die Schuld geben, selbst wenn es dafür keine Belege gebe. (kein direktes Zitat, da im Konjunktiv geschrieben)** Der Autor verwendet in seiner Überschrift den Begriff der *„Katastrophe"*, den er selber jedoch nicht weiter definiert oder überprüft hat. Eine logisch nachvollziehbare Korrelation dieser beiden Begriffe Klimawandel und Katastrophe stellt er nicht her. Ob diese Begriffe überhaupt in einen Zusammenhang gebracht werden können, klärt er ebenso nicht auf. Dennoch steht der Begriff der *„Katastrophe"* in unmittelbarem Zusammenhang mit dem Begriff des Klimawandels. Im Gabler Wirtschaftslexikon ist eine mögliche Definition des Begriffs Klimawandel nachzulesen. Dort heißt es wie folgt: *„Unter dem Begriff Klimawandel wird in allg. Verwendung die anthropogen verursachte Veränderung des Klimas auf der Erde verstanden."*[210] Aus betriebswirtschaftlicher Sicht erscheint diese Definition sinnvoll zu sein. Denn, wie oben erwähnt, gibt es ein monetäres Interesse an Wachstum. Lüge braucht Konstruktion, und so wird etwas konstruiert, was wenig mit Wirklichkeit und schon gar nichts mit Wahrheit gemein hat. Ist sie es auch aus volkswirtschaftlicher Sicht?

---

[209] Spiegel.de. Bojanowski, Axel. Das Geschäft mit der Katastrophe. 15.02.2018: https://www.spiegel.de/wissenschaft/natur/klimawandel-das-geschaeft-mit-falschen-informationen-a-1192761.html
[210] Wirtschaftslexikon.gabler.de. Günther, Edeltraud. Klimawandel Definition: Was ist „Klimawandel"? https://wirtschaftslexikon.gabler.de/definition/klimawandel-52424

Der emeritierte Klimatologe Prof. Dr. Kirstein, der seit über vierzig Jahren im Bereich der Klimadynamik forscht, spiegelt seine Haltung aus Forschungsergebnissen und Erkenntnisgewinn wider. Seiner Definition nach ist zunächst zwischen Wetter und Klima zu unterscheiden. Wetter ist Nebel, Regen, Sturm etc., also tägliche Phänomene. Klima hingegen ist eine mindestens dreißig Jahre lange Messung von Phänomenen.[211] Wenngleich auch er als *Klimawandelleugner* kritisiert wird, so ist bei genauer Betrachtung seiner Haltung erkennbar, dass er den Wandel an sich nicht bezweifelt. Warum sollte er sich als seriöser und vor allem unabhängiger Wissenschaftler auch derartig äußern? Heißt es nicht schon bei Schopenhauer so trefflich, dass allein der Wandel das einzig Beständige sei? Die Frage ist, wer kritisiert Wissenschaftler wie Kirstein und vor allem warum? Die für jedermann nachvollziehbare Aussage von Kirstein, dass der CO_2 Anteil lediglich 3–3,5 % des gesamten Anteils von Menschen gemacht sei, belegt zudem, dass er nicht leugnet, dass der CO_2 Anteil auch von Menschen mit zu verantworten sei. Der weitaus größere Anteil werde jedoch von der Natur selbst, allem voran durch die Ozeane, produziert. Laut seiner Aussagen handeln abhängige Institute, wie das Potsdam Institut für Klimafolgenforschung (PIK) im Sinne ihrer Geldgeber, da sie z. B. Forschungsgelder vom Bund erhalten. *Wes Brot ich ess, des Lied ich sing.* Auch bei der Wissenschaft ist es also wichtig zu fragen, wer von wem und wofür bezahlt wird?

Prof. Dr. Kirstein positioniert sich klar und weist darauf hin, dass CO_2 kein Treibhausgas sei. Anders, als das Gabler Wirtschaftslexikon, das den Klimawandel als anthropogen, also durch Menschen verursachten Wandel bezeichnet, bezeichnet der erfahrene Wissenschaftler den Klimawandel als politogen, also als eine durch die Politik konstruierte missbräuchliche Nutzung des Phänomens. Ein ebenfalls dort von Professor Kirstein erwähntes Zitat des im Jahre 2001 erschienen Reports des UN-Weltklimarates (IPCC) besagt Folgendes: *„In der Klimamodellierung sollten wir erkennen, dass es sich um ein*

---

211 Youtube.com. RT Deutsch Exklusiv zum Klimawandel: Prof. Dr. Kirstein „CO2 ist harmlos". 16.06.2017: https://www.youtube.com/watch?v=hPVT7iihMTs

gekoppeltes, nicht lineares chaotisches System handelt. Deshalb sind längerfristige Vorhersagen über das Klima nicht möglich."(ebd.) Dieses Zitat könnte als eine Art *Unfall* der IPCC kommentiert werden. Es ist dennoch ein Lichtblick, da der Weltklimarat der UNO an dieser Stelle Wahrheit spricht. Heute, so Prof. Kirstein, ist für die IPCC die Wissenschaft erledigt, da derartige Wahrheiten politischem und wirtschaftlichem Interesse im Wege stehen. Eine erkennbare Wahrheit mit Schwergewicht. Darauf basierend lässt sich erklären, warum auch er, wie die vielen anderen kritischen Wissenschaftler, die ihre Arbeit wahrheitsgetreu betreiben, *entfernt* und als Klimaleugner diffamiert werden.

Klimaschutz ist nicht gleichzusetzen mit Umweltschutz. Das Klima kann nicht geschützt werden, so Prof. Kirstein, die Umwelt hingegen schon. Wer betriebswirtschaftliche Konstrukte durch einen angeblich zu tätigenden Klimaschutz schafft, läuft Gefahr die Umwelt noch weiter zu belasten oder zu zerstören. Wer diesen Ansatz dann sogar noch im Grundgesetz verankert wissen will, hat offenbar den Blick für die Wirklichkeit vollends verloren. Deshalb geht es auch nicht um einen angeblichen Klimaschutz, sondern darum, Willkür im Grundgesetz zu platzieren und zu manifestieren. Denn in Zukunft könnte alles mit Klimaschutz begründet werden. Du musst dein Auto abschaffen, sonst verstößt du gegen den *Klimaschutz-Artikel* des Grundgesetzes. Du darfst nicht mehr Fliegen, sonst verstößt du gegen den *Klimaschutz-Artikel* des Grundgesetzes. Es ist auf jeden Lebensbereich übertragbar. So wird das Mittel, welches die Freiheit sichern und garantieren soll, das Grundgesetz, auf fatale Art und Weise missbraucht.

Was für diese Absicht gilt, gilt ebenso für Bestrebungen, einen sogenannten Kinderschutz im Grundgesetz zu verankern. Auch dabei geht es nicht um den Schutz von Kindern, denn der ist bereits im Grundgesetz berücksichtigt. Auch hier geht es um die Implementierung von Willkür-*Rechten*. Du erlaubst deinem Kind nicht, am Unterricht für frühkindlichen Sexualunterricht teilzunehmen? Dann verstößt du gegen das Grundgesetz und dein Kind muss in staatliche Obhut gegeben werden, weil es einen verfassungsmäßigen

Anspruch darauf hat, an einem solchen Unterricht teilhaben zu können. Hier wird erneut die wenn-dann-Situation erkennbar, die ein solches Vorgehen verdeutlicht. Bevor es ein solches Gesetz gibt, wird der schein erweckt, also eine Konstruktion und Illusion geschaffen, dass dieses Vorhaben natürlich nur im Sinne des Kindeswohls sei. Wenn es einen solchen Artikel gibt, hat das System einen Anhaltspunkt, um unwillige Eltern, die ihre Verantwortung für die Kindeserziehung wahrnehmen wollen und sich damit gegebenenfalls gegen das Regime richten, *ganz legal* aus dem Weg zu räumen, um das Kind ebenso *legal* im staatlichen Sinne zu erziehen. Eine Frage: Hatten wir das alles nicht schon mehrfach? Haben wir nicht alle immer und immer wieder im Geschichtsunterricht gehört und gelesen, dass wir den Anfängen wehren und trotzen sollen? Was jedoch, wenn die Anfänge schwer erkennbar sind, die Ablenkung groß ist und die Übergänge schleichend sind? Wir kennen das Beispiel mit dem Frosch, der eben nur langsam im Wasser erhitzt wird, bis er zum Schluss stirbt. Ein langsames erwärmen des Wassers fällt eben nicht so sehr auf. Konstatieren wir, der Anfang wurde längst zu einer Zeit vollzogen, an der uns Sätze per Nürnberger Trichter eingetrichtert wurden. Ist die sogenannte DDR vor 30 Jahren zusammengebrochen? Ist sie das wirklich? Hat der sogenannte Westen wirklich den sogenannten Osten übernommen, wie vielfach behauptet wird? Wirtschaftlich vielleicht, doch was ist politisch aus diesem Land geworden?

Schauen wir uns um und öffnen die Augen. Seit nunmehr fast 16 Jahren dominiert eine Kanzlerin dieses Land und Europa, deren ehemaliger Wegbeleiter Gunther Walther, Chef der FDJ-Gruppe am Akademie-Institut, mitteilte, dass Angela Merkel Sekretärin für Agitation und Propaganda gewesen sei.[212] Auch wenn sie selbst diese Aussage bestreiten mag, schauen wir uns unsere gelebte Realität an, so dürfen zunehmend wahrnehmen, in welchem politischen System wir

---

[212] N-tv.de. DDR-Vergangenheit holt Merkel ein Nichts verheimlicht – nicht alles erzählt. 13. Mai 2013: https://www.n-tv.de/politik/Nichts-verheimlicht-nicht-alles-erzaehlt-article10631536.html

leben. Heute wie einst wird von Alternativlosigkeit gesprochen, obwohl es viele Optionen gibt. Andere Meinungsträger werden mit sogenannten Totschlagargumenten wie Corona-Leugner, Klima-Leugner, Verschwörungstheoretiker und vielem mehr diffamiert. Eine wissenschaftliche Auseinandersetzung fehlt zusehends, ein politischer Diskurs wird blockiert und die sogenannten Leitmedien, die sich selbst eher zu Leid- und Propagandamedien hin entwickelt haben, bezeugen den Weg, auf dem wir uns noch immer größtenteils befinden. Wollen wir wirklich erneut sehenden Auges in ein *faulendes* System eintreten? Wollen wir weiterhin den auch jetzt bereits erkennbaren Rückschritt weiter fördern, weil eine konstruierte Illusion dies so fordert? Wer das Instrument Angst benötigt, um seinen Willen und seine Macht in einer Gesellschaft installieren zu können, führt eben nicht Gutes, sondern letztlich Zerstörerisches im Schilde. Und wir haben uns vielfach bereits an diese Zerstörung gewöhnt, sodass viele von uns der falschen Annahme aufgesessen sind, es gebe nur diesen einen Weg. Vor allem deshalb, weil sie der Illusion folgt, dass dies auch noch von Gott so gewollt sei.

Der Klimakult ist der Big Brother dieser Zeit. Er ist eine Illusion, Konstruktion und daher eine Lüge, weil er widersprüchlich ist. Wir haben zu jedem Zeitpunkt die Möglichkeit, dies zu erkennen und uns von diesem Irrweg abzuwenden. Wir müssen es nur tun, und zwar jeder von uns, das ist alles. Das ist auch der Sinn der Worte von Friedrich Schiller, als er sagte, dass die Herrschenden aufhören zu herrschen, wenn die Kriechenden aufhören zu kriechen. Solange wir den falschen Propheten folgen, werden sie nicht aufhören, über uns zu herrschen, denn wir lassen es zu, dass sie dies tun. Es liegt also nicht in erster Linie an der Herrschenden, sondern an den Kriechenden, ob sich etwas ändert.

Damit ist nicht sozialistische Umverteilung, sondern Eigenverantwortung gemeint. Die Frage des konstruierten Klimaschutzes beinhaltet also zwei Kernthemen. Es ist ebenso ein Wirtschafts- und Wachstumsmodell, um monetäre Ziele zu verwirklichen und ein Machtmodell, um Ideologie basierende Strukturen zu festigen. Es ist ein Modell der Zerstörung, des Kampfes und der Spaltung, denn es benötigt dieses auf Dualismus basierende System. Dieser Weg führt zu Disharmonie und ewigem Kampf. Wer diesen Weg nicht mehr gehen will, dem bleibt die Möglichkeit, sich davon abzuwenden, mithilfe seines freien Willens. Nichts nimmt einem Menschen den freien Willen. Selbst wenn er sich einem aufgezwungen Willen fügt, hat letztlich dieser Mensch selbst diese Entscheidung getroffen. Wenn wir uns diese mathematische Gewissheit vergegenwärtigen, erkennen wir unsere wahre Schöpfungskraft.

Der freie Wille des Menschen ist ein unverbrüchliches Naturgesetz. Die ersten Christen haben zwar schmerzhaft erfahren *„dürfen"*, dass auch ein solches Handeln Folgen nach sich zieht, dennoch bewies gerade deren Standkraft und Bekenntnis, dass es sich lohnt, diese unteilbare Freiheit zu leben. Wenn wir den Weg des einen Schöpfers folgen, benötigen wir keine Götzen, die uns über den Weg der Angst und Einschüchterung aufgezwungen werden sollen.

Das sogenannte Duale System bzw. der sogenannte *Grüne Punkt* ist ein weiteres Beispiel für betriebswirtschaftliche Konstrukte, bei dem wenige verdienen und vor allem die Umwelt auf jeden Fall verliert. Beides, der angebliche Klimaschutz wie auch der sogenannte Grüne Punkt sind Belege dafür, dass die Umwelt darunter leidet, wenn Absichten lediglich auf monetären und ideologischen Hintergründen basieren. Nun wird auf gleiche Weise die CO2 Steuer eingeführt, und wir schauen erneut zu und lassen es vor allem erneut zu, wie uns auch dieses Konstrukt aufgezwungen wird. Statt weniger wurde mehr Müll produziert, weil damit Geld verdient wird. Dies auf Kosten der sogenannten Verbraucher und der Natur. Der Grüne Punkt ist und war, ebenso wie der heutige angebliche Klimaschutz ein Instrument, um vor allem Märkte und Wachstum zu generieren. Wo waren die Grünen Politiker in den letzten Jahrzehnten, saßen sie doch teilweise selbst in Bundes-, Landes- und Kommunalregierungen. Jetzt sind genau diese Protagonisten die notwendigen Heilsbringer? Warum haben die Grünen diesen *Grünen Punkt* nie kritisiert? Sie tun es bis heute nicht. Warum gibt es diesen *Grünen Punkt?* Warum gibt es ihn überhaupt noch? Wo waren die Grünen, die Linke und SPD, die jetzt nach Klimagerechtigkeit schreien? Wo haben sie in den letzten Jahrzehnten ihre Verantwortung wahrgenommen, diese Entwicklung zu beenden? Ein ehemaliger Umweltminister von Bündnis90/DIE GRÜNEN hatte größte Mühe, ein funktionierendes Pfandflaschenmodell auf den Weg zu bringen und ist kläglich gescheitert. Politiker, die erkennbar versäumt haben, ein funktionierendes Flaschenpfand-System zu realisieren, wollen jetzt das Weltklima retten? Kann so etwas wirklich ernstgenommen werden?

Ironie des Schicksals, nennt man das sicher, denn darum geht es, wie bereits mehrfach erwähnt, gar nicht. Wer angeblich Bäume schützt, um Braunkohlereviere zu verhindern und gleichzeitig alten Baumbestand abholzen lässt, um dort Windkrafträder *aufzuforsten*, handelt im höchsten Maße widersprüchlich, unglaubwürdig, einseitig, eben nicht nachhaltig, dafür vor allem egoistisch, ideologisch und hochmütig. Wer diese Parteien wählt, ist sich seiner Verantwortung offenbar noch immer nicht bewusst und folgt einzig und allein seinem bequemen Ego sowie dem Glauben, dass *Grün* wählen auch *grün* sein beinhaltet. Illusion der Hoffnung ist eben alles. Nicht, dass es keine Hoffnung gibt, sie entsteht jedoch dann, wenn wir selbst unsere Erlösung sind. Diese erlangen wir durch Wahrnehmung der eigenen Verantwortung. Wer bereit ist, diese fahrlässig zu verspielen, darf sich nicht darüber zu wundern, wenn er morgen in der Tyrannei aufwacht.

Ist die AfD die Antwort auf all unsere Fragen? Wird alles besser, wenn nur Frauen alle Machtpositionen besetzen? Nein! Die AfD entstand durch die Erkenntnis, dass es politische Missstände in Deutschland gibt. Die *Geburt* einer solchen Partei ist, ebenso wie die des Widerstand 2020, Ausdruck mangelnder Erfüllung von menschlichen Bedürfnissen bisheriger Politik. Die Geister, die sie riefen, wollen sie nun mithilfe des Verfassungsschutzes, Verunglimpfungen und Diffamierungen wieder loswerden, um möglichst ungestört weitermachen zu können, wie bisher auch. Die derzeitige Prise Salz besteht aus Angst- und Panikmache. Doch auch dies würde nichts an deren fragwürdiger Politik ändern. Insofern ist der Mangel an Verantwortung durch die bereits etablierten Parteien einer der Hauptgründe dafür, warum sich neue Parteien den Platz verschaffen, um Einfluss auf den vom Grundgesetz gedeckten politischen Willensbildungsprozess nehmen und an jenem teilhaben zu können. Nun auch noch deren Wähler- und Anhängerschaft für das eigene Versagen anzuprangern, diese als Verschwörungstheoretiker, Verschwörungsideologen, was immer das auch sein kann, als Wirrköpfe und Schlimmeres zu diffamieren, schafft neues Potenzial für weitere Anhänger dieser Parteien, denn es erzeugt Widerstand. Dies, ohne dass diese Parteien selbst etwas dafür tun müssten. Auch hier handelt es sich um ein Naturgesetz. Dieses Naturgesetz nennt sich Gesetz der Anziehung. Je mehr ich dagegen kämpfe, desto mehr bekomme ich genau davon. Daran wird auch der Verfassungsschutz nichts ändern. Diese Parteien, es könnten auch andere sein, sind eine fast logische Konsequenz und eine Notwendigkeit im Prozess des Erwachens für eine bereitwillige Übernahme der eigenen Verantwortung. Sie sind Spiegel der Zeit. Die Lösung liegt daher auch nicht in erster Linie bei Parteien an sich, das beweisen sie weltweit seit Jahrhunderten. Die Lösung liegt in jedem Einzelnen von uns. Der *Grüne Punkt*, Klimaschutz, CO_2 Steuer etc. sind Illusionen und Konstrukte, die uns Unwirkliches vortäuschen sollen, damit wir ruhig schlafen und unseren *Tribut* zahlen.

Wir haben jedoch sehr lange geschlafen und müssten längst ausgeschlafen sein. Es ist Zeit, die Augen zu öffnen, aus der Narkose zu erwachen und unseren Blick auf Wirklichkeiten auszurichten. Es ist Zeit, unser Leben besser und verantwortungsbewusster zu gestalten, sofern wir eine bessere Welt in Frieden, wirklicher Freiheit und Selbstbestimmung wollen. Es ist ein Widerspruch in sich und klingt geradezu zynisch, wenn Projekte den Namen *Grün* in sich tragen dürfen, obwohl sie damit nichts zu tun haben. Ebenso zynisch ist es, wenn es eine Steuer gibt, die Ökosteuer heißt, jedoch Rentenlöcher durch eben diese Steuer stopfen soll. Wie heißt es doch so treffend: Ideologie ist eben alles andere als Logik.

Auch unsere Plastikberge sind Resultat dieser Wachstumsideologie. Über 417 Mio. Tonnen Abfall wurden im Jahre 2018 in Deutschland produziert.[213] Stolz wird in einem Werbevideo des *Grünen Punktes* darauf hingewiesen, dass bei einer Sortieranlage, wie die im Video gezeigte, jährlich 600.000 Tonnen *„Kunststoffabfälle"*, auch *Wertstoff* genannt, verarbeitet werden. Als wäre es erstrebenswert, noch mehr Verpackungsmüll zu produzieren. Dieser Müll wird gesammelt, sortiert und dann verwertet.[214] Wenn verwirrenderweise von *Wertstoffen* gesprochen wird, warum werfen wir sie dann in den Müll? Wer käme auf die Idee, seinen Schmuck in den Müll zu werfen, wenn dieser vernünftigerweise als *Wertstoff* anerkannt wird? So, wie vieles im Leben ursprünglich einen guten Ansatz gehabt haben mag, sofern mit diesem Ansatz viel Geld verdient werden kann, mündet diese gute Idee im gut Gemeinten. Das ist, wie wir wissen, der größte Feind des Guten. Eine ZDF Doku aus dem Jahre 2008 rechnet es vor. Der dort angegebene Leiter eines städtischen Umweltamtes hat errechnet, dass der Gelbe Sack die teuerste Müllentsorgung aller Zeiten sei. Kritikern ist klar: *„Müll trennen mit dem gelben Sack ist ökologisch und ökonomisch unsinnig."* Das Kilo Verpackungsmüll kostete den Verbraucher im Jahre 2008 einen Euro fünfzig. Das waren 1,6 Mrd. Euro pro Jahr. Angesichts dieser Zahlen bekommt der Begriff *Wertstoff* eine völlig neue Bedeutung.[215] Auch hier wird erkennbar, was sich bis heute vollzieht. Es werden Konstrukte und Illusionen geschaffen sowie Widersprüche produziert. Es wird gelogen. Zur Erinnerung und zum Vergleich: Eine Fläche von einem Hektar Wald bindet 10 Tonnen CO_2 und produziert 23 Tonnen Sauerstoff (O_2) pro Jahr. Das bedeutet, dass eine oben angegebene Sortieranlage 60.000 Mal mehr Verpackungsmüll im Jahr verarbeitet, als ein Hektar Wald im Jahr an CO_2 bindet und über 26.000 Mal mehr Müll verarbeitet, als ein Hektar Wald an Sauerstoff in einem Jahr produziert. Riesige Sortieranlagen wollen gefüttert und finanziert sein. Ein

---

[213] Destatis.de. Abfallwirtschaft. 2. Juni 2020: https://www.destatis.de/DE/Themen/Gesellschaft-Umwelt/Umwelt/Abfallwirtschaft/_inhalt.html
[214] Youtube.com. Kunststoffrecycling mit dem Grünen Punkt:
https://www.youtube.com/watch?v=yjuooql8kzA
[215] Youtube.com. ZDF Doku. Unsinn Grüner Punkt. 27.03.2008:
https://www.youtube.com/watch?v=pDbC5RLAt0k

System, was zwar in sich schlüssig erscheint, bei genauer Betrachtung jedoch irrsinnig ist. Denken wir an Goethes Zitat, *„es irrt der Mensch, solang er strebt".*

Was wird nun aus dem sogenannten Klimaschutz? Die ersten Anzeichen sind erkennbar: Das legale Verklappen von CO_2 in die Erde, mit allen Herausforderungen und negativen möglichen Auswirkungen. Aber auch hier wird Geld verdient, denn ein künstlich geschaffenes Wachstum wird erneut angeregt. Bezahlen sollen auch hier die sogenannten Verbraucher und die Natur selbst, wie das Beispiel mit der CO_2 Verklappung höchst anschaulich zeigen dürfte.

Die Temperatur auf der Erde ist zu jeder Zeit sowohl gestiegen als auch gefallen, sagt Prof. Kirstein. Was wird uns der Weltklimarat mitteilen, wenn sich die Temperaturen wieder verändern und es deutlich kühler auf der Erde wird? Nach der Eiszeit ist vor der nächsten Eiszeit. Es gibt und gab wärmere und kältere Perioden auf der Erde. Haben wir dann immer noch eine oder eine ganz neue Klimakatastrophe? Müssen wir dann wieder mehr CO_2 freisetzen, damit es auf der Erde wieder wärmer wird? Dann ist die Verklappung des CO_2 in der Erde so etwas wie eine *Sparbüchse* für *schlechte Zeiten?* Oder liegt es dann an einem neuen Gas, vielleicht Methan und anderen Bestandteilen, welche für eine deutliche Abkühlung der Erde gesorgt haben?

Es bliebe abzuwarten, welches Konstrukt uns dann erwarten dürfte und wie wir dann darauf reagieren. Es kommt darauf an, ob wir uns dann immer noch und überwiegend in einer Narkose befänden. Konstruktion entspringt nicht der Wirklichkeit, sie ist oft Teil einer Illusion und Lüge. Wer einmal den Weg der Lüge gegangen ist, der muss ihn zwingend weitergehen, so die Annahme, um weiterhin das Zepter in der Hand halten zu können. Warum ist der IPCC nicht auf dem Pfad der Wirklichkeit und vor allem Wahrheit geblieben, wie dem im Jahre 2001 veröffentlichten Report zu entnehmen war?

Hier nochmals der Wortlaut: *„In der Klimamodellierung sollten wir erkennen, dass es sich um ein gekoppeltes, nicht lineares chaotisches*

System handelt. Deshalb sind längerfristige Vorhersagen über das Klima nicht möglich."

Eine in vielerlei Hinsicht wertvolle Aussage. Der Mensch allein schafft in seiner dualen Weltvorstellung lineare Abläufe durch konstruierte wenn-dann-Szenarien. Jegliche Abweichung von dieser Konstruktion ist dann eine anthropogene Katastrophe? Anstatt Natur verstehen zu lernen, fangen wir in unserem Hoch- und Übermut an zu konstruieren, als wüssten wir es besser. Vielleicht ist diese Konstruktion die eigentliche anthropogene Katastrophe? Die göttliche Schöpfung hingegen hat ein nichtlineares System geschaffen. Das ist nicht zuletzt in der Natur erkennbar, und deshalb sind Gottes Wege unergründlich. Kein einziger Fluss ist bzw. war in seinem Ursprung linear angelegt. Der Mensch hat durch seine lineare Denkweise Flüsse begradigt und wundert sich, dass dies zu Überschwemmungen führte. Wie könnte Hochmut besser verdeutlicht werden? Allein dieses Beispiel belegt, dass keines der durch die Schöpfung entsprungenen Naturgesetze durch den Menschen außer Kraft gesetzt werden kann. Begradigungen von Flüssen ist nur eines von vielen anschaulichen Beispielen.

Interessant ist, dass die Zeiträume zur Berechnung des Klimas meist auf das Jahr 1850 begrenzt sind. Ganz so, als hätte es zuvor keine Zeit, kein Wetter und kein Klima gegeben. Unsere von uns Menschen konstruierte Zeitrechnung kennt jedoch ein Vor Christi Geburt und ein Danach. Wir leben im Danach. Das Danach begann jedoch nicht mit dem Jahre 1850, sondern im Jahre eins nach Christus. Das Jahr 1850 belegt also, dass dieses Jahr ganze 1.849 Jahre später stattfand. Demnach muss es also auch ein Klima zu Zeiten von Christi Geburt sowie danach gegeben haben. Vielleicht gab es zum damaligen Zeitpunkt noch keine Aufzeichnungen. Doch es gab z. B. das Jahr 1540 nach Christus. In diesem Jahr blieb für 11 Monate der Regen aus.[216] Es gilt als das heißeste Jahr der jüngeren europäischen Geschichte. Folgen dieses Zyklus blieben nicht aus. Bäume, Böden

---

[216] Freiewelt.net. Der katastrophale Hitzesommer von 1540: 11 Monate ohne Regen. Veröffentlicht: 25.07.2019: https://t1p.de/i3lk

und Weinberge vertrockneten, Tiere starben aufgrund von Futtermangel, Landwirte kippten wegen der Hitze und der schweren Arbeit um. Wasserstände von Flüssen waren extrem niedrig. Und selbst der breite Fluss Rhein konnte an vielen Stellen zu Fuß durchquert werden. Nun, vielleicht weiß der IPCC auch von diesen Hintergründen, er erwähnt diese nur eben nicht. Es stellt sich die Frage nach dem Warum? Würde der IPCC seinem ursprünglichen Pfad folgen und darüber hinaus seine heutigen Aussagen durch Berichte aus dem Jahre 1540 in eine Relation setzen, würde er seine Aussagen insgesamt weniger spektakulär erscheinen lassen, denn sie wären relativiert. Der ursprüngliche Report des IPCC drückt richtigerweise eine Wirklichkeit aus, denn auch das Klima dieses Planeten ist eben kein lineares System, aus dem ein *Wenn* und *Dann* resultieren könnte. Daher zieht dieser Report auch richtigerweise die einzig logische Schlussfolgerung, dass *„längerfristige Vorhersagen über das Klima nicht möglich"* sind. Auch dann nicht, wenn das Wetter manipuliert wird. Wie wir wissen, blieb der Auftakt für eine *Erhitzung*, *Überhitzung* und einen *Klimakollaps* bisher aus. Was, so sei die Frage erlaubt, hätten der IPCC und Greta getan, hätten sie zum damaligen Zeitpunkt existiert hätten?

Panikmache aus einem *gestörten* Ego heraus, um Konstrukte mit Macht durchsetzen zu können, schaden und zerstören Freiheit. In dem erwähnten Artikel zur dpa Meldung zum jüngsten Bericht des IPCC wird zum Schluss darauf hingewiesen, dass der Juli 2019 *„global gesehen der heißeste Monat seit Beginn der Aufzeichnungen im Jahr 1880 war."*[217] Was soll uns nun diese Aussage mitteilen? Im baden-württembergischen Bühlertal wurden im Jahre 1947 gleich zwei Mal 38,5 Grad Celsius gemessen. Im bayerischen Kitzingen wurden am 5. Juli 2015 und am 7. August 2015 40,3 Grad Celsius registriert.[218] Es war bis dahin ein Junirekord. Im oben erwähnten Jahre

---

[217] Sueddeutsche.de. US-Klimabehörde: Juli heißester Monat. 15.08.2019: https://www.sueddeutsche.de/panorama/wetter-us-klimabehoerde-juli-heissester-monat-dpa.urn-newsml-dpa-com-20090101-190815-99-481564
[218] Augsburger-allgemeine.de. Wird heute der Hitze-Rekord von Juni 1947 geknackt?

1540 war in Italien der Dezember so warm, wie normalerweise der Juli. Die Wege des Herrn sind vielleicht unergründlich. Die Wege zum Herrn hingegen sind es nicht. Woher könnte der IPCC nun mehr Kenntnis haben als die Schöpfung selbst? Insbesondere dann, wenn ihr Bericht auf das Jahr 1880 begrenzt ist? Wissen IPCC, Greta Thunberg oder andere Parteien und oder selbsternannte Aktivisten mehr als die Schöpfung selbst? Sind sie vielleicht die wahren Götter?

Anstatt sich auf die Schöpfung auszurichten, wird dazu aufgerufen einer Pseudoreligion kritiklos zu folgen. Wenn der IPCC richtigerweise längst im Jahre 2001 erkannt hat, dass eine langfristige Prognose aufgrund eines nicht linearen Systems überhaupt nicht vorhersehbar ist, wie kann dieser nun die Aussage treffen, dass jetzt jeder den Löffel fallen lassen soll und sofort alles ändern muss, damit die selbst ernannte *Überhitzung* des Planeten ausbleibt? Panik durch Manipulation oder Manipulation durch Panik- und Angstmache. So wie jetzt mit dem Corona-Virus? Sind Viren nicht seit Jahrtausenden Bestandteil unseres Lebens? Haben nicht auch sie dazu beigetragen unser Immunsystem zu stärken? Es ist bekannt, dass einige Naturwissenschaftler dazu neigen, die Schöpfung zu negieren. Ein fataler Fehler, denn wer den Naturgesetzen auf den Grund gehen will, wird erkennen, dass sie einer fehlerfreien, schöpferischen Kraft entspringen. Eine Aussage, die für jeden Naturwissenschaftler interessant sein dürfte.

Der Mensch konstruiert, Gott schöpft. Die Widersprüchlichkeit bei der Konstruktion und Illusion bringt es immer und immer wieder zutage. So auch und höchst anschaulich, bei den Aussagen des IPCC von einst und dem IPCC von heute. Wenn dieser Weltklimarat heute die Behauptung aufstellen würde, er hätte sich in seinem Report von 2001 geirrt, was würde diese Aussage – bezogen auf seinen aktuellen Bericht – bedeuten? Wenn er sich damals geirrt hat, ist es wahrscheinlich, dass er es heute erneut getan hat. Wenn er jedoch

---

https://www.augsburger-allgemeine.de/panorama/Wird-heute-der-Hitze-Rekord-von-Juni-1947-geknackt-id54630856.html

damals die Wahrheit gesagt hat, können alle darauf folgenden Annahmen nur fehlerhaft sein.

Eines ist unter diesen Voraussetzungen nur möglich und entspricht der Wirklichkeit und Wahrheit. Durch das Entfernen ehemaliger Wissenschaftler, die Erkenntnissen des Jahres 2001 folgen, wird erkennbar, welchen Weg diese Institution geht. Ähnlich wie es der WHO ergeht, könnte die Entwicklung dieser Einrichtung werden. Ist es also Hochmut und Arroganz oder schlichte Dummheit, die uns dazu führt, dass wir Menschen immer wieder annehmen, der göttlichen Schöpfung gegenüber erhaben und damit höhergestellt zu sein? Auch wir Menschen sind Teil dieser Schöpfung. Wir sind nur eben nicht DIE Schöpfung selbst. Dieser Tatbestand wird leider oftmals vergessen. Eines ist es auf jeden Fall, ein Irrglaube, eine Konstruktion und eine Illusion, und damit vor allem Selbstbetrug und Selbstlüge. Da wundert es auch nicht, dass sich zunehmend Widerstand regt.

Deutlich wurde dies auch auf dem sogenannten G20 Gipfel in Osaka im Juni 2019. In dem Artikel des dpa Berichtes hieß es: *„Die Gruppe der Gegner besonders strenger Klimaschutzziele in der G20 wächst aber. Neben den USA unter Präsident Donald Trump gehören Brasilien, die Türkei, Saudi-Arabien und Australien dazu."*[219] Australien? Ist dieses Land nicht besonders von der *Überhitzung* der Erde betroffen? Wie kann es angesichts einer angeblich vorhandenen *Erderhitzung* sein, das ausgerechnet in Australien im Winter sämtliche Ski-Lifts geöffnet haben? Wussten Sie überhaupt, dass es in Australien Ski-Lifts, Winter und Schnee gibt? Nein, warum nicht? Australien bietet in 16 Skigebieten 454 Pistenkilometer und 127 Skilifte.[220] Vielleicht ist das ja auch ein Grund dafür, dass auch Australien die immer engeren Grenzen der freiheitsraubenden Klimapolitik nicht mehr mittragen will? Was wäre, wenn Menschen aufhörten, sich von Panik, Angstmache und Wut immer weniger beeindrucken zu lassen und dafür eigenverantwortlich und vor allem selbstbestimmt zu handeln?

---

[219] Moz.de. G20-Gipfel droht wegen Klima-Streits zu scheitern. 28.06.2019: https://www.moz.de/artikel-ansicht/dg/0/1/1737418/

[220] Skiresort.de. Skigebiete Australien: https://www.skiresort.de/skigebiete/australien/

Um eines auch hier vorweg zu nehmen. Die Kritik richtet sich auch hier nicht grundsätzlich gegen einzelne Akteure und Einrichtungen an sich. Doch ein genauerer Blick lohnt sich, denn der sogenannte Klimaschutz wird bezahlt in Szene gesetzt. So berichtete unter anderem die Leipziger Volkszeitung darüber, dass der Verein „*Naturschutz und Kunst*" Leipziger Auwald (NuKla), eine Ausschreibung machte, Aktivisten 50 Euro, schwarze Kleidung und weiße Masken für ihr Handeln zur Verfügung zu stellen, um aktiv an einer Fridays-for-Future-Demo in Leipzig teilnehmen zu können und um schweigend und maskiert vor dem Leipziger Verwaltungsgericht zu demonstrieren.[221] Der Sprecher dieses Vereins, Wolfgang Stoiber, versuchte die Aktion damit zu begründen, indem sie als Kunst beschrieb. „*Wir haben keine Demonstration, sondern Kunst gemacht*", sagte er der WELT.[222] Eine *schöne* Konstruktion. Ist sie auch glaubwürdig? Warum ist eine Maskierung notwendig? Warum an diesem Tag? Warum zu diesem Anlass? Warum müssen dafür bezahlte *Künstler* herangezogen werden? Ihm geht es anscheinend um den Auwald und die Rodung der Bäume sowie die Zerstörung von Lebensräumen. Geht es also gar nicht um den sogenannten Klimaschutz, sondern um *Natur*schutz? Seltsam ist, dass derartige „*Kunst*"-Aktionen bei der Waldrodung für Windenergie komplett ausbleiben.

Wir erinnern uns, für ein Windrad im Wald, wird ein Hektar Wald gerodet. Wie viel CO_2 ein Hektar Wald speichert und wie viel Sauerstoff er produziert, wissen wir inzwischen. Dabei sollen doch gerade Windräder für mehr sogenannten Klimaschutz sorgen. Von CO_2 Neutralität wird sogar gesprochen. CO_2 neutral? Wie werden diese Windräder hergestellt? CO_2 neutral? Was denn nun? Mehr

221 Lvz.de. Fridays for Future Leipzig distanziert sich von bezahlten Statisten. 06.12.2019: https://www.lvz.de/Leipzig/Lokales/Fridays-for-Future-Leipzig-distanziert-sich-von-bezahlten-Statisten
222 Welt.de. Hendrich, Cornelia Karin. Statisten erhielten Geld für Auftritt auf Klimademo. Veröffentlicht am 03.12.2019: https://www.welt.de/politik/deutschland/article204001712/Fridays-for-Future-in-Leipzig-Menschen-erhielten-Geld-fuer-Auftritt-auf-Klimademo.html

sogenannter Klimaschutz durch weniger Umweltschutz? Aussagen von Greta Thunberg zeigen die Motivation auch ihres Handelns. Die Menschen unterschätzten ihrer Auffassung nach die Kraft wütender Kinder. Nun, ob Eltern dies tatsächlich so sehen? Wut allein bildet jedoch kaum eine Lösung. Das wissen Eltern nur zu gut. Offenbar geht es Greta, die letztlich als Synonym für viele dieser sogenannten Aktivisten stehen dürfte, lediglich darum, ihre woher und wodurch auch immer vorhandene Wut zum Ausdruck zu bringen. Panik bildet dabei ebenso wenig eine Lösung ab. Was bietet Greta Thunberg also ansonsten als Lösung an, die wirksam sein könnte? Wie glaubwürdig Klimaneutralität aussieht, zeigt die Atlantiküberquerung von Greta Thunberg. Im Zusammenhang mit dieser Überquerung standen weitere Flüge über den Atlantik an, wissen die Stuttgarter Nachrichten zu berichten. Nach ihrer dortigen Ankunft brauchte es fünf zusätzliche Segler, die zunächst nach New York eingeflogen werden mussten, um von dort aus den Atlantik mit dem Schiff erneut zu überqueren. *„Auch Thunbergs Skipper werde die Rückreise aus den USA mit dem Flugzeug antreten."* […] *„Der Emissionsrechner der Organisation Atmosfair berechne für einen Flug von New York nach Hamburg einen Ausstoß von rund 1.800 Kilogramm Kohlendioxid."*[223]
Ihrer Auffassung nach sei es unmöglich, dass alle Menschen es ihr gleichtäten. Ihrer Auffassung nach sei es ebenso unmöglich, nachhaltig zu leben, dies müsse sich ändern. Deshalb müsse es einfacher werden, denn nicht jeder könne sich mit einem Segelschiff über den Atlantik segeln lassen. Wie dieses *Es* genau aussieht und um wen es sich dabei handelt, bleibt offen. Kann diese Idee Wirklichkeit werden? Wie realisierbar sind diese Überlegungen überhaupt? Es soll weniger CO_2 Ausstoß geben. Das Auto mit Verbrennungsmotor soll abgeschafft werden, und wir sollen möglichst zu Fuß, mit dem Fahrrad und der Bahn fahren, vorausgesetzt, diese fährt und es sind ausreichend Waggons vorhanden. Bei diesen Forderungen und Überlegungen wird offensichtlich vollends außer Acht gelassen, dass der

---

[223] Stuttgarter-nachrichten.de. Greta Thunbergs Reise zieht schlechte Klimabilanz nach sich. 16.08.2019: https://t1p.de/zhjg

Mensch beim Gehen CO_2 produziert. Wenn er läuft oder mit dem Fahrrad fährt, produziert er noch mehr CO_2, da er mehr und schneller vor allem ausatmet. Was ist die Konsequenz? Werden wir davon ausgehen müssen, dass unser Atem demnach ebenso zu besteuern ist? Wird es einen Preis für ausgeatmetes CO_2 geben, da der Mensch die sogenannte Klimakatastrophe durch den Ausstoß von CO_2 verursacht hat? Die Forderungen stehen ja schließlich im Raum und werden Realität, sofern sich politisch handelnde Akteure geeinigt haben, dass das CO_2 besteuert bzw. bepreist wird und wir uns erneut unserer Verantwortung entziehen und diesen Prozess, wie unzählige zuvor, zulassen. Konsequenterweise müsste demnach also auch der CO_2 Ausstoß beim Ausatmen dazugehören. Gilt zukünftig also, wer möglichst wenig atmet, handelt am besten für den sogenannten Klimaschutz und wird belohnt? Ist das Sterben dann die Belohnung, weil der Mensch bedauerlicherweise nur sehr kurzzeitig ohne Atmung überlebt?

Der IPCC war guten Ursprunges, leider hat er seinen Pfad der Wissenschaft verlassen. Wissenschaft, die Wirklichkeiten erklärt, nach Wahrheit strebt und diese möglichst spiegelt und eben nicht manipulativ konstruiert und genau dafür bezahlt wird. Welchen Wert könnte Wissenschaft noch haben, wenn sie lediglich als Erfüllungsgehilfe ihrer Geldgeber agiert?

Auch diese *Wissenschaft* ist auf dem besten Wege, sich ihre Reputation zu zerstören. Es geht nicht um eine Diskreditierung und Diffamierung von Einrichtungen, wie dem IPCC oder Personen, sondern deren inzwischen zu häufig unverantwortliches Handeln durch Manipulation und Lüge. Alle sollen kürzertreten und Verzicht üben. Warum eigentlich? Damit mehr für die wenigen Initiatoren dieser Konstruktion bleibt?

Schöpfung sieht Fülle vor. Wenn das Leben Fülle und eben nicht Mangel ist, wie sind dann Forderung nach Kürzungen, Beschneidungen, Bevormundung, Verbote und Verzicht zu werten? Eines dürfte klar sein, Leben und Lebensqualität dürften davon unberührt sein. Diese Forderungen sind Sterben auf Raten.

Halten wir fest, dass es, neutral betrachtet, seit Beginn der Erde einen Klimawandel gibt und unabhängige Wissenschaftler, wie Prof. Kirstein, fälschlicher- und letztlich dummerweise dafür kritisiert werden, dass sie angebliche Leugner des Klimawandels seien. Wie zu Zeiten von Jesus Christus, werden auch heute Wahrheit und Liebe bekämpft. Dafür starb Jesus am Kreuz. Und dafür werden heutige *Jünger*, die sich der Wahrheit und Wahrhaftigkeit ohne Wenn und Aber verpflichtet haben, mit heutigen Mitteln gekreuzigt. Ein analoges Beispiel dafür ist die neue Stellenbesetzung des renommierten und verantwortungsbewussten Wissenschaftlers Prof. Dr. Homburg an der Leibnitz Universität in Hannover. Ein nach Wahrheit strebender Wissenschaftler *darf* seinen Platz für einen Akademiker räumen, der gefälliger sein dürfte.[224] Diese Methode wird seit nunmehr über 2.000 Jahren vollzogen. Der einzige Unterschied ist, dass die heutigen Kreuze anders aussehen.

Bei der Definition des Gabler Lexikons wird auf einen scheinbar wichtigen Begriff hingewiesen. Bei dieser Form der Definition, wie übrigens bei vielen, die diesen Begriff beschreiben, wird auf den Begriff des Anthropogenen hingewiesen. Es wird also davon ausgegangen, dass vor allem Menschen die Veränderungen des Klimas verursachen. Daher der Hinweis der *„allg. Verwendung"*. Grundlage für diese Annahme können Berichte des sogenannten UNO Weltklimarates (IPCC) sein. Da laut Annahme der Mensch also das Problem darstellt, wird gern im Zusammenhang mit dem heutigen Klimawandel von einer Katastrophe gesprochen. Eine Katastrophe befeuert ein Problem noch mehr, weil es Angst fördert und produziert. Angst kann ein Stressor sein. Wer sich dieser Angst vollends hingibt, wird starr in seinem Verhalten und ist grundsätzlich weiter manipulierbar. Welche merkwürdigen Stilblüten aus dieser Annahme entstehen können, wird auch an anderer Stelle noch verdeutlicht werden. Der sogenannte Klimawandel müsse ähnlich wie die sogenannte

---

[224] Haz.de. Umstrittener Professor Homburg: Uni Hannover schreibt Stelle neu aus. 03.07.2020: https://www.haz.de/Hannover/Aus-der-Stadt/Professor-Homburg-Leibniz-Uni-Hannover-schreibt-Stelle-neu-aus

Schuldenbremse im Grundgesetz verankert werden, gab die Bundesvorsitzende Annalena Baerbock (Bündnis90/DIE GRÜNEN) in einem Interview des Tagesspiegels bekannt.[225] Damit nun dieser Wandel und die angeblich daraus sich ergebende Erderwärmung gestoppt werden kann, führt nach Einschätzung des Potsdam-Instituts für Klimafolgenforschung (PIK) kein Weg an der umstrittenen unterirdischen Verklappung des ebenso angeblich klimaschädlichen und des angeblichen Treibhausgases CO_2 vorbei.[226] Auf diese Weise soll also der vermeintliche Teufel mit dem Beelzebub ausgetrieben werden?

Zurück zum oben erwähnten Spiegel Artikel von Axel Bojanowski. So schreibt er weiter, dass es Fakt sei, dass es wärmer würde, der Meeresspiegel steige, höhere Sturmfluten zu erwarten seien. *„Gletscher und Meereis tauen, vielerorts verändern sich Witterung und Lebensräume. Physikalischen Überlegungen, geologischen Befunden und Computermodellierungen zufolge, könnte sich das Klima gravierend ändern, sofern der Ausstoß von Treibhausgasen nicht drastisch eingedämmt wird – mit örtlich heftigen Auswirkungen. Das Problem: Die dramatischen Angaben zu Auswirkungen des Klimawandels sind Prognosen. Die Umwelt aber steht anscheinend erst am Anfang des Wandels – Daten belegen vielerorts noch keine Veränderung der Häufigkeit von Wetterphänomenen."* Interessant, dass auch hier das Wetter und das Klima durcheinander geworfen bzw. ein und dasselbe zu sein scheinen. In seinen weiteren Ausführungen belegt der Autor mittels zweier Diagramme sehr anschaulich, dass die Sturmentwicklung in Deutschland, Skandinavien, Österreich, der Schweiz und vom Nordatlantik seit 1881 bis heute rückläufig ist. Diese Aussage deckt sich übrigens mit der von Lord Christopher

---

[225] Tagesspiegel.de. Grüne fordern CO2-Bremse im Grundgesetz. 07.05.2019: https://www.tagesspiegel.de/politik/debatte-um-co2-steuer-gruene-fordern-co2-bremse-im-grundgesetz/24314066.html

[226] Maz-online.de. Potsdamer Klimaforscher fordern unterirdische Speicherung von CO2. 01.07.2019: https://www.maz-online.de/Brandenburg/Potsdamer-Klimaforscher-fordern-Einsatz-von-umstrittener-CCS-Technologie

Monckton vom Science and Public Policy Institute, Großbritannien, der in einem Interview mit einer Klimaaktivistin von Greenpeace sehr ähnliche wissenschaftliche Aussagen trifft. Der Weltklimarat (IPCC) ist inzwischen eine politische und eben keine wissenschaftliche Einrichtung mehr, wie oben durch Kirstein nachzulesen war und letztlich für jedermann nachvollziehbar ist. Es ist bekannt und verwundert daher auch nicht, dass interne Wissenschaftler des IPCC, die sich kritisch zu den Aussagen und Berichten des Rates geäußert haben, inzwischen diesem Rat nicht mehr angehören.

Fassen wir den Spiegelbericht zusammen: Die Wirtschaft wird vom Autor dafür gerügt, dass sie ihre Hausaufgaben nicht macht, sondern den sogenannten Klimawandel für deren eigene Versäumnisse bzw. deren monetäre Interessen, z. B. durch Beitragserhöhungen bei Versicherungen, missbraucht. Der Autor spricht im Zusammenhang des sogenannten Klimawandels von Katastrophe und gibt nach eigenen Angaben zu Protokoll, dass es, gemäß einer politischen Einrichtung, wie der des Weltklimarates, Fakt sei, dass sich die Erde erwärmt et cetera pp, wie oben erwähnt. Bei genauer Betrachtung und Gegenüberstellung wird erneut eines sichtbar: Der eine, hier der Autor, wirft einem anderen etwas vor, nämlich der Wirtschaft, hier vor allem der Bahn. Dabei bedient er sich der gleichen Methodik, wie diejenigen, denen er Missbrauch vorwirft. Wer annimmt, ein solcher Artikel sei eine Ausnahme, der irrt, um es mit Goethes Worten zu sagen. Kurz nach der Europawahl wurde andernorts ein Artikel veröffentlicht, in dem es heißt, dass die *„Erhitzung der Erde"* voll im Gang sei. Belegt wird dies einzig durch den Hinweis der Aussagen der politischen Einrichtung des IPCC. Staaten täten zu wenig, um die Vereinbarungen des sog. Pariser Klimaabkommens zu erreichen. Demnach solle die *„Erderhitzung"* auf möglichst 1,5 Grad begrenzt werden. *„Laut Weltklimarat muss zur Erreichung dieses Ziels der Ausstoß von Kohlendioxid bis 2030 um 45 Prozent sinken im Vergleich zu 2010, und schon 2050 netto null erreichen."*[227] Kohlendioxid auf null reduzieren?

---

[227] Sueddeutsche.de. Der Kampf gegen die Klimakrise – Hehre Ziele, wenig Taten.

Erinnern wir uns an unseren Biologieunterricht. Dort hieß es, dass Pflanzen CO_2 benötigen, um Biomasse bilden zu können. Wenn der Kohlendioxidausstoß auf null reduziert wird, was unter den derzeitig gegebenen Umständen unmöglich sein dürfte, dürfte dies insbesondere Einfluss auf die angeblich zu schützende Natur haben. Dies wiederum wirkt sich auf die Abgabe von Sauerstoff aus. Bei einem Wert Null CO_2 in der Atmosphäre, dürften demnach weder Lebewesen, welche Sauerstoff aufnehmen und CO_2 abgeben, leben bzw. überleben können. Schlussendlich bedeutet dies für die Natur, dass selbst sie dies nicht überleben kann, denn Pflanzen, so besagt es der Biologieunterricht eben auch, benötigen CO_2, um Biomasse bilden zu können. Eine Lösung könne, wie regelmäßig auch, die Forderung nach einer Zahlung von Abgaben oder Steuern sein, wie der Direktor Emeritus des Potsdam-Instituts für Klimafolgenforschung (PIK) und Mitglied des wissenschaftlichen Beirates der Bundesregierung für globale Umweltveränderungen, Prof. Dr. Hans Joachim Schellnhuber, in einem Artikel offenbart. Für ihn könne eine Reform der Erbschaftsteuer, hin zu einer *„Klima-Erbschaftssteuer"* eine Lösung darstellen.[228] Letztlich richtet sich auch hier alle Kraft darauf, dass *Jemand* etwas zu entrichten habe. Dies scheint die Lösung zu sein.

Nun gilt es lediglich, diesen Jemand, der zur Kasse gebeten wird, auch davon zu überzeugen, dass er dieser Aufforderung von Zahlungen möglichst bereitwillig folgt, mindestens jedoch ohne großen Widerstand. Dabei helfen gern „unabhängige" Medienanstalten, die wiederum von denjenigen finanziert werden, die nun auch die Bepreisung von CO_2 bereitwillig hinnehmen sollen. Ein Grund zum Ärger scheint dies kaum zu sein, da wir ja eine *Erderhitzung* haben. So hat diese sogenannte *Erderhitzung* offenbar auch etwas Gutes.

---

28. Mai 2019: https://www.sueddeutsche.de/wissen/klima-der-kampf-gegen-die-klima-krise-hehre-ziele-wenig-taten-dpa.urn-newsml-dpa-com-20090101-190528-99-418135
[228] Ews-schoenau.de. Schrader, Christopher. Die Klimaschuld der Milliardäre.
24. Januar 2017: https://www.ews-schoenau.de/energiewende-magazin/zur-sache/interview-joachim-schellnhuber-die-klimaschuld-der-millardaere/

Wenn wir unsere Wohnungen und Häuser zukünftig weniger bis gar nicht mehr heizen müssen, verbrauchen wir weniger CO2. Wenn es nur noch Sommer gibt, benötigen wir dann überhaupt noch eine staatlich subventionierte Häuserdämmung, die Umwelt und Leben gesundheitlich belastet? Es stellt sich die Frage, wer missbraucht wen und führt wen hinters Licht? Auch hier gilt, es geht nicht darum zu diffamieren, es geht um Wahrheit und Klarheit. Lüge bedarf der Konstruktion, um Menschen hinters Licht zu führen. Wahrheit benötigt dies nicht, da sie zur Klarheit führt. Wahrheit benötigt keine Konstruktion, weil sie schlüssig ist, während Lüge lediglich den Anschein dazu erwecken soll und kann. Daher die eingangs erzählte Geschichte mit dem Polizisten und der Frau.

Wahrheit braucht allerdings auch Mut und möglichst Unabhängigkeit, auch und insbesondere in der Wissenschaft. Ansonsten verkommt Wissenschaft zu einer manipulierbaren Manövriermasse, wie oben erkennbar. Ein Mensch mit klarer, für jedermann nachvollziehbarer und kritischer Auffassungsgabe, der durch einen klaren Geist geführt wird, ist in einer konstruierten Welt mit Lügengebilden eher hinderlich. Deshalb werden diese Menschen möglichst ausgeschlossen und wahlweise als Nazi diffamiert. Es ist ja so einfach andere zu kritisieren, ohne sich dabei selbst zu reflektieren. Unser Ego fördert dieses Verhalten und unsere Gesellschaft lässt es *noch* überwiegend zu. Doch wie heißt es so trefflich beim legendären chinesischen Philosoph Laozi? *„Derjenige, der andere kennt, ist weise; derjenige, der sich selbst kennt, ist erleuchtet!"*[229] Erinnern wir uns an das bereits Erwähnte bezüglich fauler Früchte. Was jeder von uns beobachten kann ist folgendes Phänomen. Eine Frucht fault schneller, wenn die Temperatur steigt. Wie oben, so unten. So, wie im Außen, so auch im Innern. Und so, wie im Kleinen, so geschieht es auch im Großen. Dies sind Naturgesetze und übertragbar auf jedes System. Wenn Temperatur also steigt und faulende Früchte dadurch schneller vergehen, sollten wir froh und dankbar sein, für eine angeblich

---

[229] Sprichworte-der-welt.de. Laotse – Zitate:
http://www.sprichworte-der-welt.de/chinesische_sprichworte/laotse.html

vorhandene *Erderhitzung*. Somit ist das zu Beginn erwähnte Zitat von Huxley höchst zutreffend, wenn er sagt:

> *„Wer so tut, als bringe er die Menschen zum Nachdenken, den lieben sie. Wer sie wirklich zum Nachdenken bringt, den hassen sie."*

Man könnte es auch mit Hitlers Worten sagen: Je größer eine Lüge sei, desto mehr folgen ihr. Denn wenn wir sehr genau hinsehen, erkennen wir, wem die derzeitigen Verbalattacken gelten und warum. Manipulation findet statt. Das Internetportal YouTube verdeutlicht diese Manipulation. Während bei Videos, beispielsweise von sogenannten öffentlich-rechtlichen Einrichtungen, zu lesen ist: *„Phoenix ist ein Teil des deutschen öffentlich-rechtlichen Rundfunks"*, ist dem hingegen an anderer Stelle eine wertende Einspielung zu erkennen: *„RT wird ganz oder teilweise von der russischen Regierung finanziert"*. Nun, warum fehlt dieser Hinweis bei den sogenannten öffentlich-rechtlichen Sendern, wie Phoenix etc.? Warum wird dort nicht geschrieben, dass diese Sender durch allgemeine Zwangsabgaben subventioniert werden, um vor allem Pensionsansprüche zu befriedigen?

Das Wahlergebnis des Bündnis90/DIE GRÜNEN bei der EU-Parlamentswahl macht Ergebnisse dieser Manipulation deutlich und ist ein Indikator für die sehr weisen Aussagen von Huxley. Hat eine konstruiert geschaffene Mehrheit allein deshalb recht, weil sie die anscheinende Mehrheiten abbildet oder repräsentiert, die zuvor durch einen gewollt inszenierten Glauben geschaffen wurde? Die scheinbar gekonnt konstruierte Form des Protestes durch das Video, mit dem YouTuber Rezo und anderen, verdeutlicht, wie Menschen dahingehend manipuliert werden können, damit bestimmte Ergebnisse erzielt werden können. Je ungebildeter, unaufgeklärter, unreflektierter, letztlich, je dümmer und gleichgültiger eine Gesellschaft ist, desto besser für ein totalitäres System? Frei nach dem Motto: *„Sprach der König zum Priester: halte du sie dumm, ich halte sie* *arm"?*[230] Demokratie braucht das genaue Gegenteil von den hier aufgezählten Erscheinungsbildern. Akteure, die so handeln und dennoch von Demokratie reden und diese anscheinend zu verteidigen versuchen, lügen, weil sie diesen Widerspruch, diese Illusion konstruiert haben. Dabei steht dieses Beispiel lediglich für viele andere. In einer Nachlese zu einer Sendung von Sandra Maischberger, gibt der Autor Thomas Fritz abschließend eine Aussage des Publizisten Gabor Steingart wieder, der eine mögliche Kanzlerkandidatur des Grünen-Vorsitzenden Habeck sogar vom Wetter abhängig macht. Er führt aus: *„Dürre, Hitzerekorde, Naturkatastrophen: Kommt es bis zu den Wahlen beständig zu solchen Phänomenen, „dann haben sie eine Chance".*[231] Sind wir inzwischen so weit degeneriert, dass Wetterphänomene unser Wahlverhalten manipulieren können?

Jeder Mensch kann und darf glauben, was und woran er will, dies drückt das Grundgesetz aus. Ist der Glaube allein jedoch das einzig allheilbringende Mittel, welches uns zur Verfügung steht? Wann hat jemand wahrhaftig recht? Es wird die These vertreten, dass Glaube durch Wissen überprüft und hinterfragt werden kann und darf, um ge-wissen-haft handeln und sich genau dadurch eine wirklich eigene Meinung bilden zu können. Erst dann weiß der Mensch, ob sein Glaube Wahrheit und Wahrhaftigkeit entspringt. Wer von Freiheit spricht und gegenteilig handelt, ist Gegner von Freiheit und Selbstbestimmung. Das belegen uns höchst anschaulich die *Freiheitsberaubungen*, die im Zusammenhang mit dem angeblich so schwerwiegenden Corona-Virus stehen. Konstruktion von Lüge, statt geistvolle, wahrheitsgemäße Aufklärung und Schaffung von echten Lösungen. Dies scheint heute erneut das Mittel der Wahl zu sein, um Ideologien machtvoll durchsetzen zu können. Auf diese Weise wurden Unrechtssysteme erschaffen, wie das Zitat von Hitler höchst anschaulich bewiesen hat. *„Je größer die Lüge, desto mehr folgen ihr."*

---

[230] aphorismen.de. Zitat zum Thema: Macht: https://www.aphorismen.de/zitat/50628

[231] web.de. Fritz, Thomas. Sandra Maischberger: Steinbrück hält Kühnert als SPD-Chef für ungeeignet. Aktualisiert am 13. Juni 2019: https://web.de/magazine/politik/politische-talk-shows/sandra-maischberger-steinbrueck-haelt-kuehnert-spd-chef-ungeeignet-33786642

Kommen wir Wahrheit und Lüge nicht erst dann näher, wenn wir sie durch Wissen überprüft haben und eben nicht der von Mephisto erwähnten Dressur folgen?

Der Mensch ist nicht von Natur aus dumm, er wird es oder lässt sich vor allem aus Bequemlichkeit und Verführung oft dazu dressieren. Es liegt allein in der Verantwortung eines Jeden selbst, ob dies geschieht oder eben nicht. Gott gab uns allen einen freien Willen, ausnahmslos! Bequemlichkeit widerstrebt jedoch Naturgesetzen, und deshalb führt sie letztlich zu Fatalismus. Genau diesen erleben wir hautnah und zunehmend schmerzhaft in unserer scheinbar aufgeklärten Welt. Doch es hat etwas Reinigendes und Gutes, denn auf diese Weise endet unsere Bequemlichkeit, und wir werden in unsere Verantwortung geführt. Uns dürfte klar werden, dass wir uns in unserem Leben entscheiden müssen. Im Wort Entscheidung steckt das Wort der Scheidung, einen Scheideweg gehen. Wir entscheiden uns jeden Tag für und gegen etwas. Jetzt entscheidet sich jeder selbst für den Weg des Fatalismus oder den Ausweg. Diese Entscheidung wird auch niemandem abgenommen. Wer versuchen wird, sich dennoch vor dieser Frage und ihrer Beantwortung weg zu ducken, wird seinen Fatalismus erleben.

Am 22.06.2013 lauschte ich eher zufällig einer Radiosendung. Es sprach ein Pfarrer, dessen Name ich nicht kannte. Der Name war in diesem Zusammenhang auch nicht weiter von Bedeutung. Anders verhielt es sich mit den Worten dieses Pfarrers, denn der tiefere Sinn faszinierte mich. Es steckte so viel Wahrheit in dem Gesprochenen. Seine Worte, die ich mir notierte, waren wie folgt: *„Früher hieß es: Wenn ich jemanden fürchte, dann ist es Gott, niemand anderen."* Heute – im Zeitalter von Facebook, Twitter, NSA und Co. – heißt es hingegen: *„Wenn ich jemanden fürchte, dann alle, außer Gott."* Wir leben noch immer im Zeitalter der Verwirrungen, Verirrungen und der Lüge. Verwirrt nicht die Verwirrten, heißt es sehr trefflich. Wer lügt, wird, anders als in der Vergangenheit, oft kaum noch gerügt oder vielfach als Lügner enttarnt und geächtet. Heute, dies leben uns insbesondere höchst anschaulich Politiker und Wirtschaftsfunktionäre vor, lächeln Lügner selbstbewusst in die Kamera, zeigen uns eine römische Fünf, die angeblich als Zeichen von Sieg zeugt. Diese Akteure wissen meist, dass wirkliche Konsequenzen ausbleiben. Was Politiker als Akteure von Parteien betrifft, so ist dies sogar entsprechend geregelt. Sie dürfen lügen und haften in keiner Form für ihr Handeln, dafür haben sie selbst gesorgt. Dies sind Ergebnisse, wenn „Schlafbewacher" sich selbst bewachen.

In einer sogenannten repräsentativen Demokratie ist dies möglich, wenn wir auch durch unsere Wahl unsere Verantwortung an sogenannte Abgeordnete abgeben und vor allem als Korrektiv inaktiv sind und werden. Was jedem von uns inzwischen deutlich zu erkennen und zunehmend zu spüren sein dürfte ist die Erkenntnis, dass derartige Abgeordnete schon lange vor allem nicht mehr im Sinne ihrer Auftraggeber handeln. Im Gegenteil, Juristen, die z. B. im *Show*-Prozess von Herrn Jörg Kachelmann geltendes Recht gebeugt und/oder wissentlich gelogen haben, werden anschließend zum Teil sogar durch Beförderung für ihr Verhalten belohnt. Doch spätestens nach Ableben unserer Zeit auf dieser Erde, auf der wir uns würdig hätten erweisen können, werden wir uns alle vor dem einzig wahren Gott verantworten dürfen. Spätestens hier erfahren wir alle, was Verantwortung bedeutet.

Und so wird eine Anekdote zur bitteren Wahrheit. Ein Mann und eine Frau sitzen in einem teuren Restaurant. Er ist gut gekleidet, kann gut reden und wirkt charmant. Sie ist ebenso gut gekleidet, duftet hervorragend und kokettiert mit ihren weiblichen Reizen. Beide wollen sich näher kennenlernen, und so spricht dieser gutaussehende Mann diese ebenso gutaussehende Frau mit einem strotzenden Selbstbewusstsein an: Ich heiße soundso, bin Politiker, 46 Jahre und bin ehrlich. Die Frau blinzelt ihn an, lächelt und antwortet ihm mit den Worten: Ich heiße soundso, bin Prostituierte und Jungfrau.

Sind Menschen noch imstande zu unterscheiden, was Lüge und Wahrheit ist? Wenn ja, warum ziehen sie dann so oft Lüge vor? Um sich auf diese Weise so aus ihrer Verantwortung stehlen zu können? Fragen Sie einen anderen Menschen spontan danach, was Lüge ist.

Sie werden erstaunt sein, wie er antwortet. Lüge ist eine Sackgasse. Wahrheit und Selbsterkenntnis sind notwendige Wegbegleiter aus dieser Sackgasse, hin zu Lösungen, um erwachen und erwachsen werden zu können. Alice Miller bietet in ihrem Buch *„Evas Erwachen"* sehr aufschlussreiche Antworten für dieses weltweite Phänomen.

Kurz vor Beginn der Sommerpause 2013, fand laut Medienberichten eine sogenannte Mammut-Sitzung des Deutschen Bundestages statt. Es mussten noch soundso viele Entscheidungen vor dieser Sommerpause getroffen werden, denn im Herbst des Jahres 2013 sollten Bundestagswahlen stattfinden. Nun waren die Damen und Herren Abgeordneten aufgefordert, so lange zu tagen, bis alle Entscheidungen getroffen waren. Nun, mein Mitgefühl hielt sich in Grenzen, denn jeder einzelne dieser Damen und Herren hatte sich schließlich bewusst oder unbewusst vom sogenannten Souverän, der in seiner Funktion als Wähler kaum als Souverän bezeichnet werden kann, dazu wählen lassen, diese oder vergleichbare Aufgaben übernehmen zu dürfen. Ob sie es tatsächlich tun und auch können, sei dahingestellt. Einige dieser Abgeordneten hatten diese Aufforderung offenbar jedoch nicht verstanden oder diese war nicht bis zu ihnen durchgedrungen. Denn genau an diesem Tage hatte ich beruflich am Potsdamer Platz in Berlin zu tun. Und wenn ich schon dort bin, genieße ich gern eine Kugel Eis des italienischen Eisherstellers, in der obersten Etage des Centers. Und was sah ich dort? Eine bekannte Brandenburger CDU Bundestagsabgeordnete, die im September 2013 erneut kandidierte, lächelte vergnügt und gut gekleidet an einem Tisch dieses besagten Cafés und unterhielt sich angeregt und offenbar gut gelaunt bei einer leckeren Speise, mit einem scheinbar interessierten Mann, der sich etwas notierte. Sie freute sich, worüber konnte ich nur erahnen. Ihr scheinbar ebenso gut gelauntes Kind saß neben ihr und genoss ebenso die Eisspeise dieses Eisherstellers. Ich fragte mich, teilten die Medien heute nicht mit, dass es eine Mammut-Sitzung im Bundestag geben sollte? Warum, so fragte ich mich weiter, sitzt diese auch mir bekannte Brandenburger CDU Politikerin dann hier vergnügt bei einer Eisspeise und eben nicht im Bundestag, wo sie doch eigentlich jetzt sein sollte, um die angeblichen Interessen der Bürger dieses Landes zu vertreten? Brauchte sie ihren Wahlkreis nicht mehr zu vertreten, für den sie doch eigentlich gewählt wurde? War sie sich ihrer Sache so sicher, wiedergewählt zu werden? War sie nicht explizit vom sogenannten Souverän dazu beauftragt bzw. abgeordnet worden, sich eben gerade an derartigen Tagen im Bundestag aufzuhalten und politische Arbeit für ihre Wählerinnen und Wähler zu vollziehen, anstatt bei einem stadtbekannten italienischen Eishersteller ein Pläuschchen zu halten?

Ist dieses Verhalten verlogen? Ist es unmoralisch? Wo ist sie hin, unsere Moral und vor allem unsere Verantwortung? Wie finden Sie das Verhalten dieser Politikerin? Empfinden Sie es als moralisch verwerflich? Ist es moralisch vertretbar, was diese Bundestagsabgeordnete tat? Kann ein solches Verhalten einfach weggelächelt werden, weil sich inzwischen so viele Menschen derartig verhalten? Und, in diesem Zusammenhang gefragt: Was ist Moral überhaupt? Was ist sie aus Ihrer Sicht? Was wissen wir über sie? Woran erkennen wir das Wesen der Moral? Was beinhaltet dieser Begriff überhaupt? Was für einen Wert hat Moral in unserer Zeit?

Wie oft haben Sie sich in letzter Zeit – neben Ihren vielen anderen tagtäglichen Herausforderungen – mit diesen oder vergleichbaren Fragen auseinandergesetzt? Ist es das erste Mal, dass Sie sich bewusst mit den Begriffen von Moral und Lüge auseinandersetzen? Wo beginnt für Sie Moral und wo endet sie? Was kann Moral heute überhaupt noch bewirken? Wozu und warum könnten wir heute überhaupt noch Moral brauchen? Wie zeitgemäß ist dieser Begriff in einer zunehmend entkoppelten Haben-Gesellschaft? Macht es Sinn sich mit diesen Fragen auseinanderzusetzen? Was glauben Sie? Widmen wir uns gemeinsam diesen Fragen. Ich lade Sie herzlich dazu ein.

5. Moral, Doppelmoral und Demokratie

*Die dunkelsten Plätze in der Hölle sind für diejenigen
reserviert, die in Zeiten moralischer Krisen ihre
Neutralität bewahren.*
[in Anlehnung an Dante Alighieri]

Wie im oben bereits erwähnten Artikel, stammen die Worte, dass eine Welt ohne Gott eine Welt ohne Moral sei, vom emeritierten Papst Benedikt. *„Es gibt dann keine Maßstäbe des Guten oder des Bösen."* Ist es also gut, wenn das Bundesumweltamt deutlich höhere Spritpreise fordert, um die sogenannten Klimaziele des sogenannten *Pariser Klimaabkommens* zu erfüllen? Dort wird gefordert, dass es bis zum Jahre 2030 einen Preisanstieg von 70 Euro-Cent je Liter Diesel und 47 Euro-Cent für Benzinfahrzeuge geben solle. Die Pendlerpauschale solle gleich ganz abgeschafft werden. Ebenso die steuerliche Absetzbarkeit von Dienstfahrzeugen.[232] Nicht gleich wieder in Panik und Wut verfallen! Das sind interessante Kernaussagen, die es wert sind, genauer betrachtet zu werden. Worum geht es doch gleich beim sogenannten Klimaschutz? Ach ja, um den *bösen* Naturstoff CO_2. Starten wir ganz nüchtern einen Vergleich, und schauen wir uns zwei vergleichbare Fahrzeuge genauer an. Vorab sei darauf hingewiesen, dass dieser auch mit vergleichbaren anderen Autos durchgeführt werden kann. Nehmen wir zwei Jaguar X-Type. Einmal als Dieselfahrzeug und einmal als Benziner. Beide Fahrzeuge verfügen über einen Hubraum von zwei Litern. Das Dieselfahrzeug, mit 96 kW bzw. 131 PS hat einen durchschnittlichen Verbrauch von 5,8 Litern und einen kombinierten CO_2 Ausstoß von 154g/km. Der

---

[232] Sueddeutsche.de. Bauchmüller, Michael. Umweltbundesamt: Sprit muss bis zu 70 Cent teurer werden. 5. Dezember 2019: https://www.sueddeutsche.de/wirtschaft/umweltbundesamt-klima-verkehr-sprit-preise-1.4709948

vergleichbare Benziner mit 115 kW bzw. 156 PS, der lediglich als 6 Zylinder angeboten wird, hat im Vergleich zum Diesel eine etwas stärkere Motorisierung, also 19 kW bzw. 25 PS mehr als das Dieselfahrzeug. Der Verbrauch des Benziners liegt im Durchschnitt bei 9,2 Liter Benzin oder Super und kombiniert bei ca. 219g CO_2/km. Kommen wir zurück zur Forderung des Umweltbundesamtes, dass der Spritpreis für Verbrennungsmotoren bis zum Jahre 2030 deutlich erhöht werden solle. Stellt sich angesichts des hier gezeigten Vergleiches nicht automatisch die Frage, wieso es einen fast doppelt so hohen Preis für Diesel geben soll, wenn, so wie hier anschaulich belegt, das Dieselfahrzug einen geringeren CO_2 Ausstoß und Spritverbrauch verdeutlicht? Womit kann diese Forderung gerechtfertigt sein, geht es doch beim sogenannten Klimaschutz um den Ausstoß bzw. Reduzierung von CO_2? Darüber hinaus stellt sich die Frage, wie kann ein höherer Spritpreis unmittelbar dafür sorgen, dass das Klima besser geschützt wird? Höhere Preise ermöglichen einen sogenannten Klimaschutz? Inwiefern sorgen die Abschaffung der Pendlerpauschale sowie die Abschaffung steuerlich begünstigter Dienstfahrzeuge unmittelbar dafür, dass das Klima auch dadurch geschützt wird? Steuerliche Belastungen für die Bevölkerung führen zu mehr sogenanntem Klimaschutz? Damit nicht genug, auch ein Tempolimit von 120 km/h und eine deutliche Steigerung der LKW Maut werden regelmäßig gefordert.[233] Das dürfte höhere Lebenshaltungskosten nach sich ziehen. Also auch hier gilt, dass höhere Belastungen für Unternehmen, die zu höheren Preisen für den sogenannten Verbraucher führen werden sowie zu einer weiteren Einschränkung der persönlichen Freiheit führen wird, unmittelbar zu mehr sogenanntem Klimaschutz? Eingrenzung und Verlust von Freiheit für konstruierten Klimaschutz? Hier stellt sich erneut die zentrale Frage, inwieweit tragen diese geforderten Maßnahmen unmittelbar zu mehr sogenanntem Klimaschutz bei? Alles und jede Forderung wird unter dem Deckmantel des sogenannten Klimaschutzes subsummiert? Dafür

---

[233] Focus.de. Umweltbundesamt fordert Tempolimit. Donnerstag, 28.12.2006: https://www.focus.de/auto/ratgeber/unterwegs/co2-ausstoss_aid_121687.html

also der sogenannte Klimanotstand? Letztlich fordert das Umweltbundesamt eine E-Auto-Quote, wobei diese sowohl für Mensch und Umwelt eine erhebliche Gefahr darstellen können. Regelmäßig wird darüber berichtet, dass diese Fahrzeuge selbst bei stehendem Nicht-Betrieb in Flammen aufgehen. Die Akkus können aufgrund ihrer Zusammensetzung nicht mit Wasser gelöscht werden und stellen somit eine erhebliche Belastung für Mensch und Natur dar. Die Entsorgungsproblematik dieser ausgebrannten Akkus ist völlig ungelöst. Ebenso die, der un-ausgebrannten. Auf diese Weise bekommt der Begriff Brennstäbe eine völlig neue Bedeutung.

All dies erinnert eher an zerstörerische Planwirtschaft und bevormundenden Sozialismus, statt an Nutzung und Förderung von Innovationen, die nachweisbar sinnstiftend sind und zu mehr Umweltschutz beitragen können. Warum werden Autos mit Freier-Energie-Generatoren verhindert? Während diese längst möglich sind? Warum wissen so wenig Menschen von deren Existenz? War es wirklich im Sinne des Tüftlers und genialen Erfinders Nikolai Tesla, der die freie Energie entdeckte und zu nutzen wusste, dass tonnenschwere E-Autos, die *unaufgefordert* in Flammen aufgehen und deren Batterie-Entsorgung erhebliche Probleme und Risiken beinhaltet, nun ausgerechnet den Namen dieses genialen Schaffenskünstlers tragen dürfen – anstatt diese quasi kostenlos nutzbare Energieform für alle Menschen bereitzustellen? Wie viel Irrwitz steckt in dieser Tatsache? Warum werden alternative Antriebsformen für PKW kaum bis gar nicht diskutiert? Als bilde das E-Auto nur Alternativlosigkeit ab. Geforderter Verzicht, politisch gewollte Verteuerung sämtlicher Energienutzungsformen führen in ihrer Gesamtheit letztlich naturgemäß zu Verlust von Arbeitsplätzen und Existenzen, wie oben bereits erwähnt und belegt. Geht es dabei tatsächlich nur um den sogenannten Klimaschutz, der nun mit brachialer Gewalt und ohne jegliche vernünftig nachvollziehbare Ideologie durchgesetzt werden soll, mag kommen, was wolle? Jede Stimme, die diesen Irrsinn nachvollziehbar kritisch begleitet, wird niedergebrüllt, diffamiert, als Nazi beschimpft und gesellschaftlich ausgegrenzt. Wie sagte Oskar Ernst

Bernhardt doch so trefflich? An ihren Schreien können wir sie erkennen.

Die Parteivorsitzende des Bündnis90/DIE GRÜNEN Annalena Charlotte Alma Baerbock fordert lautstark und radikal bei einer ihrer öffentlichen Reden, den von ihr bezeichneten *Klimaskeptikern* solle quasi ein Rederecht in *öffentlichen Medien* verboten werden.[234] Dies solle ihrer Auffassung nach *Standard* der *öffentlichen Medien* sein. Ein solcher *Klimaskeptiker*, dem nach Auffassung von Frau Baerbock es nicht mehr gestattet sein darf, sich öffentlich zu äußern, ist sicher auch der Klimawissenschaftler Michael Limburg, der dem europäischen Institut für Klima und Energie angehört. Er bezeichnet diese Politik des sogenannten Klimaschutzes als *„heuchlerisch und fürchterlich"*, zerstört diese seiner Auffassung nach doch die wirtschaftlichen Grundlagen des Landes und läuft diametral konträr gegen Umweltschutz.[235] Eine dort ebenfalls erwähnte Studie zeigt, wie wenig sogenannte *erneuerbare Energie* mit Umweltschutz zu tun hat. Im Gegenteil, sie belegt, dass der sogenannte, zu fördernde sogenannte Klimaschutz Umwelt zerstört und damit alles andere als nachhaltig und ökologisch ist. Die Nutzung von Solarenergie benötigt teilweise riesige Naturflächen. Sie benötigt darüber hinaus allein bei ihrer Herstellung erheblich mehr Aufwand und Energie als beispielswiese Atomenergie. Hinzu kommt die chemische Belastung für Natur und Umwelt bei der Herstellung der Solarmodule. Ähnlich verhält es sich bei der Produktion von Windenergie. *„Wir wollen, dass jede Biene, jeder Schmetterling und jeder Vogel in diesem Land weiß, wir werden uns weiter für sie einsetzen"*, so ein Zitat der Fraktionsvorsitzenden des Bündnis90/DIE GRÜNEN Katrin Göring-Eckardt. Wenn sie in dieser Rede auch von *„ökologischer Wahrheit"* spricht, meint sie dann die der sogenannten *erneuerbaren Energie*?[236]

---

[234] Eike-klima-energie.eu. Peymani, Ramin. Annalena Baerbock fordert, „Klimaleugner" aus den Medien zu verbannen. 13. November 2019: https://www.eike-klima-energie.eu/2019/11/13/annalena-baerbock-fordert-klimaleugner-aus-den-medien-zu-verbannen/
[235] Youtube.com. Klimaschutz zerstört die Umwelt! – Michael Limburg und Karl-Hermann Steinberg im Gespräch. 29.11.2019: https://www.youtube.com/watch?v=T6ZtYQ8XAhU
[236] Twitter.com. Bündnis90/DIE GRÜNEN. 25.11.2017:

Was empfinden Sie, wenn jährlich 250.000 Fledermäuse wegen geplatzter Lungen und innerer Organe qualvoll sterben, 1.200 Tonnen Insekten jedes Jahr sterben. Was empfinden Sie, wenn jeden Tag 5 bis 6 Mrd. Bienen, Käfer und Heuschrecken sterben? Wie betrachten Sie es, wenn jedes Jahr 600.000 Vögel sterben?[237] Es ist verständlich, dass Sie das Zitat von Frau Göring-Eckardt teilen, mir geht es grundsätzlich ebenso. Es ist ebenso verständlich, dass die oben genannten Zahlen auch Sie vielleicht erschüttern können. Wie gehen Sie nun jedoch damit um, wenn die sogenannte *alternative Energie* wie Windkraft, Auslöser Ihrer möglichen Entrüstung wäre?

In Deutschland gibt es ca. 30.000 Windanlagen, für die Tausende von Hektar Wald gerodet wurden.(ebd.) Belegt nicht diese Aussage den erkennbaren Widerspruch, der in der Ideologie sogenannter erneuerbarer Energie und dem dazugehörigen Zitat von Frau Göring-Eckardt steckt? So trägt offenbar die scheinbar umweltfreundliche Energiegewinnung auch zum Massentiersterben bei? Ein höchst fragwürdiger Widerspruch und deutliches Zeichen für Doppel- bzw. Pseudomoral, der hier offenkundig wird und höchst zynische Nachwirkungen mit sich trägt.

Wer sich mit dem Thema Windenergie beschäftigt, stößt zwangsweise auf das Thema Infraschall. Ein interessantes Video auf Youtube zeigt mögliche Auswirkungen dieses Phänomens.[238] Nichts im Leben bleibt ohne Folgen. Wer also Wahrheit spricht ist ein Verschwörungstheoretiker, ein Verschwörungsideologe, wie es auch Prof. Dr. Homburg vorgeworfen wird oder Schlimmeres? Demnach müsste auch Jesus ein Nazi gewesen sein, nur wusste er zu diesem Zeitpunkt noch nichts davon, ebenso wie seine Verfolger. Wahrheit schmerzt oft nicht nur, sie offenbart und enttarnt vor allem Widerspruch, Illusion, Konstruktion und somit Lüge. Neben den unzähligen

---

https://twitter.com/die_gruenen/status/934445761181487104?lang=de
[237] Youtube.com. GRÜNE zerstören die Umwelt. 10.09.2019:
https://www.youtube.com/watch?v=skmJ0ZGFlcQ
[238] Youtube.com. Windkrafträder gefährlich? Infraschall wissenschaftlich geprüft. 10.09.2019:
https://www.youtube.com/watch?v=M1Uy151CjWc&t=47s

Lügen des sogenannten Führers, hat sein damaliges Zitat auch heute noch erheblichen Nachklang. *„Je größer die Lüge, desto mehr folgen ihr."* Wer Lüge enttarnt und Wahrheit spricht, wird damit bestraft, als Nazi diffamiert zu werden, da Argumente offenbar fehlen. Doch wie sagten einst die Römer so trefflich: Et repice finem! Es ist Teil eines lateinischen Sprichwortes und besagt bzw. fordert dazu auf, bei allen seinen Überlegungen auch immer das Ende zu bedenken. Es ist offenbar ein riesiger Trugschluss und letztlich eine Lüge, zu glauben und daran festzuhalten, dass diese sogenannten alternativen Energieformen vor allem umweltfreundlich, nachhaltig und eine wirkliche Alternative sind. Wie könnten sie es auch sein, angesichts der Tatsache, dass gerade diese so ressourcenraubend sind. Das bedeutet explizit nicht, dass die Atomenergie der Weisheit letzter Schluss ist! Es belegt lediglich, dass es sich um eine andere Form, nicht jedoch zwangsweise bessere Alternative handelt.

Was geschieht nun mit dem sogenannten Giga-Projekt von Tesla, im brandenburgischen Grünheide? Auch dafür wird Waldfläche gerodet, um dort E-Autos bauen zu können, die derzeit auch ohne laufenden Motor gern in Flammen aufgehen. Irgendwie passt Brandenburg dabei gut ins Bild. Sind E-Autos wirklich eine umweltfreundlichere Alternative zum Verbrennungsmotor? Wirklich bewiesen ist dies bisher nicht. Handelt es sich also um eine umweltfreundliche und nachhaltige Energiepolitik, wenn wir E-Autos fahren? Eines wird deutlich, der benötigte Strom für ca. 200 km kostet etwa 35 Euro. Was passiert, wenn das Werk gebaut und zuvor ca. 300 Hektar Wald abgeholzt werden? Haben dort auch sogenannte Klimaschützer von Fridays-for-Future und *Ende Gelände* demonstriert, weil auch dort Wälder abgeholzt wurden? Hat die Organisation CAMPACT, die inzwischen ihre Gemeinnützigkeit vom Finanzamt aberkannt bekam, auch hierbei zu Demonstrationen aufgerufen, wie sie es beim Hambacher Forst taten? Wahrscheinlich wird davon auszugehen sein, dass Tesla in aller Ruhe sein Werk wird bauen können, handelt es sich doch um das Dogma E-Auto, während es im Hambacher Forst darum ging, den Abbau der allgemein zu verachtenden Braunkohle zu verhindern. Also gibt es auch hier scheinbar guten und weniger guten Wald bzw. gute und weniger gute Gründe zu demonstrieren? Und was ist eigentlich mit dem ach so *bösen* CO_2? Also auch hier nachhaltigen Umweltschutz durch Rodung von Wäldern, weil es ums E-Auto geht. Ganz so wie bei den Windrädern, weil es ja für den sogenannten Klimaschutz ist? Bilden nicht allein diese wenigen, dennoch wichtigen Beispiele gerade das ganze Ausmaß dieser konstruierten Irrsinnswelt ab? Es ist offenkundig, dass wir andere Lösungen benötigen. Mindestens jedoch ehrlicher werden sollten, um Spaltung überwinden zu können.

Wir benötigen eine völlig andere Sicht auf viele Dinge, eben auch auf die Energiewirtschaft. Wir benötigen in der Tat Handlungsverantwortung, auch um umweltfreundliche und ressourcenschonende Lösungen zu erarbeiten. Allein der Begriff der sogenannten erneuerbaren Energie zeigt, wie wenig Ehrlichkeit und Kenntnis vorhanden zu sein scheint. Energie ist nicht erneuerbar, sondern lediglich wandel- oder transformierbar. Diese Auffassung teilt auch der Klimawissenschaftler Michael Limburg. Deshalb geht Energie auch nicht verloren. Insbesondere die Debatte um den Naturstoff CO_2 belegt diese natürliche Ordnung. CO_2 wird von Pflanzen aufgenommen. Eine Pflanze produziert Biomasse, in dem sie das CO_2 bindet und Sauerstoff an die Umwelt abgibt. Ein natürlicher Kreislauf von Energie. Darüber hinaus ein Naturgesetz. Limburg erkennt den Irrweg, auf dem wir uns befinden und benennt diesen, wie einst Goethe es ebenso in seinem Faust tat. Doch Limburg gibt sich zuversichtlich, dass dieser Irrweg endet. Es scheint eine Frage des Wann, Wie und mit welchen Folgen zu sein. Doch bis es soweit ist, scheinen Aussagen von Frau Baerbock und Frau Göring-Eckardt Gehör zu finden.

Ein prominentes Beispiel und *Opfer* dürfte der Gesellschaftskritiker und Kabarettist Uwe Steimle sein. Der Mitteldeutsche Rundfunk (MDR), eine sogenannte öffentlich-rechtliche Einrichtung, beendete die Zusammenarbeit mit ihm und begründete dies damit, dass er sich wiederholt öffentlich dazu geäußert habe, der Sender sei zu wenig *staatsfern*.[239] Dabei ist doch gerade das eines der wichtigsten Aufgaben auch dieses Senders. Davon abgesehen, wer sich das Konstrukt des sogenannten öffentlich-rechtlichen Rundfunks einmal grundsätzlich und genau ansieht, wird zu einer sehr ähnlichen Erkenntnis kommen können und sehen, wie stark die Verflechtungen mit Politik tatsächlich sind. Doch, so haben wir es zuvor herausgearbeitet, wer Wahrheit sagt, wird sanktioniert. Abhängigkeit hält noch viel zu viele Menschen davon ab, sich der Wahrheit zu widmen, sich zu dieser zu bekennen und vor allem danach zu leben. Angst dürfte ein weiterer Aspekt sein, der vom richtigen Handeln zum Wohle des großen Ganzen abhält. Warum dann also nicht schon zu Lebzeiten? Derzeitiges Verhalten etwaiger Akteure zeigt dem hingegen oft eine auffallend große Hybris. Hochmut, Selbstüberhebung und Maßlosigkeit sind Untugenden und Laster, so der Wiener Universitätsprofessor Dr. Beck, im Dezember 2019 auf einer Tagung. Untugenden sind Verstöße gegen die natürliche Ordnung. Doch diese kommt auch und gerade im sogenannten öffentlich-rechtlichen Rundfunk mehr und mehr zum Tragen. Das Ausmaß der Verflechtungen zwischen Politik und Rundfunk verdeutlicht ein Bestseller mit dem Namen *„Die GEZ-Lüge"*.[240] Wer diese Themen benennt, wird jedoch regelmäßig ausgegrenzt, diffamiert und ebenso regelmäßig als Rechtspopulist, rechter Verschwörer und als Nazi verunglimpft. Bleiben drei Fragen: Wer konstruierte den sogenannten öffentlich-rechtlichen Rundfunk und mit welchem Ziel? Warum wird ein Autor als Verschwörungstheoretiker herabgewertet, wenn er ein Phänomen abbildet und dieses analytisch beschreibt? Da seine Analyse kritisch ist und er unabhängig agiert, es keine Argumente gegen dessen Darstellung gibt, bleibt lediglich die Diffamierung des Autors übrig. Seine Unabhängigkeit sowie sein Drang, kritische Themen zu veröffentlichen führten auch

---

239 Stuttgarter-zeitung.de. MDR beendet Zusammenarbeit mit Kabarettist. 05. Dezember 2019: https://www.stuttgarter-zeitung.de/inhalt.uwe-steimle-mdr-beendet-zusammenarbeit-mit-kabarettist.048992c5-1170-47d2-b370-27647cb98c67.html
240 Schrang, Heiko. Die GEZ-Lüge. 2. erweiterte Auflage.
Verlag „Die Silberschnur" GmbH. Güllesheim 2016

hier zu Sanktionen. Sein Facebook-Kanal wurde zeitweise gesperrt und einige GEZ Artikel gelöscht, weil er einen Fall zu einem GEZ Zahlungsverweigerer veröffentlichen wollte, der deshalb der Justizvollzugsanstalt in den Kölner Stadtteil Ossendorf überführt wurde.[241] Um Situationen zu bessern und Störungen auflösen zu können, wäre es doch sinnvoll, wenn Menschen als Erwachsene miteinander reden. Offenbart Aggression durch Verbalattacken und Sperrungen von Facebook-Kanälen nicht gerade die Hilflosigkeit entsprechend handelnder Akteure. Sind derartige Handlungen nicht sogar eher als Eingeständnis zu werten?

Bei Uwe Steimle ist das anders. Er hat mit dem MDR zusammengearbeitet, und auch er wird sanktioniert. Anstatt sich zu demokratisieren, kündigt ihm der MDR die Zusammenarbeit. Eine weitere Warnung an kritische Stimmen? Diese Konsequenz dürfte der Parteivorsitzenden des Bündis90/DIE GRÜNEN sehr entgegenkommen, scheinen ihre Forderungen dahingehend doch Früchte zu tragen. Damit befindet sie sich scheinbar in *guter* Gesellschaft. China macht es vor. Honkongs Widerstand gegen die zunehmende Einflussnahme Chinas wird nun damit bekämpft, dass der Unterricht an Honkongs Schulen, vor allem im Gemeinschaftskundeunterricht, reglementiert werden soll.[242] Dort sieht die chinesische Führung ein Problem, denn im Unterricht dieses Faches gibt es eine kritische Auseinandersetzung mit der politischen Führung in China. In diesem Zusammenhang bleibt abzuwarten, was zukünftig mit Kabarettisten wie Dieter Nuhr geschehen wird, denn auch er äußert sich nachhaltig kritisch zum Kurs von Greta Thunberg und *Fridays for Future*.[243] Was ist los in unserem scheinbar liberalen Land? Wir feiern 30 Jahre Mauerfall und die scheinbar geglaubte Überwindung des Sozialismus und

---

[241] Youtube.com. Heiko Schrang wurde auf Facebook gesperrt – einige GEZ-Artikel gelöscht. 28.02.2018: https://www.youtube.com/watch?v=aVp-p_K9rOU

[242] Tagesschau.de. Kirchner, Ruth. Lehrer kämpfen für freie Lehre. 06.12.2019: https://www.tagesschau.de/ausland/honkong-schule-china-101.html

[243] Merkur.de. Nach Wirbel um vermeintlichen Hitler-Vergleich: Dieter Nuhr stichelt erneut gegen Greta Thunberg. Aktualisiert: 29.01.2020: https://t1p.de/i6tb

erleben hautnah, wie dieses Phänomen parallel erneut auf- und ausgebaut wird?

Forderungen, wie die von Frau Baerbock und Verhaltensweisen, wie die des MDR, erinnern zunehmend an die *Bücherverbrennung* der Nationalsozialisten, am Berliner Bebelplatz, als an demokratische Prozesse und Meinungsfreiheit. Ein zu krasser Vergleich? Das Ziel der NSDAP war die Errichtung einer Diktatur. Politfunktionäre der heutigen Zeit fordern, dass Enteignung möglichst demokratisch verlaufen möge. Am 4. Februar 1933 gab es die erste Einschränkung der Meinungs- und Pressefreiheit. Am 1. Oktober 2017 ist das sogenannte Netzwerkdurchsetzungsgesetz (NetzDG) in Kraft getreten. Am 27. Februar 1933 fand der Reichstagsbrand statt, woraufhin es einen Tag später die sogenannte *Brandverordnung* gab, welche zur Einschränkung von Grundrechten führte. Danach folgte eine Verhaftungswelle gegen Funktionäre der KPD und SPD. Am 21. März 1933 war der Tag von Potsdam, mit einem Propagandaspektakel zur Eröffnung des neu gewählten Reichstags. Zwei Tage später gab es das bekannte *Ermächtigungsgesetz*. Was ist, wenn Sie diese Geschehnisse auf unsere heutige Zeit übertragen? Schulen werden geschlossen. Das öffentliche Leben wird lahmgelegt, Feste und Feiern verboten. Zur Kirche gehen wird verboten. Soziale Kontakte werden eingeschränkt und Quarantänen werden ausgesprochen. Ganze Landstriche und Häuser werden isoliert. Finden Sie das wirklich ganz normal und richtig? Haben wir nicht alle den Widerhall im Ohr, der da hieß: Wehret den Anfängen?

Es ist unerheblich, ob *noch* keine Bücher verbrannt wurden. In einer digitalisierten Welt werden stattdessen Youtube- und Facebook-Kanäle gesperrt und gelöscht. Wer Beschränkungen oder gleich Verbote von Meinungsäußerungen mithilfe einer systemimmanenten Einrichtung fordert und zunehmend umsetzt, handelt ebenso wie die einstigen Brandstifter des damaligen Sozialismus. Früher hieß der heutige Rundfunksitz des rbb am Theodor-Heuss-Platz noch Rundfunkhaus und war dem Reichspropagandaminister Joseph Göbbels zugeordnet. Interessant ist zu erwähnen, dass die Göbbels-Villa am Berliner Bogensee, in der die sogenannte Endlösung der Judenfrage von den Nazis beschlossen, die spätere Kaderschmiede der FDJ wurde.[244] Auch hier gilt, was oben bereits vielfach Erwähnung fand, damit wir den Fokus auf die entscheidenden Merkmale ausrichten können. Es geht um die vielfach zitierte Verantwortung und noch mehr um die des Bündnis90/DIE GRÜNEN Ausschuss-Mitgliedes Jürgen Trittin angesprochene *„Handlungsverantwortung"*. Wo ist diese bei derartigen Erkenntnissen zur Geschichte und Gegenwart, den Forderungen von politischen Akteuren und Verhalten von Institutionen, wie den sogenannten öffentlich-rechtlichen Einrichtungen, die in einen Kontext mit der oben erwähnten Geschichte gebracht werden können, erkennbar? Wo ist die Handlungsverantwortung eines jeden von uns erkennbar? Wer in dieser hier aufgeführten Kritik eine Diffamierung vermutet, irrt und ist lediglich von seinem Ego und ggf. Ideologie gestörten Gedanken geleitet und verblendet. Gehören Moral und Demokratie unweigerlich zusammen bzw. gehören Unmoral und Unrechtssysteme ebenso unweigerlich zusammen? Beinhaltet Demokratie nicht das Recht eine eigene Entscheidung fällen zu können und zu dürfen, ohne dafür bewertet, beurteilt und vor allem diskriminiert zu werden?

In jüngsten Tagen wird uns immer und immer wieder mitgeteilt, ja faktisch eingetrichtert, dass *unsere Wertegegemeinschaft und Demokratie* gefährdet sei. Haben Sie in diesem Zusammenhang schon einmal die Frage gestellt, ob wir überhaupt in einer solchen Wertegesellschaft und Demokratie leben? Oder wer und was mit *uns* und *Wertegemeinschaft* gemeint ist? Die einschlägige Literatur beschreibt uns, was Demokratie sein kann. Darunter zählen z. B. freie Wahlen, freie Meinungsäußerungen und vor allem die Auffassung, dass grundsätzlich alle Macht vom sogenannten Souverän, also vom Volke, ausgeht. Derartige politische Systeme werden auch als Volksherrschaften bezeichnet. Schauen wir uns beispielsweise das politische System der sogenannten Bundesrepublik Deutschland etwas genauer an, sei die Frage erlaubt, inwiefern diese Volksherrschaft mit

---

[244] Tagesspiegel.de. Berkholz, Stefan. FDJ-Schmiede und Goebbels-Haus am Bogensee. Verfall statt Erinnern – für Berlin wird das teuer. 04.01.2019: https://t1p.de/x5nw

Leben gefüllt ist. Geht alle Macht tatsächlich vom Volke aus? Wenn dem so ist, wie kann es sein, dass uns nicht Mehrheiten, sondern Minderheiten regieren? Ein kleines, anschauliches Beispiel zeigt, dass etwas dran ist, an dieser Minderheiten-These. Wie viel Bundestagsabgeordnete hat der Deutsche Bundestag? Seit der letzten Bundestagswahl vom 24. September 2017 sind es 709. Eines der größten Parlamente weltweit. Es gibt genau 15 Kabinettsmitglieder, also Ministerinnen und Minister und z. Zt. noch eine Bundeskanzlerin, die mit einer sogenannten Richtlinienkompetenz ausgestattet ist. Das EU Parlament hat derzeit 751 Abgeordnete. Die EU Kommission besteht aus 28 sog. Kommissionsmitgliedern. Aufgabe des EU Parlaments ist es, die Vorschläge der Kommission zu erörtern und darüber zu befinden. Wer legitimiert Ministerinnen und Minister des Bundeskabinetts sowie die 28 Kommissionsmitglieder der EU Kommission, die sehr weitreichende Kompetenzen innehaben? Wer wählt eigentlich die Richterinnen und Richter in diesem Land? Wer wählt und bestimmt wiederum die Polizeipräsidenten und Präsidentin? Wer entscheidet über Besetzung von Staatssekretären und Sekretärinnen? Wer entscheidet über deren Anzahl? Und wer entscheidet darüber, welche Kompetenzen diese Menschen mitbringen, um überhaupt *„Handlungsverantwortung"* übernehmen und entsprechende Positionen besetzen zu können und zu dürfen? Sie? Ich?

Dazu ein Zitat des einstigen Bundeskanzlers und damaligen Herausgebers der ZEIT, Helmut Schmidt, das im Jahre 2011 im *Zeitmagazin* veröffentlicht wurde: *„Jemand, der in die Politik geht, ohne einen Beruf zu haben, kann mir gestohlen bleiben. Ich kenne leider mehr als genug von denen!"*[245] Die Meinung eines erfahren Politikers über die Qualität von politischen Akteuren und sogenannten Verantwortungsträgern.

Nun noch eine weitere Frage, wer entscheidet dem hingegen über uns Bürger, und mit welcher Qualität sind diese Entscheider ausge-

---

[245] Focus.de. Hausner, Joseph. Welche Minister noch nie außerhalb der Politik einen Job hatten. 13.07.2018: https://www.focus.de/politik/deutschland/heil-scheuer-maas-von-der-uni-in-den-bundestag-welche-minister-noch-nie-einen-job-hatten_id_9254209.html

stattet, um dies vollziehen zu können? Gehen wir den Dingen doch mal etwas näher auf den Grund. Vor nunmehr fünf Jahren, am 25. Mai 2014, war die vorletzte Europawahl, die Wahl des Kreistages, der Stadtverordneten und Gemeindevertreter. Auch zu dieser Wahl ging ich. Warum? Um, wie man so schön sagt, meine Stimme an der Urne abzugeben. Vieles, was stirbt, landet in Urnen, warum also nicht auch meine Stimme? Im Wahllokal angekommen, erlebte ich gleich mehrere Merkwürdigkeiten. Riesige Wahlzettel, die kaum Platz in der Wahlkabine fanden. Kreuze durfte ich nun setzen, ich hatte ja meine Wahlbenachrichtigung mitgebracht, und darüber hinaus auch meinen sog. Personalausweis. Offenbar bewies ich damit, dass ich als Personal wahlberechtigt sei. Ich nahm also diese Wahlzettel, die mehr einer Tapete glichen und setzte mich in die Kabine. Zuvor wurde ich noch belohnt, denn ich bekam einen Schlüsselanhänger von der Stadt geschenkt, auf dem stand, dass ich *Wähler* sei. Jetzt wusste ich es ganz sicher. Damit konnte ich jetzt auch Einkaufswagen bestücken, was ja schließlich mein vornehmlicher Zweck als Verbraucher ist. Dieser Anhänger diente damit gleichzeitig einem weiteren Zweck. Wie klug, dachte ich. In der Kabine erwartete mich schon die nächste Überraschung. Dort war an einem Bindfaden ein Bleistift befestigt. Ich war etwas irritiert, denn ich hatte etwas anderes erwartet. Ich fragte nach einem Kugelschreiber, den ich jedoch nicht bekam. Stattdessen bekam ich eine Antwort, auf meinen leicht zynischen Hinweis, die mir wahrscheinlich ein Mitglied des Wahlvorstandes gab. Ich solle mir keine Sorgen machen, der Stift sei *„kopiersicher"*. *„Kopiersicher"*? dachte ich. Was hat das bitte mit einem denkbaren Tatbestand der Fälschung zu tun? Nun war ich noch verblüffter und ging noch irritierter zurück in die Kabine, denn ich wollte ja *wählen*, schließlich durfte ich dies ja angeblich auch, wie mir das Geschenk der Stadt zu zeigen vermochte. Ich vernahm ein leichtes Raunen im Raum, in dem zwei weitere Kabinen standen, die ebenso besetzt waren. Am nächsten Tag rief ich den Bundeswahlleiter an. Ich wollte es nun ganz genau wissen. Ich war sehr zuversichtlich, dass er mir meine Frage sicher beantworten könnte. Denn ich war mir unsicher, ob es richtig sei, dass ein Bleistift, statt eines aus meiner Sicht angemesseneren und eher fälschungssicheren Kugelschreibers mit dem Gesetz oder einer Verordnung im Einklang stünde. Nun, ich sprach mit einer Mitarbeiterin des Hauses, die meine Frage verstand und sie mir prompt sogar beantworten konnte. Frau Franziska B. teilte mir mit, dass dies durch den §43, Absatz 2 der Europäischen Wahlordnung (EuWO) geregelt und so in Ordnung sei.[246] Dies gelte analog für die Bundeswahlordnung §50 Absatz 2 (BWO).[247] In der Tat, denn in §43, Absatz 2 EuWo heißt es, *„In der Wahlkabine soll ein Schreibstift bereitliegen"*. Es ist nicht näher definiert, ob dieser Schreibstift ein Kugelschreiber, ein Filzschreiber, ein Bleistift oder Wachsmalkreide sein darf. Da es also nicht näher bestimmt ist, geht also auch ein *kopiersicherer* Bleistift. Einen eigenen Stift hätte ich auch nutzen können, teilte mir Frau B. noch mit. Sie sah kein Problem darin, dass die Wahlscheine, die eben eher wie eine Tapete aussahen, mit einem Bleistift ausgefüllt würden. Ich sei ja schließlich dabei, wenn die eigens von mir gefalteten Wahlzettel in die *Urne* geworfen würden. Dienen Urnen nicht eher Begräbnissen? Darüber hinaus sei die spätere Auszählung dann ja öffentlich, was grundsätzlich eine Fälschung verhindere. Nun, in der grauen Theorie ist alles möglich und vor allem gut. Ich fragte sie, was sie denn glaube, wie viel *Öffentlichkeit* regelmäßig bei der Auszählung der Stimmzettel anwesend sei? Angesichts einer Wahlbeteiligung von unter 50 % ist es aus meiner Sicht eher unwahrscheinlich, dass am Abend der Auszählung auch nur ein einziger Mensch von diesem Öffentlichkeitsgrundsatz weiß, geschweige denn tatsächlich vor Ort ist, und dann auch noch sorgfältig kontrolliert. Nein, ich frage mich, wieso muss ein Mensch, der wahlberechtigt ist, überhaupt erst in diese Verlegenheit des Zweifelns geraten? Warum wird nicht von vornherein dafür Sorge getragen, dass erst gar keine Zweifel aufkommen können? Nun, auch darauf wusste Frau B. eine Antwort. Ich möge mich doch bitte mit meiner Gemeinde in Verbindung setzen, denn dafür sei sie nicht zuständig, es sei ja schließlich alles in bester

---

[246] Bundeswahlleiter.de. Europawahlordnung (EuWO): https://t1p.de/5wxn
[247] Bundeswahlleiter.de. Bundeswahlordnung (BWO): https://t1p.de/mb3i

Ordnung. Und, ja, sie hatte auch damit recht, denn der Absatz 1, desselben Paragraphen sagt dazu aus: *„In jedem Wahlraum richtet die Gemeindebehörde eine Wahlkabine oder mehrere Wahlkabinen mit Tisch ein"*. So bleibt für mich zumindest ein merkwürdiger Eindruck zurück.

Diese Wahlordnung umfasst insgesamt 88 Paragraphen. Es sei die Frage erlaubt, wie ernst nimmt eine Art *Gesetzgeber*, in diesem Falle die Europäische Union, Gesetze und Verordnungen, wenn Sie mit diesen Grundlagen Voraussetzungen für Fälschungen erst ermöglicht? Wobei hier der Hinweis erlaubt sei, dass die Europäische Union gar kein Gesetzgeber im klassischen Sinne ist, da diese kein souveräner Staat ist. Aber auch hier ist alles in Ordnung, denn die Kommission schickt deshalb ja auch Richtlinien an die sogenannten Mitgliedstaaten, die diese dann in Gesetze umzusetzen haben. So etwas nennt man dann wohl Umgehungstatbestand.

Wie ernst darf ich unter diesen Voraussetzungen das politische Gebilde der Europäischen Union grundsätzlich betrachten? Wir schielen immer wieder auf andere Länder, die angeblich von der OSZE beobachtet werden müssen, weil dort gewisse Unregelmäßigkeiten und/oder Wahlmanipulationen an der Tagesordnung sind. Wir schielen intensiv auf Länder, wie die Ukraine und schicken dort Wahlbeobachter der OSZE hin. Doch wie ist es im eigenen Land und den Nachbarländern Europas bestellt, die zur EU zählen? Wie verhält es sich in der EU? Alles bestens? Ist hier wirklich alles besser, wenn in den Wahlkabinen *kopiersichere* Bleistifte und Schlüsselanhänger ausliegen oder steht dies lediglich als Synonym?

Mich verlässt das Vertrauen und ich frage mich, warum so gehandelt wird, obwohl es doch so einfach wäre, durch entsprechende Regelungen Grundlagen für Vertrauen zu schaffen. Warum wird beim sog. Wahlvolk Unsicherheit produziert und Misstrauen geweckt, während es doch auch sehr viel einfacher und glaubwürdiger geht? Oder hat die Wahl letztlich gar nicht die Relevanz, von der wir als Wahlvolk ausgehen? Das Zustandekommen der neuen Kommissionspräsidentin von der Leyen könnte ein guter Hinweis darauf sein, denn sie wurde von niemandem gewählt. Sie stand nicht einmal zur Wahl, sondern wurde letztlich eingesetzt und vom EU Parlament, wie so häufig abgenickt. Derartige Realitäten dürften höchst anschaulich verdeutlichen, dass auch die EU keine demokratische Einrichtung ist. Auf diese Weise wird Unsicherheit geschaffen und diese dann angeblich mit einem Öffentlichkeitsgrundsatz zu begründen und zu klären versucht.

Dieses Prinzip führt uns nach Übersee. In den USA gibt es quasi ebenso eine *Bleistift-Regel*. Dort darf zunächst alles Mögliche und vor allem Unmögliche z. B. an sog. Lebensmitteln, die wiederum alles Mögliche und vor allem Unmögliche beinhalten dürfen auf den sogenannten Markt gebracht werden. Erst dann, wenn es z. B. Kranke oder vielleicht Tote gibt, werden diese Lebensmittel ggf. wieder vom Markt genommen. Dazu sind jedoch oftmals langjährige Klagen notwendig, in denen nachgewiesen werden soll, dass es genau an diesem „Lebensmittel" lag. Sollte ein Kläger tatsächlich bis zum Schluss, vor allem finanziell durchhalten können und letztlich sogar vor Gericht noch Recht bekommen, wird diesem, im Gegensatz zu Regelungen in europäischen Ländern, überdurchschnittlicher Schadenersatz gezahlt. Es mag sein, dass es finanzielle Leistungen gibt, fraglich ist jedoch, ob dies die zuvor verlorengegangene Gesundheit ersetzt. Noch ist diese Regelung in Europa anders, doch sog. Freihandelsabkommen wie TTIP können diesen Zustand ändern. Wollen wir wirklich diese Art von US-amerikanischen *Bleistift-Regelungen* übernehmen? Das oben Genannte ist doch bereits peinlich und weitreichend genug, finden Sie nicht auch?

Abgesehen davon, wer von Ihnen weiß und nutzt überhaupt dieses von Frau B. erwähnte Kontrollprinzip? Haben Sie bei Ihrer Wahlbenachrichtigung diese Info etwa gleich mit dazu erhalten? All diejenigen, die ich danach gefragt habe, wussten es nicht. Und so bekommt die Aussage, dass Unwissenheit vor Strafe nicht schützt, eine völlig neue Bedeutung. Frei nach einem möglichen Motto, tja, wenn du nicht weißt, dass du dazu angehalten bist, die Möglichkeit einer Wahlfälschung durch ein solches Handeln verhindern zu können, dann darfst du dich eben nicht wundern, wenn am Ende durch diese

Nichtwahrnehmung der Kontrolle Betrugsfälle vorkommen können. Und Mitglieder von Parteien, das haben wir oben gelernt, dürfen betrügen und lügen, ohne dafür haftbar gemacht werden zu können. Schließlich haben sie sich diese „Freiheit" selbst eingeräumt. Wodurch? Na, durch unser Wählervotum, in dem wir unsere Verantwortung bei jeder Wahl an sie abgegeben haben. Deshalb heißen sie ja auch Abgeordnete. Nicht wir machen die Gesetze, sie sind es. Und sie nutzen diese Möglichkeit für sich aus. Tja, da stehen wir und klagen, doch wir selbst waren und sind es, die schließlich diesen letzten Akt der Kontrolle nicht vollziehen. Ist ein solches Handeln und Bewusstsein moralisch und von Ehrlichkeit geprägt?

Moral, so zeigt dieses anschauliche Beispiel, ist Grundlage für ein friedliches und verständnisvolles Zusammenleben in Eintracht. Unmoral hebelt diesen Grundsatz aus und schafft Zwietracht, wie wir sie auch in unserer heutigen Gesellschaft erleben. Oberflächlich betrachtet, erscheinen Moral und Demokratie in der heutigen Zeit eher als leere Worthülsen. Beide Begriffe werden heute wie selbstverständlich ge- oder sagen wir besser be-nutzt und zwar immer dann, wenn sie gut ins „Bild" passen. Ungerechtigkeiten, Rechtsbrüche, Rechtsbeugung, Demütigungen und gesellschaftliche Ausgrenzungen und Drangsal, werden in den Martinsmantel der Demokratie und gesellschaftliche Notwendigkeit gehüllt und fälschlicherweise mit eben dieser gerechtfertigt. Ressourcen wie Zeit und vor allem Geld für moralische und gesellschaftlich zweifelsfreie Taten stehen scheinbar nicht zur Verfügung. Moral scheint im Gegensatz Privat- bzw. Geschäftsbanken eben nicht *systemimmanent* zu sein. Ist dem wirklich so? Ist es nicht eher so, dass für das, was als wichtig anerkannt wird, sämtliche Ressourcen zur Verfügung stehen?

Schauen wir uns dazu allein die letzte weltweite Finanzkrise an. Woher kommen diese Hunderte von Mrd. Euro, die ganz plötzlich aus dem Nichts auftauchen, während uns doch zuvor immer und immer wieder versichert wurde, dass kein Geld für gesellschaftlich notwendige Projekte und Vorhaben vorhanden sei? Eine Wahrheit könnte sein, dass Moral und Demokratie mittlerweile vielfach von denen belächelt wird, die uns gebetsmühlenartig die Propaganda dieser angeblichen Geldknappheit eingetrichtert haben. Was sind die Auswirkungen für den Verfall von Moral und Aushöhlung bzw. falschem Verständnis von Demokratie? Was ist der Grund für das Belächeln und den Missbrauch dieser Begriffe? Eine Antwort könnte in einem Zitat von Albert Einstein stecken. Er sagte einst, dass die Welt nicht von denen bedroht würde, die böse seien, sondern von denen, die das Böse zuließen. Liegt es an uns allen, die wir uns um Moral und Demokratie zu wenig kümmern? Fehlt es uns an der notwendigen Achtsamkeit, oder waren wir nur zu sehr mit anderen, scheinbar wichtigeren Dingen beschäftigt bzw. abgelenkt? Sind wir zu bequem geworden, um uns um Moral und Demokratie zu kümmern? Denken wir, dass Moral und Demokratie nicht sonderlich schützenswert sind, da beides ja ohnehin in unserer Gesellschaft vorhanden zu sein scheint und automatisch erhalten bleibt, ebenso wie Freiheit? Nun wundern wir uns, dass dem offensichtlich nicht so ist und fragen uns, warum die Welt angeblich so rau geworden ist?

Es ist vergleichbar mit einem schwerkranken Menschen, der in seiner Situation oft nicht einmal gefragt wird, was ihm aus seiner Sicht denn helfen könnte. Ebenso, wie dieser schwerkranke Mensch, leiden auch diese Begriffe offenbar unter einem falschen Verständnis und einer zu geringen Sorge und Aufmerksamkeit. Doch welches Verständnis wäre besser, wenn die These vertreten wird, dass das derzeitige Verständnis von Moral und Demokratie missbräuchlich verwendet wird? Ein an Krebs erkrankter Mensch wird nach wie vor und überwiegend mit einer höchst zerstörerischen Methode *behandelt*. Und viele, zu viele Menschen sterben letztlich an dieser *Behandlung*. Eine Ursache–Wirkung- und ganzheitliche Betrachtung einer möglichen Kausalkette bleiben eher unberücksichtigt. Nach ihr gefragt wird schon gar nicht. War es nicht Virchow der sagte, dass das Problem halt dort ist, wo es auftritt? Der Mensch ist ein komplexes und ganzheitliches Wesen, die Betrachtung eines gesundheitlichen Problems, wie Virchow es sah, dürfte dabei sicher deutlich zu kurz gegriffen sein. Und so wird oft pauschal behandelt, wie es über die Jahre der medizinischen Ausbildung erlernt wurde. Wer ein *Problem* mit Bakterien hat, bekommt eben ein Antibiotikum. Wer an

Krebs erkrankt ist, bekommt eine Chemotherapie. Wer das nicht will, dem wird ungefragt mitgeteilt, dass er ohne stirbt. Selbstverständlich handelt es sich in den meisten Fällen um ein sog. Breitband Antibiotikum, denn der Arzt oder die Ärztin weiß in den meisten Fällen ja nicht, um welches Bakterium es sich genau handelt, denn dazu wäre eine aufwändigere Diagnose notwendig, und dafür haben die meisten Ärzte keine Zeit. Der Warteraum für Patienten ist voll, und diese sind ungeduldig. Also, warum nicht gleich die volle Chemiekeule, es wird schon helfen. Vergleichen Sie diese Methode einmal mit einem Finanzberater. In den Medien gäbe es einen riesigen Aufschrei, würde er diese ad hoc-Methode verwendet. Selbstverständlich werden junge wie alte Menschen gleichwertig auf diese Weise *behandelt*. Mit dem qualitativen Unterschied, dass ein junger Mensch in der Regel sein Leben noch vor sich hat. Auf diese Weise werden Dispositionen für die weiteren Jahre geschaffen. Dabei wissen wir doch längst, welche Auswirkungen ein Antibiotikum auf uns und unsere Umwelt hat. Es darf die Frage erlaubt sein, welch merkwürdige Behandlungsmethode dort immer noch verwendet wird?

Darüber hinaus stellt sich hier die Frage, ob ein solch langes Studium überhaupt notwendig ist, wenn derartige Behandlungsmethoden dabei herauskommen. Ist erlerntes Wissen also ein Garant für tatsächliches Wissen? Jeder Mensch ist letztlich anders als ein anderer. Wie kann also eine immer gleiche und standardisierte Behandlung eine Lösung für jedes Individuum sein? Wir dürfen uns ins Bewusstsein rufen, dass es für jede Wirkung eine bzw. mehrere Ursachen gibt. Wir dürfen uns auch in unser Bewusstsein rufen, dass Medikamente in allererster Linie dazu dienen, etwas zu unterdrücken und eben nicht zu heilen. Mit dieser Unterdrückung werden Milliarden verdient. Eine tatsächliche Heilung kann auf dieser Grundlage nicht stattfinden. Die Frage ist ohnehin, ob es auf dieser Ebene überhaupt gewollt ist? Berücksichtigen wir, ein Patient, der gesundet, ist in den allermeisten Fällen daher nicht durch oder wegen des Medikaments, sondern trotz des Medikaments geheilt worden. Hätte Gott gewollt, dass wir für unseren Heilungsprozess Medikamente von Pharmakonzernen benötigen, hätte er uns sicher die Pharmaindustrie gleich mitgeliefert. In gewisser Weise tat er dies sogar, wir haben es nur vielfach vergessen oder verlernt. Es ist die Natur, die uns alles gibt, was wir benötigen. Nein, heilen können wir uns nur selbst, in uns und durch uns selbst. Durch die Medikation schaffen wir oft nur neue Dispositionen. Denken wir an die Nebenwirkungen und Hinweise durch Packungsbeilagen.

Ich gebe Ihnen zwei konkrete Beispiele, die direkt in meinem Umfeld geschehen sind. Ein junger Mann wird aus Krankheitsgründen mit Kortison behandelt und darf sich nach Jahren der Behandlung seine durch dieses Medikament durchlöcherte Hüfte entfernen lassen. Ein weiterer Mann will in den Urlaub fahren und lässt die gesamte Impfprozedur über sich ergehen. Das Ergebnis dieser Behandlung war, dass er Diabetiker wurde. Haben Sie sich nie gefragt, wie ein Medikament tatsächlich wirkt, wenn es doch so viele Nebenwirkungen hat? Ein Medikament und die klassische Medizin ist im Regelfall nicht darauf ausgerichtet, die wirklichen Ursachen für ein körperliches, psychisches und mentales Signal herauszufiltern, denn dieses Gesundheits- oder sagen wir besser Krankheitssystem behandelt Symptome, nicht die Ursachen. Sie *kämpft* meist gegen den Körper, als sei er auf dem falschen Pfad. Wie kann ein über Jahrtausende entwickelter und grundsätzlich funktionierender Organismus letztlich und grundsätzlich jedoch falsch sein? Warum drehen wir den Spiegel nicht einfach um und gehen davon aus, dass der Körper letztlich immer richtig für uns handelt? Haben Sie sich schon einmal gefragt, warum ein gern verschriebenes Medikament Anti-Biotikum heißt? Anti, also gegen etwas und Bios, das Leben, also gegen das Leben. Lassen Sie es ruhig auf sich wirken und denken einfach einmal in Ruhe darüber nach, was tagtäglich in Arztpraxen verschrieben wird und Sie bereitwillig und leider oft zu unkritisch zu sich nehmen. Was glauben Sie, wer wird die Verantwortung für gesundheitliche Komplikationen, Nebenwirkungen oder Folgeschäden übernehmen? Damit Sie diese Ausführungen richtig verstehen, es geht nicht darum, eine Berufsgruppe oder Branche an den Pranger zu stellen oder zu diffamieren. Es geht darum, ein entsprechendes Bewusstsein für Verantwortung und *„Handlungsverantwortung"* zu schärfen und zu entwickeln, um verantwortungsbewusst zu handeln. Wenn ein Symptom *bekämpft* wird und dies mit Mitteln, die schon so heißen, dass sie gegen das Leben gerichtet sind: Wie sollte dieses Bewusstsein und das dazugehörige Handeln dann letztlich zur Heilung führen können? Heilen und helfen können wir uns und unserem Körper schlussendlich nur selbst. Medikamente können in Akutsituationen Leben retten. Langfristige Einnahmen führen jedoch regelmäßig zu weiteren Befindlichkeitsstörungen. Solange wir nicht für uns selbst erkennen, dass es in letzter Konsequenz nur so funktioniert, wird sich die jeweilige Situation nicht verbessern. Hilf dir selbst, dann hilft dir Gott, heißt es. Wenn wir dieser Aussage folgen und ihr Glauben schenken, uns ernst nehmen und selbstwirksam handeln, dürfen wir wieder Vertrauen in uns und vor allem Gott tragen.

Auf diese Weise können Sie ihre eigene Situation verbessern. In der heutigen Zeit scheinen Eigenverantwortung und der Glaube an die göttliche Kraft verloren gegangen zu sein. Heute sind anstelle von Eigenverantwortung und göttlicher Kraft Fremdbestimmung und Götzenanbetung getreten. Unter diesen Voraussetzungen liegt es nahe, dass unser Umgang mit Moral und Demokratie mit dem eines kranken Menschen vergleichbar wird. Demokratie und Moral werden massiv mit einer Art Chemotherapie *behandelt*. Wie kann eine Behandlung als letztlich sinnvoll bezeichnet werden, wenn derart viele Menschen daran sterben? Die Krankheit an sich ist dabei nur eine Auswirkung, eine Abbildung. Viel wichtiger sind die Gründe, also das Warum? Warum erkranken im Land Brandenburg drei von zehn Einwohnern an Krebs? Wieso sind krebskranke Menschen bereit, eine solch leidvolle Tortur, wie die einer Chemotherapie über sich ergehen zu lassen, wenn letztlich jeder zweite Fall einer Krebserkrankung in Deutschland nicht geheilt wird? Ist es ein Mangel an Kenntnis, Hoffnungslosigkeit und Angst? Wir erinnern uns an die Erfolgs-Formel von Dr. Frädrich, die besagt, dass Erfolg durch den Dreiklang des Wollens, Könnens und Dürfens vorausgeht. Wenn diese Faktoren ausschlaggebend für das Verhalten eines kranken Menschen sind, warum sollte dies dann nicht ebenso auch für Moral und Demokratien gelten?

Unser Verständnis und unser Bewusstsein leiten unseren Umgang mit Krankheit, Moral, Demokratie und allen anderen Begriffen. Mag uns unser Bewusstsein zu Dingen auch noch so selbstverständlich erscheinen, hinterfragen und überprüfen dürfen wir es dennoch immer wieder. Stellen wir einen Vergleich mit einem Auto her. Was zeigt uns die Erfahrung? Muss ich Mechatroniker sein, um zu erkennen, dass ein gepflegtes Auto eine längere Lebensdauer haben wird als ein ungepflegtes? Wie entscheiden Sie, wenn Sie sich ein Auto kaufen? Ist es Ihnen egal, ob dieses Fahrzeug gepflegt wurde oder nicht? Wenn diese Erkenntnis für den Kauf eines Autos eine Rolle spielt, wieso sollte es dann bei Begriffen wie Demokratie oder Moral anders sein? Wenn wir ein besseres Bewusstsein besitzen, warum handeln wir nicht besser? Fehlt es uns an Alternativen? Gibt es diese Alternativen überhaupt? Patienten, denen über den Weg der Chemotherapie nicht geholfen werden kann, gehen offensichtlich den für sie falschen Weg. Wäre er richtig, würden sie immer geheilt, denn darum geht es doch, oder? Ihnen wird vielfach jedoch nicht geholfen, weil sie dadurch letztlich eben nicht geheilt werden. Ebenso verhält es sich mit dem Umgang von Demokratie und Moral. Ein falscher Umgang, ein falsches Verständnis, kann niemals zum richtigen Ergebnis führen. Ein Mensch ist kein Lebewesen von der Stange und schon gar keine Sache. Was dem einen hilft, muss nicht zwangsläufig gut für jeden anderen sein. Oft kann es sogar zum unbedingten Gegenteil führen. Individualität ist mitunter mühsam und anstrengend. Gleichgeschaltete Menschen sind es jedoch letztlich auch. Ein Mensch, der nur tut, was man ihm sagt, macht eben auch nur das, was man ihm sagt. Wenn dieser Mensch aufgehört hat, selbständig zu denken und danach zu handeln, bedarf es immer neuer Impulse. Ist das einfacher?

Mit der Demokratie verhält es sich ebenso. Mehr noch, denn echte Demokratie setzt Individualität, Selbstreflexion, Wissen, Gewissen und Eigenverantwortung zwingend voraus. Demnach kann Demokratie ebenso wie Individualität anstrengend und häufig mühsam sein. Demokratie und Menschen von der Stange könnten vielleicht partiell einfacher im Umgang erscheinen, wären sie jedoch auch besser für eine Gesellschaft? Es ist der Anspruch, nicht die Anstrengung? Wie immer, kommt es auch hier darauf an. Zu klären wäre zunächst einmal, welche genauen Vorstellungen wir von Gesellschaft und gesellschaftlichen Zusammenleben haben? Ein Mensch und eine Demokratie, welche an Individualität, freiem Handlungswillen und die Fähigkeit für beides verliert, verliert ihre Sinnhaftigkeit. Eine solche Realität hätte nichts mehr mit Individualität und Demokratie im eigentlichen Sinne zu tun. Dennoch, ein solches Bestreben wird auch in der heutigen Entwicklung immer deutlicher. *Unisex* oder *Gender Mainstream* sind da nur zwei Indizien für diesen Weg. Gleichgeschaltete Menschen in einer Schein-Demokratie und Herabwürdigung durch eine Gender-*gerechte* weitere Versachlichung des Menschen, sind einfach in ihrer Handhabung, so die Annahme. Doch, *„es irrt der Mensch, solang er strebt"*, heißt es auch hier sehr trefflich.

Aus politischer Sicht ist dieser Weg für bestimmte Akteure vielleicht ein höchst reizvoller und anzustrebender Weg; das war er zu jeder Zeit. Diese Sicht traf und trifft jedoch nur auf einen sehr kleinen, dennoch nicht minder einflussreichen Teil der Menschheit zu. Wenn wir uns unser gesellschaftspolitisches Umfeld ansehen, so wird zunehmend deutlich, dass wir uns erneut mitten in einem solchen Prozess befinden. Und so stellt sich die Frage, warum geschieht dies, obwohl wir in einer Zeit des Überflusses an Information leben? Dieser müsste doch eher dazu beitragen, dass das genaue Gegenteil stattfindet. Verwirrt nicht die Verwirrten. Wer kann schon genau unterscheiden, was wichtig, richtig und gut ist, werden wir doch zweifelsfrei mit vielen anderen, vornehmlich unwichtigen Dingen beschäftigt. Doch vielleicht ist gerade dies das Problem? Wer gibt eigentlich diese Informationen? Wer macht sie? Wer sondiert sie? Wer versteht sie? Und vor allem, wer deutet diese vielen Informationen entsprechend richtig? Brauchen wir diesen inflationären Informationswust überhaupt oder dient gerade dieser Wust an Informationen der Verwirrung? Ist vielleicht beabsichtigt, dass kaum noch ein Mensch versteht, worum es überhaupt geht? Verwirrung schaffen könnte also eine Methode sein, um letztlich völlig orientierungslose Menschen in die *richtigen* Bahnen lenken und leiten zu können. Panik kann helfen. Dabei ist jeder von Geburt an mit dem notwendigen Navigationssystem ausgestattet. Wir brauchen nur das Bewusstsein darüber, dass dies so ist, damit dieses System auch von jedem entsprechend genutzt werden kann. Doch dieses Bewusstsein ist vielen von uns durch Ablenkung, Schaffung von Verwirrung scheinbar abhandengekommen und durch Fremdsteuerung genommen worden.

Konzentrieren wir uns auf die wesentlichen Dinge im Leben und trauen uns, einer höheren Macht zu vertrauen. Wer Gottvertrauen hat, braucht keine falschen Propheten und Götzen. Eine andere Annahme ist, dass eine funktionierende Gesellschaft eine bestimmte und vor allem gelenkte Ordnung benötigt. Und da macht es unbedingt Sinn, wenn eines Tages einer oder wenige daherkommen und die Menschen mit ihrer Sicht einer neuen Ordnung beruhigen wollen, um deren Orientierung schaffen bzw. durchsetzen zu können. Doch seien wir auf der Hut und stellen uns in einem solchen Falle die Frage, welche Absicht tatsächlich hinter dieser Maskerade steckt, dass diese *Ordnung* gut, notwendig und vor allem alternativlos für uns alle sei! Was momentan noch wichtiger ist, wer zieht die richtigen Schlüsse aus der Flut von Informationen? Das Erkennen von Lüge und Wahrheit kann helfen. Außerdem wird die These vertreten, dass mit dem richtigen Messinstrument die entsprechend richtigen Schlüsse gefasst werden können. Als wirksamer Gradmesser kann das *richtige* Verständnis von Moral und Demokratie dienen. Doch, gibt es überhaupt ein richtiges Verständnis für diese Begriffe? Wirkt es nicht eher anmaßend, zu behaupten, *das richtige* Verständnis von Moral zu haben und vermitteln zu können? Moral ist nicht einklagbar. Woran liegt das? Wer könnte ein Interesse daran haben, dass Moral eben nicht einklagbar ist, während Schuld es wiederum ist? Wäre es gut, wenn Moral ebenso wie Schuld einklagbar wäre?
Ich verdeutliche Ihnen an einem konkreten Beispiel, dass Moral nicht einklagbar ist. Anschließend werde ich aufzeigen, warum es gar keinen Sinn macht, Moral, ebenso wie Schuld bzw. anstatt von Schuld, einzuklagen. Der Fall liegt zwar schon einige Jahre zurück, wurde jedoch im Internet neu als Scherz verbreitet. Heute kaum vorstellbar,

entschied ein Arbeitsgericht in Deutschland Anfang der 80er Jahre, dass Gruppensex während der Arbeitspause kein Kündigungsgrund sei. Zwei Ausbildungsmeister und vier Damen des Küchenpersonals, ausgerechnet in einer katholischen Einrichtung, *entluden* sich angeblich während ihrer Pause und wurden dabei beobachtet. Die *Ebersberger Neueste Nachrichten* berichteten am 10. Dezember 1982 zu diesem Vorfall.

Einmaliger Gruppensex von Beschäftigten während einer Arbeitspause ist **kein Kündigungsgrund,** so das Arbeitsgericht München. Das Berufsbildungswerk der katholischen Kirche in Ebersberg hatte fünf Beschäftigte wegen Verstoßes gegen die Moral gefeuert.

Abbildung 7

Nun, ob diese Geschichte tatsächlich so stattfand, soll hier nicht näher erörtert werden, da es für das Buchthema von geringer Relevanz ist. Wichtig für das Thema dieses Buches sind jedoch gleich drei Erkenntnisse. 1. Moral ist nicht einklagbar, was durch dieses Urteil höchst anschaulich verdeutlicht wurde. 2. Ist Moral das bessere

Instrument als das Recht? 3. Für Moral gibt es scheinbar keine klaren Richtlinien.

Kommen wir zu Punkt eins. Wie dieses Beispiel höchst anschaulich zeigt, ist Moral per Gericht nicht einklagbar. Es gibt keine einzige Norm, auf die man sich berufen könnte. Zwar wird im Recht beispielsweise von *Sittenwidrigkeit* im Sinne eines Verstoßes gegen *das* Anstandsgefühl aller billig und gerecht Denkenden gesprochen, doch fällt dabei auf, dass weder der Begriff der Moral verwendet wird, noch konkret jeder einzelne Begriff mehr Klarheit über Moral schafft. Wer oder was ist ein *Anstandsgefühl,* und wer kann als billig und gerecht Denkender bezeichnet werden? Auch diese Sicht schafft außer Verwirrung nur weitere Unklarheit und Fragen. Fraglich ist ohnehin, ob Gerichte die richtigen Ansprechpartner zur Klärung von Moral sind. Handeln sie selbst doch häufig unmoralisch. Die Antwort lautet daher auch schlicht, Gerichte sind vielleicht für die Klärung von Rechtsfragen zuständig und geeignet, wie das oben geschilderte Beispiel mit seinem rechtlichen Ergebnis belegt. Wer oder welche Institution könnte dann jedoch für die Klärung moralischer Fragen geeignet sein?

Nun, auf den ersten Blick vielleicht kirchliche Institutionen. Angesichts der Tatsache, dass sowohl die katholische Kirche mit ihren immer wiederkehrenden Skandalen und Skandälchen Schlagzeilen macht und die evangelische Kirche, die bei ihren Kirchentagen eher geneigt ist, Wettbewerbe für Vulvenmalen auszuloben, dürften sich beide Institutionen für derartige Aufgaben ins Abseits manövriert haben. Auch hier kann eher von einem Sittenverfall, im Sinne des Wiener Universitätsprofessors Beck, denn von Geeignetheit die Rede sein. Diese Institutionen sind demnach allein aus den erwähnten Realitäten heraus als ungeeignet zu betrachten. Fraglich ist ohnehin, ob es überhaupt einer Institution zur Klärung derartiger Fragen bedarf.

Der zweite Punkt mit der Frage, ob Moral das bessere Instrument als das Recht ist, stellt sich bei näherer Betrachtung letztlich nicht. Ebenso stellt sich nicht die Frage nach einer ggf. neu zu schaffenden Moralinstitution. Obwohl dies unter Orwell´schen Gesichtspunkten für manch handelnden Akteur von Relevanz sein könnte. Wie sinnvoll wäre es denn, wenn wir alle diese *Institution* abbilden? Bleibt zunächst der dritte Punkt. Für Moral gibt es scheinbar keine klaren Richtlinien. In der Tat, für Moral gibt es keine klaren politischen und rechtlichen Richtlinien, nicht einmal von der EU Kommission. Wobei diese zuvorderst daran interessiert ist, sämtliche Lebensbereich zu reglementieren. Haben wir uns bis heute keine wirkliche Konvention für Moral gegeben? Was ist mit der natürlichen Ordnung, zu der Moral und ein moralisches Handeln sicher gehören dürften? Moral scheint, ähnlich wie Gesundheit, eine Selbstverständlichkeit zu sein, die weder angewendet, gepflegt noch gehegt zu werden braucht. Woran mag dies liegen?

Eng gefasst könnte die Meinung vertreten werden, dass wir ja schließlich Gesetze haben. Weiter gefasst, geht es sicher um mehr. Halten wir dennoch fest, Moral findet statt, irgendwie und von irgendwem. Wozu brauchen wir sie jedoch, wenn wir ggf. nicht einmal eine klare Vorstellung von ihr haben? Schließlich haben wir doch das Schuldrecht? Wofür also Moral, wenn es für eine Klage keine Rechtsgrundlage gibt, mit der sie dann auch wirksam durchgesetzt werden könnte? Moral geht mit einer Wertevorstellung einher. Wer sollte da Urteil sprechen, ein Bundesmoralgericht? Oder eine Firma mit ähnlichem Namen? Was für einen Wert und welche Wirksamkeit hat es, wenn ich wahrhaft moralisch argumentiere, während mein Gegenüber mich dafür auslachen kann? Dies, ohne scheinbar dafür Konsequenzen tragen zu müssen? Wozu also Moral, wenn sie in letzter Konsequenz doch ohne Wirkung und Auswirkung zu bleiben scheint? Doch ist das wirklich so? Zunächst mag dies so erscheinen, doch Wahrheit bahnt sich ihren Weg. Sie befindet sich offenbar vielfach zunächst noch im Verborgenen. Wie heißt es doch so trefflich? Die Wahrheit kommt ans Licht. Sie tritt in Erscheinung, und nichts und niemand wird dies dauerhaft verhindern können, denn Wahrheit und Wahrhaftigkeit sind Naturgesetze und gehören zur natürlichen und schöpferischen Ordnung dazu. Wahrheit ist daher bis zu einem bestimmten Punkt unterdrückbar, zumindest eine Zeit lang. Da Wahrheit jedoch zur natürlichen Ordnung gehört, ist sie unzerstörbar. Sie ist ebenso ein Naturgesetz, wie es ein Naturgesetz ist, dass wir die Sonne morgens im Osten, mittags im Süden und am Abend im Westen sehen. Und so wird letztlich erkennbar sein, dass auch Unmoral und unmoralisches Verhalten Auswirkungen haben und sich diese zeigen.

Diese Erkenntnis erweist sich uns in dieser Zeit besonders stark. Sicher, Moral beruht auf der Grundlage von Freiwilligkeit und dem Bewusstsein für ein positives Wertesystem. Es braucht also einen verantwortungsvollen Umgang mit dem Begriff der Moral. Ein Schuldrecht benötigt diese Voraussetzungen nicht, denn *Schuld* ist einfach und einklagbar. Schuldrecht benötigt grundsätzlich keine Freiwilligkeit, obwohl dies auch hier von Vorteil wäre. Darüber hinaus stellt sich dennoch auch hier die Frage, ob wir überhaupt eine gesetzliche Regelung benötigen, welche die Schuld definiert und sanktioniert. Was hilft oder heilt es, wenn Gefangene nach geltendem Recht verurteilt werden? Stellen Gefängnisse eine wirkliche Lösung dar? Wäre es unter diesen Voraussetzungen nicht sehr viel sinnstiftender, wenn Moral in einem positiven Wertesystem anstelle von Schuld rückt? Wenn Rechtsprechung gemäß geltendem Recht z. B. nach dem Strafgesetzbuch, letztlich zu keiner oder zu wenig Besserung verhilft, wofür benötigen wir es dann? Klug erscheint da ein chinesisches Sprichwort, welches besagt, dass wir nicht nach einem Schuldigen suchen sollen, sondern aufgefordert sind, eine Lösung zu finden. Wenn wir uns unsere selbst konstruierten Realitäten ansehen, macht eine sinnhafte und Frieden stiftende Alternative unbedingt Sinn. Brauchen wir also eine Art Moral-Recht oder gar ein Lösungs-Recht? Letztlich also eine Mischung aus Moral und Recht?

Dies kann eher verneint werden, denn es gibt bereits eine Lösung und ein „Recht", welches wir lediglich verlernt haben anzuwenden. Es ist die natürliche Ordnung durch die Schöpfung und die damit einhergehenden Naturgesetze. Wenn diese freiwillig zur Anwendung geführt werden, benötigen wir die von Menschen konstruierten Gesetze nicht mehr. Diese Definitionen von Moral könnten in der Breite diskutiert und gesellschaftlich neu ausgehandelt werden. Grundlage dafür sind die natürliche Ordnung durch die Schöpfung und die strikte Einhaltung von Naturgesetzen. Dies freiwillig, durch die

Erkenntnis, dass nur sie zu Wohlstand, Frieden, Gesundheit, Freiheit etc. führt. Doch diese Einsicht fehlt vielfach durch Unkenntnis, bedingt durch unsere zerstörerische duale Weltvorstellung. Auch, weil wir diese Kenntnis verlernt und nicht weitergetragen haben. Wir ernten, was wir säen, das beweist uns unsere selbst konstruierte Welt der zerstörerischen Dualität.

Der Begriff der Moral führt uns zu dem lateinischen Begriff der *Moralis*, die Sitte betreffend. So kann davon ausgegangen werden, dass alles Sitten-widrige un-moralisch-, während Handeln *der* Sitte entsprechend moralisch ist. Sitte ist ein anderes Wort für Tugend, die auf Grundlage der natürlichen Ordnung der Schöpfung und Einhaltung von Naturgesetzen beruht. Der Universitätsprofessor Dr. med. Dr. theol. Mag. Pharm. Matthias Beck, der Universität Wien, wies bei einem Gesundheitskongress in Wien im Herbst 2019 auf folgende Tugenden und Untugenden bzw. Laster hin. Als Tugenden gelten Klugheit, Gerechtigkeit, Tapferkeit und Maßhalten, daher der Begriff der Verhältnismäßigkeit. Als Untugenden bzw. Laster gelten hingegen Gier, Neid, Stolz, Hochmut, Arroganz, Ruhmsucht und Trägheit, die sicherlich mit Bequemlichkeit gleichzusetzen ist. Moral benötigt Interaktion, um erkennbar werden zu lassen, ob tugendhaft oder lasterhaft gehandelt wird. Beides gilt es jedoch zu erkennen und entsprechend zu unterscheiden. Das Bestreben, Untugenden, Unmoral und Lasterhaftigkeit mit Tugenden und Moral gleichzusetzen, wird letztlich scheitern, da es gegen die natürliche, unverbrüchliche Ordnung und damit gegen Naturgesetze verstößt. Diese Auswirkungen erleben wir in unserer selbst konstruierten Welt.

Selbstkonstruktion basiert letztlich jedoch auf einer Lüge, denn sie ist, wie mehrfach erwähnt, eine selbst konstruierte Illusion im Widerspruch und damit eine Lüge. Wahrheit ist eben nicht der sich über die schöpferische Ordnung hinwegzusetzende Versuch einer Konstruktion und Illusion im Widerspruch, also einer Lüge, sondern die Schaffung des Abbildes der natürlichen Ordnung, durch die Einhaltung von Naturgesetzen. Dabei stellt sich die Frage, handelt und kommuniziert ein Mensch moralisch oder nicht? Der Soziologe Niklas Luhmann geht davon aus, dass Kommunikation dann moralische Qualitäten annimmt, wenn und soweit sie menschliche Achtung oder Missachtung zum Ausdruck bringt. Bei Luhmann steht erkennbar eher die Kommunikation an sich im Vordergrund, dennoch wird Moral vom Aspekt des Umgangs miteinander und seinem Umfeld geleitet. Jeder Endpunkt des Handelns durch vorherige Kommunikation lässt erkennen, ob Moral bzw. Unmoral dieses Handeln prägte. Auf diese Weise kommen wir dem mehrfach genannten Begriff der *„Handlungsverantwortung"* ein gutes Stück näher. Moral hat also insbesondere auch etwas mit Verantwortung und Handlung bzw. Verantwortung in der Handlung zu tun. Es stellt sich also die Frage, ob wir uns und unser Umfeld im Umgang miteinander achten oder eben nicht.

Moral ist ein gesellschaftliches Anliegen, das Bewusstsein und Wissen voraussetzt, um die Wirksamkeit dieser Moral entfalten und erkennen zu können. Wer nicht weiß, was moralisches Handeln beinhaltet und bedeutet, ist im groben Maße manipulierbar. Denn je nach Interaktion wird deutlich, ob moralisch oder unmoralisch gehandelt wurde. Diese Erkenntnis wird uns jedoch nur dann zuteil, wenn wir den Unterschied von Moral bzw. Tugend und Unmoral bzw. Untugend kennen und er-kennen können. Je mehr Verantwortung in der Handlung zu erkennen ist, desto mehr kommen Moral und Unmoral zum Vorschein, auch dies ist eine Erkenntnis aus den Naturgesetzen. Eine qualitative Bewertung kann gegeben werden, wenn ein Verständnis von Moral besteht. Dieses Verständnis setzt jedoch Bewusstsein und Kenntnis im Sinne von Wissen voraus. Dieses Bewusstsein und diese Erkenntnis, also das Wissen darüber, ist wiederum notwendig, um klären zu können, was unter dem Begriff der „Sitte" zu subsummieren ist. Der Mangel an gesellschaftlicher Auseinandersetzung mit den Begriffen Sitte und Moral, kann zu einer Verrohung und einem Verfall genau dieser Gesellschaften führen, in denen weder Moral noch Sitte erkennbar und bewusst gelebt werden.

Dies wird auch durch die veröffentlichten Bilder und Videos des sogenannten *Prügelmädchens* aus Berlin verdeutlicht. Eine Psychologin erklärt dazu, dass es sich um die sogenannte „*Generation Bushido*" handelt.[248] Ein Deutsch-Rapper, der regelmäßig durch gewaltverherrlichende Videos und Aussagen auffällt. Menschen brauchen Orientierung, unabhängig vom Alter. Diese finden und erkennen wir in der natürlichen Ordnung der Welt, die von Naturgesetzen bestimmt ist. Langanhaltende Verwirrung im Leben eines Menschen, führt oft jedoch zu Orientierungslosigkeit, die in Gewalt münden kann. Lebt eine Gesellschaft keine Moral und Sitte vor oder hat sie keine Vorstellungen vom Sinn beider Begriffe, so besteht regelmäßig das Risiko, dass Teile dieser Gesellschaft dazu neigen, Gewalt als Richtwert zu empfinden, auch weil sie provoziert wurde. Kriege sind regelmäßiger Ausdruck dieses Irrweges.

Wir leben zu sehr im Verständnis des *Habens* und wenig in dem des *Seins*. Unsere Gesellschaft definiert sich noch immer vorwiegend gemäß dem Motto: Hast du was, bist du was bzw. wer. Werbung und Kinofilme verstärken dieses Bild noch weiter. Mein Haus, mein Auto, meine Yacht. Wer ein *dickes* Bankkonto hat, ist wer. Berücksichtigen wir jedoch, eine Gesellschaft, die sich vor- und überwiegend im Modus des *Habens* befindet, können Neid, Macht und Gier also Untugenden produzieren und diese abbilden. Diese Faktoren können Menschen scheinbar unstillbar nach immer mehr streben lassen. Das Ego kennt Maßlosigkeit, die zu Verderbnis führen kann. Ungezügelte Maßlosigkeit und Gier sind wie sogenannte Wanderheuschrecken. Ein „Krankheitsbild", welches durchaus mit einem drogenabhängigen Junkie verglichen werden kann.

Eine Gesellschaft, die sich überwiegend demgegenüber im Modus des *Seins* befindet, schafft die Möglichkeit einer wahren und wahrhaftigen Anerkennung seines Gegenübers. Auf diese Weise entsteht wahrhaftige Anerkennung. Im *Sein* geht es in erster Linie um Erkenntnis und An-Erkenntnis seiner ihm und ihr eigenen Daseinsform sowie der des Gegenübers, also dessen Erscheinungsbild.

---

[248] Bild.de. Generation Bushido. 11.01.2014:
https://www.bild.de/news/inland/schlagen/generation-bushido-34191880.bild.html

Anerkennung aufgrund seines Seins und nicht wegen seines Habens. Die eigene Individualität steht im Vordergrund und weniger das, was er hat. Es geht um eine möglichst liebevolle Annahme meines Selbst und meines Gegenübers. Darüber hinaus um eine ebenso liebevolle Annahme der Natur und deren Achtung. Gute Voraussetzungen, um von Menschen konstruierte Machtstrukturen sowie kranke Egoismen und Egozentrik unnötig werden zu lassen. Eine innere Herzens-Befriedigung und innerer Friede können sehr gut über diesen Weg entwickelt werden. Unsere heutige konstruierte Welt ist jedoch bedauerlicherweise noch immer vielfach vom zerstörerischen Weg des ausschließlichen *Habens*, eines gestörten Egos geprägt. Vor allem die sogenannten westlichen Gesellschaften spiegeln diese Einseitigkeit wider. Es ist, als liefen wir einarmig durch unser Leben. Dies, obwohl wir zwei Arme besitzen. Der einseitige Arm des *Habens* bedient und befriedigt unser Ego, dies jedoch bestenfalls nur für einen kurzen Moment. Da wir vielfach die Erfahrung gemacht haben, dass ein materielles *Haben* allein niemals zur inneren Befriedigung führen kann, nehmen wir irrtümlicherweise an, dass ein weiteres Habenwollen zu einer Befriedigung führen könnte. Dies kann dadurch bedingt sein, weil uns der Blick für eine wirkliche Alternative scheinbar versperrt ist. Innerer und äußerer Friede mit unserem Selbst und der Welt scheint auch dadurch zu fehlen, weil wir die wahrhaft ausgleichenden Alternativen kaum bis gar nicht zu erkennen in der Lage sind. Unsere Krankheiten sind Abbild und Zeugnis dieser Erkenntnis. Dies kann letztlich dazu führen, dass wir den eigentlichen Sinn unseres Daseins immer mehr verlieren und uns zunehmend vom Göttlichen abkoppeln. Letztlich wissen wir alle jedoch, worum es geht und was wir wirklich benötigen. Die Beatles besangen diese einfache Message in ihrem Lied, *„all you need is love"*.

Doch anstatt diesen einfachen Weg der Liebe zu gehen, um uns glücklich und gesund zu machen und zu erhalten, füllen wir die *Reparaturwerkstätten* der Psychologen und Arztpraxen. Hier soll wiederhergestellt werden, was zuvor oft von Kindesbeinen an manipulativ und auf Dauer zerstört wurde? Echte Liebe kann nur über die Anerkennung des *Seins* entwickelt werden. Manipulative und einflussreiche Kräfte haben uns jedoch in den Modus des *Habens* versetzt und halten uns in dieser Schockstarre, die letztlich, sofern wir ausschließlich darauf ausgerichtet sind und wir diese auch weiterhin zulassen wollen und werden, zur Zerstörung unseres Selbst führen kann. Dies führt unweigerlich zu menschlicher und natürlicher Entfremdung und vor allem in eine Sackgasse. Es ist ein Verstoß gegen die natürliche Ordnung des Universums und gegen Naturgesetze. Welchen Kräften dieser Weg jedoch nützt, ist offensichtlich. Ein Ausweg aus unserer selbst geschaffenen Misere ist ein Bewusstsein im *Sein* und die Ausrichtung in unser Innerstes sowie die Einhaltung und Anerkennung der einzig gültigen Gesetze: der Naturgesetze.

Haben Sie einmal darüber nachgedacht, warum es sich bei den von Menschen konstruierten Gesetzen lediglich um geltendes Recht handelt?

Gültige Gesetze können nicht von Menschen geschaffen werden, da sie weit vor der Entstehung des Menschen Bestand hatten, unverbrüchlich und unteilbar sind und ihre Gültigkeit niemals verlieren werden. Es sind die Gesetze der natürlichen Ordnung. Geltendes Recht ist eine menschliche Konstruktion und Illusion. Das Wort Bewusst-*Sein* präsentiert uns dabei höchst anschaulich, wie wichtig unser *Sein* ist. Deshalb heißt es ja auch Bewusst-*Sein* und eben nicht Bewusst-*Haben*. Je bewusster sich ein Mensch in der heutigen Zeit jedoch im *Sein* anstatt im *Haben* befindet und sich dementsprechend Anerkennung auf dieser Basis wünscht, wird noch immer vielfach enttäuscht. Letztlich besteht sogar das Risiko gesellschaftlicher Isolation und Verachtung, die wiederum in eine tiefe Depression münden kann. Schauen wir uns unsere dbzgl. selbst geschaffene Welt auch in dieser Hinsicht an.

Ein Mensch, der sein Bewusst-*Sein* schärft, befindet sich auf dem Pfad der Tugend, denn er wird erkennen, welches die einzig wahren und gültigen Lebensgesetze sind. Jeder Mensch wünscht sich und braucht Anerkennung in seinem Leben. Eine Gesellschaft, die in erster Linie bzw. ausschließlich Anerkennung auf Basis eines *Haben*-Verständnisses beruht, lässt nur bestimmten Menschen Anerkennung zuteilwerden. Dies jedoch auch nur auf einer energetisch sehr niederschwelligen und nur oberflächlichen Ebene. Deshalb gibt es Idole, denen wir oft, ja zu oft durch Götzenanbetung nacheifern. Das Problem dabei ist, dass wir den Blick für das Wesentliche, nämlich uns selbst, verlieren. Das erste und damit wichtigste Gebot heißt: *„ICH BIN DER HERR, DEIN GOTT! DU SOLLST NICHT ANDERE GÖTTER HABEN NEBEN MIR!"* Natürlich hat auch ein Mensch, der überwiegend oder ausschließlich im Sinne des *Habens* handelt und denkt ein Bewusstsein. Anerkennung im Modus des *Habens* benötigt jedoch einen Umstand, nämlich den Umstand eines Zusatzes. Dieser Zusatz kann nur von außen kommen oder eben nicht. Auf diese Weise werden Abhängigkeiten geschaffen, die auf Macht beruhen. Zudem wird der eigentliche Focus auf sich selbst verrückt, da bei dieser Sichtweise der betroffene Mensch für sich selbst nicht mehr im Focus steht, sondern dieser Zusatz des Habens. Allein das Haben führt zu Ablenkung und Abhängigkeit. Dieser Zusatz kann ein Idol oder eine Sache sein. Wir leben dann meist nicht mehr durch uns selbst, sondern durch oder wegen dieses Zusatzes und vertrauen dabei einem trügerischen Glaubenssatz, den wir uns erschaffen haben bzw. der uns durch Fremdbestimmung suggeriert wurde. Bei genauer Betrachtung wird dabei jedoch deutlich, dass nicht wir selbst diese notwendige Anerkennung bekommen, sondern dieser Zusatz. Wir machen uns abhängig, wie von einer Droge. Da wir uns selbst in diese Situation geführt haben, können auch nur wir selbst uns dort wieder herausführen.

Hier wird erkennbar, dass dieses *Haben*-Verständnis trügerisch und falsch ist, sofern wir es auf unsere gewohnt missbräuchliche Weise anwenden. *Haben* an sich ist weder falsch noch richtig. Es kommt immer darauf an, was wir damit machen und wie wir damit umgehen. *Haben* kann bei guter Anwendung Freude erzeugen. Wenn wir erkennen, dass wir einen Menschen, die Natur und was auch immer lieben, macht uns dies im Regelfall glücklich. Wenn wir dieses Haben jedoch zu einer Untugend wie Gier und Maßlosigkeit entwickeln, so wird dies auf uns und unser Umfeld negative Auswirkungen *haben*. Warum? Weil wir gegen gültige Naturgesetze der natürlichen Ordnung verstoßen *haben*. Über diesen Weg beginnen wir uns eine

Schein- bzw. Lügenwelt zu konstruieren. Wie oben jedoch bereits erwähnt, führt Lüge letztlich zu Zerstörung.

Anerkennung des *Seins* wegen bedarf keiner Umstände. Sie benötigt keinerlei Zusätze und vor allem keine Lüge. Anerkennung des *Seins* wegen ist aufrichtig und ehrlich, weil ein Mensch wegen seines Da-Seins anerkannt wird. Er wird im besten aller Sinne gesehen und vor allem erkannt. Jegliche Abwandlung davon basiert nicht auf wahrer Anerkennung. Auch und insbesondere dann nicht, wenn ich nur so tue als ob. Der Mensch rückt an die Stelle des Zusatzes des *Habens*, welches in einem *Haben*-Verständnis vorhanden ist. Diese Anerkennung ist wahrhaftig, da sie unverfälscht ist. Dadurch gibt sie den Menschen letztlich vor allem das, was sie wirklich brauchen.

Folgen wir weiterhin in erster Linie und ausschließlich dem Verständnis des maßlosen *Habens*, verlieren wir weiter an gesellschaftlicher Moral und Sitte. Übermäßiges *Haben*-wollen ist Gier, die mit Neid und Machtimpulsen einhergeht. Diese Begriffe beinhalten einen tief verankerten Mangel an Anerkennung und vor allem Selbstliebe. Zudem steckt darin ein großes Zerstörungspotenzial. Wer nur nach dem Begriff eines unmoralischen *Habens* strebt, lebt destruktiv und letztlich zerstörerisch. Unbewusste Menschen lassen sich leider nur zu gern manipulieren. Uns wird vorgegaukelt, dass wir nur dieses und jenes haben müssen, dann werden wir glücklich, schön und gesund. Eine reale Welt führt uns jedoch das genaue Gegenteil vor Augen, da sie unverfälscht und tugendhaft ist. Nie haben wir einen solch hohen Schuldenstand in der Welt gehabt. Die Menschen unserer Zivilgesellschaft werden nicht schöner, sondern dicker, hässlicher und vor allem dümmer. Das macht krank und führt in eine Sackgasse der Zerstörung und Isolation.

Was wir brauchen ist ein Bewusst-*Sein* für ein friedliches, kooperatives, rücksichtsvolles, respektvolles und nachvollziehendes Miteinander. Keine Schuld- und Schuldigen-Suche, sondern Lösungen für und aus diesem Dilemma schaffen. Moral spielt dabei eine essentielle Rolle! Sie ist der Kitt, der eine Gesellschaft und seine Individuen zusammenhält. Ebenso, wie Kitt ein Fenster davon abhält, aus dem Rahmen zu fallen. Unser Rahmen ist die natürliche

Ordnung, nach der wir uns ausrichten dürfen. Sie ist das Blut, das durch die Adern einer Gesellschaft fließt. Eine Gesellschaft ohne Moral, ist ein Körper ohne Seele und Geist. Es ist ein blutleerer Körper, reine Materie, ohne Lebenssinn. Ein unbeseelter und blutleerer Körper kann nicht leben, das wissen wir. Warum besteht dennoch allenthalben die unausgesprochene Annahme, dass es sich mit der Moral anders verhalten könnte? Wenn Moral das Blut und der Geist einer Gesellschaft ist, wieso könnten wir annehmen, dass wir ohne sie existieren können? Bei unserem Körper glauben und wissen wir, dass wir keine Überlebenschance haben, wenn wir blutleer sind und uns der Geist verlassen hat. Ein verstorbener, seelenloser Mensch sieht anders aus, als ein lebendiger und beseelter. Was für unseren Körper gilt, gilt ebenso für unsere Gesellschaft, denn auch sie ist eine Art Organismus. Eine *tote* Gesellschaft sieht ebenso anders aus als eine beseelte, energetisch angereicherte. Moral ist Teil einer Seele und Energie einer Gesellschaft und deshalb brauchen wir sie für unsere Existenz.

Mit Moral verhält es sich wie mit der Liebe, beides ist bedingungslos, deshalb ist sie auch nicht einklagbar. Moral ist wie eine Schwangerschaft. Entweder gibt es Moral, oder es gibt sie nicht. Eine schwangere Frau ist und bleibt eine schwangere Frau. Sie ist nicht ein wenig schwanger oder für einen Moment, nein, sie ist es konsequenterweise bis zum Ende, selbst wenn sie ihr Kind vorzeitig verliert. Moral beinhaltet ebenso diese Konsequenz. Auch hier wird erkennbar, dass unsere heutige selbst konstruierte Welt bedauerlicherweise oft anders aussieht. Liebe und Moral werden benutzt, als seien sie Konsumgüter, Waren, welche beliebig aus den Regalen eines Supermarktes erworben werden können. Warum geschieht dies anders im Vergleich zu einer Schwangerschaft? Nun, eine Schwangerschaft bietet keine Alternative zu sich selbst. Selbstverständlich kann sie unterbrochen werden, was allein in Deutschland 100.000 Mal jährlich geschieht, doch damit endet sie. Ob diese Abbrüche moralisch zu vertreten sind oder nicht, sei an dieser Stelle nicht näher diskutiert. Dieselbe Schwangerschaft kann nicht neu aufgenommen werden. Letztlich bleibt es dennoch dabei, dass eine Frau nur schwanger sein kann oder eben nicht. Moral bedarf derselben Vorstellung, um die nötige Wirkung und Anerkennung in einer Gesellschaft haben zu können. Wäre es anders, und diese Entwicklung wird hier bemängelt, wäre Moral schlussendlich der Lächerlichkeit preisgegeben und damit unwirksam. Eine Schwangerschaft kennt nur eine *Alternative*, Nicht-Schwangerschaft.

Mit der Moral verhält es sich ebenso. Doch hier weist die Realität ein anderes, verzerrtes und falsches Bild von Moral auf. Es bedarf also einer neuen Besinnung auf diesen Begriff, um einer Gesellschaft eine Sinnhaftigkeit geben zu können. Diese Erkenntnis führt wiederum zu der Frage, ob Moral an sich oder der falsche Umgang also eine *falsche* Moral-Vorstellung, Ursache für den Verfall des Begriffs an sich und in unserer Gesellschaft ist. Ist Moral nicht auch vergleichbar mit Macht? Macht an sich, kann als gut und als schlecht bezeichnet bzw. entsprechend gelebt werden. Letztlich ist dies durch den Umgang mit ihr gekennzeichnet. Es liegt in unseren Händen und an unserem Handeln, ob etwas gut oder schlecht wird, also unserer inneren und äußeren Ausrichtung, nicht grundsätzlich am Begriff selbst. Dabei stellt sich jedoch auch die Frage: Benötigen wir Moral und Macht an sich überhaupt?

Aus den Erfahrungen der letzten Jahrhunderte ziehen wir die Erkenntnis, dass es in dieser Welt besser hätte zugehen können, wenn Machtmissbrauch nicht vorhanden wäre, Moral hingegen schon. Eine machtvoll geprägte Gesellschaft ist oftmals eine Angst- oder Aggressionsgesellschaft, die im ständigen Ungleichgewicht lebt. Sie ist oft von Unfreiheit z. B. durch Verbote und Bevormundung gekennzeichnet. Eine Gesellschaft ohne Machtmissbrauch bietet sich als offene, aufgeschlossene, mutige und vor allem gesunde, weil angstfreie Gesellschaft, für ein Miteinander und eine Kooperation an. Wer Macht missbraucht, um an sein Ziel kommen zu können, handelt unmoralisch, undemokratisch und meist aus einem Mangel heraus. Eine Gesellschaft ohne Machtstrukturen bedeutet nicht zwingend Anarchie und Chaos, eher sogar Gegenteiliges. Inhaber von Macht suggerieren und demonstrieren uns dies vor allem deshalb, um ihre Macht erhalten zu können. Denn, auch eine Gesellschaft ohne

Machtmissbrauch bedeutet nicht zwingend eine Gesellschaft ohne Ordnung. Diese ist, wie oben mehrfach erwähnt, allgegenwärtig. Sie beinhaltet zunächst lediglich die Tatsache einer hierarchiefreien, horizontalen Ausformulierung. Ein Fundament für eine freiheitliche Demokratie, in einer anderen Ordnung, als wir sie bisher leben. Demokratie auf Basis natürlicher Ordnung und Gesetzmäßigkeit. Wo auf der Welt finden wir jedoch diesen *Zustand*?

Ich kann Macht aus Unsicherheit und Angst ausüben, wenn es mir an Vertrauen mangelt. Wichtig bei der Ausübung von derzeitigen Machtstrukturen ist vor allem, dass diese Macht verliehen wurde, damit sie ihre Wirkung entfalten kann. Die Schaffung von geltenden Gesetzen an sich ist Ausdruck und Grundlage eines solchen Verständnisses. Es ist zu beobachten, dass Menschen, denen diese Macht übertragen wurde, diese letztlich meist nicht dazu nutzen, um *Gutes* zu tun und dem Wohle aller zu dienen, sondern um einem meist kranken Egowahn zu folgen. Es braucht Reife und Wissen, um diese Verantwortung auch verantwortungsvoll wahrnehmen und ausüben zu können. Die Geschichte bietet zig Beispiele für diese Unreife. Selbst gut gemeint ausgeübte Macht ist das Gegenteil von Guter Macht, wenn diese denn überhaupt existiert. Bei der Ausübung von Macht spielt es daher auch keine Rolle, ob es sich um prominente oder nicht prominente Beispiele handelt. Das letzte Jahrhundert war durch und durch mit macht-voll handelnden Menschen besetzt, denen die nötige Reife fehlte, um den natürlichen Gesetzmäßigkeiten und deren Ordnung zu folgen. Krieg ist ein von Menschen konstruierter Machtmissbrauch und ein Verstoß gegen die natürliche Ordnung. Krieg kann daher auch kein Naturgesetz sein. Es war ein Jahrhundert mit Millionen Toten und unendlichem Leid. Zeichnet dieses Handeln eine Zivilgesellschaft aus?

Zivil kommt aus dem Lateinischen *Civil,* sprich Bürger. Eine Zivilisation, also eine Bürgerlichkeit und Bürgertum bzw. bürgerliche Gesellschaft als Zivilgesellschaft, ist bisher überwiegend von Macht und deren Konstruktionen geprägt gewesen. Sie ist hierarchisch fundamental und gleicht einer Pyramide. Eine historisch gewachsene Gesellschaft des Regierens von oben nach unten. Bis heute sind regelmäßig Gesellschaftsformen durch ein obrigkeitsstaatliches Denken und Handeln geprägt. Wenn Sie jetzt argumentieren, dass wir aber doch in einer Demokratie leben und uns dieses Thema nicht betrifft, so lade ich Sie in die Wirklichkeit ein, denn dem ist definitiv nicht so.

Ein Ergebnis unserer bisherigen Gesellschaftsformen war und ist vielfach Krieg, Zerstörung, Krankheit, Hunger Unterdrückung und Tod. Dennoch rühmen wir uns mit *unserer* angeblich humanitären Zivilisation und bezeichnen Naturvölker spöttisch als *einfach*. Doch was ist so human daran, wenn wir töten, zerstören, Krankheiten, die wir sogar nach unserer Gesellschaftsform benennen, als Selbstverständlichkeiten hinnehmen? Es gibt Kritiker, die gerade die Zivilisation als eigentliche Krankheit bezeichnen. In der Tat, denn bei genauerer Betrachtung wird deutlich, dass gerade unsere *liebgewonnene* Zivilisation Grundlage für ein machtvolles Regieren ist, anstatt vertrauensvoll und kooperativ miteinander zu leben, wie es bei Naturvölkern zu beobachten ist. Diese sogenannten einfachen Völker kennen keine Zivilisationskrankheiten wie wir. Warum treten sie dann bei uns auf?

Tief in uns verwurzelt scheint Macht eine gesellschaftliche Notwendigkeit zu sein, die wie selbstverständlich unser tägliches Denken und Handeln prägen. Das Kind erfährt in frühen Jahren die Macht der Eltern und seine eigene Ohnmacht. Der Weg geht weiter über die Schule, die nach wie vor in erster Linie auf Machtstrukturen aufgebaut ist und eben nicht auf Vertrauen und Kooperation, und damit auf einer horizontalen Ebene basiert. Ein Schüler/eine Schülerin erfährt erneut das Ungleichgewicht durch Macht und wird sich wiederholt seiner/ihrer scheinbar eigenen Ohnmacht bewusst. Letztlich regt sich Widerstand und dieser *Frust* entlädt sich z. B. in Formen von Gewalt oder Wut, wie auch bei der *Fridays-for-Future* Bewegung erkennbar ist. Schüler laufen Amok und demonstrieren damit die Macht ihrer Ohnmacht. In einem solchen Falle sogar häufig unkontrolliert. Lösungen sind weder auf der einen noch auf der anderen Seite umsetzbar. Wer aus seiner scheinbaren Ohnmacht machtvoll agiert, wie ebenso bei der *Fridays-for-Future* Bewegung erkennbar ist, verfehlt durch dieses Handeln die Lösung. Nichts wird dadurch aufgelöst. Im Gegenteil, ein solches Verhalten ist nicht besser als das, was von dieser Bewegung bemängelt wird. Wie könnte es auch sein, handeln die Akteure dieser Bewegung teilweise noch radikaler und bevormundender als diejenigen, die diese Akteure kritisieren. Diese Bewegung wird letztlich scheitern, sofern sie sich verweigert erwachsen zu werden. Auch ihr Verhalten strebt gegen die natürliche Ordnung und damit gegen Naturgesetze. Lösungen befinden sich immer auf der Ebene des Erwachsenseins. Die Lösung für eine Lösung, auch dieser Bewegung, liegt daher naturgemäß auf dem Herauswachsen, also Dissoziation, aus den derzeit zu erkennenden Strukturen und Handlungen dieser Bewegung. Sie ist alles andere als eine erwachsene und nach Lösung strebende Bewegung. Angestrebte Bevormundung und Forderungen nach immer mehr Verboten belegen höchst anschaulich, dass es sich der Beobachtung nach bei den handelnden Akteuren eben nicht um Erwachsene handelt, da ihr Handeln offensichtlich nicht mit *„Handlungsverantwortung"* gleichzusetzen ist und schon gar nicht bis zum Ende durchdacht zu sein scheint. Dieser bisher gegangene Weg ist ohne Lösung, denn er schafft weitere Konflikte. Wie kann also davon ausgegangen werden, dass Greta Thunberg die direkte Nachfolge Jesu sei? Diese Sicht beschreibt eher den erkennbaren Fatalismus und ausgeprägte Hybris. Anmaßung und Kenntnislosigkeit durch den Mangel an echtem Wissen scheinen bei dieser Betrachtungsweise vor allem deutlich zu werden.

Dieser kurze Exkurs dient zur Verdeutlichung, um Macht und Moral zu unterscheiden. Er dient dazu, zu verdeutlichen, dass Moral und Macht vergleichbar, jedoch von unterschiedlicher Natur, Qualität und Notwendigkeit sind. Wegen Moral an sich und ausschließlich ist noch niemand Amok gelaufen. Das ergibt sich aus sich selbst heraus. Ein Amokläufer handelt unmoralisch. Steht Moral jedoch nicht allein, sondern im unmittelbaren Zusammenhang mit Macht, die missbraucht wird, so ist die Bereitschaft zum Amoklauf sicher größer. Wer Moral mit Macht durchsetzen will, handelt nicht moralisch, sondern unmoralisch, das ist etwas anderes. Moral unterliegt letztlich keiner menschlich konstruierten Gesetzgebung, sondern bestenfalls einer Vorstellung als Begleitung in dieser Gesetzgebung, deshalb ist sie auch nicht einklagbar. Wirkliche Moral unterliegt den Gesetzen der natürlichen Ordnung. Gesetze an sich gehen einher mit Macht. Berücksichtigen wir, von wem Gesetze stammen und wer sie konstruiert, so erkennen wir die Intention dieser Gesetze. Dennoch kann mit Fug und Recht die These vertreten werden, dass aller Ursprung von Gesetzen mit Moral verknüpft war. Auch das bundesrepublikanische Grundgesetz fußt letztlich auf den 10 Geboten. In jedes Gesetz fließt demnach grundsätzlich Moral mit ein. Es heißt, wo die Liebe fehlt, tritt Macht an ihre Stelle. Dies wird von Moral kaum zu behaupten sein. Warum nehmen insbesondere in der heutigen Zeit Machtstrukturen zu, während Moral dafür zunehmend in die Bedeutungslosigkeit abgedrängt wird? Wer kümmert sich um Moral, wenn auch in der heutigen Zeit erkennbar wird, dass Kirche unmoralisch und machtvoll handelt?

Die Macht hat für uns einen anderen Stellenwert als Moral. Diese Tatsache hat den Wert von Moral verblassen lassen und die Macht gestärkt. Macht ist gesellschaftlich akzeptiert und vor allem durchsetzbar, eben mit Macht. Macht, so eine politikwissenschaftliche Annahme, ist notwendige Basis für ein politisches Handeln. Diese Sichtweise geht jedoch von hierarchischen Strukturen aus. Sie setzt weniger auf Kooperation, dafür jedoch umso mehr auf Konkurrenz. Unsere duale Welt ist von Kampf und gegeneinander ausspielen geprägt. Moral setzt einen anderen Menschen und ein anderes Denken und Empfinden voraus. Echte und wahrhaftige Moral bedarf eines bestimmten Bewusst-*Seins* und benötigt ein Zusammenleben auf einer Ebene. Eine Gesellschaft, die auf Macht basiert, benötigt keinen tiefsinnigen Anspruch, denn sie ist restriktiv. Eine Gesellschaft, die aus ihrem tiefsten Innern jedoch moralisch ist und danach handeln will, setzt einen bewussten Menschen in einer werteorientierten, anspruchsvollen Gesellschaft, mit viel klarem Bewusstsein voraus. Diesen Anspruch verfolgt auch der eigentliche Grundsatz einer Demokratie. Es heißt nicht ohne Grund, dass Demokratie anstrengend ist.

Einfacher hingegen scheint ein Machtstaat bzw. System in Form einer Autokratie, Oligarchie, einer momentan vorherrschenden Monekratie und Gelddiktatur zu sein. Ein solches System schenkt jedoch kein Vertrauen und birgt vor allem die Gefahr eines Aufstandes oder Krieges, solange die Bereitschaft für einen inneren Widerstand noch nicht gebrochen oder verflogen ist. Ist ein solcher Zustand jedoch zur Realität geworden, in dem selbst der innere Widerstand gebrochen ist, stirbt eine demokratische Gesellschaft und verkommt zu einer Autokratie oder bei jetziger Entwicklung zu einer Monekratie bzw. Gelddiktatur und einem politischen Sozialismus. Eine solche Gesellschaftsform ist destruktiv und zerstörerisch. Eine Welt, in der ausschließlich eine neue Form des sozialistisch gleichgeschalteten *Geld-Adels* regiert, hat mit einer Demokratie nichts gemein. Dieser *neue Adel* hat aus der Geschichte gelernt, dass nicht gleich offensichtlich und nur sehr langsam politisch Einfluss genommen werden sollte, damit niemand auf Anhieb erkennt, wer und was in Wirklichkeit beabsichtigt ist. Auf diese Weise nehmen diese Akteure fälschlicherweise an, sie hätten geschickter gehandelt als der *Adel* einstiger Tage. Der einzige Unterschied ist jedoch, dass sie bei ihrem Handeln später ertappt wurden, mehr nicht. Die heutigen Machtstrategen handeln unterschwelliger als ihre Vorgänger, die ihre Macht oft brachial durchzusetzen wussten. Heute wissen wir jedoch auch, dass niemand auf Erden von Gottes Gnaden dazu auserkoren ist, über den *Rest* einer Gesellschaft herrschen zu können oder zu dürfen. Die Geschichte beweist vielfach und wiederholt, dass jegliche Versuche selbigen Handelns an Ende erfolglos blieben. Dies hat längst auch der neue Geldadel erkannt und handelt, wie es einst die Römer taten: Einen Feind, den du zunächst nicht besiegen kannst oder willst, den umarme.

Denken wir an das Beispiel mit dem Frosch, der langsam im Wasser erhitzt wird. Dieses Beispiel ruft uns zur Wachsamkeit auf. Wer hätte gedacht, dass Ratingagenturen eines Tages das Wohl eines Staates bzw. staatsähnlichen Systems beeinflussen oder gar existenziell in Frage stellen können? Ein Staat, der nicht im Sinne einer scheinbar nebulösen Geldmacht handelt, spürt diese Macht z. B. über den

Weg einer Ratingagentur, indem er als *Wert* oder *Gut* oder als Asset herabgestuft wird. Zu einer Abkehr vom obrigkeitsstaatlichen Machtsystem hin zu einer vertrauensvollen Kooperationsgesellschaft fehlen momentan jedoch das nötige Bewusst-*Sein*, Mut und Kraft vieler Menschen. Doch zeigen Stuttgart 21 und die weltweite Occupy Bewegungen und Querdenken, wie *Civil* der Bürger ist, weil er sich zunehmend eine andere Form des Zusammenlebens wünscht und das auf diese Art der Demonstration zum Ausdruck bringt.

Die Welt ist nicht erst seit der letzten sogenannten Finanzkrise im Umbruch. Genauso wie das Klima ist auch die gesamte Welt immer dem Umbruch und der Veränderung ausgesetzt gewesen. Eine Klimaveränderung ist kein neues Phänomen. Im Gegensatz zu einst wird heute mit dieser Entwicklung jedoch eine Menge Geld verdient. Auch das ist eine Frage des Bewusst-*Seins*. Auch Globalisierung ist kein neuer Begriff oder eine neue Entwicklung. Einzig die Geschwindigkeit sowie Art und Weise sind von einer neuen Qualität. Wenn diese stressbringende und krankmachende Tatsache denn überhaupt als Qualität bezeichnet werden will. Ersetzen wir das Wort Krise für Chance und erkennen wir es als das an, was es ist, eine Veränderung, so wirkt dies ganz anders auf uns. Veränderungen erleben wir jeden Tag vielfach. Da wir diese jedoch nicht immer thematisieren und uns bewusst machen, nehmen wir sie oft kaum wahr. Ein Machtsystem verwendet jedoch lieber den Begriff der Krise, weil dieser vom Tatbestand der Angst begleitet wird. Ein Angsterfüllter Mensch ist besser handhabbar und leitbar, als ein zuversichtlich gestimmter und selbstbestimmter, selbstwirksamer Mensch, der auf Gott und das Universum vertraut. Wie oben erwähnt, arbeitet ein Machtsystem mit den höchst wirkungsvollen Instrumenten der Angst und der Panik, um Menschen besser in Bahnen lenken und leiten zu können. Corona ist ein höchst geeignetes Beispiel dafür. Ein Staat, der hingegen Hoffnung und Zuversicht schafft, lässt viel Spielraum für freie Entfaltung, Eigenverantwortung und Selbstwirksamkeit seiner zahlreichen Elemente. Sich angstfrei entfaltende Individuen sind jedoch schwieriger in ihrer Handhabung, wenn sie in einer machtzentrierten Form gelenkt werden sollen.

Wir stehen vor einer entscheidenden Zeitenwende, in der wir uns fragen dürfen und letztlich auch müssen: Welchen Weg wollen wir gehen? Wir erkennen, dass bisher eingeschlagene Wege neuer Alternativen und eines Wandels, einer Veränderung bedürfen. Bei jeder Zeitenwende bleibt die große Chance, uns diesen Umbrüchen verantwortungsvoll zu stellen und die wirklichen Lösungswege zu finden und vor allem auch zu gehen. Uns eröffnen sich momentan riesige Chancen, uns unsere Welt so zu gestalten, wie die Mehrheit der Menschen sie will, doch bedarf es dafür anderer Voraussetzungen. Mit Wir und einer Mehrheit ist in diesem Zusammenhang ein grenzüberschreitendes Wir und Mehrheit zu verstehen. Nie war grenzüberschreitender Wille so groß, gesellschaftliche Wege mitzugestalten und mitzubestimmen, wie heute. Auch wenn uns dies in unserem Bewusstsein oftmals gar nicht so erscheint. Denken wir an die Sklaverei in den USA. Denken wir an die Unterdrückung in der arabischen Welt. Denken wir an das Mittelalter und seine Unterdrückung. Setzen wir diese Aspekte in einen Vergleich, so eröffnet sich uns ein anderes Bild. Wir leben nicht mehr in der griechischen Antike, wo wir berücksichtigen müssten, dass der damalige Bürger einer bestimmten Gruppierung der Gesellschaft angehörte. In der sogenannten westlich geprägten Welt gibt es keine Sklaven im Sinne der Antike. Die heutige Sklaverei ist eher geprägt durch Tolstois Worte, dass Geld eine neue Art der Sklaverei sei. Dem ist hinzuzufügen, dass das momentane Geldsystem und seine Auswirkungen destruktiv sind und letztlich zu Ausbeutung und Sklaverei führen, da es vor allem von krankem Egoismus geprägt ist. Dennoch, heute sind wir alle dazu aufgerufen, uns den Herausforderungen dieser Zeit vertrauensvoll und kooperativ hin zu einer moralischen Wertewelt auszurichten. Eine Gesellschaft, die auf dem tatsächlichen Gedanken einer Demokratie basiert, benötigt alle Teile der Gesellschaft. Unabhängig davon, welches Alter ein Bürger erreicht hat.

Am 27. Dezember 2018 veröffentlichte der Deutschlandfunk einen Artikel mit dem Titel: *„Erfolgsmodell Demokratie – Eine Staatsform in der Krise"*. Die Autorin, Barbara Weber, schrieb dort: *„Noch nie gab*

es weltweit so viele Länder, die sich selbst als demokratisch bezeich-
nen. Doch der Vormarsch des Populismus, die Einschränkung der
Pressefreiheit und die Eingriffe in eine unabhängige Justiz lassen in
vielen Ländern um die Demokratie fürchten." Inklusive Deutschland?
Sie stellt die Frage: *„Was verstehen Sie unter Demokratie?"* Sie
schreibt, dass die Geschichte der Demokratie eigentlich ein Erfolgsmodell sei, denn *„noch nie gab es weltweit so viele Länder, die sich*
demokratisch nannten." Höchste Zeit zu fragen, ob diese Länder,
von denen die Autorin spricht, tatsächlich demokratisch sind. Sie
weist mit den Worten des Politikprofessors Stefan Marschall darauf
hin, dass wir in der Neuzeit von einer *„liberalen Demokratie"* sprechen können bzw. müssen. Dort stünde die Freiheit des Einzelnen
im Zentrum von demokratischen Konzepten. Marschall führt fort,
dass die Gewaltenteilung ein ganz großer *„Grundbestandteil und*
Grundpfeiler moderner repräsentativer Demokratie" sei. *„Die Idee der*
Gewaltenteilung ist, dass Freiheit nur dann gewährleistet werden
kann, wenn die Macht nicht in den Händen einer Person oder Insti-
tution liegt, sondern die Macht verteilt wird über verschiedene Instan-
zen. Das ist deswegen wichtig, weil dann die Gefahr reduziert wird,
dass eine dieser Gewalten dieser Instanzen übermächtig wird, die
Menschen in ihren Freiheiten beeinträchtigt."[249] Ein Wächter dieser
Gewaltenteilung sind auch Medien. Sie gelten theoretisch als
4. Macht im Staate. Um Unabhängigkeit gewährleisten zu können,
gibt es sogenannte öffentlich-rechtliche Einrichtungen. Wie sehen
heutige Realitäten aus? Die Autorin stellt in ihrem Artikel letztlich die
Frage, ob Demokratie in der Krise sei. Wenn die Arbeitsgrundlage
allen Handelns einer Demokratie und deren Selbstverständnis ist,
dass alle Macht vom Volke ausgeht, es sich dabei also um eine
Volksherrschaft handeln sollte, befindet sich zumindest dieser Gedanke in einer Krise. Wie kann es sein, dass in einer *Volksherrschaft*

---

[249] Deutschlandfunk.de. Weber, Barbara. Erfolgsmodell Demokratie – Eine Staatsform in
der Krise. 27.12.2018: https://www.deutschlandfunk.de/erfolgsmodell-demokratie-eine-
staatsform-in-der-krise.1148.de.html?dram:article_id=436189

öffentlich-rechtliche Medien durchsetzt sind von Politikern bzw. Mitgliedern von politischen Parteien?

Der bereits oben erwähnte Bestseller *Die GEZ-Lüge* widmet sich im letzten Kapitel den *„Verstrickungen in den ARD-Landesrundfunkanstalten."* Dort werden auf 14 Seiten über 170 Parteimitglieder, bestehend vor allem aus CDU, SPD, aber auch Bündnis 90/DIE GRÜNEN und der Partei Die LINKE aufgelistet, die bestimmte Ämter im Zusammenhang mit den sogenannten öffentlich-rechtlichen Anstalten bekleiden. Fragen Sie sich nicht, warum kein einziger *Normalsterblicher* und vor allem institutionell unabhängige Menschen einer dieser Gremien angehört, obwohl regelmäßig behauptet wird, dass wir in einem pluralistisch geprägten Land und vor allem in einer Demokratie leben?

Manche Politiker sind zudem Mitglieder einer großen deutschen Gewerkschaft, des DGB, Fraktionsvorsitzende einer Landespartei, Mitglied der sogenannten Atlantikbrücke oder gar Parteimitglied und Intendant zugleich. Wie kann da von Unabhängigkeit ausgegangen werden? Womit könnte der Kündigung von Uwe Steimle gerechtfertigt worden sein, wenn dieser lediglich Tatsachen erwähnt?

Da dieses Buch auch der Frage nach Moral und Demokratie nachgeht, sind Namen zwar grundsätzlich interessant, werden an dieser Stelle jedoch ganz bewusst weggelassen. Es ist nicht beabsichtigt, Neid, Missgunst, persönliche Wut oder ähnliche niederschwellige Energie zu erzeugen und zu fördern, sondern eine solche Vorstellung von Unabhängigkeit und Demokratie zu hinterfragen. Wut ist nicht die Lösung, Aufklärung hingegen schon. Unter diesen Voraussetzungen der Abhängigkeit wundert es kaum, dass „Pannen" geschehen, wie es auf dem Internetportal „Telepolis" nachzulesen ist. Dort heißt es, dass Pannen mit Politikern die Glaubwürdigkeitsprobleme verstärken. Peter Mühlbauer, der diesen Artikel veröffentlichte, beschreibt folgende Situation: *„Vielleicht wird es aber auch Deutsche geben, die lieber den höheren österreichischen Rundfunkbeitrag zahlen, als ihn an deutsche Sender wie den SWR zu überweisen, von dem Mitte August bekannt wurde, dass er über eine Produktionsfirma 150 Euro für die „richtige Meinung" in einer Talkshow zahlt.*

Kurz darauf wurde bekannt, dass der MDR eine als „Anja Riekewald"
vorgestellte „Bürgerin" über angebliche Probleme bei der Woh-
nungssuche klagen ließ, die der Linken-Politikerin Franziska Rieke-
wald (die mit dieser Frage Wahlkampf macht) so verblüffend ähnlich
sah, dass der Blogger Hadmut Danisch sich fragte, „wie man das
erklären könnte, ohne abgemahnt zu werden." Nach viel Spott in so-
zialen Medien gab der MDR inzwischen zu, dass es sich bei Anja und
Franziska Riekewald um ein und dieselbe Person handelt und spricht
von einer Namensverwechslung." An anderer Stelle führt er weiter
fort: *„Auch bei anderen etablierten Parteien ergaben sich in der Ver-*
gangenheit immer wieder Anhaltspunkte dafür, dass Macht- und
Naheverhältnisse zu führenden Mitarbeitern etablierter Medien zum
Vorteil von Politikern eingesetzt werden. Der beim ZDF geschasste
Nikolaus Brender vergleicht die Bedingungen, die Bundeskanzlerin
Angela Merkel beim gestrigen „Fernsehduell" durchsetzte, beispiels-
weise mit Erpressung. Noch interessantere Inneneinsichten offenbart
der ehemalige Report-, Tagesschau- und Tagesthemen-Redakteur
und Bonn-direkt-Moderator Wolfgang Herles, der 1991 „kaltgestellt"
wurde, weil er nicht wiedervereinigungsbegeistert genug war (vgl.
„Merkel verhält sich nicht anders als quotensüchtige Medien"). [250]
Diese Aussagen erwecken den Eindruck eines Versuchs der Gleich-
schaltung von Medien, mindestens jedoch erheblich manipulativer
Einflussnahme dieser, durch hochrangige Politiker. Es erinnert an
Pipi Langstrumpf: … *„ich mach´ mir die Welt, widdewidde wie sie mir*
gefällt …" Sind Akteure, die nach diesem Prinzip handeln, wie Pipi
Langstrumpf? Verliert Demokratie dadurch an Glaubwürdigkeit?
Nein, warum auch, denn dieses Verhalten hat nichts mit Demokratie,
Verantwortung und Moral zu tun. Dafür jedoch umso mehr mit Ego-
wahn, um es mit Worten von Eckhart Tolle auszudrücken. Beliebig-
keit, Egowahn und Despotismus führen schließlich nur zu oft in die

---

[250] Heise.de. Mühlbauer, Peter. Rundfunkbeitrag wird dem Europäischen Gerichtshof vor-
gelegt. 04. September 2017: https://www.heise.de/tp/features/Rundfunkbeitrag-wird-
dem-Europaeischen-Gerichtshof-vorgelegt-3820760.html

Tyrannei. Diese Begriffe haben nichts mit einer freiheitlichen Demokratie gemein.

Es ist wichtig, zu differenzieren, auch und gerade, wenn es Bestrebungen gibt, genau diese Differenzierungen zu verhindern. Es geht auch nicht darum, einzelne Menschen zu kompromittieren. Es geht darum zu erkennen, dass wir erwachsen werden können, wenn wir frei und in einer Demokratie leben wollen. Das Ego kann niemals befriedigt werden, deshalb ist es wichtig, das Ego durch eine unabhängige Weise zu leiten. Das Ego an sich ist deshalb auch nicht per se schlecht oder falsch. Es kann unsere und andere Existenzen sichern und zerstören. Wenn Egoismus begleitet und geleitet wird, um möglichst Positives für eine Gesellschaft zu bewirken, ist er im Einklang. Dies wird durch Verantwortung und moralisches Handeln gewährleistet. Ein Handeln, ausschließlich aus einem verstandsmäßig getriebenen Ego heraus, zerstört funktionierende Gesellschaften, die dem Grundsatz einer freiheitlichen Demokratie folgen.

Im Streit soll es einen Sieger geben. Das können wir vor allem beim Sport, bei politischen Wahlen oder auch beim häuslichen Streit erkennen. Streit hat zur Folge, dass es eben keinen Gewinner gibt, denn beide Seiten verlieren letztlich. Krieg ist sicherlich die allgemein schädlichste Form des Streits. Streit spaltet, weil er polarisiert. Streit kennzeichnet Unreife und Mangel an Verantwortungsbereitschaft. Während Streit spaltet, überwindet die Diskussion diese Unreife und erarbeitet Lösungen. Geschichte und Gegenwart beweisen uns tagtäglich, in welch unreifem Zustand sich Gesellschaften befinden. Um Streit, Dualismus, Polarität und Kriege überwinden zu können, ist es notwendig, mit Achtung, Offenheit und Akzeptanz diese zuvor genannten Begriffe zu überwinden, zu erwachen und erwachsen zu werden, um Verantwortung übernehmen zu können und Lösungen für jegliche Herausforderung zu finden. In einem am 1. Oktober 2011 veröffentlichten Dossier (Krieg in den Medien) der Bundeszentrale für politische Bildung wird die Frage gestellt: „Was ist Propaganda?" Dort heißt es weiter: *„Nur wer Propaganda als solche erkennt, kann sich dagegen wehren."* Die Definition von Propaganda ist laut Bundeszentrale wie folgt: *„Propaganda ist der Versuch der gezielten*

Beeinflussung des Denkens, Handelns und Fühlens von Menschen. Wer Propaganda betreibt, verfolgt damit immer ein bestimmtes Interesse. In Verbindung mit dem Krieg machen Politiker und Militärs von Propaganda Gebrauch, um zum Beispiel die eigene Bevölkerung von einem Krieg zu überzeugen."[251] Ist Propaganda daher per se weder schlecht noch falsch? Es kann die sicherlich mutige These vertreten werden, dass nicht die Propaganda an sich falsch und schlecht ist, sondern der vielfach falsche Umgang bzw. Missbrauch damit. Wenn Sie so wollen, ist auch dieses Buch Propaganda, denn per o. g. Definition ist der Inhalt dieses Buches der gezielte Versuch, das Denken, Handeln und Fühlen von Menschen zu beeinflussen. Das, was den Unterschied macht, ist eine differenzierte Betrachtung des Begriffs der Propaganda und die gezielte Absicht, wach zu werden, zu erkennen und dem Wohle des Ganzen zu dienen. So ist es nicht die Propaganda, die an sich falsch und schlecht ist, sondern der Umgang mit diesem Begriff, der vielfach und leider nur zu oft missbräuchlich ist und war.

Differenzierung ist ein Maßstab, um einen Begriff klar zu erkennen und zu definieren. Der Begriff an sich hat jedes Recht zu bestehen. Der Umgang damit kann jedoch zerstörerische Eigenschaften beinhalten. Und so heißt es in dem erwähnten Dossier, dass *„der Begriff Propaganda [...] heute vor allem im Zusammenhang mit Beeinflussungsstrategien in autoritären und totalitären Staaten verwendet"* wird. *„Dort ist Propaganda meist verbunden mit anderen Formen staatlicher Informationskontrolle wie direkter Zensur, Monopolisierung der Medien oder Verfolgung Andersdenkender."*(ebd.) Denken wir an das Zitat von Klaus Koch, der sagte, dass Denker überall willkommen seien, Andersdenkende eben woanders z. B. in Gefängnissen und Internierungslagern? Die Bundeszentrale für politische Bildung geht in ihrem Dossier davon aus, dass Medien keiner direkten staatlichen Kontrolle unterliegen. Diese Vorstellung ist grundsätzlich richtig, wirft angesichts der o. g. Beispiele jedoch Fragen und

---

[251] Bpb.de. Was ist Propaganda? 1.10.2011: https://www.bpb.de/gesellschaft/medien-und-sport/krieg-in-den-medien/130697/was-ist-propaganda

offenkundig erhebliche Mängel auf, die in einer freiheitlichen Demokratie Verantwortung, Moral und erwachsenes Handeln voraussetzt, um Lösungen im Sinne einer Volksherrschaft zu schaffen. Der sehr sehenswerte Film *Wag the Dog* zeigt – zwar überspitzt, jedoch höchst anschaulich – wohin Egoismus, Verantwortungslosigkeit, Unmoral, Manipulation und Lüge führen können, wenn ausschließlich egoistische Partikularinteressen dazu dienen sollen, um einen Machterhalt um jedem Preis zu sichern. Neben der Frage, welche Rolle Medien, vor allem öffentlich-rechtliche Medien-Anstalten – übrigens, ein sehr interessanter Begriff – einnehmen mögen und ob sie tatsächlich unabhängig sind, stellt sich auch die Frage: Wie unabhängig ist die Justiz in Deutschland?

An einem Nikolaustag fuhr ich auf der A10, dem Berliner Ring, und las auf einem VW Bus den folgenden Satz: *„Ich glaube eher an die Unschuld einer Hure, als an die Gerechtigkeit der deutschen Justiz."* Was hat diesen Menschen zu derlei Handeln veranlasst? Aus eigener Erfahrung weiß ich, dass Parteien in Deutschland die Möglichkeit haben, Mitglieder als sogenannte Ehrenrichter in z. B. Verwaltungsgerichte zu entsenden. Der Grundgedanke ist nachvollziehbar und aus einem grundsätzlich demokratischen Blickwinkel betrachtet vernünftig, denn auf diese Weise könnte die Einflussnahme von Obrigkeiten verringert werden. Außerdem sollen diese ehrenamtlichen Richter gerade nicht Juristen sein, sondern aus ihrem Verständnis urteilen und handeln. Problematisch wird es jedoch vor allem dann, wenn hochrangige Politiker einer namhaften und einflussreichen Partei, die zuvor Ministerpräsident und Justizminister eines Bundeslandes waren, den fast nahtlosen Übergang zum höchsten deutschen Gericht vollziehen. Auf diese Weise wird der grundsätzlich gute und richtige Gedanke einer demokratischen Teilhabe konterkariert. Auf diese Weise wird Unmut in einer Bevölkerung befördert und die Zweifel gehegt, dass wir uns außerhalb demokratischer Grundprinzipien befänden. Auch diese Realitäten schaffen Grundlagen für neue Entwicklungen und Konsequenzen in einer Gesellschaft. So kann die These formuliert werden, dass ein solches System Grundlage und Nährboden für einen sogenannten Rechtspopulismus in Deutschland und Europa nährt. Erinnern wir uns: Widerstand zeigt den Mangel an unerfüllten Bedürfnissen an. Da wundert es kaum, dass ein Streben nach Einflussnahme durch Parteien wie AfD, Widerstand2020 und anderen in Deutschland erkennbar wird.

Das Internetportal *bento* beschreibt in seinem Artikel *„AfD und NPD rufen Anhänger zum ehrenamtlichen Richterdienst auf."*[252] Dort wird beschrieben, wie von diesen Parteien dazu aufgerufen wird, dass Ehrenamt als Richter zu besetzen, um Einfluss nehmen zu können. Die Autorin beschreibt allerdings auch, wie dies möglichst verhindert werden kann. Der Schöffenwahlausschuss möge ein Erstarken von sogenannten Rechten Parteien dadurch verhindern, indem der Ausschuss die Mitglieder dieser Parteien als *„ungeeignet für dieses Amt"* bezeichnet. Was wird hier deutlich? Etwas, das andere für sich selbst beanspruchen, soll anderen verwehrt werden? Eine recht fragwürdige Vorstellung von Demokratie.

Eine Befreiung aus diesem Dilemma ist hingegen, wirkliche Unabhängigkeit zu schaffen. Kein einziges Mitglied einer Partei oder Institution, die direkten oder indirekten Einfluss nehmen kann, also tatsächlich zumindest weitestgehend unabhängig ist, kann am ehesten als geeignet angesehen werden, sofern vor allem die Expertise desjenigen dies ebenso zulässt. Beenden wir die Diskussion, Polaritäten und Dualismus auch an dieser Stelle dadurch, indem wir moralisch handeln und demokratische Teilhabe durch Unabhängigkeit voraussetzen und schaffen. Wie entscheidet ein abhängiger Journalist, Politiker, Ehrenrichter oder Mitglied eines Rundfunkrates, der gar Intendant ist, wenn vor allem seine wirtschaftliche Existenz von diesem Verwicklungen abhängt? Ich bin mir sicher, dass diese angesprochene Zielgruppe anders, moralischer, ehrlicher und vor allem verantwortungsvoller handeln würde, wäre er oder sie unabhängig. Menschlich ist ein solches Verhalten vor allem deshalb nachvollziehbar.

---

[252] bento.de. Hallet, Leonie. AfD und NPD rufen Anhänger zum ehrenamtlichen Richterdienst auf. 25.09.2018: https://www.bento.de/politik/schoeffen-wahl-wie-wird-man-eigentlich-schoeffe-a-be68c13b-4298-4233-b269-6e7b5630f3ce

Bezogen auf ein demokratisches Verständnis, welches Moral und Verantwortung voraussetzt, ist es offenbar höchste Zeit, dass dieser derzeitige Veränderungsprozess weiter voranschreitet, um wahre Demokratie und Freiheit durch Unabhängigkeit zu schaffen. Der irische Schriftsteller und Satiriker Jonathan Swift, der auch das bekannte Werk *Gullivers Reisen* schrieb, sagte Folgendes zur Freiheit: *„Was nützt die Freiheit des Denkens, wenn sie nicht zur Freiheit des Handelns führt?"*[253] Diese Vorstellung des Freiheitsbegriffs impliziert alle handelnden Akteure einer Gesellschaft. Sie schließt Unterdrückung und Verhinderung aus. Sie ruft zu Mut beim Handeln auf und lässt zu. Das Verständnis zur derzeit vielfach ausgesprochenen Aussage *„unserer Demokratie"* oder *„Für ein Deutschland, in dem wir gut und gerne leben"* impliziert jedoch nur einen Teil des Ganzen und nicht das Ganze selbst. Es impliziert Verhinderung und Unterdrückung. Freiheit, nach dem Verständnis von Swift sieht anders aus, sie impliziert vor allem Mut, wie der griechische Philosoph Demokrit einst sagte: *„Mut steht am Anfang des Handelns, Glück am Ende."* Die Definition von Mut eines mir bekannten Künstlers heißt: M = Mentale Vorbereitung, U = Unternehmen, T = Trainieren, wie er mir mitteilte. Ein aus meiner Sicht verantwortungsvoller und nachhaltiger Umgang mit Mut.

Bereiten wir uns mental auf diesen Mut vor, indem wir uns bewusst werden, was dieser Begriff beinhaltet. Unternehmen wir etwas, das dazu führt, dass wahre Demokratie im Sinne einer *Volksherrschaft* und zum Wohle aller Bestand haben kann und trainieren wir diese Demokratie. Wer fällt, kann jederzeit wieder aufstehen. Kinder handeln danach. So lange, bis sie sicher laufen können. Wenn wir den Status einer Demokratie definieren wollen, so befinden wir uns offenbar im Stadium eines jungen Kindes, das Laufen lernt. Unter diesen Voraussetzungen wird einmal mehr das derzeitige Verständnis von Demokratie deutlich.

---

[253] aphorismen.de. Zitat von Jonathan Swift: https://www.aphorismen.de/zitat/10685

Der Zauberlehrling ist eine bereits erwähnte Ballade und sicher eines der bekanntesten Gedichte von Johann Wolfgang von Goethe. Akteure aus Kirche, Gewerkschaften, Parteien oder sogenannten NGOs handeln nach dem Zauberlehrling Goethes, denn *„die Geister, die ich rief, werd´ ich nun nicht los"*. Freiheit, Wahrheit und Wahrhaftigkeit finden ebenso wie Wasser, immer ihren Weg. In dieser Phase befinden wir uns nun offensichtlich. Wenn wir erwachen und erwachsen werden wollen, bleibt uns nichts anders übrig, uns wie Erwachsene zu verhalten. Wer streiten will, ist bestrebt, Recht zu bekommen. Wer offen und mutig eine Diskussion zulässt, ist bestrebt, Lösungen zu erarbeiten. Nur dieser Mensch kann weiter erwachen und erwachsen werden. Nur erwachsene Menschen können Demokratie leben, weil sie befähigt sind, echte Verantwortung zu übernehmen, die moralisches Handeln impliziert.

In Deutschland darf ein Bürger gemäß Grundgesetz ab dem 18. Lebensjahr wählen. Warum soll ein dann als *erwachsen* bezeichneter Mensch plötzlich das Verständnis für Demokratie verinnerlicht haben, während ihm fast zwei Jahrzehnte lang z. B. das Wahlrecht verwehrt wurde? Davon abgesehen, was heißt überhaupt *erwachsen?* Erwachsen aus was? Erwachsen woraus? Wie soll ein 18-jähriger Mensch ein Verständnis für Demokratie erlangen, wenn er diese Zeit überwiegend als der *Unterdrückung* und Bevormundung erfahren durfte? Sei es durch die Schule, sein Elternhaus und letztlich durch das Verbot des Wahlrechts durch das Grundgesetz selbst. Darüber täuscht auch nicht hinweg, dass sogenannte Wahlberechtigte Menschen bspw. in Brandenburg bereits mit dem 16. Lebensjahr wählen dürfen. Warum darf er erst mit dem Erlangen seiner sogenannten Volljährigkeit oder dem 16. Lebensjahr an derartigen gesellschaftlichen Prozessen teilhaben? Wenn hier überhaupt von echter Teilhabe gesprochen werden kann? Ist er erst dann ein vollwertiger Mensch? Oder hat er ab diesem Zeitpunkt eine entsprechende Reife erlangt, um wählen zu können? Theoretisch bräuchte er nicht einmal lesen können, denn er muss nichts schreiben, sondern lediglich ein Kreuz setzen. Dies kann bereits ein Kind aus dem Kindergarten vollziehen. Wie anmaßend sind das Grundgesetz und seine Erfinder in dieser

Frage? Welches Menschenbild wird hier nach wie vor vertreten?

Mit Demokratie und einer reifen Vorstellung von einem Erwachsenendasein kann diese Haltung nur sehr wenig zu tun haben. Wir dürfen erkennen, dass ein solches, über Jahrzehnte geprägtes, gesellschaftliches Verständnis nur mit Macht und der Erhaltung bestehender Machtstrukturen zu tun hat, welche lediglich mit einem obrigkeitsstaatlichen Gedankengut verbunden sein kann. Eine solche Rechtsauffassung schadet jedoch einer Gesellschaft, weil sie spaltet. Wer 18 Jahre lang einen Großteil seiner Gesellschaft per Gesetz ausgrenzt, trägt Verantwortung dafür, dass dieser Teil der Gesellschaft erst gar nicht in dieser Gesellschaft ankommt. Es wirkt geradezu absurd, dass ein 18-Jähriger oder eine 18-Jährige plötzlich Demokrat sein soll und darf, während er bzw. sie zuvor alles andere als Demokratie erleben durfte. Als müsse sich ein Bürger diese Würde erst verdienen. Diese Sichtweise sowie das dazugehörige Bewusstsein entstammt einem *Haben*-Denken und ist mit einem obrigkeitsstaatlichen Gedankengut verbunden. Dabei wäre doch gerade die für uns prägende Zeit vor dem 18. Lebensjahr so wichtig, um ein Demokratieverständnis entwickeln zu können. Anstatt von Beginn an integrativ und vollwertig kooperativ zu wirken und einen Menschen für sein Da-*Sein* zu belohnen und anzuerkennen, versuch sich der Staat und seine Gesellschaftsstruktur ab dem 18. Lebensjahr als Reparaturwerkstatt. Warum lassen wir diesen Weg zu, während wir den anderen, deutlich sinnvolleren und demokratischen Weg gehen könnten? Es bedarf lediglich der Entscheidung und des Bewusstseins für einen derartigen Schritt, „mehr" nicht. Warum gehen wir ihn also nicht?

Echte Demokratie hat keinen Platz für Macht von *oben*. Ein Leben ohne Macht ist ein Weg hin zu Kooperation und Menschenwürde, wie es das Grundgesetz durchaus vorsieht. Doch schauen wir allein auf unsere *Ausweise*, so lesen wir schon hier das Wort *Personal*. Ist das ein Verständnis von Freiheit und Unabhängigkeit? Wessen Personal sind wir? Die Bedeutung dieser Bezeichnung kann mehrere Gründe haben. Kinder besitzen zunächst noch keinen *Personal-Ausweis*. Erst ab dem Zeitpunkt der wirtschaftlichen Vollintegration *dürfen* auch sie einen *Personal-Ausweis* bei sich tragen. Gehören sie ab diesem Zeitpunkt zum Personal eines Systems, das scheinbar frei über dieses verfügen kann und darf? Denken wir an das Finanzamt, dann verstehen wir den tieferen Sinn. Da Kinderarbeit in Deutschland verboten ist, benötigen sie *noch* keinen Personal-Ausweis, so eine mögliche Erklärung. Wenn wir dann mit 18 Jahren als sogenannte Erwachsene unseren Ausweis erhalten, werden wir als *Personal* bezeichnet. Warum steht nicht Staats-Bürger oder besser nur Bürger auf dieser Kunststoffkarte mit Bild? Und was geschieht mit uns, wenn wir nicht mehr als Personal dienen wollen, wem auch immer? Werden wir dann *aus-gewiesen*, wie es als zweite Silbe unseres *Personal-ausweis* steht? Wer kommt auf diese Idee, Bürger als Personal zu bezeichnen? Insbesondere weil ich als Bürger gar nicht danach gefragt wurde, ob ich als Personal einer noch zu bestimmenden Macht bezeichnet werden und ihr letztlich als Personal dienen möchte? Schauen wir auf das zuvor Beschriebene, denn aus diesen Zeilen wird erkennbar, dass nur eine Kraft uns als Personal bezeichnet, welche Macht als Idee über einem Volk vertritt, welches als Personal in (Leib)-Eigenschaft fungieren könnte oder ansonsten gegebenenfalls ausgewiesen werden kann. Sollte uns das nicht zu denken geben, wenn wir als *Personal* und eben nicht als Bürger und Mensch bezeichnet werden?

Bislang erscheint uns der Weg hin zu einer wirklichen Demokratie, in der es echte und freie Entfaltungsmöglichkeiten für echte Bürger gibt, jedoch eher so, wie es im übertragenen Sinne in der amerikanischen Verfassung beschrieben steht. Einzig das Streben nach Glück kommt einer Realität nahe. Glück, im übertragenen Sinne, kann mit Menschenwürde in unmittelbarem Zusammenhang stehen. Bedauerlicherweise ist die Menschenwürde an sich weltweit vielfach noch zu abstrakt und weit von der Realität entfernt. Ein verfassungsmäßiger Grundsatz besteht oftmals nicht. Wir leben daher allenfalls in einer Art fragmentierter Demokratie. Am 20. März 2013 veröffentlichte Cicero Online einen Artikel über die im April 2013 neu zu gründende Elite-Partei von sog. Euro-Kritikern *Alternative für Deutschland* (AfD). Beleuchtet wurden die politischen Absichten dieser Partei. In diesem

Zusammenhang wurde auch die Entwicklung der Demokratie in Deutschland unter die Lupe genommen. So schreibt der Autor dort: *„In der politisch eingeschwärzten Sprache, wie sie in Deutschland heimisch geworden ist, wäre ein Referendum etwas Übles, etwas Gefährliches, etwas zutiefst Undemokratisches; es wäre nämlich populistisch. Wollte man diesen Einwand ernstnehmen, dann wären die Schweizer, die es doch tatsächlich wagten, das Volk zu fragen, ob sich die Industriekapitäne ihres Landes weiterhin schamlos bereichern dürften, eine überaus populistische Gesellschaft; damit wohl auch das gefährlichste Volk der Welt. Schweizer Politiker fragen das Volk nämlich ständig, zu allen möglichen Dingen; und nennen das dann Demokratie. Zumindest die Sprachgeschichte haben sie dabei für sich: populus heißt im Lateinischen dasselbe wie demos im Griechischen, nämlich Volk. Woraus zu lernen wäre, dass die Demokratie eine überaus populistische Angelegenheit ist."*[254] Eine Demokratie, die ohne das Volk bzw. den sog. Souverän von wenigen gelenkt wird, ist keine Demokratie, denn gerade eine Demokratie lebt von der echten Möglichkeit wahrer Teilhabe und Mitbestimmung in allen Teilen einer Gesellschaft. Ein echter Souverän ist die Basis, worauf ein solches System aufgebaut ist, soweit zumindest die Theorie und das Grundgesetz. Folgt man jedoch den provokanten Worten des Autors von Cicero Online, so stört dieser Souverän eher in diesem neuen politischen System der Geldeliten. Eine hierarchische Konstruktion und Vorstellung von Demokratie birgt daher erhebliche Risiken, denn es kann missbraucht werden und eine echte Beteiligung wird weitestgehend erschwert oder ganz verhindert. Nun ist es nicht so, dass auch andere Systeme missbraucht werden können. In einer Demokratie, in der jedoch alle Macht vom Volke ausgehen sollte, fungiert der Souverän auch als Korrektiv. Die Herausforderung dabei liegt vielfach in der Mobilisierung des Souveräns, seine Rolle als Korrektiv auch in der Breite wahrzunehmen. Hinzu kommt, dass dieser dafür

---

[254] Cicero.de. Adam, Konrad. Was die Euro-Kritiker wirklich wollen. 20. März 2013: https://test.cicero.de/innenpolitik/alternative-f%C3%BCr-deutschland-worum-es-uns-geht/53917

unbedingt ein bestimmtes und sensibles Bewusst-*Sein* entwickelt haben muss. Moralisch bewusste Gesellschaften benötigen keine Hierarchie, weil sie auf dem Grundsatz einer echten Gleichberechtigung beruhen. Eine solche Gesellschaftsform wäre daher auch horizontal und nicht vertikal ausgerichtet. Auf diese Weise wäre die Gefahr des Machtmissbrauchs deutlich begrenzter, wenn nicht sogar völlig ausgeschlossen. In einer horizontalen Demokratie bedarf es eines unbedingten Aushandlungsprozesses für die besten Lösungen einer Gesellschaft, denn es besteht der Grundsatz einer echten Gleichberechtigung, wie sie auch bereits das Grundgesetz weitestgehend vorsieht. Eine Erschwernis für echte Teilhabe wäre dadurch ebenso weitestgehend ausgeschlossen, denn auf Ausgrenzung und Hürden müssten sich Menschen dieser Gesellschaftsform insgesamt einigen. Alle Menschen wären aufeinander angewiesen und nicht so wie jetzt, dass die Wenigen Abhängigkeiten schaffen und ihre alleinige Macht ausüben können. Eine horizontale Demokratie kann jedoch erst dann entstehen, wenn eine Gesellschaft insgesamt eine dafür notwendige Reife und das Bewusst-*Sein* entwickelt hat. Auch hier geht es um Verantwortung sich selbst und seinem Nächsten gegenüber. Eine solche Gesellschaft bedarf eines aufgeklärten, selbstbestimmten, selbstwirksamen und freien Bürgers, der anerkennend miteinander und achtsam füreinander in Interaktion tritt, anstatt fremdgesteuert und egoistisch durch Machtmonopole unmoralisch den Zusammenhalt von Gesellschaften zerstört. Eine moralisch bewusst handelnde Wertegesellschaft, die verantwortlich agiert, hat beste Voraussetzungen, um tatsächlich in Menschenwürde und Kooperation leben zu können. Eine machtvoll und hierarchisch organisierte Gesellschaft wird dies hingegen eher nicht können, weil sie letztlich von Unterdrückung geprägt sein wird. Dabei steht immer ein Mensch und oder eine Machtinstitution über einer anderen. Wahrhaftig gelebte Moral ohne Machtanspruch schafft hingegen Vertrauen, weil tatsächliche Gleichberechtigung *herrschen* kann und darf. In einer horizontalen Demokratie ist eine Machtbündelung ausgeschlossen, sofern alle Teile dieser Gesellschaftsform als aufgeklärtes Korrektiv wirken. Tatsächlich gelebte Gleichberechtigung benötigt ex tunc keinerlei Macht. Besser noch, sie lässt sie sinnlos erscheinen, weil es ein Widerspruch in sich wäre, wenn Gleichberechtigung aller handelnder Akteure und Machtbündelung einzelner Akteure sich auf gleicher Ebene befänden. Eine wahrhaftige und wahrheitsgemäße, werteorientierte Moralgesellschaft sorgt für ihresgleichen und ist ein gesundes und friedliches Gesellschaftsmodell des Miteinanders. Der Konkurrenzgedanke zerstört ein solches Miteinander, da er auf Basis eines darwinistischen Grundgedankens des *Besten* beruht, der überleben darf. Wer der oder das Beste ist, wird dann wieder von denen festgelegt, welche die Macht innehaben und die Definition für den Begriff des Besten bestimmen. Eine solche Entwicklung erleben wir beispielsweise in der Europäischen Union.

Dieses Buch erhebt keinen Anspruch auf Vollständigkeit, es hat den Anspruch, Anreize für mehr Bewusst-*Sein* zu schaffen, dieses zu schärfen und Moral und echte Werte wieder in unseren Focus zu rücken. Es bietet einen Ausblick in eine mögliche, vor allem friedliche Welt von Morgen. Es soll eine Lanze für Moral und wahre Werte brechen und dazu beitragen, sie wieder in unser Bewusstsein zu transformieren, weil sie das Fundament eines intakten und gesunden Gesellschaftskörpers sind. Finden Sie für sich heraus, ob Ihnen dieses Buch die *richtigen* Impulse für Ihr zukünftiges und moralisches Handeln gibt. Wenn es Sie *nur* zum Nachdenken angeregt hat, so hat das bereits einen hohen Stellenwert für den Autor; wünschenswerterweise auch für den Rezipienten, demnach für Sie. Sollten Sie sich darüber austauschen wollen, reden Sie mit Ihrem mittelbaren und unmittelbaren Umfeld über dieses Thema. Denken Sie daran, wir alle sind das Wunder, warum nicht auch in diesem Falle? Berichten Sie über Ihre Erlebnisse, und sprechen Sie darüber mit anderen Menschen.

6. Zeitgeister

Die folgenden Ausführungen weisen zwei Beispiele auf, ein fingiertes Szenario, das bei der Recherche des Buches in Augenschein fiel und dennoch in Teilen ab dem Jahre 2021 Realität sein wird. Das andere, ein bereits jetzt schon real existierendes Szenario, ist exemplarisches für unser heutiges Leben. Wenn bei einer sogenannten Verschwörungstheorie die Theorie fällt, bleibt die Verschwörung. Sie zeigt eine Wahrheit, die uns seit Jahrzehnten wie selbstverständlich vorkommen dürfte. Wir leben Tag für Tag mit dieser Realität, doch welches Bewusst-*Sein* begleitet uns in diesem Zusammenhang? Fangen wir mit dem ersten Beispiel an. Dieses Szenario schien schon damals höchst wirkungsvoll zu sein, um erkennen zu können, in was für einer Welt wir leben.

„Die EU will laut Agenda 21 die Luft besteuern

Freitag, 8. Februar 2013, von „Freeman" um 12:05 Uhr

„Nach dem bekannt wurde, die EU-Kommission will die europaweite Privatisierung der Wasserversorgung durchsetzen, ist der nächste Anschlag auf unsere durch die UN-Charta garantierten Menschenrechte geplant. Neben dem Allgemeingut Wasser soll die Luft auch besteuert und zu einem Spekulationsobjekt werden. Die Durchsetzung der Agenda 21 in Zusammenarbeit mit den Interessen der großen multinationalen Konzerne nimmt immer schlimmere Formen an. Die Folgen für uns Menschen die trinken und atmen müssen, wird verheerend sein. Die Luft die wir atmen soll besteuert werden, damit die EU mehr Geld einnehmen kann und ein Wirtschaftswachstum ausgelöst wird. Als Ausrede wird behauptet, es geht um die Luftreinheit und das eingenommene Geld wird verwendet um die Luft zu säubern. Es sollen von Privatinvestoren Fabriken zur Luftreinigung gebaut werden, die dann vom Steuergeld pro Kubikmeter gereinigter

Luft einen Anteil bekommen. Die Luftreinigung könnte das neue boomende Geschäft werden, viele neue Arbeitsplätze schaffen und die Eurozone aus der schlimmen Wirtschaftskrise bringen.

„Unser neuer Plan ist genial, denn es löst drei große Probleme die wir in der EU haben mit einem Schlag. Nämlich Arbeitslosigkeit, Wirtschaftswachstum und Überschuldung. Wir erzeugen eine bessere Luftqualität zum Atmen und bauen dabei eine ganz neue Luftreinigungsindustrie auf, die viele neue Arbeitsplätze schafft und nehmen erheblich mehr neue Steuern ein um die Schulden zurückzuzahlen", sagte der zuständige EU-Kommissar für Umwelt, Antonio Boccheggiare.

Die neue Steuer soll unter dem Namen GASP-Abgabe laufen und 2014 eingeführt werden. Die Abkürzung steht für Global Air Safety Programm und wird in Deutschland als erstes eingeführt, da man in Brüssel davon ausgeht, die Deutschen kann man am leichtesten mit dem Argument des "Umweltschutz" und der "Nachhaltigkeit" eine neue Abgabe aufbürden, da sie gerne Steuern zahlen. Die Bundesparteien in Berlin sowie der Staatssekretärsausschuss für Nachhaltige Entwicklung haben bereits ihre Zustimmung signalisiert, denn mit Umweltthemen kann man immer die Wähler gewinnen, sagen sie.

Es soll ein Lufttarifkontrollsystem installiert werden, so ähnlich wie das Überwachungssystem für die Autobahnmaut. Es werden Luftreinheits- messtürme überall aufgestellt, mit denen die Kommunen je nach Verschmutzungsgrad der Luft der Region Steuerbescheide an die Einwohner verschicken. Wer die Luft in seiner Gegend viel verschmutzt oder in einem Gebiet wohnt das hohe Luftverschmutzung aufweist, muss auch mehr Steuern zahlen. Dafür werden dann dort Fabriken in den Wohngebieten errichtet, welche die Luft filtern, die privat betrieben werden. Solche Luftreinigungsanlagen wird man in Zukunft überall sehen, die mit großen Rohren die Luft ansaugen, reinigen und wieder ausblasen: So werden auch notwendige Arbeitsplätze geschaffen, denn laut einer Studie der EU sind die Gegenden wo hohe Arbeitslosigkeit herrscht auch die mit der höchsten Luftverschmutzung. Ländliche Gebiete sind dadurch bevorteilt, denn die

Landluft ist sauberer als die Luft in den Ballungszentren. Auf dem Land gibt es auch weniger Arbeitslose im Vergleich zu den Städten. Das Projekt soll von Privatfirmen aufgebaut und betrieben werden und dafür werden staatliche Lizenzen vergeben, die noch mehr neue Steuereinnahmen versprechen. Es wird ein Sturm auf die Gebietslizenzen erwartet, die aber nur Großkonzerne für eine Region exklusiv erwerben können. Der Preis errechnet sich aus den Quadratkilometern der gewünschten Fläche und der Anzahl Einwohner darauf. Besonders begehrt werden die Großstädte sein, denn dort gibt es den meisten Dreck aus der Luft zu holen der einen entsprechenden hohen Umsatz garantiert. Luft wird ein riesen Geschäft meinen die Finanz- und Wirtschaftsexperten und die nächste große Spekulationsblase werden. Die Aktien der Firmen die in das Geschäft der Luftreinigung investieren werden phänomenal steigen.

Luft ist nicht mehr gratis.

Einer der führenden Experten der EU in Brüssel was Luftqualität betrifft, Francoise Étouffer sagte: "Die Luft kommt aus der Natur genauso wie das Wasser, aber es ist eine endliche Ressource mit der wir vernünftig umgehen müssen. Wir nehmen das Beispiel der Wasserprivatisierung als Vorbild. Die Wasserqualität und auch die Versorgung hat sich erheblich verbessert in den Gebieten wo eine Privatisierung bereits erfolgte. Es gibt deshalb keinen Grund anzunehmen, bei der Luft wird es nicht genau so sein. Das Ziel ist es allen Bürgern saubere Atemluft zu geben, nur das hat seinen hohen Preis. Luft ist nicht mehr gratis zu haben."

Endlich wird der Spruch wahr, nur aus Luft Geld erschaffen!

Kritiker des Plans der EU-Kommission meinen, das bedeutet das Ende der kostenlosen Luft für alle und das Konzerne den großen Reibach damit machen. Außerdem werden für den Betrieb der zahllosen Messtürme und Reinigungsanlagen eine Unmenge an Strom verbraucht, was wiederum den Bau von neuen Kraftwerken bedeutet, was nach der Energiewende ohne Atomkraft mehr Gas- und Kohlekraftwerke notwendig macht. Ein Abgeordneter des EU-Parlaments aus Luxemburg, Daniel Bonair, äußerte sich wie folgt als er von den Plänen hörte: "Das heißt paradoxerweise, wir müssen die Luft womöglich noch mehr verschmutzen, um sie reinigen zu können. Außerdem, die riesigen Ventilatoren mitten in den Wohngebieten werden viel Krach erzeugen. Das hat mir den Atem verschlagen!"

Machen wir uns deshalb bereit die Luft nicht mehr als Selbstverständlichkeit anzusehen, sondern als Ware die seinen Preis hat, genauso wie Wasser. Auf die Frage, was passiert mit den Menschen, die sich die neue Luftsteuer nicht leisten können, meinen die Vertreter dieses Plans, "wer nicht zahlt dem wird einfach verboten zu Schnaufen. Schließlich, wer die Strom- und Wasserrechnung nicht begleicht wird ja auch der Saft abgedreht. Damit wird ein weiteres Problem gelöst, denn es gibt sowieso zu viele Menschen!"

Maurice Strong, erster Generaldirektor der UNO Umweltprogramme und Mitglied des Club of Rome, sagte bei seiner Eröffnungsrede an der Rio Konferenz (Earth Summit II) 1992: "Es ist klar, dass der jetzige Lebensstil und das Konsumverhalten der Mittelklasse - (der Konsum von Fleisch, Fertigessen, fossile Brennstoffe, sowie die Nutzung von Elektrogeräten, Klimaanlagen und das Wohnen in Einfamilienhäusern) - nicht nachhaltig ist. Ein Wandel ist notwendig zu einem Lebensstil der weniger die Umwelt belastet."

Das sagt aber einer der Chef des Stromkonzerns Ontario Hydro und des Wasserversorgungsunternehmens American Water Development Incorporated war. Strong wird als führende Figur in der internationalen Umweltbewegung angesehen. Das beste Beispiel wie der Bock zum Gärtner gemacht wurde.

Diese Reduktion des Lebensstiels gilt natürlich nur für die 99%. Die 1% oder Elite wird weiterhin in Saus und Braus leben, beschützt vom Pöbel durch ihre Prätorianergarde (private Sicherheitsfirmen). Das ganze wird so clever mit Propaganda unter die Leute gebracht, dass sie dieses Programm "um den Planeten zu retten" super gut finden. Bedenken wir, das Märchen über die globale Erwärmung hat der Club of Rome erfunden, um die Menschen für das Programm *einzuspannen. Das Ziel dieser Elitegruppe ist „die gemeinsame Sorge und Verantwortung um bzw. für die Zukunft der Menschheit!" und der „Aufbau einer globalen Gesellschaft im 21. Jahrhundert" und die „Globale Regierung".*

„Auf der Suche nach einem neuen Feind der uns vereint, sind wir auf die Idee gekommen, dass Umweltverschmutzung, die Gefahr der globalen Erwärmung, Wasserknappheit, Hungersnöte und ähnlichem sehr gut passen würde." Alexander King und Bertrand Schneider, "The First Global Revolution", ein Bericht des Club of Rome 1991. Das heißt, diese Gefahren sind entweder erfunden oder bewusst erschaffen worden, um den Plan umzusetzen.

Jetzt werden einige sagen, aber was ist falsch am Umweltschutz und an Nachhaltigkeit? Vordergründig eigentlich nichts, wenn es wirklich darum ginge. Diese Wörter werden benutzt um die wirkliche Agenda dahinter zu verschleiern. Es geht um die totale Einschränkung des Individuums, um das Vorschreiben was man zu tun hat, wie man denken, reden, leben, essen und sich zu bewegen hat. Natürlich nur „zum Wohle" der Allgemeinheit und für die Natur. Da wir zu blöd sind zu wissen was für uns gut ist, wird es uns vorgeschrieben, immer mehr Gesetze eingeführt, die bis ins letzte Detail unseres Lebens alles regeln.

Wir leben in einer Welt wo ...
das Gesundheitssystem die Gesundheit zerstört,
die Lebensmittelindustrie die Nahrung zerstört,
das Rechtssystem die Gerechtigkeit zerstört,
das Ausbildungssystem das Wissen zerstört,
der Staat die Freiheit zerstört,
die Medien die Information zerstört,
die Finanzelite die Wirtschaft zerstört,
die Zentralbanken die Kaufkraft zerstört,
und die Religionen den Glauben zerstört."[255]

---

[255] Alles-schallundrauch.blogspot.co.at. Die EU will laut Agenda 21 die Luft besteuern.

Hier allein von Verschwörungstheorie zu sprechen, würde diesen Aussagen kaum gerecht werden, zumal sie mit Zitaten belegt wurden. Die *Bepreisung* der *Luft*, in Form einer CO2-Steuer ist längst beschlossene Sache. Mit dem vermeintlichen Thema des Umweltschutzes lassen sich Massen bewegen, letztlich auch und insbesondere auf emotionale Weise. Wer dieser Indoktrinierung nicht folgt und sie kritisch hinterfragt, wird schnell in der rechtsextremen Ecke „kalt"-gestellt. Verstand und Geist wollen jedoch ebenso befriedigt werden, wie das Gefühl. Nur dann, wenn sämtliche Faktoren in Einklang sind, besteht Gleichklang.

Der Anspruch dieses Buches im Zusammenhang mit dem oben geschilderten Szenario liegt in zweiter Linie bei der wortwörtlichen Ausformulierung. Wichtiger erscheint die Möglichkeit, dass dieses hier geschilderte Szenario mit der Besteuerung des CO2 Realität geworden ist. Ein Modell wird durch politisch und wirtschaftlich handelnde Akteure Hand in Hand konstruiert und realisiert. Das Thema ist jeweils anders, die Methode gleich. Hier ist eine deutliche Analogie zum sogenannten Grünen Punkt erkennbar. Unsere Zivilisation und die auch daraus entwickelte Gier nach immer mehr Profit sind mittlerweile so weit *fortgeschritten*, dass wir alle längst Teil dieser Auswüchse sind, uns diese konstruierte Realität nur vielfach noch immer nicht in unser aller Bewusst-*Sein* gerückt ist.

Kommen wir zum zweiten Szenario. Im Gegensatz zum ersten Beispiel, befinden wir uns hierbei in der seit Jahrzehnten tagtäglich praktizierten Realität. Jeder von uns kennt diese Situation, wurden wir doch alle direkt oder indirekt damit in Verbindung gebracht. Dennoch, vielen von uns ist nicht bewusst, welches System hier tatsächlich praktiziert wird. Kommen wir also zum Kern dieser Thematik. Zu keinem Zeitpunkt war es so leicht, einen Konsumentenkredit zu bekommen, wie heute. Trotz *Basel 1, Basel 2* oder anderen Steuerungsmechanismen, heute werden von Möbelhäusern und Auto-

---

8. Februar 2013: https://alles-schallundrauch.blogspot.com/2013/02/die-eu-will-laut-agenda-21-die-luft.html

händlern null Prozent Finanzierungen angeboten. Es gibt eigene Abteilungen in diesen Häusern, die diese Kredite abwickeln. Kredite sind selbst ohne Schufa möglich. Da wundert es kaum, dass es Modelle gibt, die sich sogar derart bezeichnen. *Easy Kredit* und anders lautende Verlockungen reizen den Bürger und lassen ihn in eine mögliche Falle tappen, aus der er als sogenannter Konsument oft nur über den *Weg* einer erklärten Privatinsolvenz *entfliehen* kann.

Wir erinnern uns alle noch an das Jahr 2008. Die Finanzwelt brach zusammen. Ein weiterer großer Crash nach 1929. Einige von Ihnen haben diese Entwicklung vielleicht *nur* unbeteiligt aus den Medien wahrgenommen. Andere sind vielleicht bis heute direkt betroffen. An dieser Stelle wird nicht aufgearbeitet, was dort geschah und warum es geschah. Dies ist Stoff für ein eigenes Buch und mehr. In diesem Fall wird das Schuldgeldsystem an sich beleuchtet und hinterfragt. Was wurde damals verkauft? Es handelte sich natürlich um *ganz sichere* Derivate. Doch was ist schon sicher? Absolute Sicherheit gab es bekanntermaßen ja noch nie. Was sind Derivate überhaupt? Der Begriff an sich stammt aus dem lateinischen und heißt ableiten. Was wird hier also abgeleitet? In der Finanzwelt sind es sogenannte Termingeschäfte, deren Preis oder Wert von zukünftigen Kursen anderer Handelsgüter abhängt. Klingt sehr abstrakt, ist es auch. Wer sich näher mit diesen Produkten beschäftigt wird erkennen können, welcher Irrsinn dahinter steckt. Bleiben wir bei den Auswirkungen des Kreditsystems und werden konkreter. Zu klären wäre zunächst die Frage, was Geld überhaupt ist und warum wir es haben. Ich will nur sehr grundsätzlich darauf eingehen, weitreichende Literatur ist anderweitig ausreichend vorhanden.

Was ist Geld? Ein Blick ins Netz erleichtert die Beantwortung dieser Frage. Dort wird z. B. von *Vergeltung*, *Vergütung* oder *Einkommen* als Wert gesprochen. Der Begriff gehörte anfänglich zur *kultischen Sphäre* und bezeichnete etwas, womit man Buße oder Opfer erstatten bzw. entrichten konnte. Eine bemerkenswerte Sichtweise, stehen Begriffe wie Buße oder Opfer doch eher mit religiösen Ansätzen im Zusammenhang. Einigen wir uns der Einfachheit halber darauf, dass dieser *Wert* als Handelsgut bzw. Tauschmittel verwendet wird.

Womit auch der zweite Teil der Frage nach Geld beantwortet sein dürfte. Wenn zwei Menschen ein bestimmtes Gut anbieten können, können sie diese Güter tauschen. Sind es jedoch Millionen Menschen, gestaltet sich dieser Umgang zunehmend schwierig. Zudem kommt es darauf an, welches Gut ein jeder anbietet. Hat er gar kein Gut, welches ihm zum Tausch zur Verfügung steht, wird ein Tausch erschwert bis unmöglich. Auch hierfür bedarf es einer Lösung. Geld kann in diesem Falle eine solche Lösung darstellen. Aktuelle Denkmodelle zur Rückkehr eines Tauschhandels anstelle von Geld, finden allein durch die o. g. Beispiele ihre Grenzen. Doch auch das Geld kommt zunehmend an kritische Grenzen. Denken wir dabei nur an die Inflation oder Über-Schuldung von Staats- und Privathaushalten. Weitere große Risiken des Geldes sind auch, es kann zu viel davon geben oder es kann knapp gehalten werden. Eine bisher weit verbreitete Auffassung war zudem, dass Geld einen Gegenwert hat bzw. haben muss.

Eines gilt für die Vergangenheit und bleibt wahrscheinlich auch in Zukunft erhalten. Geld ist ein Machtmittel, polarisierend und stark politisiert, wie wir auch in jüngster Zeit erfahren dürfen. Denn, zu welcher Zeit konnten bspw. Ratingagenturen über das Wohl oder den Niedergang eines ganzen Landes entscheiden? Geld ist Fluch und Segen zugleich. Es kann viel Gutes mit Geld vollbracht werden. Ein falscher und destruktiver Umgang hingegen kann zerstörerische Auswirkungen nach sich ziehen.

Widmen wir uns nun dem Begriff des Buch- oder Giralgeldes und arbeiten uns sukzessive an die beabsichtigte Problematik heran. *„Buchgeld (auch Giralgeld, Geschäftsbankengeld) ist ein Begriff im Rechnungs- bzw. Bankwesen für einen Zahlungsanspruch auf Bargeld (Scheine oder Münzen), der als sofort liquidierbares Bankguthaben auf einem Konto geführt wird. Die Bezeichnung Buchgeld leitet sich ab von der ursprünglichen Führung der Sichteinlagen in Kontenbüchern." Buchgeld ist die Grundlage des bargeldlosen Zahlungsverkehrs. Im Gegensatz zu Bargeld ist es aber kein gesetzliches Zahlungsmittel, sondern nur ein Zahlungsversprechen der Bank. Es* *unterliegt insofern keiner (gesetzlichen) Annahmepflicht, doch wird es im Wirtschaftsleben allgemein akzeptiert. Forderungen nach Bargeld (gegenüber der kontoführenden Bank) beruhen auf Sichteinlagen (Kontoguthaben). "*[256]

Wenn wir diese signifikante und schwerwiegende Aussage verinnerlicht haben, könnte die Frage aufkommen, ob diese Aussage eine Einzelauffassung darstellt? Nicht nur meine Recherche dürfte zeigen, dass dies bedauerlicherweise nicht der Fall ist. Im Gegenteil, denn dies ist gängige Praxis, die auch durch den ehemaligen Deutsche Bank Vorstandssprecher höchst anschaulich bestätigt wird. Josef Ackermann teilt dort mit, dass die Theorie vertreten würde, dass ein System ohne Geldschöpfung der Stabilität diene. Diese sei jedoch wichtig, um Finanzierungen in die Zukunft überhaupt noch gewährleisten zu können.[257] Eine Annahme, die zu beweisen wäre.

Auf den Aspekt der allgemeinen Akzeptanz durch Geldschöpfung wird später mit einem konkreten Beispiel eingegangen. Schauen wir uns zunächst den Begriff der Geldschöpfung an. *„Geldschöpfung bezeichnet die Vermehrung der Geldmenge, bzw. die Erschaffung von neuem Geld. Bei Kreditgewährung durch eine Geschäfts- oder Zentralbank wird die dem Kreditnehmer gebuchte Summe neu erschaffen – geschöpft." Weiter heißt es dort: „Bargeld und Kreditgeld (Münzen und Banknoten) kann heutzutage nur von der Zentralbank bzw. dem Staat geschaffen werden, Buchgeld auf Sichtguthabenkonten (Giralgeld) sowohl von der Zentralbank als auch von Geschäftsbanken."*[258] Diese Aussage ist ja wirklich spannend. Was geschieht hier also? So, wie Jesus einst Fische und Brot aus dem Nichts erschuf und vermehrte, vermehren heute Geschäftsbanken aus dem Nichts angebliches Geld. Die FAZ.net veröffentlichte am 05.02.2012 zu diesem Phänomen Folgendes: *„Um einem Kunden*

---

[256] Iknews.de. Ist die EZB der größte Falschgeld-Emittent Europas? 20.07.2013: https://www.iknews.de/2013/07/20/ist-die-ezb-der-groesste-falschgeld-emittent-europas/
[257] Youtube.com. Ackermann gibt Geldschöpfung aus dem Nichts zu! (Giralgeld Geldsystem Deutsche Bank Euro Krise). 12.09.2011: https://www.youtube.com/watch?v=1Vil4gNVRuk
[258] De.wikipedia.org. Geldschöpfung: https://de.wikipedia.org/wiki/Geldsch%C3%B6pfung

einen Kredit zu geben, braucht die Bank noch nicht einmal die Spar-
einlage eines anderen Kunden aus ihrem Tresor zu holen. Sie schafft
Geld aus nichts. Allerdings: Die Bank muss im Gegenzug für den Kre-
dit Geld bei der Zentralbank deponieren – die sogenannte Mindest-
reserve. Sie ist viel kleiner als der Kredit: Lange Zeit betrug sie zwei
Prozent des Kreditbetrags, gerade wurde sie auf ein Prozent gesenkt.
Eine Bank, die 10.000 Euro Kredit vergeben will, braucht also 100
Euro Mindestreserve." Unter diesen traumhaften Voraussetzungen
ist man doch gewillt, selbst eine Bank zu gründen. Doch Ironie beiseite. Eine Frage, die in diesem Zusammenhang unbedingt auf-
kommt, ist, ob dieser Fakt ein Problem darstellt. Nun, auf den ersten
Blick vielleicht nicht. So sieht es auch der Autor des FAZ Artikels;
denn er führt weiter aus: *„Ist das alles schlimm, wie Occupy behaup-*
tet? Es ist nicht schlimm, solange die Zentralbank die Kontrolle be-
hält."[259] Nun, als Nichtbetroffener der Folgen dieser Geldpolitik kann
diese Position vielleicht vertreten werden. Wie es jedoch für betroffene Privatpersonen, Firmen oder Staaten aussieht, werden wir
an anderer Stelle genauer beleuchten. Kommen wir zur Frage, was
dieses *Geld* denn tatsächlich wert ist, wenn es nur zu einem Prozent
bei der Zentralbank gedeckt ist. Und, handelt es sich überhaupt um
Geld oder um was handelt es sich hier tatsächlich? Auch diese Frage
wurde im Artikel der FAZ erörtert. Dort hieß es: *„Geld, das sind heut-*
zutage nicht nur Scheine und Münzen. Auch was irgendwo auf Kon-
ten schlummert, ist echtes Geld. Wenn Zahlen von einem Konto auf
ein anderes wandern, fließt Geld. Man kann dafür Dinge kaufen und
es sich auszahlen lassen."(ebd.) Stimmt diese Aussage tatsächlich?
Nun, ich habe lange darüber nachgedacht und bin zu der Erkenntnis
gekommen, dieser Sichtweise ein klares „Jain" zu geben. Wenn tatsächliches Geld vom Bankkunden zuvor eingezahlt wurde, welches
dann von der Bank eins zu eins als Sichteinlage weiter überwiesen
wurde, ist es Geld. Wenn jedoch ein Kredit aus dem nichts geschöpft

---

[259] Faz.net. Siedenbiedel, Christian. Wie kommt Geld in die Welt? Aktualisiert am
05.02.2012: https://www.faz.net/aktuell/wirtschaft/wirtschaftswissen/geldschoepfung-
wie-kommt-geld-in-die-welt-11637825.html

wird, der lediglich zu einem Prozent als Mindestreserve gesichert wurde, dürfte es sich, bei einer großzügigen Betrachtung, zumindest zu 99 % um kein Geld im zuvor geschilderten Sinne handeln. Und selbst dieses eine Prozent, wie wird es übermittelt? Auch dies geschieht elektronisch, genauso wie die Auszahlung des Kredits an ein Unternehmen oder einen Privathaushalt. Also dürfte auch dieses eine Prozent eher kritisch betrachtet werden. Herunter gebrochen handelt es sich also maximal um digitale Zahlen, von denen wir glauben, sie hätten einen Wert. Glaube versetzt bekanntermaßen Berge, manchmal zumindest. Es handelt sich also um nichts mehr als eine schlichte Konvention, eine Übereinkunft, ohne rechtliche Grundlage. Real ist einzig das Blatt Papier oder der Kontoauszug, auf dem diese digitalen Zahlen stehen. Mehr Wert hat dieses Blatt dann zudem, als das angebliche Geld, denn es ist real.

Diese Realität beinhaltet auch einen sehr interessanten politischen Aspekt, denn über diesen Weg kann sehr wohl politisch Einfluss genommen werden, z. B. indem das Bargeld abgeschafft wird. Dies hätte vor allem den *Vorteil*, politische Interessen schneller durchsetzen zu können. Es birgt die unmittelbare Gefahr des Despotismus, der Anarchie und Abschaffung aller Freiheitsrechte. Bargeld ist Freiheit. Für das Bankenwesen bedeutet dieser Schritt die unbegrenzte Möglichkeit, Geld zu erschaffen. Wenn Banken *Geld,* oder sagen wir besser digitale Zahlen, aus dem nichts schöpfen können, was passiert dann eigentlich bei der Rückzahlung eines Kredits? Grundsätzlich richtig ist die Aussage des oben genannten FAZ Autors, dass *„man"* sich *Geld „auszahlen lassen kann."* Im Einzelfall passiert dies auch, doch was passiert, wenn Sie Ihrer Bank mitteilen, dass Sie Ihre Hausfinanzierung komplett in bar ausgezahlt haben möchten? Was passiert, wenn sich jeder Bankkunde diese 99 % fehlende Einlage bei der Zentralbank in bar und zur gleichen Zeit von seiner Bank auszahlen lassen wollte? Das Ergebnis können Sie sich selbst ausmalen. Kurzum, es wird nicht funktionieren.

Stellen wir uns dennoch vor, dass es praktisch möglich sei. Was halten wir dann eigentlich wirklich in der Hand? Eine Währung, namens Euro. Doch was ist dieser Euro denn eigentlich? Es handelt sich um

eine Privatwährung einer Privatbank namens Europäische Zentralbank (EZB). Was ist Europa? Ein Land? Ein Staat? Welche Legitimation hat der Euro nun also? Welche Legitimation hat diese EZB?
Wenn der Euro nun also eine Privatwährung ist und die EZB eine
Privatbank, wieso nutzen Staaten dieses Zahlungsmittel? Handelt es
sich überhaupt um Staaten? Was für eine Funktion haben derartige
Staaten dann eigentlich in diesem Zusammenhang? Schauen wir auf
einen Euroschein, so werden wir fündig. Die dort abgedruckten Bilder sind Fiktionen. Kein einziges Bild ist Abbild eines echten Ortes
oder eines echten Gebäudes bzw. Gebildes in Europa oder anderswo in dieser Welt. Die D-Mark war eine tatsächliche Banknote.
Der Euro ist ein urheberrechtlich geschützter Gegenstand, von dem
wir annehmen, dass er einen Wert darstellt, und möglicherweise als
Geld bezeichnet werden könnte. Auch hier wird erneut erkennbar,
dass es sich, ebenso wie bei der CO_2-Steuer und dem sogenannten
Grünen Punkt, um eine von wenigen Akteuren geschaffene Konstruktion handelt, eine künstlich geschaffene Realität. Wir dürfen
auch hier erkennen, auch das Papier, was wir anstelle einer Sichteinlage in der Hand halten, ist nichts anderes als eine Konvention,
gepaart mit Fiktionen. Der Definition einer Lüge nach, also eine Konstruktion, Illusion, ein Widerspruch in sich. Einzig unser Glaube
macht den Wert dieser Währung zu einem Wert. Nur weil eine Fünf,
eine Zehn oder Fünfzig darauf vermerkt ist, hat es genau welchen
Wert? Nun, ganz einfach, es ist fünf, zehn oder eben fünfzig Euro
wert. Sie glauben mir nicht? Was ist mit der D-Mark passiert? Sie ist
quasi abgeschafft und zerschreddert worden. Kurz zuvor hatte auch
diese Währung noch einen Wert, der ihr im nächsten Moment aberkannt wurde. Dafür kam eine neue Konvention, und Ihr Vermögen
hat sich in einem Handstrich halbiert; Inflationsbereinigung dürfte so
etwas genannt werden.

Also, einzig der Glaube an eine Konvention und an den Wert erhält
oder zerstört eine sogenannte Währung; und natürlich die politische
Entscheidung dazu. Abschließend stellt sich hier jedoch die Frage,
wofür brauchen wir dieses Mittel überhaupt? Hätte die D-Mark tatsächlich einen Wert gehabt, hätte man sie nicht geschreddert. Wer

kommt schon auf die Idee, Gold zu schreddern und dann wegzuwerfen? Eine analoge Konstruktion, wie beim sogenannten *Grünen Punkt*. Haben Sie schon einmal einen Kredit bei Ihrer Hausbank oder anderswo beantragt? Was passiert dabei eigentlich?

Sie gehen demütig und mit feuchten Händen zu Ihrem Banker und geben ihm alle Informationen, die er scheinbar von Ihnen benötigt, weil Sie in der Verlegenheit sind und mehr Geld benötigen, als Ihnen derzeit zur Verfügung steht. Sie sind bereit, sich wie ein offenes Buch vor Ihrem Banker zu Entblättern. Was passiert nun? Sie bekommen, wenn denn alles nach Vorstellung der Bank passt, eine Zusage für diese Geldmittel. Als nächstes werden Ihnen digitale Zahlen auf Ihrem Konto als Sichteinlage gutgeschrieben. Theoretisch könnten Sie sich jetzt die gesamte Summe in bar auszahlen lassen. Der Banker am Schalter könnte etwas verwirrt schauen, dennoch haben Sie einen Anspruch darauf. Was ist passiert?

In diesem Moment wurde neues Geld geboren. Doch was geschah tatsächlich? Sie gehen ein Schuldverhältnis ein und verpflichten sich über Jahre oder Jahrzehnte, dieser Bank Monat für Monat tatsächliches Geld zurück zu überweisen. Nun könnte man auf den Gedanken kommen, dass dem ja gar nicht so sei, da auch Sie ja nur Zahlen von Ihrem Konto an die Bank zurück übermittelt. Sie haben vollkommen recht, doch wo kommen diese *Zahlen* her? In den meisten Fällen arbeiten Menschen für diese *Überweisung*. Sie benötigen ein Guthaben, um diesen angeblichen Verpflichtungen nachkommen zu können, denn Sie als Kunde können kein Geld aus dem Nichts schöpfen. Um Ihrer Bank also diese Zahlen digital übermitteln zu können, bedarf es einer vorherigen Handlung. Sie müssen etwas dafür tun bzw. etwas haben, die Bank hingegen nicht. Was geschieht auf der Seite der Bank? Was tut sie für diesen vorherigen und höchst kurzweiligen digitalen Akt der „Überweisung", oder sagen wir besser Überschreibung? Sie schöpft dieses angeblich vorhandene Geld aus dem NICHTS. Sie hingegen überweisen echtes Geld Monat für Monat über Jahre oder Jahrzehnte an die Bank zurück, da Sie dies meistens durch Ihre Arbeitskraft erwirtschaften müssen. Als wäre dies nicht genug, zahlen Sie obendrein auch noch Zinsen. Bedenken wir darüber hinaus, auf welcher *Rechtsgrundlage* dies alles geschieht, dürfen wir in Gänze an dieser Konstruktion zweifeln.

Um uns dies nochmals zu vergegenwärtigen: Es wird ein Vertrag zwischen einem sogenannten Gläubiger und einem sogenannten Schuldner geschlossen. Ein Vertrag setzt zwei übereinstimmende Willenserklärungen voraus. Handelt es sich hierbei jedoch überhaupt um diese Voraussetzung? Schauen wir es uns genauer an. Sie wollen Geld von der Bank, die Bank ist letztlich bereit, es Ihnen zu geben. Der Witz bei der Sache, sie *gibt* es Ihnen gar nicht. Sie überweist Ihnen digitale Zahlen, die aus, sagen wir 99 % Luft bestehen. Gott sei es gedankt nicht aus CO_2, denn sonst müssten Sie auch darauf Steuern entrichten. Sie gehen jedoch fälschlicherweise von einer Zahlung echten Geldes aus. Warum erhält eine Bank diesen Vorteil Ihnen als Kunde gegenüber? Wer oder was gibt einer Bank das Recht für ein solches Handeln? Für diesen Akt gibt es keine Rechtsgrundlage, es ist lediglich eine *allgemein anerkannte* und *gängige* Praxis, wie ein an späterer Stelle geschildertes Beispiel höchst anschaulich beweisen wird. Ich frage Sie, ist hier ein gültiger Vertrag entstanden? Dies müssten letztlich Gerichte klären. Ich bin mir sicher, sie werden sich zunehmend mit dieser Frage auseinandersetzen und diese Situation klären müssen, je mehr sich Kreditnehmer betrogen fühlen.

Führen wir das Prozedere zunächst zu seinem Ende. Sie bekommen nun also diese Übermittlung, die Bank fordert dann für Jahre oder Jahrzehnte eine reale Geldsumme nebst Zinsen von Ihnen, ohne jemals wirklich Geld an Sie ausgezahlt zu haben. Der Verdacht liegt nahe, dass es sich um Betrug handelt, sehen Sie das nicht genauso? Wenn eine Bank beliebig viel angebliches Geld schöpfen und verteilen kann, wozu benötigt sie dann diese ganzen angeblich notwendigen Informationen des Kreditnehmers? Nun, um es wichtig und notwendig aussehen zu lassen? Um Informationen vom Kunden bekommen zu können, welche die Bank in einer anderen Situation so niemals erhalten würde? Oder, um den Bankkunden zu weiteren Folge- oder Parallelgeschäften nötigen zu können, weil er sonst keinen Kredit bekommen würde? Kommt Ihnen da nicht irgendetwas bekannt vor? Handelt es sich beim sogenannten Klimaschutz nicht um dieselbe Methode? Das Verklappen von CO_2 ins Erdreich ist politisch schwer durchsetzbar. Doch mit dem Klimaschutz und dem angeblich zu hohen Bestandteil an CO_2 in der Luft, das angeblich zum sogenannten Treibhauseffekt beiträgt, kann dies nun mit dem scheinbaren Argument des Klimaschutzes besser realisiert werden. Fällt Ihnen auch etwas auf?

Wenn Sie mich fragen, dürfte es sich unter diesen Voraussetzungen um reine Schikane handeln und vor allem um Betrug. Hier wird vorgegaukelt, dass es tatsächlich notwendig sei, diese Informationen geben zu müssen, damit Sie eine aus dem Nichts geschöpfte digitale Zahlenübermittlung erhalten. Mehr noch, Sie sind in den meisten Fällen sogar bereit, Ihre Altersvorsorgeverträge, Ihr Haus oder andere Sachwerte an die Bank als angeblich notwendige Sicherheit zu verpfänden, falls Sie Ihren Verpflichtungen nicht nachkommen. Unter diesen Voraussetzungen erscheint die Aussage von Tolstoi in einem ganz anderen Lichte, denn er sagte einst, dass das Geld an sich eine Form der Sklaverei sei. Es stellt sich darüber hinaus die Frage, welche Verpflichtung besteht hier überhaupt? Jeder weiß, dass ein Vertrag Rechte und Pflichten beinhaltet und die Voraussetzung zwei übereinstimmender Willenserklärungen bedarf. Der Kreditnehmer soll und wird dies in den meisten Fällen auch wie selbstverständlich erfüllen. Der Kreditgeber erfüllt jedoch höchstens den Teil des Rechts, jedoch faktisch nicht den Teil der Pflichten; vorausgesetzt, wir gehen davon aus, dass es tatsächlich zu einem gültigen Vertrag kam. Er überweist faktisch eben kein Geld, sondern erweckt höchstens den Anschein, diesen Schritt vollzogen zu haben. Ein solcher Vertrag hat mindestens ein Problem. Und so kann sich jeder Kreditnehmer mit Ruhe und Gelassenheit fragen, ob er seinen Verpflichtungen tatsächlich nachkommen müsste? Spätestens hier dürften bei Ihnen alle Lichter strahlen. Sie müssten sich doch mindestens verschaukelt fühlen? Müssten Sie nicht konsequenterweise einen Strafantrag bei der Staatsanwaltschaft wegen Betrugs stellen, wenn dem wirklich so wäre, wie hier geschildert?

Ich fasse nochmals zusammen: Sie schließen einen *schuldrechtlichen* Vertrag auf genau welcher *rechtlichen* Basis? Es handelt sich hier um ein einseitiges zu erfüllendes Geschäft, bei dem nur die Bank einen echten Vorteil genießt. Dies, ohne wirklich etwas dafür geleistet zu haben; mal abgesehen von einem verwaltungstechnischen Aufwand und den scheinbaren 1 % Mindesteinlage bei der Europäischen Zentralbank (EZB). Es wird etwas vorgetäuscht, was in Wirklichkeit so nicht stattfindet. Sie erhalten in Wirklichkeit nicht einen einzigen „echten" Cent. Sie hingegen sind angeblich verpflichtet tatsächliches, von Ihnen erwirtschaftetes Geld an die Bank zurückzuzahlen. Es gibt keine Rechtsgrundlage für ein derartiges Verhalten der Bank, dennoch geschieht es jeden Tag in Tausenden Fällen. Verstehen Sie jetzt, warum Banken so gerne Kredite vergeben? Und verstehen Sie nun, warum es *Easy Credit* heißt?

Auf diese Weise werden Menschen, Unternehmen und Staaten enteignet, und dies, ohne irgendeine eine rechtliche Grundlage. Hier werden Existenzen zerstört, ohne irgendeine rechtliche Grundlage. Menschen und Unternehmen melden Insolvenz an, weil sie ihren angeblichen schuldrechtlichen Verpflichtungen nicht mehr entsprechend nachkommen können. Menschen werden krank, weil sie z. B. durch Arbeitslosigkeit nicht mehr ihrer angeblichen Verpflichtung nachkommen können. Spinnen wir diese Situation doch etwas weiter. Wenn Sie Ihr Girokonto überziehen zahlen Sie bis zu 16 % Zinsen. Haben Sie sich schon einmal gefragt, wofür Sie diese Zinsen angesichts der o. g. Voraussetzungen zahlen? Was ist mit der angeblichen Verschuldung von Staaten? In Griechenland töten sich Menschen, weil sie keinen anderen Ausweg für sich sehen. Menschen verlieren ihr wirkliches Hab und Gut an Banken, weil z. B. Bürger Griechenlands, die in Schieflage geratenen Banken retten müssen. Wenn sie nicht arbeitslos werden, müssen sie Lohn- und Gehaltskürzungen hinnehmen. Rentnern werden ihre Renten willkürlich und existenzbedrohend zusammengestrichen. All dies sind Auswirkungen dieser Schuldgeldpolitik. Bei dieser Form der Geldschöpfung macht es dann auch unbedingt Sinn, wenn es Forderungen nach einer Abschaffung des *Handgeldes* gibt. Wird dies durchgesetzt, wird es richtig spannend.

In einzig, jedoch kaum artiger Weise schrieb ein Bankkunde seine Hausbank an und wies auf das oben geschilderte Problem hin. Er prüfte die Zusammenhänge und kam zu dem Entschluss, seine Hausbank auf diese Situation aufmerksam machen zu müssen. Zur Vervollständigung sei erwähnt, dass es sich bei diesem Kunden um keinen „gewöhnlichen" handelt, sondern um einen Rechtsanwalt, der diese Situation auf rechtlicher Ebene geprüft hat. In der Folge stellte mir dieser Anwalt diese Korrespondenz zur Verfügung, um diese veröffentlichen zu können und zu dürfen. An diesem konkreten Beispiel können Sie erkennen, welchem Zeitgeist die Kreditwirtschaft unterliegt.

„Commerzbank AG
Marktfolge CS&RP
Unionstraße 3
59067 Hamm

10.01.2013

Darlehenskündigung und Fälligstellung
Kündigung vom 17.12.2012
Konto-Nr.: XXXXXXXXXXXX
Aktenzeichen: XXXXXXXXXX

Sehr geehrte Damen und Herren,

allem Anschein nach haben Sie mein Schreiben vom 08.08.2012 nicht ausreichend geprüft oder nehmen meine dortigen Ausführungen nicht ernst.

1.
Ich habe mit diesem Schreiben Zurückbehaltungsrechte gemäß §§ 273 I, 313 I, II BGB geltend gemacht bis zum Nachweis, dass Sie mir ordnungsgemäß Geld = gesetzliche Zahlungsmittel (§ 14 BundesbankG) verliehen haben (vgl. auch § 3 Nr. 3 KWG) und nicht per Kreditvergabe Geldschöpfung aus dem Nichts mit mir betrieben haben, d. h. ich nur Buchgeldforderungen mit weniger als 95 % Bargeldunterlegung erhalten habe = kein gesetzliches Zahlungsmittel.

Ich hatte Ihnen durch Bezugnahme auf verschiedene Quellen einschließlich einer wissenschaftlichen Ausarbeitung sowie einem Zeitungsartikel aus der FAZ dargelegt, dass und warum ich nach eingehender Beschäftigung mit dem Thema Geldschöpfung im letzten Jahr fest davon überzeugt bin, dass Sie mir kein Geld im Sinne der einschlägigen rechtlichen Bestimmungen verliehen haben, sondern rechtlich betrachtet lediglich eine von Ihnen nicht sofort erfüllbare und spätestens im Insolvenzfalle (der ja bei Ihnen ohne die „Rettung" der Bundesregierung eingetreten wäre) nicht mehr erfüllbare

Forderung auf volle Auszahlung von Bargeld, da auch der Einlagen-sicherungsfond nicht darauf ausgelegt ist, eine Bankenkrise auch nur ansatzweise abzufedern, denn dann müsste er mit ca. 4,2 Billionen Euro (gegenwärtige Euro-Giralgeldmenge, M1 ohne M0) Bargeld ausstaffiert sein.

Ihr Kreditgeschäft lebt also nur noch davon, dass der Kreditnehmer und diejenigen, an die ein Kreditempfänger dann die Forderung auf Auszahlung von Bargeld durch Überweisung weiterleitet, nicht die Probe aufs Exempel machen und zum Schalter gehen und sagen, dass sie alles Buchgeld, also Konto„guthaben", in bar ausgezahlt erhalten möchten. Das ist sozusagen Ihr eigentliches „Bankgeheimnis", also ihr Geschäftsmodell, das kartellmäßig hinter dem Begriff „Geschäftspolitik" versteckt wird, die den Kunden angeblich nichts angeht.

Geldpolitisch betrachtet hat diese Art unkontrollierter Geldschöpfung durch Geschäftsbanken (incl. Sparkassen), also privaten Banken, zur Folge, dass sich in der Geldmenge M1 die absolut unvorstellbare Summe von ca. 4,2 Billionen „Euro" Buchgeld befindet, also eine auf keinen Fall erfüllbare Gesamtforderung auf Auszahlung von Bargeld, die, wenn die Banken so weitermachen, sich noch mehr ausweitet und nach Einschätzung auch vieler führender Geld- und Bankexperten zum Einsturz des gegenwärtigen Geld- und Finanzsystems führen wird, jedenfalls die Gefahr einer nicht mehr steuerbaren Bankenkrise wie Anfang der 30er Jahre riesengroß ist.

Die Geldschöpfung aus dem Nichts ist deshalb aus meiner Sicht illegal und damit begründete Schuldverhältnisse nichtig, zumindest aber anzupassen.

Schon gar nicht besteht Ihrerseits vor diesem Hintergrund ein Recht der Kündigung des Kreditverhältnisses mit mir mit der absurden rechtlichen Folge, von mir echtes Geld, was ich durch qualifizierte Arbeit erwerben muss, zu verlangen, und zwar für die bloße Vornahme eines Buchungsaktes, zu dem Sie noch nicht einmal legitimiert sind, also einer mindestens sittenwidrigen Vorspiegelung einer gesetzlichen erlaubten Kreditierungsleistung.

Ich muss schon nach geltendem Recht die Gewährung eines elektronischen Falschgeldkredites nicht mit echt verdientem Geld vergüten, dass dann u. a. benutzt wird, um sich vor allem auf der Ebene der Verantwortlichen überaus großzügig für derartige Tricks zu alimentieren.

2.

Des Weiteren hatte ich Sie aufgefordert, mir nachzuweisen, dass Sie die für die Festsetzung des Zinssatzes behaupteten Refinanzierungskosten gehabt haben, also insbesondere selber Zinsen aufwenden mussten, weil Sie sich das mir verliehene Geld z. B. bei der Zentralbank zu niedrigeren Zinsen zuvor selbst geliehen haben. Diesen Nachweis haben Sie ebenfalls nicht erbracht, was für mich klar deutlich macht, dass Sie diesen Nachweis nicht erbringen können bzw. wollen. Das wundert auch keineswegs, wenn Sie – wie üblich – auch meinen Kredit lediglich durch eine Gutbuchung geliefert haben und das „Geld" dadurch selbst erzeugt haben. Für diese vorherrschende Form der Gelderzeugung aus dem Nichts sind selbstredend für Sie auch keine nennenswerten Finanzierungskosten angefallen, abgesehen von Kosten der Mindestreservehaltung und anteiliger Personal- und Bürokosten. Ich habe für den Fall, dass Ihnen dieser Nachweis nicht gelingt, eine Vertragsanpassung gem. § 313 BGB verlangt. Hierauf habe ich ein Schreiben vom 21.08.2012 erhalten, das sich zunächst für meine „offenen Worte" bedankt und Ausführungen zur Feststellung des jeweiligen Referenzzinssatzes und dessen Manipulation enthält, allerdings keine Antwort auf die von mir gestellten Fragen bzw. die erbetenen Nachweise.

3.

Da Sie innerhalb der von mir gesetzten Frist die von mir zu Recht verlangten Nachweise nicht haben erbringen können, sind Sie zur Vertragsanpassung verpflichtet, die mindestens darauf hinauslaufen muss, dass die bisher belasteten Zinsen neu berechnet werden unter

Herausrechnung vorgespiegelter Refinanzierungskosten und danach zu viel geleisteter Zinszahlungen entweder – verzinst ab Zahlungsdatum – zurückgezahlt werden oder – bezogen auf die jeweiligen Zahlungsdaten – auf die Darlehensschuld mit entsprechender Anpassung der Zinsberechnung verrechnet werden.

Eine Berechtigung zur Kündigung, wie in Ihrem Schreiben vom 17.12.2012 ausgesprochen, hatten und haben Sie vor diesem Hintergrund natürlich nicht, da Sie mindestens zur Vertragsanpassung verpflichtet sind. Bei einem nichtigen Kreditvertrag (§ 3 Nr. § 3 KWG i.V.m. § 134 BGB) gibt es logischerweise schon deshalb kein Kündigungsrecht, weil in diesem Fall kein wirksamer Kreditvertrag besteht.

Sie wären in diesem Fall zur Rückzahlung aller meiner bisher geleisteten Zinszahlungen verpflichtet, und zwar in bar, und bei rein rechtlicher Betrachtung auch zur Rückzahlung aller Tilgungsleistungen, da ich Ihnen Vollgeld zurückgezahlt habe, Sie mir aber nur Buchgeld geliefert haben.

Mit ist völlig klar, dass im Falle einer gerichtlichen Auseinandersetzung mit einem solchen Ergebnis Ihr Haus insolvent wäre, jedenfalls ein riesiges Problem auftauchen würde. Es lässt sich aber so oder so nicht vermeiden, wenn die Lösung dieses Kernproblems der Kreditbranche weiterhin auf Politik und Steuerzahler abgewälzt wird. Diese werden dabei nicht mehr weiter mitmachen.

Ihre Kündigung, die bedrohlich auch noch darauf hinweist, dass diese der Schufa gemeldet wird, ist also unrechtmäßig und unwirksam. Außerdem gerät sie in die Nähe von Erpressung angesichts Ihrer vorbeschriebenen Geschäftspraktiken, wenn Sie keinen Anspruch auf irgendwelche Zahlungen wegen angeblicher Kündigung haben, sondern sich sogar objektiv strafbar gemacht haben.

Ich darf Sie daher auch bitten, umgehend der Schufa mitzuteilen, dass ich der Kündigung widersprochen habe und diese streitig ist und die Löschung erfolgt.

Ich werde auch nicht zögern, die Auseinandersetzung gerichtlich zu führen und, falls Sie weiter versuchen, gegen mich irgendwie Vollstreckungsmaßnahmen in Gang zu setzen, Strafanzeige erstatten (§ 54 KWG und § 331 HGB, unrichtige Darstellung sowie, da ich Sie aufgeklärt habe, auch gemäß § 263 StGB).

4. Ich hatte in einem weiteren Schreiben bereits darauf hingewiesen, dass Geldschöpfung aus dem Nichts durch Kreditvergabe, d. h. durch Erzeugung von Buchgeld, das nicht oder nur äußerst gering mit Bargeld unterlegt ist, ein verbotenes Kreditgeschäft darstellt gem. § 3 Nr. 3 KWG.

Ich erwarte, dass Sie sich mit diesem Aspekt auseinandersetzen und mir mindestens plausibel machen, warum nicht der Kredit an mich ebenfalls verbotene Geldschöpfung bzw. Kreditvergabe gem. § 3 Nr. 3 KWG gewesen ist.

In diesem Zusammenhang möchte ich Sie auch auf den Gesetzeszweck von § 3 Nr. 3 KWG hinweisen:

*„§ 3 Nr. 3 KWG hat den Zweck, Unternehmen zu verbieten, die unter missbräuchlicher Ausnutzung der Möglichkeiten des bargeldlosen Zahlungsverkehrs Kredite gewähren. Die besonderen volkswirtschaftlichen Gefahren derartiger Einrichtungen liegen in der hohen Kreditkapazität, die sich aus dem Ausschluss oder der Erschwerung der Barabhebung ergibt. Im Gegensatz zu den normalen Kreditinstituten brauchen diese Unternehmen für ihre Verpflichtungen keine liquiden Mittel bereitzuhalten und könnten, da sie einen besonders hohen Expansionskoeffizienten haben, im weit höheren Maße als die anderen Kreditinstitute zur **Ausdehnung des Geldvolumens und damit zu einer Störung der finanziellen Stabilität der Volkswirtschaft** beitragen. Während die Notenbank bei Kreditexpansionen anderer Kreditinstitute diesen Gefahren durch kreditpolitische Mittel begegnen könne, sei dies bei den unter § 3 Nr. 3 KWG aufgeführten Unternehmen kaum der Fall."*

Die Bankenkrise oder auch Finanzkrise oder auch Eurokrise oder auch Staatsschuldenkrise genannte Krise der Gelderzeugung und

-verteilung hat ihre wesentliche Ursache darin, dass die Geschäftsbanken seit Ende der siebziger Jahre und dann verstärkt durch Einführung der EDV Geldschöpfung aus dem Nichts, also bargeldlose Geldschöpfung durch Kreditvergabe von Buchgeldkrediten, praktiziert haben mit dem Ergebnis, dass die Giralgeldmenge, die bei den Banken vorhandene Bargeldmenge um ca. das 50-fache übersteigt. Diese Giralgeldmengenexplosion wird schon seit vielen Jahren nicht mehr von den Zentralbanken bzw. von der EZB kontrolliert und bedroht bekanntermaßen mittlerweile das gesamte Finanz- und Wirtschaftssystem in existentieller Weise.

Kreditgeschäfte, die gegen § 3 Nr. 3 KWG verstoßen, sind daher nach durchgängiger Auffassung aller Kommentatoren des KWG nichtig gem. § 134 BGB, d. h. alle Kreditgeschäfte, die nicht nur mit Giralgeld und rudimentärer Bargeldunterlegung „erfüllt" worden sind, sind daher im Hinblick auf den Gesetzeszweck als nichtig anzusehen.

Der Gesetzgeber hat das Betreiben von Verbotsgeschäften gem. § 3 Nr. 3 auch unter Strafe gestellt, § 54 KWG.

Der Unterzeichner ist sich vollständig im Klaren darüber, dass bei strikter Anwendung der vorgenannten Vorschriften des KWG das Bankensystem zusammenbrechen würde, weswegen er auch erwartet, dass bei so einer Frage nicht der bankenübliche Weg der Durchführung von Vollstreckungsmaßnahmen beschritten wird. Diese Problematik kann man nicht mit unkundigen, unsicheren Justizjuristen, Gerichte genannt, „bewältigen".

Dem Unterzeichner ist vor seiner Aktion klar gewesen, wie die erste Reaktion aussehen wird, so dass er nicht von irgendwelchen Vollstreckungsmaßnahmen existentiell betroffen sein wird, auch wenn die Justiz sich mal wieder reflexartig der vermeintlichen Geldmacht beugt und nicht dem Recht. Ihm geht es um einen grundlegenden Wandel im Wirtschafts-, Finanz- und Rechtssystem.

Banken bilden hinsichtlich des Kreditgeschäftes und der damit verbundenen Geldschöpfung aus dem Nichts schon seit vielen Jahren ein Kartell, was Insider auch schon vor Jahren dem Unterzeichner eingestanden haben, so dass es jetzt in erster Linie darum geht, den rechtsfreien Raum, den sich Banken verschafft haben, wirksam einzuschränken bzw. die vorhandenen rechtlichen Schranken zur Anwendung zu bringen, allerdings nicht durch „Rettungsmaßnahmen" unter Druck gesetzter Politiker auf Kosten von Steuerzahlern, sondern durch Neuverhandlung der Kreditkonditionen und Änderung der Geschäftspolitiken.

Der Unterzeichner erwartet daher, dass Sie von den angedrohten Maßnahmen Abstand nehmen und ihm ein Angebot für die oben beschriebene Vertragsanpassung unterbreiten sowie einen ehrlichen Dialog mit ihm und allen anderen Betroffenen darüber anfangen, wie Sie mit Zukunftsaussichten saniert werden können, ohne dass weiter Kunden abgezockt werden müssen und die Krisenhaftigkeit dieses Systems auf Kosten der Bevölkerung „bewältigt" wird.

Eine Durchschrift dieses Schreibens habe ich auch an den Vorstand gerichtet.

Mit freundlichen Grüßen

(Scharpf, LL.M.)

Rechtsanwalt
Persönlich/Vertraulich
Commerzbank AG
z. H. des Vorstandsvorsitzenden
Martin Blessing
Kaiserstraße 16
60311 Frankfurt am Main

10.01.2013

Vertragsanpassung von Kreditverträgen wegen

verbotener Kreditgeschäfte

Sehr geehrter Herr Blessing,

ich erlaube mir, Ihnen den anliegenden Vorgang zur Kenntnis zu geben, da er absolut grundsätzliche Problematiken der Commerzbank AG und insgesamt der Bankenbranche berührt, die meiner Ansicht nach nicht mehr länger „einfach so weitermachen" kann wie bisher.

Ich bin selber seit vielen Jahren Kunde der Dresdner Bank AG gewesen und dadurch jetzt auch Kunde der Commerzbank AG.

Eine Vielzahl beruflicher und privater Erfahrungen mit der finanziellen Abwicklung von Immobiliengeschäften hat mich dahin gebracht, durch die in der Anlage ersichtliche Aktion grundsätzliche Änderungen des Geld- und Finanzsystems, insbesondere der „Geldschöpfung" in Gang zu setzen, da das jetzige Geld- und Finanzsystem nach tiefster Überzeugung des Unterzeichners eines Paradigmenwechsels bedarf, der nur mit den Bankkunden und nicht gegen die Bankkunden herbeigeführt werden kann.

Vor allem bedarf dieser Wandel einer radikalen Ehrlichkeit, die frei von Überheblichkeiten ist und eine gemeinsame Suche nach verträglichen Lösungen darstellt, bevor es zu allerschlimmsten Krisenerscheinungen kommt, nicht zuletzt durch den keineswegs fern liegenden Absturz der Commerzbank AG, die ja herkulische Kräfte besitzen *muss, um allein schon mit den „angeheirateten" Problemen zurecht zu kommen.*

Mit freundlichen Grüßen

(Scharpf, LL.M.)

Rechtsanwalt"[260]

---

[260] Schrapf, Hans. Occupy Frankfurt. Briefwechsel mit Hausbank. 2012

COMMERZBANK

Commerzbank AG, 60261 Frankfurt am Main

Private Kunden

Kunden- und Qualitätsmanagement

persönlich / vertraulich
Herrn Rechtsanwalt
Hans Scharpf
Kirchnerstraße 6 - 8
60311 Frankfurt am Main

H
Postanschrift:
60261 Frankfurt am Main
Geschäftsräume: Kaiserstraße 16
60311 Frankfurt am Main
Tel.:   +49 69 136 - 44310
Fax: +49 69 136 - 51272
Qualitaetsmanagement@commerzbank.com

23. Januar 2013

Ihr Schreiben vom 10. Januar 2013 an unseren Vorstandsvorsitzenden Herrn Martin Blessing

Ihr Schreiben vom 10. Januar 2013 an die Marktfolge CS&RP

Kontonummer 7   , BLZ 5 | Aktenzeichen 3

Sehr geehrter Herr Scharpf,

wir kommen zurück auf Ihre im Betreff genannten Schreiben. Vielen Dank für Ihre Ausführungen. Herr Blessing hat uns gebeten, Ihnen zu antworten.

Selbstverständlich haben wir Ihre Darstellung mit unserer Rechtsabteilung erörtert. Die Prüfung hat ergeben, dass eine Anpassung des Zinssatzes wegen Störung der Geschäftsgrundlage nicht in Betracht kommt. Die Bank hat die ihr obliegenden Pflichten aus dem Darlehensvertrag ordnungsgemäß erfüllt.

Nach § 488 Abs. 1 Satz 1 BGB ist der Darlehensgeber verpflichtet, dem Darlehensnehmer einen Geldbetrag in der vereinbarten Höhe zur Verfügung zu stellen. Allgemein anerkannt ist, dass die Zurverfügungstellung eines Darlehens auch durch Gutschrift auf dem Konto des Darlehensnehmers erfolgen kann. Die von Ihnen gezogene Differenzierung zwischen Bar- und Buchgeld findet weder im Gesetz noch in der Rechtsprechung eine Stütze. Die Bank hat ihre Verpflichtung aus dem Darlehensvertrag also erfüllt.

Nach § 488 Abs. 1 Satz 2 BGB ist der Darlehensnehmer unter anderem verpflichtet, den geschuldeten Zins zu zahlen. Die Höhe des anfänglichen b.a.w.-gültigen Zinssatzes ist in dem mit Ihnen geschlossenen Vertrag festgelegt. In diesem Vertrag ist ferner die Anpassung des Zinssatzes für die Zukunft geregelt, die sich an dem dort genannten Referenzzinssatz orientiert. Die tatsächlichen Refinanzierungskosten (die entgegen Ihrer Behauptung durchaus anfallen) sind nach der getroffenen Vereinbarung für die Anpassung des Darlehenszinssatzes unerheblich. Eine Offenlegung der Refinanzierungskosten der Bank werden wir nicht vornehmen.

Entgegen Ihrer Auffassung liegt auch kein Verstoß gegen § 3 Nr. 3 KWG vor. Die von Ihnen zitierte Kommentarstelle macht deutlich, dass bei Kreditinstituten, die eine Bankerlaubnis haben, die beschriebene Gefahr gerade nicht besteht, weil hier die Notenbank gegebenenfalls kreditpolitische Maßnahmen ergreifen kann.

Den von Ihnen in diesem Zusammenhang erhobenen Vorwurf der Strafbarkeit müssen wir auf Schärfste zurückweisen.

315

COMMERZBANK

Nicht ganz nachvollziehbar ist uns in diesem Zusammenhang auch die von Ihnen geforderte Vertragsanpassung, die auf eine Absenkung des Zinssatzes abzielt. Wenn der Kreditvertrag, wie von Ihnen behauptet, wegen Verstoßes gegen bankaufsichtsrechtliche Vorschriften beziehungsweise Strafvorschriften nichtig sein soll, ist nicht verständlich, weshalb Sie dann eine Anpassung des Zinssatzes dieses nichtigen und gegen Strafgesetze verstoßenden Vertrages verlangen.

Der Vertrag ist durch unsere Kündigung vom 17. Dezember 2012 ordnungsgemäß beendet worden. Wir bitten daher um Ausgleich der im Schreiben vom 17. Dezember 2012 aufgeführten Forderungen.

Mit freundlichen Grüßen
Commerzbank AG

H   R   H

Abbildung 8

Hans Scharpf darf inzwischen nicht mehr als Anwalt tätig werden, ihm wurde die Zulassung seit dem 13.09.2016 von der Anwaltskammer widerrufen.[261] Die Antwort *im Auftrag* des Bankvorstandes Herrn Blessing belegt anschaulich, mit welchem Selbstverständnis agiert wird. Wichtig ist vor allem die Aussage, dass diese Vergabepraxis *allgemein anerkannt* sei. Ein *allgemeines* Anerkenntnis dürfte kaum eine Rechtsgrundlage ersetzen. Ernüchternd ist, dass sich angesichts der Brisanz dieses Themas lediglich Stellvertreter bzw. beauftragte Mitarbeiter mit dieser Situation auseinandergesetzt haben. Neben dieser *allgemein anerkannten* Praktik von Geschäftsbanken, welche offenbar Schule macht, erschloss sich die katholische Kirche diese allein aus moralischer Sicht groteske Situation. Bei der Recherche dieses Buches bin ich auf eine höchst interessante Aussage eines Mitarbeiters dieser Institution der katholischen Kirche gestoßen.

---

[261] Geldhahn-zu.de. Amtsgericht Rüdesheim am Rhein. Akz.: 6Cs-2250Js36963/16. 22.11.2018: https://t1p.de/74u3

Wie Sie den folgenden Ausführungen entnehmen können, gibt sich diese *Glaubenskirche* ihre Kredite sogar selbst. Auf diese Weise bleibt das katholische System autark und macht sich in dieser Hinsicht nicht abhängig von anderen Geschäftsbanken.

„Ich habe nebenbei noch eine kleine Aufgabe bei der kath. Kirche und habe deswegen Einblicke ins Finanzgebaren der Kirche. Kirchen und Pfarrhäuser werden mit unvorstellbarem finanziellen Aufwand saniert. Heizungen, die erst 4 Jahre alt sind werden durch Pelletheizungen ersetzt. Ganze Straßenzüge im erzbischöflichen Hauptort arbeiten als quasi-Beamte für die Kirche und heizen die Kirchenbürokratie ins Groteske an. Mir ist klar geworden, warum der Kirche nur das Teuerste und Beste gut genug ist. Das Erzbistum hat nämlich eine eigene Bank und vergibt somit Kredite quasi an sich selbst! Eine bessere Gelddruckmaschine kann es gar nicht geben. Der Counterpart, also der Schuldner der die Schulden für den renovierten Kirchturm zurückzahlen muss ist die jeweilige Pfarrgemeinde in der Provinz. Gehören tut das Pfarrhaus und der Kirchturm, sowie die Äcker die sie sich im Mittelalter vermutlich zusammengegaunert haben aber der Liegenschaftsverwaltung im Erzbistum.

Die eigene Kirchenimmobilie luxussanieren, das Geld dafür aus dem Nichts erschaffen und die Schulden einem anderen (der Provinzgemeinde) anhängen. Idealer geht's nicht mehr. Die Provinzgemeinde allerdings zahlt real auch nichts zurück, sondern lebt von den Zuweisungen vom Erzbistum, die sich wiederum aus Steuergeldern finanziert. Letztendlich zahlt also der Steuerzahler für die Luxussanierungen der Kirche. Da wundert es nicht mehr, daß die Kirche das Geld im größten Stil verprasst. Es ist ja nicht ihr eigenes Geld sondern das Geld der (auch der nichtkatholischen) Steuerzahler. Bei den Evangelischen dürfte das nicht anders sein."[262]

---

[262] Hartgeld.com. [12:30] Leserzuschrift-DE zur Kirche und Finanzgebahrung: https://hartgeld.com/service/archiv/33-archiv/567-eliten-politik-2013.html

Da es sich auch hier um ein Originalzitat handelt, sind die im o. g. Text vorhandenen Schreibfehler verblieben. Die dort getroffenen Aussagen untermauern darüber hinaus das zuvor geschilderte Szenario des *allgemein anerkannten* Verhaltens von Geschäftsbanken. Ungeklärt bleibt, was unter *allgemein anerkannt* zu verstehen ist? Darüber hinaus bleibt die Frage, wer unter *allgemein* zu subsumieren ist und wer diese *Allgemeinheit* zu diesem Handeln ermächtigt hat. Letztlich wäre auch zu klären, auf welcher rechtlichen Basis ein solches Verhalten gerechtfertigt werden kann, wenn eine Legitimation bisher ausblieb. Dies ist keine juristische Abhandlung, weshalb dieser Exkurs im Zusammenhang betrachtet werden sollte. Er dient als Nachweis dafür, dass Moral vom Recht letztlich schwer zu trennen ist.

Doch kommen wir zurück zum zentralen Thema dieses Buches und stellen uns die Frage: Wie wichtig sind uns Moral und Werte wirklich, angesichts solcher möglichen und tatsächlichen Szenarien? Sind sie überhaupt wichtig, oder sollten wir uns nicht besser den *wirklich* wichtigen Dingen unserer modernen Gesellschaft widmen? Ist es nicht wichtiger die neueste Generation eines weltbekannten Handyherstellers zu erwerben oder schreiend Schuhe per Internet zu kaufen? Vielleicht sollten wir aber auch einfach nur Bäume pflanzen oder Häuser bauen, denn das hält Banken in Zeiten von politisch gewollten Niedrigzinsen noch am Leben? Ist es nicht viel wichtiger, so viel Geld wie irgend möglich anzuhäufen, um sein oder ihr Schäfchen ins Trockene zu bekommen? Hauptsache ich, was interessieren mich die anderen, schließlich leben wir nur einmal? Am besten gar nicht mehr denken oder empfinden, sondern konsumieren auf Teufel komm raus? Rette sich, wer kann? Der Schnellste und Cleverste gewinnt, der *Rest* verliert? Was geht mich mein Nachbar an? Was gehen mich andere Menschen an? Insbesondere dann, wenn es mir selbst doch so gut geht? Und, was bitteschön hat denn das alles mit Moral und Werten zu tun? Brauchen wir das wirklich? Brauchen Sie das? Provokation, sagen Sie? Ironie? Sie haben recht, denn es ist in Ihrem Leben offenbar für mehr Platz, als nur für Konsum, Gleichgültigkeit und Dumpfheit. Sie sind ein denkender, vielleicht sogar ein zutiefst moralisch handelnder Mensch, dem wahre Werte etwas bedeuten, ohne zwingend ein klares Bewusst-*Sein* dazu zu haben? Sie haben vollkommen recht, und damit sind wir auch schon bei der Kern-Idee dieses Buches.

Diese Zeilen wollen Sie wachrütteln, Sie ganz persönlich! Die Zeilen laden Sie zum Nach-denken und Vor-denken ein. Sie wollen überhaupt zum Denken und, besser noch, zum Handeln animieren. Wenn Sie das Buch gelesen haben, reden Sie mit anderen Menschen darüber. Tauschen Sie sich mit Ihren engsten Freunden, mit Ihrem Partner, Ihrer Partnerin, mit Ihren Arbeitskolleginnen und -kollegen aus. Reden Sie über den Inhalt dieses Buches, und schaffen Sie ein nicht neues, sondern sagen wir, ruhendes Bewusst-*Sein*, denn die meisten Menschen tragen dieses Bewusst-*Sein* nach wie vor in sich. Vielleicht trauen Sie sich dann sogar, wieder Dinge auszusprechen, die Sie bis dahin nur mit sich allein ausgemacht haben, weil Sie dachten, dass andere Menschen, denen es durchaus ähnlich geht, Sie für Ihr Denken auslachen könnten. Sie haben es in der Hand, denn auch dank Ihrer Hilfe wird etwas entstehen, was wir positives Kollektivbewusst-*Sein* nennen können, das jedoch keinerlei Analogie zum Sozialismus repräsentiert. Dies ist alles andere als ein sozialistischer Kampfbegriff, es ist eine gesellschaftliche Notwendigkeit. Moral, so heißt es, ist Untersuchungsgegenstand der Ethik. Ethik erklärt jedoch den Begriff der Moral zunächst nicht, sondern nimmt ihn als Bestandteil mit auf. Bleibt also die Aufgabe, den Begriff der Moral mit Leben zu füllen. Doch bevor wir uns diesem Begriff nähern, klären wir zunächst weiter die Intention dieses Buches.
Betrachten Sie dieses Buch als Anreiz, als Spiegel einer Entwicklung der Zeit. Betrachten Sie es als zu Fleisch gewordenes Wort eines Bewusst-*Seins* und als Bestandteil eines vor uns liegenden unausweichlichen Bewusst-*Seins*-sprunges. Betrachten Sie es als weiteren Weckruf. Es will nicht anklagen, lediglich Hinweis geben und wachrütteln. Auch dann, wenn es manchmal wehtun kann. Es ist wie mit der Astrologie. Sie können daran glauben oder nicht, zweifellos

ist, dass es sie gibt und sie beeinflusst. Zweifelsfrei ist ebenso, dass unser tagtägliches Leben und Wirken auch von Sternkonstellationen beeinflusst ist, ob wir dies nun glauben oder nicht. Bei Vollmond schlafen viele Menschen unruhiger oder gar nicht. Veränderungen von Magnetfeldern beeinflussen unser Bewusst-*Sein,* unsere Psyche und unser Handeln. Das ist keine Binsenweisheit, es ist eine von vielen Wahrheiten. Für alle sicherheitsbewussten Menschen unter uns ist dies wissenschaftlicher Bewusst-*Seins*-Stand. Wir leben überwiegend in und mit äußeren Erscheinungsbildern und Wertvorstellungen. Der Bewusst-*Seins*-Sprung wird uns jedoch zu unserem eigentlichen Selbst führen können. Äußerlichkeiten und deren Erscheinungsbilder sowie die dazugehörigen Wertvorstellungen und Glaubenssätze werden in den Hintergrund treten, und wir Menschen werden uns auf unser Innerstes konzentrieren. Auf diese Weise erfahren wir uns selbst und unser wahres Ich.

Sehen wir uns dazu die Geschichte der drei Gottheiten an, die Roswitha Defersdorf so anschaulich und zutreffend in ihrem Buch *„Frischer Wind für die Partnerschaft, besser miteinander reden"*, beschreibt.[263] Dort sitzen drei Gottheiten zusammen. Sie beraten sich, wo sie denn am besten die Kraft verbergen können, mit der sie die Erde erschaffen haben. Sie wollen dabei sichergehen, dass diese Kraft niemand findet, der Schaden mit ihr anrichten kann. Der erste Gott sieht diese Kraft auf dem höchsten Berg der Erde und will sie dort hinbringen. Doch die anderen beiden Gottheiten sagen zu ihm, dass der Mensch eines Tages dort hinkommen wird und völlig unvorbereitet diese große Kraft in den Händen halten wird. Die nächste Gottheit regt daher an, diese Kraft in die tiefsten Tiefen der Meere zu legen. Doch auch hier sehen die anderen Gottheiten die Gefahr, dass die Menschen eines Tages diese Kraft aus den Tiefen des Meeres bergen und ebenso unvorbereitet Schaden mit dieser Kraft anrichten. Nach langen Überlegungen sagt die dritte Gottheit zu den

---

263 Defersdorf, Roswitha. Frischer Wind für die Partnerschaft. Verlag Herder GmbH. Neuausgabe, Freiburg 2009

anderen, dass sie diese einzigartige Kraft am besten in das Innerste des Menschen legen. Da sucht zunächst kein Mensch, denn alle suchen zuerst im Außen. Wenn ein Mensch damit beginnt, nach innen zu blicken, wird er vorbereitet sein, wenn er diese Kraft dort gefunden hat, wo sein innerstes *Sein* ist. Findet er sie dort, so wird er keinen Schaden damit anrichten, denn er ist reif für diese Kraft. Roswitha Defersdorf führt dort weiter aus, dass diese große Kraft, die *„Sprache des Herzens"* sei. Sie weist auf das Johannes-Evangelium hin, das mit den Worten beginnt: *„Im Anfang war das Wort"*. Auch die Philosophie der Indianer spricht in diesem Zusammenhang von der Heiligen Sprache. Es geht also um unser Bewusst-*Sein* und die innere Einkehr. Der verstärkte Blick in unser innerstes *Sein*. Dazu gehört anfangs sicher eine Portion Mut. Dies ist jedoch lediglich darauf zurückzuführen, dass es für die meisten von uns nur ungewohnt erscheint, weil es eine Veränderung darstellt. So, wie vieles in unserem Leben, ist dies jedoch auch nur ein Lernprozess, der allerdings notwendig ist, um unsere tatsächlichen Antworten finden zu können, die wir im Außen nicht finden werden. Konfuzius drückt diesen Mut mit anderen Worten aus: *„Ein vornehmer Mensch tadelt sich selbst, ein gewöhnlicher die anderen."*[264] Bevor wir bei uns selbst schauen, welche Verantwortung wir bei einer jeweiligen Situation zu tragen haben, beginnen wir in der Regel damit, einen Schuldigen im Außen zu suchen. Da es eben oft den notwendigen Mut braucht, um mindestens auch bei sich selbst zu schauen, glauben wir, unser Heil darin finden zu können einen Schuldigen im Außen zu finden. Finden wir ihn dann, was höchst wahrscheinlich ist, glauben wir, dass damit ein Problem gelöst sei. Es ist jedoch der einfachste und banalste Weg, den wir gehen können. Lösen werden wir darüber hinaus das eigentliche Problem in den seltensten Fällen, wenn überhaupt. Den Weg zur Eigenverantwortung und inneren Einkehr zu gehen kann mitunter sehr schmerzhaft sein, da wir dort Wahrheit und Wahrhaftigkeit finden werden. Da fällt die Entscheidung leichter, diese Verantwortung bei einem auserkorenen Schuldigen im Außen zu suchen. Auch,

---

[264] aphorismen.de. Konfuzius Zitate: https://www.aphorismen.de/zitat/4033

wenn wir eine Lösung dort oft nicht finden werden. Unser Ego wählt regelmäßig en Weg des geringsten Widerstandes sowie die Bequemlichkeit.

Krankheitsbilder sind häufig Spiegel eines solchen Verhaltens, weil Wahrhaftigkeit ungelebt bleibt. Wichtig dabei ist jedoch auch die Haltung zur Schuld an sich. Manifestiert wurde dieser Denk- und Handlungsansatz der Schuld nicht zuletzt in unserem Bürgerlichen Gesetzbuch (BGB), vor allem im Schuldrecht. Dort wird geregelt, wie mit Schuld und Schuldigkeit verfahren wird. Im Strafrecht wird ein Angeklagter nach seiner Schuld gefragt. Bekennt er sich dazu oder nicht? Eine chinesische Weisheit sagt jedoch dazu, dass wir nicht nach einem Schuldigen und der Schuld an sich suchen sollten, sondern eine Lösung finden dürfen. Machtvoll oder moralisch? Entscheiden Sie selbst. Überprüfen Sie auch, womit Sie sich wohler fühlen. Worin steckt Mut, worin Macht? Angesichts dieser Ansätze müsste unser Denken, Handeln und letztlich unsere Rechtsprechung völlig neu durchdacht und konzipiert werden. Die Realität sieht jedoch ganz anders aus. Sie ist eine logische Konsequenz aus dem Machtgefüge und Denken der noch anhaltenden Zeit. Lösungen unserer Probleme und Lebenssituationen werden wir jedoch nicht auf diese Weise und in erster Linie im Außen finden. Auch dies ist eine Wahrheit, und wenn wir noch so sehr an unsere im wahrsten Sinne des Wortes festgefahrenen Muster glauben und an ihnen festhalten. Die Ereignisse und Geschehnisse dieser Tage beweisen uns zunehmend, dass Wahrheit in diesen Aussagen steckt. Unsere *liebgewonnenen* Zivilisationskrankheiten und unser Umgang damit spiegeln diese Wahrheit jeden Tag aufs Neue wider. Unsere Zivilisationskrankheiten sind ein deutliches Zeichen für das Endstadium eines Bewusst-*Seins* im Außen. Diesen zunehmend oberflächlichen Zeitgeist führt das folgende Beispiel höchst anschaulich zutage.
Ich erhielt diese Nachricht per Mail und fühlte mich darin bestätigt, dass unser zivilisatorisches Bewusst-*Sein* in großen Schritten seinem Ende entgegen geht. Dort heiß es, dass medikamentöse Streugewürze Lösung für unsere Essgewohnheiten sein können. Britische

Ärzte machten einen skurrilen Vorschlag: McDonalds und Co. sollten demnach ihren Kunden zu den Extras wie Mayonnaise und Ketchup auch ein Medikament zum *darüber streuen* anbieten. Ein vorsorglich verabreichtes Statin-Präparat, wie es zur Senkung eines erhöhten Cholesterin-Blutspiegels eingesetzt wird, könne die negativen Auswirkungen von Pommes und Hamburgern auffangen. Denn wer ständig die falschen Fette zu sich nimmt, riskiere einen Herzinfarkt, so die findigen Mediziner. Sie errechneten, dass die Einnahme eines solchen Statin-Präparats das zusätzliche Infarktrisiko durch einen großen Hamburger mit Käse und einen Milchshake ausgleichen könne. Ist es die Hilflosigkeit der Ärzte und unserer Gesellschaft, dieses Problem der Überfettung auf diese Weise in den Griff zu bekommen oder nur nüchterne Berechnung der Lebensmittel-Industrie, um ihr Angebot auch weiterhin rechtfertigen zu können? Oder ist es vielleicht sogar beides? Sicher, es ist scheinbar ein weit aufwändigerer Weg, sein Bewusst-*Sein* und Verhalten zu verändern, als den scheinbar einfacheren Weg beispielsweise mit Streugewürzen wie *Statin-Präparaten* zu gehen. Ego ist eben bequem.

Es ist wie bei der Macht und der Moral. Der Weg der Macht ist der weniger anspruchsvolle, der moralische hingegen ist der Weg des Anspruchs. Der Mensch ist bequem geworden. Vergleichen wir uns mit Generationen vor uns, so können wir beobachten, dass wir heute weit wehleidiger geworden sind, als viele Generationen zuvor. Dafür sterben wir auch früher, als die Generation vor uns. Es mag richtig sein, dass wir heute im Durchschnitt älter werden als die Menschen vor 200 oder 300 Jahren, doch zu was für einem Preis und mit welcher Lebensqualität? Als sei das Alter an sich eine Qualität? Lebensqualität geht doch eher mit hohem Alter einher, wenn wir möglichst lange gesund und beweglich bleiben, oder?

Ein weiteres Zeichen oder Erscheinungsbild unserer Zivilisationskrankheiten kann auch unser weltweit verbreitetes Zinssystem bezeichnet werden. Im Jahre 2010 war laut Forbes Liste ein Mexikaner der reichste Mensch der Welt. Er heißt Carlos Slim und sein Vermögen beliefe sich auf etwas mehr als 53 Milliarden US Dollar. Er streicht aufgrund der Struktur seines ganz persönlichen und höchst privaten Geldimperiums jeden Tag einen Gewinn von etwa 27 Mio. Dollar ein. Das bedeutet, dass er stündlich erneut mehr als ein Millionär wird. Zu seinem Imperium gehören Tabakfirmen, Internet- und Handyanbieter, die größte mexikanische Telefongesellschaft, Kaufhäuser, Bäckereien, Erdölzulieferer, Restaurants, Pensionsfonds, Bergbaufirmen, Autozubehörhersteller, Versicherungen, Immobilienfirmen und mehr.[265] Eine Gelddruckmaschine, an dem ein Unternehmer an der Spitze sitzt. Während dieser eine Mensch jede Stunde aufs Neue allein durch seinen Gewinn und Nichtstun zum Millionär wird, müssen gleichzeitig viele Menschen in Mexiko mit zwei Dollar am Tag auskommen. Berücksichtigen wir den Zufluss der Zinsen auf das Gesamtvermögen, so wird er allein bei einer Verzinsung von 4 %, um nochmals über eine Million stündlich reicher. Angesichts dieser Entwicklung dürfen wir uns fragen, was dieser Unternehmer eigentlich unternimmt. Braucht er angesichts seines Vermögens und des allein durch Zinsen daraus entstehenden Wachstums seines Geldvermögens doch gar nichts weiter zu unternehmen. Die Krankheitserscheinung des Zinssystems ist vor allem der Grund dafür, dass er für die Vermehrung seines Geldvermögens nichts weiter tun muss.

Hier wird die Fragwürdigkeit dieses Systems erneut deutlich. Wie ein Krebsgeschwür frisst sich dieser Geldauswuchs durch die Strukturen einer Gesellschaft und saugt sie aus. Auch hier wird deutlich, dass wir ein Machtsystem und eben kein moralisches System haben. Während Staatshaushalte immer mehr Schulden machen, profitieren *systemimmanente* Bestandteile der Finanzgesellschaft kräftig von dieser Verschuldung und höhlen dadurch die Funktion eines Staates oder in Ansätzen vergleichbaren Systems aus. Während der weltweite Schuldenstand wächst, wächst das Kapital der sogenannten Gläubiger auf der anderen Seite. Was machen diese „Gläubiger" mit diesen Massen an Geld? Sie verzocken es vielfach. Die letzte

---

[265] Welt.de. Weiss, Sandra. Carlos Slim ist der begehrteste Witwer Mexikos. Veröffentlicht am 12.03.2010: https://www.welt.de/finanzen/article6744289/Carlos-Slim-ist-der-begehrteste-Witwer-Mexikos.html

Weltweite Finanzkrise ist der bisher perverseste Auswuchs dieses Krankheitsbildes. Wenn ein Staat beginnt, sich durch Verschuldung erpressbar zu machen, verliert er seine Legitimation. Dies leider nicht an den sogenannten Souverän, sondern an seine sogenannten Gläubiger. Diese sogenannten Gläubiger können also ein unbedingtes Interesse daran haben, dass Staaten sich verschulden. Der *Corona-Krise* sei Dank, geschieht dies in unvorstellbarer Geschwindigkeit unvergleichbarem Ausmaß. Diese Rechnung wird uns sogenannten *Steuerzahlern* dann präsentiert, in dem wir zukünftig noch mehr Steuern und Abgaben leisten dürfen? Wollen Sie dieses System wirklich noch länger erleiden? Wie kann es angesichts derartiger Entwicklungen, die vor allem durch politisch höchst fragwürdige Entscheidungen ausgelöst wurden, von einem nahezu perfekten Management der politisch Verantwortlichen gesprochen werden? Und somit schließt sich der Kreis zum bereits erwähnten Szenario der Ratingagenturen. Staaten werden durch ihre Verschuldungssituation abgewertet, in die sie sich zuvor durch Konstruktionen von politisch und wirtschaftlich schwerwiegenden Entscheidungen und Folgen der sogenannten Corona-Pandemie hineinmanövriert haben. Hierbei müssten die sogenannten Gläubiger gleichfalls abgewertet werden, tragen sie doch maßgeblich zur Verschuldung bei. Und so stellt sich die Frage, wer hat eigentlich die Hoheit über das Geld an sich? Wenn wir einen Euro-Geldschein genau ansehen, so erkennen wir, dass es sich nicht mehr um eine Banknote im herkömmlichen Sinne handelt. Diese bunten Scheine sind Spielscheine, mit einem Nennwert, der auf ihnen steht, und an dessen Wert wir lediglich glauben. Einzig unser Glaube gibt diesem Stück Papier also einen scheinbaren Wert. Schauen wir uns diese Scheine näher an, so fällt auf, dass Brücken und andere Motive Kunstgebilde sind. Nichts zusehen von einer Gorch Fock oder ähnlichem. Und wenn wir uns den Schein noch genauer ansehen, dann erkennen wir ein ©, für Copyright. Was, so können wir die Frage stellen, hat dieses © auf einem Geldschein zu suchen? Zur Zeit der Reichsmark hieß es: *Wer Banknoten nachmacht oder verfälscht, oder nachgemachte oder sich verfälschte verschafft und in den Verkehr bringt, wird mit Zuchthaus nicht unter zwei Jahren bestraft. Warum steht dies heute nicht mehr auf dem Schein?*[266] Einfach ausgedrückt, weil mit der Einführung des Euro die Banknote im herkömmlichen Sinne stillschweigend abgeschafft und durch Privat-Geld ersetzt wurde. Dies, obwohl wir doch angeblich in einer Demokratie leben? Nun kann darüber diskutiert werden, ob Zuchthaus der richtige Weg ist und war. Doch darum soll es an dieser Stelle nicht gehen. Ausführlicher ausgedrückt ist es so, dass mit der Einführung des Euro ein Kunstgebilde eingeführt wurde, daher auch die Kunst-motive bzw. künstlichen Motive und das © für Copyright. Es bedarf den Hinweis wie bei der Reichsmark gar nicht mehr, weil es sich nicht nur um eine völlig neue Währung handelt, sondern weil der Euro auf einer völlig neuen Rechtsgrundlage basiert. Bei einer Fälschung verletze ich das Urheberrecht, da dieses neue Zahlungsmittel ein Pri-vatgeld darstellt. *Einerseits als subjektives Recht, wenn also* einzelne die Erfüllung eben dieser Pflichten von einem Verpflichteten, *„auf Schutz geistigen Eigentums in ideeller und materieller Hinsicht"* verlangen können und als objektives Recht, wenn also die Gesamtheit aller Rechtsvorschriften einer staatlichen Rechtsordnung herange-zogen werden können.[267] Die Rechtsordnung legt den Rechtsunter-worfenen regelmäßig Pflichten auf. Das objektive Recht regelt dabei das Verhältnis des Urhebers und seiner Rechtsnachfolger zu seinem Werk. Fraglich bleibt jedoch, wer hier Urheber ist. Wem gehört das *geistige Eigentum* Euro? Warum wurde überhaupt eine solche Rege-lung getroffen, während es eine tragfähige Währung und Regelung mit der D-Mark in der Vergangenheit gab? Warum dieses Kunstge-bilde und keine Banknote? Wenn es sich beim Euro um eine Privat-währung handelt, dann sind der Staat und wir die sogenannten Rechtsunterworfenen. Doch von wem?

Der Vertrag zum Europäischen Stabilitätsmechanismus kurz ESM zeigt höchst anschaulich wohin die Euroreise gehen soll und wer zu-künftig das Sagen über den Euro und uns haben kann. Entwickelt sich die EU auch durch den höchst fragwürdigen ESM Vertrag in eine

---

[266] De.wikipedia.org. Falschgeld: https://de.wikipedia.org/wiki/Falschgeld
[267] De.wikipedia.org. Urheberrecht: https://de.wikipedia.org/wiki/Urheberrecht

Diktatur? Aufschlussreiche Informationen bieten Inhalte des Vertrages selbst. Mit diesem Vertrag wurde das Fundament der sogenannten Schuldenunion geschaffen. Würden Sie einen Vertrag unterschreiben, wenn Sie *„bedingungslos"* und *„unwiderruflich"* binnen sieben Tagen der Aufforderung Ihres *Vertragspartners* zu einer Geldzahlung in unbegrenzter Höhe nachkommen müssten? Die sogenannten *„ESM Mitglieder"* haben dies zu erfüllen.[268] Inwiefern kann von einer vielzitierten *„Handlungsverantwortung"* gesprochen werden, wenn politische Akteure, die sich insbesondere dazu verpflichtet haben, Schaden vom Volke abzuwenden, einen solchen Vertrag mehrheitlich unterschreiben? Wer für einen solchen votiert, dürfte durch diesen Akt kaum *„Handlungsverantwortung"* bewiesen haben. Vielleicht könnte ein solches Handeln dem hingegen ja sogar einen oder mehrere Straftatbestände erfüllen? Wer sich näher mit den Vertragsbestandteilen beschäftigt wird erkennen, dass es sich mindestens um einen sittenwidrigen Vertrag handelt, der dennoch von einer Mehrheit sogenannter Abgeordneter befürwortet wurde. Der ESM ist ein weiterer Beleg dafür, Demokratie und Selbstbestimmung in Europa zu unterminieren. Wie krank muss eine Gesellschaft noch werden, damit derartig wuchernde Erscheinungsbilder ihr Ende finden? Wie hieß es doch gleich: Die Welt wird nicht bedroht von denjenigen Menschen die böse sind, sondern vor allem von denjenigen, die Böses zulassen? Auch dieses Beispiel verdeutlicht die Tatsache, dass ganz grundlegende gesellschaftliche Strukturen ein Höchstmaß an *Krankheitserscheinungen* aufweisen.

Unsere Aufgaben bestehen schon lange nicht mehr darin zum Mond zu fliegen, Atomwaffen zu bauen und noch bessere iPods zu entwickeln. Unsere Aufgaben bestehen darin, dass wir uns als Mensch weiterentwickeln, und zwar in Richtung Menschlichkeit, sowie in Brüder und Schwesterlichkeit. Wir haben längst unsere Bodenhaftung verloren. Bildlich gesprochen, wird der Hausbau heute zuerst mit dem Dach begonnen und zum Schluss, wenn überhaupt, mit

---

268 Youtube.com. ESM von der Demokratie zur Diktatur in Europa Ermächtigungsgesetz 2011. 03.10.2011: https://www.youtube.com/watch?v=ssz0l3_xRcA

dem Gießen eines soliden Fundamentes beendet. Dabei wissen wir doch alle, dass Luftschlösser nicht in einer materiellen bzw. grobstofflichen Welt existieren können. Die Finanzwelt scheint dies offenbar nicht weiter zu stören. Und so heißt die Devise: Nach der Krise ist vor der Krise. Die hinter uns liegende verbrannte Erde wird eines Tages wieder vor uns liegen, denn die Erde ist rund. Wenn wir alle saftigen Wiesen verbrannt haben, werden wir eines Tages an die Stelle gelangen, von der wir losgegangen sind. Spätestens dann wird die Erkenntnis unser Bewusst-*Sein* eingeholt haben. Wir stehen kurz davor, dieser verbrannten Erde zu begegnen und sind offenbar dort angekommen.

Wir werden erkennen, dass unsere Suche im Außen vergebens, jedoch nicht unnütz war. Wir haben die Möglichkeit, daraus nachhaltig zu lernen. Wer Grundbedürfnisse wie Essen und Trinken in falscher Form und Masse zu sich nimmt, läuft Gefahr sich und sein Umfeld in eine Risikolage zu versetzen. Den Preis, den wir für die mittlerweile sehr ernstzunehmenden Auswüchse unserer zutage tretenden Krankheiten zahlen, ist letztlich nicht tragbar. Krankheit ist keine Lösung und unbezahlbar. Ein Fass, das den Boden verloren hat, kann niemals mit Wasser gefüllt werden. Daher kann es nur eine einzige Lösung geben: Sie heißt Gesundheit und Heilung. Alles, was zu beidem führt und beides erhält, ist bezahlbar und gesellschaftlich tragbar. Ich spreche in diesem Zusammenhang von Gesundheit und Heilung in jeglicher Form. Dazu gehört das körperliche, seelische wie gesamtgesellschaftliche Wohlbefinden von uns Menschen wie das von der Natur, der Tiere und der Erde selbst. Wann wird jedoch der momentan immer noch und überwiegend gegangene Weg ein Ende finden?

Während es Krankheitsbilder wie den ESM gibt, weisen erste Schritte in eine andere, gesunde Richtung. Der Widerstand beim Bahnprojekt es Stuttgart 21, Demonstrationen für Aufhebung von sogenannten Corona-Maßnahmen, Aufstände in Ägypten und anderswo und letztlich der zunehmende Widerstand gegen Impfungen, die zuletzt mit Einführung der Masernimpfung zum Zwang wurde, belegen, dass sich Menschen gegen die wirtschaftliche und politische Hybris wehren. Sie werden zunehmend skeptischer und zweifeln an der Wirksamkeit von Impfungen, die auch das Erbgut verändern können. Außerdem tragen sie dazu bei, die *„Bevölkerungsstärke ganz erheblich"* zu verringern.[269] Ein Großteil der Menschen ist über einen Scheidepunkt hinweg und auf dem Weg in eine bessere, bewusstere, selbstbewusstere, selbstwirksamere und damit in eine gesündere Welt. Auch wenn sich dies noch immer bei einem Großteil unserer Gesellschaften durchzusetzen hat. Die Menschen, die inzwischen kritischer mit Situationen umgehen, werden stetig mehr.

Lebensmittel beweisen sich lediglich als Überlebens-Mittel. Die Schulmedizin beweist sich zunehmend als krankmachende Sackgasse. Menschen streben jedoch zunehmend nach individuellen Lösungen. Die finden sie auch in der Homöopathie, deshalb wird dieser Weg bekämpft und soll weiter eingeschränkt werden. Machen wir uns bewusst, was wir uns selbst antun! Fehlende Inhaltsstoffe, künstliche Präparate u. v. m. führen nachweislich zu einem Mangel an notwenigen, lebens- und gesundheitserhaltenden Grundlagen für uns Menschen, für unsere Tiere und Pflanzenwelt und damit für unsere gesamte Erde. Es scheint, als wäre der Mangel an gesundheitserhaltenden Grundlagen in unseren Lebensmitteln ein Spiegel für den Mangel an Eigenverantwortung der in unserer Zivilisation lebenden Menschen. Insbesondere derer, die sich bewusst oder unbewusst überwiegend von McDonalds und Co. „ernähren" und sich dadurch systematisch ihrer Lebensqualität berauben. Dennoch, es wäre vielen Menschen sicherlich lieb, denn statt ihre Ernährung umzustellen, könnten sie als „Beruhigung" vorbeugend eine Arznei auf ihr Essen streuen – so einfach wie salzen und pfeffern. Es stellt sich die Frage, ob es nicht paradox und zynisch ist, ein eigens von der Industrie geschaffenes Lebensrisiko, für oder gegen das sich jeder Einzelne selbst entscheiden kann, durch ein starkes Arzneimittel inklusive Nebenwirkungen zu kompensieren.

---

[269] Youtube.com. Bitte weiter teilen! Bill Gates sagt: Impfung ist für Völkerreduzierung ZDF Lanz. 03.05.2020: https://www.youtube.com/watch?v=REQDPUnHgx8

Die Frage nach der Verantwortung könnte hier zum Ausdruck kommen. Wird den Menschen damit ihre eigene Verantwortung für ihre Gesundheit abgenommen, zugunsten eines ungesunden Lebensstils? Nun, das kann sehr intensiv diskutiert werden. Unzweifelhaft ist sicherlich, dass ein gesünderes Bewusst-*Sein* und das dazugehörige Verhalten unsere viel zitierten Zivilisationskrankheiten wie Herzinfarkt, Schlaganfall, Depression oder unzählige andere Leiden wie Diabetes oder Krebs gar nicht erst entstehen ließen. Der Biophysiker Dr. Dieter Broers beschreibt eine Krebszelle sogar als *„asozial"*, da sie mehr nimmt als sie zu geben bereit ist, und dabei letztlich vergisst, dass sie so nicht überleben kann. *„Sie entzieht ihrem Wirt sämtliche Lebensgrundlagen und damit auch sich selbst. Der naturgemäße Urzustand basiert aber auf sozialem Verhalten. Erst wenn die Krebszelle sich ihrer Tugenden erinnert, kann sie überleben."*[270] Übertragen Sie diesen Gedanken einmal auf unsere Gesellschaften, erkennen Sie eine Analogie?

Krankheiten und deren Symptome sind Zeichen unseres Körpers, auch unseres gesellschaftlichen. Sie sind Warnsignale. Unser Körper will mit uns kommunizieren, er sendet uns Signale, will uns helfen, schützen und bewahren. Er ist unser Freund und nicht unser Feind, wie vielfach angenommen wird. Er zeigt uns auf seine Weise, dass etwas nicht mehr im Gleichgewicht und Gleichklang ist. Er zeigt uns beispielsweise durch Schmerz, dass wir körperlich und psychisch auf *Abwegen* sind. Er will uns helfen, unsere Mitte zu finden, damit wir wieder im Ausgleich sind und gesund. Bedauerlicherweise herrscht jedoch vielfach die Meinung vor, dass unser Körper und seine Signale oftmals unser Feind sei. Symptome müssen medizinisch bekämpft werden. Ich frage mich: Kampf gegen sich selbst? So wie beim Anti-Biotikum? Kampf gegen das Bios, sprich das Leben? Eine folgenschwere Annahme, die oft Menschleben als Konsequenz fordert. Eine krebswuchernde Zelle hat verlernt, richtig zu kommunizieren, sie braucht Hilfe. Kann und ist Zerstörung durch

---

[270] Seeleneinheit.de. Ist die Sonne unser Schicksal. HÖRZU Interview mit Dieter Broers. Axel Springer AG / HÖRZU 2008: http://www.seeleneinheit.de/pdf/hoerzu-interview.pdf

Chemotherapie echte Hilfe zur Selbsthilfe der „kranken" Zelle? Das darf zumindest bezweifelt oder infrage gestellt werden, denn sonst müssten die Heilungsergebnisse sicher besser ausfallen. Das zusätzliche, durch die Chemotherapie stattfindende Leid sowie der Verlust an Lebensqualität bei den betroffenen Menschen sind auf jeden Fall noch höher, als es ohnehin und allein schon durch die Krebserkrankung war. Heilung entsteht durch Widerstandskraft der Körpers. Chemotherapie kann ggf. dabei unterstützen.

Das Buch „*9 Wege in ein krebsfreies Leben*" von Dr. Kelly A. Turner ist ein guter Hinweis dafür, erfolgreich alternative Wege zu gehen.[271]

Sehen Sie deshalb auch dieses Buch als Hinweis und als Hilfe für das vor uns liegende Unausweichliche an. Betrachten Sie es als weiteren Tropfen in das Fass, das mit jedem weiteren Tropfen anderer Akteure zum Überlaufen gebracht wird. Ein Fass, das voll ist, ist voll. Wir brauchen ein neues, leeres, damit wir neue Tropfen der Erkenntnis sammeln können, um uns danach bis zum Ende dieses Bewusst-*Seins-Fasses* erneut auf ein Neues vorbereiten zu können. Es gibt Kräfte und Bewusstseinsformen, die für unsere momentane Ebene noch nicht erschließbar erscheinen. Diese Dinge erreichen unsere Vorstellungs- und Wahrnehmungsebene eben noch nicht bzw. wir nehmen sie noch nicht wahr. Es ist vergleichbar mit Klangfrequenzen, die unser Ohr nicht bzw. so gerade noch wahrnehmen kann. Das bedeutet nicht, dass sie nicht vorhanden sind. Denn andere Lebewesen nehmen diese Frequenzen durchaus wahr. Das bedeutet weiterhin, dass auch wir diese vielleicht eines Tages wahrnehmen können. Ähnlich verhält es sich mit Strahlung. Unser für uns sichtbares Spektrum ist begrenzt. Auch hier kann es sein, dass folgende Menschengenerationen eines Tages ein völlig neues Spektrum abdecken. Dies sind Momentaufnahmen wissenschaftlicher Erkenntnisse. Der Mensch lebt, um zu lernen. Er lernt, um zu verstehen. Wenn wir verstehen, können wir nachvollziehen, und wenn wir nachvollziehen können, verblassen Trauer, Wut und Hass.

---

271 Turner, A. Kelly. 9 Wege in ein krebsfreies Leben. Irisiana Verlag. 6. Auflage. 2015

7. Moral als Wert an sich

Wir alle kennen Kinderbücher und Märchen. Am Ende heißt es oft: ... *und die Moral von der Geschicht´*...? Hier dient augenscheinlich die Moral als eine Art Fazit aus dem Erzählten. Sie bildet den Abschluss des ganzen Geschehens. Dieser Satz wird als Frage gestellt und darf uns in unserem Leben als richtungsweisende Hilfe dienen. *Die Moral* dient darüber hinaus jedoch auch als eine Art Norm. Sie kann uns helfen ein menschliches Miteinander zu schaffen. Anders als eine Rechtsnorm, kann Moral jedoch nicht eingeklagt werden. Warum ist das so? Warum nicht eben genau anders herum?
Bewegen wir uns weiter auf dem Pfad der Norm der Moral. Auch wenn sie nicht einklagbar ist, so kann ein Mensch sich dennoch an ihr orientieren. Er kann sie auch als eine Art Gesetz betrachten. Doch hält sich dieser Mensch allein an diese Norm der Moral und sein Gegenüber tut dies nicht, kann er sich und sein Gegenüber zwar beklagen, *ver*klagen kann er ihn deshalb nicht. Fraglich bliebe ohnehin, was er dadurch tatsächlich gewonnen hätte. Die Moral hat eine gefühlte, jedoch keine tatsächliche Rechtskraft, und das verleiht ihr den Anschein der Kraftlosigkeit. Ein scheinbar zahnloser Tiger, der höchstens als vorgeschobenes Argument bei gewalttätigen Auseinandersetzungen dienen kann? Die Moral selbst bleibt im Rechtsverständnis letztlich jedoch kraftlos. Diese Kraftlosigkeit kommt vor allem dann zum Tragen, wenn eine Gesellschaft zwar jede Menge an Gesetzen hat, aber trotzdem dem Prozess der Verrohung ausgesetzt ist. Es bedarf keiner prophetischen oder wissenschaftlichen Erkenntnis, um erkennen zu können, dass wir uns in unserer Gesellschaft in genau diesem Prozess befinden. Jeden Tag ein wenig mehr. Und so gewöhnen wir uns zunehmend an diesen Umstand, obwohl die meisten Menschen genau dies gar nicht wollen. Können Gesetze da Abhilfe schaffen?
Nun, diese gültigen Gesetze sind längst vorhanden, wir bräuchten

sie nur einzuhalten. Es handelt sich um die Naturgesetze. Doch, was nutzen all diese schönen und sinnvollen Gesetze, wenn wir uns weigern, sie einzuhalten und zu lernen? In Bezug auf die Durchsetzung eines moralischen Anspruchs wird oft von der *Moralkeule* gesprochen. Auch dies ist ein Gegenstand, der Gewalt ausdrücken kann. Diese kann jedoch nur virtuell in Erscheinung treten, denn hier gibt es keine Exekutive, die grundsätzlich und rechtsnah bei der Durchsetzung der Moral behilflich ist. Despotie kann ein negativer Auswuchs moralischer Haltung, also unmoralisch sein, um z. B. Partikularinteressen durchsetzen zu können. Moral als vorgeschobener Grund. Wird etwas vorgeschoben, so ist der Missbrauch nicht weit. Die Anwendung von Gewalt an sich, ist ein unmoralischer Akt. Gewalt ist und bleibt was sie ist, Gewalt. Um rechtsferner Gewalt jedoch diesen Makel nehmen zu können, kommt die Moral wie gerufen und wird als Vorwand, als Grund missbraucht und benutzt. Dieses falsche Verständnis von Moral führt jedoch letztlich zur Ablehnung derselben. Warum auch nicht. Es ist völlig verständlich, falsch Geglaubtes als Enttäuschung zu entlarven. Meist folgt daraus die Ablehnung. Doch wer trägt die Verantwortung dafür, die Moral selbst? Moral ist wie die Gewalt auch, das was sie ist. Moral handelt nicht, Moral ist. Der Mensch hat darüber hinaus jedoch die Möglichkeit, denken und handeln zu können. Besser noch, er kann sogar sein Handeln hinterfragen, sogar in Zweifel ziehen. Da wir Menschen jedoch so sehr auf unser Außen fixiert sind, muss die Verantwortung für unser eigenes Handeln logischerweise auch im Außen liegen, so eine Annahme. Also ist es die Moral selbst, die vor allem *Schuld* daran hat, dass sie heutzutage weder gesehen, berücksichtigt oder geschweige denn richtig verstanden und angewendet wird? So entsteht der Vorwurf des Moralapostels. Wenn wir genau hinsehen, wird deutlich, dass nicht die Moral an sich verantwortlich ist für diese Gewalt, sondern derjenige, der Moral als Mittel und Scheinargument für sich nutzt, um rechtsferne Gewalt ausüben zu können. Erkennen wir bei unserer Beobachtung an: *Gesunde* oder positiv wirkende Moral ist in erster Linie etwas Spürbares, jedoch nicht zwingend Durchsetzbares. Etwas, was in uns wachsen und reifen kann. Von dort ausgehend kann

Wert-orientierte Moral sehr viel mehr Frieden in unsere Welt hinein-tragen. Die gesetzgeberische Kraft hingegen wirkt ganz anders. Zwar kann ein geltendes Gesetz auch einen moralischen Anspruch beinhalten, er sollte es sogar – betrachten wir beispielsweise das Strafrecht – dennoch ist es ein Gesetz und keine Moral an sich. Wäre mit geltendem Gesetz ein moralischer Anspruch an sich erfüllt, müssten wir eine moralischere Welt haben. Warum haben wir sie nicht, obwohl es immer mehr Gesetze gibt? Die Durchsetzung eines Gesetzes ist möglich. Die Durchsetzung von Moral grundsätzlich auch. Und so findet die Moral durchaus ihren Widerhall im Gesetz, dennoch beinhaltet die Moral mehr als nur die Durchführung eines Gesetzes. Ein Gesetz ist abstrakt. Moral hat einen anderen An-spruch. Moral benötigt das Fundament der Erkenntnis, der Freiwil-ligkeit und Gemeinschaftlichkeit der jeweils handelnden Akteure, wenn mit ihr eine friedliche Gesellschaft einhergehen soll. Ein Mensch kann noch so sehr moralisch sein und danach handeln, wenn er jedoch allein auf diese Weise handelt, ist sein Handeln letzt-lich eingeschränkt und kann, anderen gegenüber, wirkungslos er-scheinen. Er stößt sehr schnell an enge Grenzen, wenn er der einzig moralisch denkende und handelnde Mensch bleibt. Dies beinhaltet auf Dauer eine Menge an Frustpotenzial, das in Gleichgültigkeit mün-den kann. Er stellt sich die Frage: Warum soll ich mich moralisch verhalten, während es die anderen nicht gleich mit mir tun?

Aus der hier beobachteten Entwicklung ist dieser Prozess momentan im vollen Gang. Politik hat auch einen moralischen Ansatz. Zu be-obachten ist jedoch, dass politisch handelnde Akteure und andere Bürger unserer Gesellschaft zunehmend aus zwei getrennten Einhei-ten bestehen. Die Politik scheint diese Entwicklung offenbar nicht zu erkennen oder zu stören. Vielleicht hilft ihr dieser Prozess ja auch, oder sie ist scheinbar machtlos, dieser Entwicklung positiv entge-genzuwirken. Während sich Frust und Unzufriedenheit auf der einen Seite der Gesellschaft zeigt, scheint sich schiere Ahnungslosigkeit oder eben auch eine gewisse Gleichgültigkeit bei den sogenannten Volksvertretern zu offenbaren. Schwierig ist es jedoch, wenn soge-nannte Volksvertreter bzw. Abgeordnete oder entsandte Bürger aus der Mitte des Volkes 1. gar nicht mehr aus der Mitte stammen und 2. das Volk und dessen Wille kaum noch von ihnen vertreten wird. Mit Zunahme dieser Entwicklung sowie des großen Frustpotenzials wächst die Anzahl der Nichtwähler in Deutschland.

Abbildung 9

Das oben gezeigte Diagramm veranschaulicht höchst beeindruckend, wie groß die Anzahl der Nichtwähler in Deutschland bis zum Jahre 2009 war. Während sich Parteien wie Bündnis90/DIE GRÜNEN, DIE LINKE oder FDP zum damaligen Zeitpunkt zwischen 5 % und 10 % bewegten und darüber freuten, verlieren die beiden großen Volksparteien drastisch an politischem Zuspruch der Bürger. Während seit Anfang und Mitte der 1980er Jahre die Zustimmung der beiden Volksparteien in Deutschland stetig sank, stieg die Zahl der Nichtwählerschaft seit Mitte der 1980er Jahre und lag im Jahre 2009 mittlerweile bei fast 30 %. Ein aus der hier geschilderten moralischen Sicht kaum haltbarer Zustand, für eine angeblich bestehende Demokratie eine untragbare Entwicklung. Es darf die These formuliert werden, dass diese Situation höchst anschaulich den moralischen Zustand einer Gesellschaft widerspiegelt. Hier wird auch deutlich, wie sehr gespalten sich unsere Gesellschaft erweist.
Die Durchsetzung eines moralischen Anspruchs bedarf der positiven inneren Überzeugung durch Erkenntnis und Entwicklung. Dieser

Bewusst-*Seins*-Prozess nimmt sehr viel Zeit in Anspruch, dafür ist er jedoch umso nachhaltiger und *gesünder*, weil er zu Frieden und zu einem Miteinander führt. Jeder Mensch ist frei, und doch lebt er in Abhängigkeit. Denn nur sein Wille ist frei. Diese Abhängigkeit kann auf unterschiedliche Weise interpretiert werden. Einerseits kann sie Unzufriedenheit schaffen, da der Mensch nicht ausschließlich für sich bestimmen kann und seine Lebensentscheidungen oft von anderen Menschen abhängig sind, zumindest in dieser noch gelebten Welt. Andererseits schafft genau diese Abhängigkeit ein friedliches, zufriedenes und glückliches Zusammenleben, wenn der Grundsatz einer Art Nächstenliebe erfüllt ist. Es gilt das bereits oben zitierte Prinzip: Behandle andere Menschen, wie du selbst gern behandelt werden möchtest. Achtung voreinander, miteinander, Respekt und Anerkennung gegenüber jedem Einzelnen sind dafür notwendig. All diese Dinge sind moralisch im Ansatz, vom Grundsatz her jedoch nicht einklagbar. Da viele Menschen glauben, es ginge auch ohne diese moralischen Ansätze und Werte, handeln sie, wie sie handeln. Vergessen wird dabei jedoch, dass purer und zerstörerischer Egoismus letztlich auch den Menschen zerstört, von dem dieser zutiefst falsch verstandene und angewandte Egoismus ausgeht. Ein zutiefst moralischer Mensch hat ein entsprechendes Bewusst-*Sein* für sich und sein Gegenüber entwickelt, das ihn von dem oben genannten Egoisten unterscheidet. Lebendige Demokratie und Gesellschaft braucht ein Miteinander, sie benötigt Beteiligung, Austausch und Diskussion. Sie benötigt moralisch und verantwortungsbewusst handelnde Akteure. Menschen, für die der Eindruck entsteht, es fehle an Teilhabe, werden nicht erhört und ihnen ist die Möglichkeit genommen, Einfluss auf Prozesse zu nehmen, werden sich am Ende frustriert zeigen, z. B. durch Widerstand. Sie können sich aus dieser Gemeinschaft ausklinken und vielleicht komplett von ihr verabschieden.

Welche Auswüchse diese Entwicklung jedoch nehmen kann, zeigt uns auch die Geschichte der RAF. *„Wenn jeder an sich denkt, ist an* *jeden gedacht.*"[272] Das erwähnte Zitat der Staatssekretärin Michelle Müntefering ist von ihr zwar eher als Kritik zu verstehen, dennoch scheint diese Lebenshaltung noch immer weit verbreitet zu sein. Egoismus an sich ist notwendig für jedes Lebewesen, dennoch wirkt er zerstörerisch, wenn moralisch notwendige Ansätze für eine Gesellschaft, wie Anerkennung, Rücksicht, Vorsicht und Respekt missachtet oder ganz verloren gehen. Wenn das Prinzip der Rücksichtslosigkeit, mangelnde An-Erkennung, Respekt-losigkeit und Miss-Achtung der Persönlichkeit des anderen herrschen, wird ein Miteinander unmöglich. Eine Gesellschaft verliert nachhaltig an Wertigkeit und Glaubwürdigkeit. Sie verroht und ist dem Grundsatz der Gleichgültigkeit und des Despotismus bzw. Anarchie preisgegeben. Bei diesem Prozess spielt es dann keine Rolle mehr, wie viel Gesetze wir in einer Gesellschaft haben. Wenn die Menschen sich mehrheitlich von der Idee einer intakten Gesellschaft eines Miteinanders so weit entfernt haben, dass Gesetze wirkungslos für sie werden, herrscht Anarchie und das *Recht* des Stärkeren. Ist dieser Prozess heilsam? In einer scheinbar unaufhaltsam schnelllebigen Welt wirkt dies oft unmöglich. Niemand scheint mehr Zeit für sich und sein Gegenüber zu haben; geschweige denn für derartige Fragen. Von Geduld darf dabei schon gar keine Rede sein. Schnell Essen, schnell trinken, schnellen Sex, wenn überhaupt und natürlich das schnelle Geld. Dennoch wundern wir uns, warum die Qualität in unserer Welt zunehmend verschwindet, die Sehnsucht nach ihr jedoch stetig wächst. Wir werden krank, weil wir auch oft durch diese Schnelllebigkeit und ihre Auswirkungen überfordert sind. Unser Körper ist darauf einfach nicht eingestellt. Körper, Seele und Geist sind nicht mehr im Einklang. Mit der Schnelllebigkeit haben wir uns selbst längst überholt. Wir werden krank, weil unser Körper schnelles Essen und oft falsches Essen nicht mag und verträgt. Essen ist auch eine Kulturform. Fastfood dürfte das Ende der Zivilisation demgegenüber verdeutlichen. Protokolle schreiben ist für das Pflegepersonal

---

272 Stuttgarter-zeitung.de. Ziedler, Christopher. Interview mit Staatsministerin Michelle Münterfering. „Kulturpolitik ist eine sanfte Macht". 15. Januar 2019: https://t1p.de/ku5n

wichtiger geworden als die Pflege selbst. Wir werden krank, weil wir enttäuscht sind, wenn unser *Partner* den schnellen Sex braucht und womöglich noch woanders bekommt. Danach holen wir dann vor lauter Enttäuschung natürlich gern die Moralkeule raus, um den *Fremdgänger* damit zu schlagen, am besten gleich ganz erschlagen. Mehr Liebe und Zuneigung entsteht dadurch nicht, dient allerdings dem Ego, was gern befriedigt werden will. Warum das alles? Warum diese überbordende Kontrolle? Liegt es vielleicht auch daran, dass wir uns selbst nicht mehr vertrauen, weil wir gar nicht wissen, wer wir wirklich sind?

Wir trauen uns nicht mehr, weil wir uns selbst nicht mehr begegnen. In einer moralischen Welt gibt es Vertrauen. Nur dort, wo es Vertrauen gibt, kann getan werden, worum es im Grunde geht. In einer von Gier geprägten Welt frisst die Gier nicht nur Hirn, sondern auch Moral. Solange materielle Werte wie Geld im absoluten Vordergrund stehen und immaterielle Werte wie Moral scheinbar zunehmend an Bedeutung verlieren, werden Menschen handeln, kontrollieren, lenken und damit Auslöser für derartige Finanzkrisen wie die im Jahre 2008 sein. Da helfen letztlich vor allem geltende Gesetze nicht, denn diese verstärken vielfach die Problematik. Die Situation ist vergleichbar mit dem Anschlag auf das World Trade Center. Beim Bau der beiden Türme konnte nicht zwingend davon ausgegangen werden, dass am 11. September 2001 ein Anschlag darauf verübt wird. Eine bewusst moralisch handelnde Gesellschaft ist hingegen langfristig verlässlich. Gier, Rücksichtslosigkeit, purer Egoismus und Kontrollsucht haben nichts mit wirklicher Moral zu tun, sondern hier dient die Moral oft vordergründig und missbräuchlich als Rechtfertigung für derartiges Handeln. Dabei handelt es sich aber um Unmoral. In einem solchen Moment nutzt scheinbare Moral, während sie sonst von ebendiesen Akteuren belächelt und abgetan wird. Es folgen ja scheinbar keine Konsequenzen, wenn wir richtige und wahre Moral nicht einhalten. Ist das wirklich so?

Schauen wir uns unsere Welt an, in der wir leben. Steckt sie wirklich so voll von Nächstenliebe, Empathie, Mitgefühl und vor allem Nachvollziehbarkeit und Akzeptanz? Das von Menschen geschaffene geltende Gesetz hat es da scheinbar sehr viel einfacher als die richtig verstandene und angewandte Moral sowie die einzig gültigen Gesetze. Geltendes Gesetz kann vollstreckt werden und somit unmittelbare Folgen nach sich ziehen, sofern nicht Anarchie vorherrscht. Diese Konsequenz bedeutet nur leider nicht automatisch auch eine wirklich friedlichere Welt, denn diese haben wir gefühltermaßen immer weniger. Im Außen sieht es vielfach friedlich aus. Hören wir hin, was Menschen sagen, erkennen wir, dass es in ihnen brodelt. Wie ein Vulkan, der sich eines Tages entladen wird. Die Frage ist nur eben, wann dies geschieht. Wenn wir uns die Gegenwart anschauen, so können wir erkennen, dass eine zunehmende Bereitschaft von Gewalt und zerstörerische „Überwindung" von Grenzen vorhanden ist. Dabei gibt es sehr unterschiedliche Arten von Gewalt. Amokläufe in Schulen, Diskriminierung in Partnerschaften, im Berufs- oder Privatleben. Diskriminierung von Frauen, von Männern, von Kindern, von Tieren, der Natur. Wie sieht es mit sexueller Belästigung aus? Die Politik hat dies erkannt und schafft Gesetze, das sogenannte Anti-Diskriminierungsgesetz. Was wird dadurch geheilt? Und, warum gibt es heute mehr Menschen, die aus psychischen oder psychosomatischen Gründen aus dem Berufsleben ausscheiden, als je zuvor? Warum haben wir so viele Fälle von Krebs? Nicht zuletzt die Tötung bzw. der Mord an Dominik Brunner macht uns höchst anschaulich klar, welches Gesicht sich hinter Unmoral befindet.

Wir erinnern uns, „der Geschäftsmann stellte sich am 12. September 2009 am Münchner S-Bahnhof Solln einer Gruppe Jugendlicher entgegen, die zuvor Streit mit anderen Teenagern gesucht hatten. Daraufhin wurde er verprügelt. Später starb er im Krankenhaus an einem Herzstillstand."[273] Beide Straftäter wurden vorzeitig aus der Haft entlassen. Wird durch Gesetz das Mobben am Arbeitsplatz oder in den Schulen weniger werden, oder führt ein von Menschen initiiertes Gesetzt zu Heilungsprozessen? Es wirkt so, als seien die Gründe für diese schier unheilbare Situation in einer Black Box verborgen. Und

---

[273] Welt.de. Fall Dominik Brunner – Gewalttäter kommt vorzeitig frei. Veröffentlicht am 30.04.2019: https://t1p.de/ryxh

das sind sie in der Tat. Doch handelt es sich hierbei nicht um eine fremde Black Box, sondern um uns selbst. Wir selbst sind diese Black Box. Wenn wir uns trauen, uns und anderen zu vertrauen, in diese Box zu schauen, werden wir dort die Antworten auf unsere Fragen finden. Menschlich geschaffene Gesetze sind lediglich Erscheinungen, die Probleme beschreiben und restriktiv mit diesen umgehen können. Lösung und Heilung geht von diesen Gesetzen jedoch nicht aus. Sie wirken situativ, mehr nicht. Hätten sie vor allem präventive Wirkung, gäbe es keine Wiederholungstäter.

Die wirklichen Lösungen und echten Heilungsprozesse sind tief in uns selbst verborgen und Teil der Schöpfung. Dort herrschen keine Gesetze im herkömmlichen Sinne. Dort bestehen andere Gesetze. Ein Mensch, der vertrauen kann und den Mut findet seinen Blick von außen nach innen zu richten, benötigt auf Dauer keine Gesetze im herkömmlichen Sinne, denn er folgt den Gesetzen der Natur. Eine vertrauensvolle und vertrauenswürdige mündliche Absprache benötigt keinen kompliziert juristisch ausformulierten Vertrag. Dennoch, Gesetze im herkömmlichen Sinne finden ihre Berechtigung, weil uns die Basis des Urvertrauens entzogen wurde bzw. abhandenkam. Solange wir nicht bereit sind, in uns diese Antworten zu finden, erkennen und wahrnehmen zu wollen, die wir wirklich für unser Leben benötigen, und diese akzeptieren, werden wir weiterhin einen hohen Preis für unsere Uneinsichtigkeit zahlen, und zwar in jeglicher Hinsicht.

Wie hoch die Bereitschaft einer Gesellschaft noch ist, diesen destruktiven und zerstörerischen Weg zu gehen, zeigen z. B. die Ausgaben für unser *Gesundheitssystem*. Laut statistischem Bundesamt stiegen diese für die angebliche Gesundheit in Deutschland z. B. im Jahre 2008 auf 263,2 Milliarden Euro. Das war ein Anstieg gegenüber dem Vorjahr von fast 4 %.[274] Moment mal: Ausgaben für Gesundheit? Warum geben wir Geld für Gesundheit aus? Ist es nicht eher

---

[274] Deutsche-apotheker-zeitung.de. 2008: 263 Milliarden Euro für Gesundheit. 08.04.2010: https://www.deutsche-apotheker-zeitung.de/daz-az/2010/daz-14-2010/2008-263-milliarden-euro-fuer-gesundheit

so, dass wir diesen unvorstellbaren Geldbetrag nicht für Gesundheit, sondern im Gegenteil für Krankheit ausgeben? Oder sagen wir provokant, für den Erhalt von Krankheiten? Oder anders gefragt: Wie kann mehr und mehr für Gesundheit ausgegeben werden, wenn eine Gesellschaft angeblich immer *gesünder* wird? Seien wir doch wenigsten so ehrlich zu uns selbst und reden hierbei nicht von Gesundheit, sondern von Krankheit und Krankheitserhaltung bzw. deren weiteren Ausbau.

Kommen wir zurück zu unseren Gerichten, die zwar auf Delikte reagieren können, den inneren Zustand eines Täters werden sie durch Sanktionen jedoch noch lange nicht verändern bzw. verbessern. Ein Täter kann zwar gemäß der geltenden Gesetze sanktioniert werden, wird er dadurch jedoch auch gleichzeitig vom moralisch Verwerflichen seiner Tat innerlich überzeugt sein? Bei der Vollstreckung von Gerichtsentscheidungen ist der Blick in erster Linie auf das äußere Erscheinungsbild gerichtet. Gelöst oder geheilt wird ein inneres Werteverständnis durch diesen Prozess jedoch kaum.

Ein aus sich selbst heraus moralisch handelnder Mensch tötet keinen anderen Menschen, weil er ein entsprechendes Bewusst-*Sein* dafür entwickelt hat. Behandle andere Menschen, wie du selbst gern behandelt werden möchtest. Ein Mensch mit einer solchen Lebenseinstellung handelt moralisch richtig, denn er hat ein Gewissen und ist sich seines Handelns bewusst. Er handelt auch deshalb richtig, weil er sich an Naturgesetze hält. Er ist mitfühlend und empathisch. Ein sanktionierter Mensch kann nach dem Verbüßen seiner Strafe durchaus straffrei bleiben. Fraglich ist jedoch, warum und aus welchem Beweggrund? Handelt er so, weil er selbst davon überzeugt ist und ein moralisch handelnder Mensch geworden ist, der sich seiner Taten bewusst ist oder handelt er so, weil er keine weiteren Sanktionen und oder gesellschaftlichen Repressalien erleben möchte? Letztlich und der Einfachheit halber könnte es keine Rolle spielen, was sein Beweggrund ist. Auf den ersten und äußeren Blick mag es tatsächlich so erscheinen, doch was ist mit der Nachhaltigkeit und Langfristigkeit? Wenn ich jeden Tag Lebertran esse, weil ich davon überzeugt bin, dass es mir guttut, fällt es mir vor allem nachhaltig leicht, jeden Tag davon zu essen. Werde ich jedoch gezwungen und müsste bei Nichteinhalten Sanktionen erleiden, täte ich es nur eine bestimmte Zeit, um nicht den Schmerz der Sanktion erleiden zu müssen. Ist der Schmerz des Zwanges jedoch größer als der Schmerz der Sanktion, endet und wendet sich diese Situation.

Die Geschichte lehrt uns dieses Beispiel immer und immer wieder höchst anschaulich. Ein Volk, das dem Schmerz von Gewalt und Repressalien auf Dauer ausgesetzt ist, wird diesen Zustand nur so lange ertragen, bis es den Schmerz der Unterdrückung überwunden hat. Auch Jesus hat uns am Kreuz sehr deutlich gezeigt, wohin Schmerz führen kann. Bisher ist jedes System, welches auf diesem Fundament aufgebaut wurde, gescheitert. Da dies so ist, gibt es aus meiner Sicht auch keinen anderen Weg, als den der Geduld, des Verständnisses, der Akzeptanz und der, wenn nötig, langsamen, bewussten Schritte. Das Gehen selbst ist dabei jedoch nur ein Instrument und eine Notwendigkeit. Erkennbar muss sein, warum der Weg gegangen wird und wohin er führt, mindestens jedoch führen kann. Ein Mensch, der sein Warum im Leben hat, ist sehr viel eher bereit seinen Weg zu gehen als der, der sein *Warum* im Leben nicht oder noch nicht gefunden hat. Das Warum im Leben gleicht einer Zielsetzung. Ein Mensch findet keine wirklichen Antworten auf seine brennenden Fragen, wenn er sich die Königsfrage nicht beantwortet, die Frage nach dem *Warum?* Letztlich blieben der Eindruck und das Gefühl vor einer virtuellen Wand stehen. Die sogenannte Ausweglosigkeitswand. Solange sich der Blick nicht auf ein Ziel, dem Warum, ausrichtet, dreht sich der Mensch immer im Kreis und um sich selbst. Beginnt der Mensch jedoch eine Antwort auf seine Warum-Frage(n) zu erkennen und wahrzunehmen, beginnt er Ver-Antwortung zu übernehmen, sich auf das Ziel auszurichten und etwas zu schöpfen. Dann öffnet sich eine Tür, schöpferische Energie wird freigesetzt, und der Mensch beginnt innerlich zu leuchten. Die virtuelle Mauer ist weg, und der nach vorn gerichtete Blick kann die wärmende Sonne und das Licht hinter der eingerissenen Mauer entdecken. *„Wir müssen die verzweifelten Menschen lehren, dass es nie und nimmer* *darauf ankommt, was wir vom Leben erwarten, lediglich darauf, was das Leben von uns erwartet. Leben heißt letztlich eben nichts anderes als: Verantwortung tragen für die rechte Beantwortung der Lebensfragen, für die Erfüllung der Aufgaben, die jedem Einzelnen das Leben stellt, für die Erfüllung der Forderung der Stunde[275]"*, so der Wiener Neurologe und Psychiater Viktor Emil Frankl.

Doch kommen wir zurück zur Frage nach der Moral und schauen uns diese danach aus einem anderen Blickwinkel an. Der Wiener Schriftsteller und Dramatiker *Franz Grillparzer* sagt über die Moral, dass sie ein Maulkorb für den Willen und Logik ein Steigriemen für den Geist sei.[276] Nun, hat er recht mit seiner Aussage? Warum nicht? Sind die zuvor geäußerten Worte daher unwahr und falsch? Seine Aussage steht der hier geäußerten zur Moral nicht grundsätzlich im Widerspruch. Grillparzers Aussage hat jedoch einen ganz anderen Ansatz, als der hier geäußerte. Eine entscheidende Frage, die wir uns leider zu selten stellen, ist die Frage nach dem, was hinter dem Gesagten oder Getanen steckt. Was steckt also hinter seiner Aussage?

Sein Ansatz darf aus meiner Sicht durchaus anders betrachtet werden. Seinen Ansatz verstehe ich als unerwünschte Einwirkung von außen und unterliegt damit eher einem Zwang. Zwang entspricht oft einer Sanktion. Moral aus einem Zwang bzw. einer Sanktion verwirklichen zu wollen, entspricht jedoch ganz und gar nicht dem Anspruch der hier beschriebenen freiwilligen Entwicklung der inneren Moral. Grillparzers Kritik richtet sich daher an die Scheinmoral. Diese Form der Moral ist eine Konstruktion, während die oben beschriebene Form der Moral in einem Menschen erwächst. Ein freiwillig werteorientierter Mensch handelt regelmäßig moralisch, denn sein gewachsenes Moralempfinden ist mit seinem gesamten Ich im Einklang, weil es meist langsam und behutsam entstanden ist, ohne Zwang und Druck. Eine aus dem Zwang heraus entwickelte Scheinmoral ist mit

---

[275] Fuehrung-erfahren.de. „Wer ein WARUM zum Leben hat, erträgt fast jedes WIE." 27.10.2010: https://fuehrung-erfahren.de/2010/10/wer-ein-warum-zum-leben-hat-ertragt-fast-jedes-wie/

[276] aphorismen.de. Zitat von Franz Grillparzer: https://www.aphorismen.de/zitat/7562

Gewalt von außen auf ihn übertragen worden. Dieser Weg entspricht bildlich gesprochen einem Schnellimbiss. Die daraus entstandene Energie wirkt eher zerstörerisch als harmonisch. Eine *gesunde* Moral bedarf meist eines langsameren aus dem inneren heraus wachsenden und im höchsten Maße bewussten Prozesses. Ein erwachter Mensch wird daher eher moralisch agieren. Dabei braucht jeder Mensch seine eigene Zeit. Bei dem einen geht es schneller und bei dem anderen dauert es halt seine Zeit. Grillparzer hat aus diesem Ansatz heraus also insofern recht, wenn er sagt, dass Moral ein Maulkorb für den Willen sein kann, weil hinter seiner Sicht nicht die Freiwilligkeit erscheint, sondern der Zwang und durchaus die Unterdrückung durch den Missbrauch von Moral.

Es ist wie mit der Macht. Die Macht an sich ist grundsätzlich nur da. Der Missbrauch macht die Macht erst zu dieser spürbaren Qualität. Anders jedoch als die Moral; bleibt für mich die Frage, ob wir Macht überhaupt benötigen? Es heißt, dass Macht da einsetzt, wo die Liebe endet. Den Unterschied zu Grillparzer und der oben beschriebenen Sicht, liegt offenbar im Zwang und dem Missbrauch mit der Moral. Die Moral selbst *ist* grundsätzlich jedoch erst einmal nur. Sie ist wie eine Tasse. Steht sie im Regal, ist sie lediglich vorhanden. Nehmen wir sie jedoch aus dem Regal und füllen sie mit Tee oder Kaffee, erfüllt sie einen Zweck. Eine neue Qualität ist entstanden. Das Trinken ist dabei der richtige und ursprünglich angedachte Ansatz des Gegenstandes Tasse, weil sie eine friedliche Verwendung findet. Dennoch kann von einer Tasse auch eine andere Qualität durch menschliches Handeln ausgehen. Werfen wir z. B. aus Wut diese Tasse nach einem anderen Menschen, so hat die Tasse eine ganz neue Qualität bekommen und ist ihrem Ursprung entfremdet worden. Eine Tasse können wir in der Regel sehen. Wir nehmen sie mit unseren Augen wahr. Doch wurden wir neben dem einzigartigen Instrument Auge auch mit weiteren Sinnen versehen. Erst die bewusste Verwendung aller uns zur Verfügung stehenden Sinne lässt einen ganzheitlichen Eindruck entstehen. Nutzen wir nur einen Teil des Ganzen, werden wir auch nur einen Teil der ganzen Wahrheit erkennen. Das führt häufig zu Missverständnissen. Insbesondere dann, wenn mein Gegenüber nicht nur mit dem Auge, sondern mit allen Sinnen wahrgenommen hat. Das Sehen erscheint häufig jedoch als einfachste Möglichkeit, weil sie so nahe liegt. So auch bei dem Blick auf die Situation mit der geworfenen Tasse. Das bedeutet jedoch noch lange nicht, dass unsere Sinne auch alle anderen Wahrnehmungen bewusst registriert haben. Es bedeutet lediglich, dass unser Focus und unser Bewusst-*Sein* auf das Sehen allein beschränkt war. Unsere gesamte Aufmerksamkeit richtet sich leider häufiger auf den Gegenstand als auf die Handlung selbst aus. Durch die Handlung selbst entsteht jedoch erst die spürbare Qualität an sich. Schmerz entsteht nicht in erster Linie aus der Handlung selbst, sondern durch den Aufprall der Tasse. Wenn ich mit dem Arm allein einen Wurf simuliere, entsteht eben kein Schmerz für den Dritten, wohl aber durch den Aufprall des Gegenstandes Tasse. So wird aus dem grundsätzlich wirkungslosen Gegenstand Moral, Macht oder Tasse eine Qualität, wenn mit diesem Instrument agiert wird. Verurteilt wird jedoch meist nicht der handelnde Akteur bzw. die Handlung an sich, sondern der Gegenstand.

Der Mensch ist jedoch derjenige, der z. B. Moral so oder so anwenden kann. Daher dürfen wir den Blickwinkel in eine andere Richtung lenken und uns die handelnden Akteure betrachten. Wie gehen sie mit diesen vielen Gegenständen um? Das ist aus meiner Sicht eine sehr viel wichtigere Frage. Der Blick richtet sich meist jedoch nicht auf den handelnden Menschen, der Moral für sich nutzt und missbraucht, sondern eben nur und ausschließlich auf die Moral selbst. Dabei ist die Moral an sich nicht schlecht, genauso wie eine Teeoder Kaffeetasse. Gehen wir von einem innerlich freien und verantwortungsbewussten Umgang mit Moral aus, können wir diesen von Grillparzer beschriebenen Maulkorb ablegen, weil ein freiwillig, moralisch handelnder Mensch das für ihn und sein Umfeld Richtige tun wird.

Bleiben wir auf dem Pfad nach der Erkenntnis zum Begriff der Moral. Im Lateinischen wird der Begriff der *Moralis* (die Sitte betreffend) verwendet. *Mos* ist die Sitte selbst. Es heißt: Ohne *Mos* nichts los. Zwar ist hier eine eher andere Assoziation im sogenannten Volksmund

darunter zu verstehen. Dennoch, übernehmen wir ruhig diese Rede-
wendung auch und insbesondere für den Fall der *Mos*, sprich der
Sitte bzw. Moral. Es schadet ja nicht, denn aus einer derartigen Sicht
kann unsere Gesellschaft durchaus besser werden. Der von Cicero
neugeprägte Ausdruck *Philosophia Moralis* entspricht unserer heutigen Ethik. Der Begriff der Moral kann als das *richtige* Handeln von
Individuen, Gruppen oder gesellschaftlichen Teilen gesehen werden.
Dabei ist aus meiner Sicht nicht in erster Hinsicht entscheidend, was
als jeweils richtiges Handeln bezeichnet werden kann, sondern wie
die jeweilige innere Haltung zu diesem Handeln ist und, ob verantwortungsbewusst gehandelt wurde. Darüber zu streiten, was denn
nun das richtige Handeln ist, ist müßig, denn eine für alle Menschen
befriedigende Antwort bleibt äußerst schwierig zu finden. Viel wichtiger ist, wenn ein moralisch handelnder Mensch sich zum einen auf
dem Pfade der Freiwilligkeit und zum andern auf dem Wege des klaren inneren Bewusst-*Seins* zu seinem Handeln bewegt.
Dennoch will ich der Frage nach dem „richtigen" Handeln nicht aus
dem Wege gehen. Ich habe oben bereits diese Frage vorweggenom-
men. Eine Lebenssicht und ein Streben nach Gleichwertigkeit liegt
im bereits erwähnten Satz: Behandle andere Menschen, wie auch du
selbst behandelt werden möchtest. Dies ist aus meiner Sicht die Antwort auf die Frage nach dem *richtigen* Handeln und eine Lebensma-
xime. In einer zunehmend *veräußerlichten* Welt und Weltsicht fällt der
Prozess der inneren Bewusst-*Seins*-Werdung scheinbar immer
schwerer. Unser Körper, ein wunderbares Instrument göttlicher
Schöpfung, gibt Zeichen für falsche Wege, indem er uns z. B. durch
Zweifel oder Krankheit aufmerksam werden lässt. Was den heute
scheinbar immer schwieriger werdenden Prozess der eigenen inneren Erkenntnis und der Bewusst-*Seins*-Werdung betrifft, so stellt
sich eine fundamental wichtige Frage: Ist ein solcher Prozess von
außen gewollt? Wenn ja, von wem, durch wen und warum? Dies beinhaltet gleichzeitig die Frage nach einer gesellschaftlichen Wertigkeit bzw. gesellschaftlichen Wertehaltung. Was sind die Werte in unserer heutigen Zeit? Woraus bestehen sie? Sind es überhaupt wirkliche Werte? Und, in welchem Zusammenhang steht diese Ent-

wicklung mit der Beantwortung der Frage nach innerer Moral? Liegt die Lösung darin verborgen, dass wir eine moralischere Welt durch unsere Weltanschauung und innere Bewusst-*Seins*-Werdung zum Positiven verändern können? Ein sittlich oder moralisch handelnder Mensch benötigt ein inneres Bewusst-*Sein* für dieses Handeln, damit er seinen Wert erkennen kann. Doch wo wird dies gelehrt? Wer kann diesem Anspruch freiwillig Genüge tun, wenn das Bewusstsein dafür kaum noch vorhanden ist oder gar komplett verschwindet? Was für eine Welt werden wir vorfinden, wenn eine wahrhaftige innere Moral weiter verkümmert und eines Tages komplett verschwunden sein mag?

Erkennen wir die Zeichen der Zeit und deuten wir sie richtig. Der Baum der Erkenntnis verschaffte Adam und Eva nur dadurch Erkenntnis, dass sie ein inneres Bewusst-*Sein* in sich trugen. Stellen wir uns vor, sie hätten dieses Bewusst-*Sein* nicht gehabt, dann hätten sie vom Baum der Erkenntnis gegessen und wären einfach nur gesättigt gewesen. Der Mensch ist mehr als ein Wesen, das ernährt sein will, noch zumindest. In einer überwiegend materiell geprägten Welt befinden sich Seele, Geist und Körper (also Materie) in einem unharmonischen Zustand und damit außerhalb ihres Gleichgewichts. Oder mathematisch ausgedrückt: Das gleichschenklige Dreieck, verbunden mit den jeweiligen Schnittpunkten Seele, Geist und Körper, ist aufgebrochen. Zu keiner Zeit sind mehr Menschen an Krebs erkrankt und gestorben, wie zu dieser. Nie und zu keiner Zeit sind so viele Medikamente auf den *Markt* geschwemmt worden, wie zu dieser Zeit, gerade gegen Krebs. Und dies, obwohl es nie zuvor einen derartigen Konsum gab. Kaufen selbst verschafft nur höchst kurzzeitige innere Befriedigung und macht alles andere, jedoch kaum gesund und glücklich. In diesem Zusammenhang dürfen wir uns ebenso fragen und zunehmend ein Bewusst-*Sein* dafür entwickeln, ob die vielen Medikamente, die wir bereit sind zu schlucken, glücklich und vor allem gesund machen? Der überwiegende Teil unser Gesellschaft ist dennoch bereit, sämtliche ihr ins Bewusst-*Sein* gerufenen Risiken und Nebenwirkungen einzugehen, weil er hofft, dass diese oder jene von außen eingenommene Pille eine Lösung für sein inneres Seelenleben und einen klaren und freien Geist darstellen könnte. Dieses System beruht im Außen und in erster Linie auf der Grundlage eines falschen Glaubens, einer trügerischen Hoffnung und vor allem der Manipulation, die im Außen aufgebaut ist. Erkennen wir ruhig an, dass unsere Probleme jedoch in den seltensten Fällen durch äußere Einwirkungen gelöst werden. Eine bizarre Situation ist das. Wir schimpfen auf die Pharmaindustrie und suchen dennoch unser Heil in ihr. Wir scheinen unfähig zu sein, das jeweils Richtige für uns zu tun und selbst die richtige Entscheidung zu treffen. Machen wir uns nichts vor, es ist ja auch viel einfacher und ein scheinbar deutlich bequemerer Weg, wenn uns von außen versprochen wird, dass eine Pille schon helfen wird. Ego will Bequemlichkeit. Enttäuscht wenden wir uns jedoch an die Pharmaindustrie und sind erbost, wenn diese oder jene Pille dann doch gar nicht geholfen hat, schlimmer noch, dass vielleicht sogar mehr als die auf dem Beipackzettel erwähnten Nebenwirkungen eingetreten sind oder diese letztlich die einzigen waren, die eintrafen. Und siehe da, schon haben wir schnell wieder einen Schuldigen gefunden. Anstatt zu tun, was unsere eigentliche Aufgabe ist, nämlich herauszufinden, was uns wirklich guttut und hilft, um damit Verantwortung zu übernehmen, verschwenden wir unsere kostbare Lebenszeit damit, im Außen nach einem *bösen* Schuldigen zu suchen. So viel Gewissheit bleibt. Der böse Schuldige wird immer gefunden, früher oder später. Wenn das Außen dann doch letztlich enttäuscht, ist dieses Außen dann natürlich auch schuld an unserem eigenen Unvermögen. So schön einfach braucht es unser bequemes Ego. Es ist ja auch viel schwerer, einen womöglich langsameren und notwendig geduldigeren Prozess zu akzeptieren.

Ich verstehe das, denn ich kenne es auch aus meiner eigenen Erfahrung. Und dennoch bleibt keine Alternative für diesen Weg, sofern wir erwachen wollen. Das ist eine Tatsache, die wir akzeptieren dürfen. Es ist wie mit der Gesundheit selbst. Es gibt keine Alternative zu ihr. Doch trotz des Bewusst-*Seins* darüber, dass Pillen letztlich doch nicht helfen, gehen viele diesen Weg dennoch weiterhin. Weil sie das tun, verdient diese Industrie auch weiterhin prächtig daran. Was macht die Politik? Sie unterstützt letztlich diesen Prozess. Was ist daran verwerflich? Nichts! Denn, täten wir nicht, was wir in dieser Gesellschaft millionenfach tun, könnte es diese Industrie und diesen politischen Weg gar nicht geben, denn er wäre unter diesen Voraussetzungen noch sinnloser als er es ohnehin zu sein scheint. Die Verantwortung liegt also nicht nur bei der Industrie oder bei den Politikern, sondern hauptsächlich bei uns und in uns selbst.

8. Moral, eine Frage der Eigenverantwortung

Für den bekanntesten Noname Entertainer und selbsternannten „Überlebensberater" der Republik, Johannes Warth, steckt hinter dem Begriff MUT eine Abkürzung, wie oben bereits erwähnt. Der Buchstabe „M" steht für mentale Vorbereitung (Vordenken statt Nach-denken), der Buchstabe „U" für etwas unternehmen und „T" für das Trainieren. Wer nicht wagt, der nicht gewinnt, oder wie der weltberühmte Bergsteiger Reinhold Messner einst sagte: *„Wer nichts riskiert, kann nicht einmal scheitern."*[277] Beim MUT ist Kontinuität ebenso wichtig, wie der Schritt an sich, diesen Weg zu gehen. Glaubwürdigkeit entsteht auch durch Kontinuität. Von einer mir in der Vergangenheit nahestehenden Frau bekam ich eine Karte geschenkt, auf der ein Zitat geschrieben stand: *„Dem Mutigen gehört die Welt."* Wenn ich mir die Welt ansehe, gewinne ich vielfach den Eindruck, dass dieses Zitat grundsätzlich zwar richtig erscheint, die Welt augenscheinlich jedoch etwas anderes spiegelt.

Gemäß der Erinnerung wurden zu einer Talkshow, an einem Sonntagabend mehrere Funktionäre eingeladen. Vertreter von politischen Parteien, Ärzte und eine Lobbyvertretung der Pharmaindustrie. Ich will Ihnen an dieser Stelle nicht die ganze Sendung wiedergeben. Auf zwei entscheidende Dinge sei jedoch hingewiesen. Das Einwirken der Journalistin und die Einrede der politischen Vertreter auf das Schreckgespenst der Pharmaindustrie. Dort wurde diese Lobbyvertreterin verbal an den Pranger gestellt und der Versuch der pseudomoralischen Demontage zelebriert. Galt sie als der sichtbare Inbegriff und damit als Generalschuldige für die immensen Kosten in

---

[277] Hagenhellwig.de. „Wer nichts riskiert, kann nicht einmal scheitern." 12.11.2010: http://www.hagenhellwig.de/files/Mens-Fitness_Messner_1012.pdf

unserem sogenannten Gesundheitswesen. Einen Schuldigen muss es ja schließlich immer geben. Dabei löst die Schuldfrage allein rein gar nichts. Schuld sucht der Mensch, der die scheinbare Lösung im Außen sucht. Darüber hinaus bleibt die Frage, was bringt es uns, dass wir einen Schuldigen gefunden haben? Was wird dadurch gelöst? Doch kommen wir zurück zu dieser Lobbyvertreterin und der Sendung.

Was blieb dieser tapferen Frau anderes übrig, als die Verteidigungshaltung einzunehmen? Wahrscheinlich kannte sie keine Alternative, denn schneller als sie sich versah, nahm sie diese Verteidigungsrolle an. Ob diese Rolle ihrer selbst entsprach, bleibt hierbei offen. Sie wandte wahrscheinlich an, was ihr am geläufigsten war, und was wahrscheinlich von ihr erwartet wurde. Wie hätten wir uns verhalten, wie hätten Sie sich in dieser Situation verhalten?

Erinnern wir uns an unsere Kindheit. Die Eltern, der Lehrer, der Pastor und später der Chef, sie maßregeln uns und zwingen uns zur Aussage. Reflexartig begeben wir uns wie selbstverständlich in die Verteidigungshaltung.

Der zweite wichtige und erwähnenswerte Aspekt an diesem Abend war die letzte Frage an einen zusätzlich eingeladenen Journalisten. Offenbar sollte dies der Objektivität dienen. Er wurde abschließend gefragt: Wem soll denn Ihrer Meinung nach nun der Patient das größte Vertrauen schenken? Eine wirklich spannende Frage. Die Spannung stieg mit jeder Sekunde, die der eingeladene Journalist für sich nutze, um seine adäquate Antwort geben zu können. Ich sah es ihm an. Mit dieser Frage war er offensichtlich überfordert. Seine Überraschung zu dieser Frage stand ihm ins Gesicht geschrieben. Es dauerte eine beträchtliche Zeit, bis er antwortete. Und sein Zögern empfand ich für mich als sehr hoffnungsvollen Moment. Doch dann antwortete er, und meine Hoffnung schwand. Ich hatte dennoch auch den Eindruck und das Gefühl, dass er selbst keine wirkliche Befriedigung in dieser Antwort fand. Scheinbar sah er aber keine Alternative zu dem Gesagten. Allein das Bewusst-*Sein* darüber schien zu fehlen. Er suchte offenbar im Außen, denn darauf war auch seine Antwort gerichtet. Deutlich dabei wurde, dass diese Suche im

Außen ihm die innere und äußerlich erkennbare Befriedigung nicht verschaffte. Seine Antwort lautete daher auch: *„Dem Arzt, dem der Patient am meisten vertraut."* Ich war enttäuscht.

Die Tatsache der Enttäuschung hatte wiederum zwei Aspekte. Sie hatte etwas Gutes und etwas weniger Gutes. Das Gute war meine Klarheit über seine Sicht. Das weniger Gute für mich an dieser Aussage war, dass er auch hätte anders antworten können. Er hätte empfehlen können, dass jeder Mensch am besten sich selbst vertrauen könnte, doch diese Variante hatte er offenbar nicht in seinem Bewusst-*Seins*-Koffer. Den Grund dafür kannte höchsten er selbst. Ein Grund dafür könnte sein, dass auch er selbst die Lösung im Außen und eben nicht bei sich selbst gesucht hatte. Dabei geht es doch auch anders.

Richten wir unseren Blick doch in eine andere Richtung. Ein Autofahrer, der nur geradeaus sieht, wird spätestens bei der nächsten scharfen Kurve einen Unfall verursachen, wenn sein Blick nicht der Straßenführung folgt. Jeder von uns kennt Menschen in seinem mittelbaren oder unmittelbaren Umfeld, die an Krebs erkrankt und letztlich auch daran gestorben sind. Das war jedoch nicht immer so. Denke ich an meine Kindheit, dann stelle ich ganz persönlich für mich fest, dass ich lange nicht von so viel Krebserkrankungen hörte wie in der heutigen, der jetzigen Zeit. Schönredner würden sicher jede Menge Argumente finden, um diese Erkenntnis zu relativieren. Die Wissenschaft ist heute weiter denn je. Ist sie das wirklich? Was will Wissenschaft überhaupt beweisen? Dass das, was ohnehin schon lange existiert, nur noch nicht von der Wissenschaft ausgesprochen wurde? Will sie dem göttlichen Plan auf die Spur kommen? Was ist Wissenschaft überhaupt? Wie oben bereits erwähnt, beschreibt Dr. hc. Peter Jentschura, dass Wissenschaft lediglich Irrtum auf dem neuesten Stand sei.

Gehen wir einen Schritt zurück und nehmen wir uns dem Wort Wissenschaft ganz einfach einmal an. Haben Sie sich bereits Gedanken über dieses Wort gemacht? Nein, dann tun wir dies doch jetzt einfach gemeinsam. Wie oft sprechen wir Worte wie eine Selbstverständlichkeit aus, ohne dass wir uns vorher Gedanken zu diesem

Wort gemacht haben, ja vielleicht sogar noch niemals gemacht haben. Hier ist es also das Wort Wissenschaft. Wissenschaft, ein aus zwei Silben zusammengesetztes Wort, nämlich Wissen und Schaft. Nehmen wir diese beiden Silben und machen neue Worte daraus, bekommt das eigentliche Wort eine ganz neue Betrachtungsmöglichkeit. Wir spüren, dass sich etwas verändert, nicht nur durch die neue Zusammensetzung, sondern auch bei uns selbst. Das liegt zum einen daran, dass sich dieses ursprüngliche Wort nun ganz anders anhört. Ein weiterer Grund ist, dass wir es ganz neu hören, wir entwickeln eine ganz neue Perspektive, ein neues Bewusst-*Sein*. Kennen Sie das, Sie fahren seit Jahren immer die gleiche Strecke mit dem Auto, z. B. zu Ihrer Arbeit. Auf diesem Weg fahren Sie immer durch eine Ortschaft. Wenn es in Deutschland nicht anders durch ein Schild angezeigt wird, liegt die Höchstgeschwindigkeit innerhalb einer Ortschaft bei 50km/h. Doch an diesem Tag ist alles ganz anders. Plötzlich steht dort ein Schild, das Sie doch glatt übersehen haben, und prompt werden Sie von der Polizei angehalten. Die Polizei weist Sie auf diese Änderung hin, die Ihnen gar nicht aufgefallen war, da Sie diese Strecke schon seit Jahren fahren und sich bisher nichts verändert hatte. Warum gehe ich mit Ihnen diesen kleinen Exkurs? Worauf will ich hinaus, oder wissen Sie es vielleicht schon?

Etwas hat sich verändert, ja genau. Das Schild, und mit diesem Schild hat sich vieles verändert, letztlich Ihr Blick auf diese Situation. Von heute auf morgen dürfen Sie an dieser Stelle nur noch 30 km/h anstatt 50 km/h fahren. Ihr Bewusst-*Sein* wird sich erneut verändern. Sie werden einen neuen Blick auf diese Situation entwickeln, damit Ihnen künftig kein Nachteil entstehen wird.

Kommen wir zurück zum Ursprungswort Wissen-Schaft. Was schafft also Wissen? Schafft Wissen überhaupt etwas? Wenn ja, was? Nun wird Wissenschaft eben nicht mit doppel „F", sondern nur mit einem „F" geschrieben. Wissen Sie warum? Haben Sie überhaupt schon einmal darüber nachgedacht oder besser noch: vorgedacht? Nein? Oder stellen Sie sich die Frage gar nicht? Warum nicht? Ist Ihre Antwort darauf vielleicht sogar: Es ist halt so?

Wir laufen alle immer wieder Gefahr, unbewusst Worte wahrzunehmen, ohne den Sinn und die Wertigkeit dieses Wortes näher zu ergründen. Dabei ist doch gerade das so wichtig, um überhaupt kommunizieren und besser verstehen zu können. Wir sprechen Sprachen, viele weltweit. Sprachen dienen der Kommunikation. Wenn dem immer so ist, frage ich Sie und mich: Kennen Sie nicht auch das Gefühl oder besser die Gewissheit, Ihnen wird oft nicht richtig zugehört? Immer und immer wieder fordern wir unser Gegenüber auf, er oder sie möge uns noch besser zuhören. Moment einmal, halten wir doch kurz einmal inne. Verwechseln wir in diesem Moment vielleicht das Gemeinte mit dem Gesagten?

Nun, vielleicht meinten wir gar nicht das Zu-hören, sondern eher das Hin-hören und unser klares Bewusst-*Sein* dafür ist gar nicht vorhanden. Wenn wir einem Menschen sagen, er möge zu-hören, dürfen wir uns kaum wundern, wenn dieser Mensch unserer Aufforderung folgt und genau das tut, worum wir ihn bitten. Da wir jedoch etwas ganz anderes von ihm wollen, das Bewusst-*Sein* des Unterschiedes nicht entwickeln und erkennen oder klar wahrnehmen, fordern wir erneut dazu auf, dass dieser Mensch doch noch besser zu-hören möge. Und nun wundern wir uns erneut, dass seine Anstrengungen dies zu tun weiter erhöht werden. Kurzum: Am Ende sind wir auch noch böse auf diesen Menschen, weil *er* uns scheinbar missverstanden hat. Wie könnte das sein, haben wir ihn doch dazu aufgefordert uns zu-zu-hören? Es liegt kaum an ihm, sondern an uns und unserem Bewusst-*Sein* in dieser Situation. Was für eine Lösung gibt es nun bei diesem ganz alltäglichen Dilemma?

Es ist relativ leicht, wenn wir ein aufmerksames und tiefes Bewusst-*Sein* zu unserer Sprache entwickelt haben. Wir dürfen Sprache nicht nur sprechen, wir dürfen sie auch fühlen und wahrnehmen. Noch schöner ist es, wir dürfen sie ernst nehmen, so wie uns selbst auch. Wir dürfen, wie ein Sprichwort sagt, uns auch beim Wort nehmen. Wenn wir also einen Menschen dazu auffordern, er möge uns zuhören, so fordern wir ihn dazu auf, sich vor uns und vor dem zu verschließen, was wir ihm mitteilen wollen. Er ist *zu*, ganz so, wie wir es von ihm wollten. Wie und warum sollte er in dieser Situation die

Fähigkeit entwickeln, das zu tun, was wir eigentlich von ihm wollten, wenn wir ihm Gegenteiliges mitteilen? Warum sollte er erraten, wozu uns selbst das Bewusst-*Sein* fehlt? Mit welcher Berechtigung könnten wir ihm das Bewusst-*Sein* abverlangen, wenn es uns selbst an diesem klaren Bewusstsein mangelt? Wie und warum sollte er uns in diesem Moment also anders verstehen, als so, wozu wir ihn selbst aufgefordert haben? Wenn wir diesen Menschen also genau zum Umgekehrten auffordern, als zu dem, was wir wirklich von ihm wollen, brauchen wir uns über Unklarheit in der Kommunikation nicht zu wundern. Wenn wir diesen Mensch jedoch zu dem auffordern, was wir wirklich von ihm wollen, nämlich zum Hin-hören, schaffen wir Klarheit und bauen ihm eine verbale Brücke, die ihm den Weg zu uns weisen kann.

Jetzt haben wir beide die Chance der Verständigung und des Verstehens. Wir schaffen eine Einheit von Gesagtem und Gemeintem. Wir können uns hören und uns wahrnehmen, weil wir sagen, was wir meinen. Deckt sich das Gemeinte mit dem Gesagten, herrscht Klarheit. Fordern Sie Ihren Gesprächspartner dazu auf, dass er das tun möge, was sie tatsächlich von ihm wollen. Entwickeln Sie zunächst ein klares Bewusst-*Sein* für das, was Sie wirklich meinen und für das, was Sie wirklich sagen wollen. Fühlen Sie sich in das, was Sie Ihrem Gegenüber sagen wollen, hinein. Anstrengend?

Fragen Sie sich ruhig, was anstrengender für Sie ist. Die vorherige Auseinandersetzung zu den Missverständnissen mit Ihrem Gegenüber oder dieser Weg? Fragen Sie sich darüber hinaus auch ruhig, für welchen Weg die Chancen des Erfolges für Sie selber größer sind. Wenn Sie verstanden werden wollen und den dafür richtigen Weg gehen, werden Sie dafür belohnt, indem Sie verstanden werden. Belohnung ist immer etwas sehr Erfreuliches.

Das klingt für Sie vielleicht alles etwas seltsam. Dies könnte daran liegen, dass dieser Weg bisher zu selten von Ihnen genutzt wurde. Es ist eine Frage der Gewöhnung und des Bewusst-*Seins*, letztlich eine, die die stetige Offenheit für Veränderungen zulässt. Es ist, wie das Beispiel mit der Straße, die Sie seit Jahren gefahren sind und nun von heute auf morgen eine Geschwindigkeitsbegrenzung bekommen hat. Und so verändert sich Ihr Bewusst-*Sein*, wenn es die Situation erfordert, wenn nötig, von jetzt auf gleich. Richtige und vor allem bewusste Kommunikation ist heute wichtiger denn je, denn wir stecken nicht nur in einer sogenannten „Finanzkrise". Was fühlen Sie als erstes bei diesem Wort, „Krise"? Angst? Unsicherheit? Was fühlen Sie hingegen bei dem Wort Situation? Auch Angst? Was empfinden Sie bei dem Wort Finanz-Situation? Was für ein Gedanke und Gefühl erwächst nun in Ihnen? Angst und Unsicherheit? Sehen Sie, was Wörter mit Ihnen machen können?

Alles ist Energie, auch und insbesondere Worte, denn sie schwingen. Menschen, die weniger nach dem Herzen, dafür mehr mit dem Verstand handeln, streben vielfach nach Macht. Menschen, die beides, Herz und Verstand, sinnvoll miteinander vereinen, handeln in der Regel verantwortungsvoll. Ausübung von Macht ist Einflussnahme. Wer Ihnen sagt, dass wir eine Krise in Deutschland haben, besser sogar noch weltweit, arbeitet mit genau diesen Mechanismen der Angst und Macht, um Einfluss zu nehmen. Achten Sie darauf, denn es gibt viele Möglichkeiten eine Situation zu beschreiben.

Nutzen Sie Ihre Möglichkeit, selber zu denken und zu handeln, dann werden Sie Ihre Antworten und Lösungen finden. Lassen Sie sich nicht beeinflussen von Menschen, die Sie ausschließlich zu ihren eigenen Zwecken beeinflussen wollen, sondern hinterfragen Sie alles, auch gern das hier geschriebene Wort.

Bundespräsident Horst Köhler stellte in einer viel umjubelten Berliner Rede für sich fest, dass die weltweite Krise, in der wir 2008 lebten, eine *Bewährungsprobe für die Demokratie* sei, womit er am Ende sicher Recht behalten wird. Er sagte auch, dass die Finanzwelt Regeln und Moral braucht. Mit beiden Aussagen könnte er hingegen Unrecht haben. Die Auswirkungen der Niedrigzinspolitik der EZB weisen deutlich darauf hin. Bargeldbegrenzung, Enteignung der Sparer, Kostensteigerung, Strafzinsen bei Bankeinlagen und andere Themen verdeutlichen diese Entwicklung. Die EZB verbessert nicht, sie verschlimmert den Prozess, wie ein Brandbeschleuniger. Sollte es ein Bargeldverbot geben – vieles deutet darauf hin – dann werden

Menschen in Zukunft nur dann noch an ihr Erspartes gelangen, wenn es ihnen *erlaubt* wird. In dieser Aussage steckt viel, sehr viel.

Schauen wir uns diese Aussage noch einmal genauer an. Krise assoziiert automatisch neue Begriffe wie Verlust, Existenz, Krankheit. Verlust der Arbeit, also wirtschaftlicher Verlust, Verlust durch soziale Ausgrenzung durch den Verlust der Arbeit. Damit verbunden *natürlich* die Angst vor dem Verlust von Anerkennung und letztlich sozialer Bindung. All dies triggert unser Ego, das auf materiellen Erhalt um jeden Preis ausgerichtet ist. Wie fühlen Sie sich, wenn Sie arbeitslos sind? Was werden Sie sagen, wenn Sie von beruflich erfolgreichen Menschen umgeben sind und von denen gefragt werden, was Sie denn nun beruflich machen? Eine unangenehme Situation, sagen Sie? Damit werden Sie sicher recht haben. Sie spüren vermutlich, dass Sie zu dieser lächelnden Gesellschaft eben nicht gehören. Damit Sie diese Erfahrung nicht machen müssen, setzen Sie sich dieser Situation am besten erst gar nicht aus und bleiben von vornherein gleich zu Hause.

Fahren wir weiter im Text des damaligen Bundespräsidenten. Als nächstes nutzte er das Wort Bewährungsprobe. Jeder von uns kennt diese Situation. Waren wir nicht alle schon einmal in einer Bewährungsprobe? Ein Arbeitnehmer, eine Arbeitnehmerin hat zunächst oft ein halbes Jahr Probezeit, bevor er oder sie dann eine sog. Festanstellung bekommt, die scheinbare Sicherheit schafft, wenn es denn überhaupt dazu kommt. Ein Beamter ist eine Zeit lang ein Beamter auf Probe und ein Strafftäter bekommt eine Haftstrafe auf Bewährung. Sehen Sie, welche Wirkkraft Worte haben? Im selben Satz stellt Horst Köhler die indirekte Frage, ob ein System, hier die sogenannte Demokratie, überhaupt überleben wird. *Macht* ein solcher Politiker Hoffnung? Nein, er arbeitet mit Angst, bewusst oder unbewusst. Gleichwie, er ist ein Politiker, und Politiker arbeiten gern mit diesem Machtinstrument, insbesondere dem der Angst, wie wir erneut höchst eindrucksvoll in der sogenannten Corona-Krise erleben *dürfen*. Oft haben sie sogar gleich Lösungen parat, die uns glauben machen wollen, sie allein seien in der Lage, Lösungen aus der selbstgeschaffenen *Krise* zu besitzen.

Letztlich fordert der Bundespräsident in seiner Rede Konsequenzen, doch die sind nur zweitrangig, denn zuvor wurde bereits ein Angstszenario geschildert. Regeln und Moral sollen helfen, die Wunden der Krise zu heilen.

Dennoch, vielleicht hatte dieser Bundespräsident auch ein Stück weit recht mit dem, was er sagt. Geht ein System seinem Ende mit großen Schritten entgegen, und erkannte der Bundespräsident lediglich das Dilemma eines Systems, dieses Systems, *unseres Systems* der scheinbaren Demokratie? Erkennt er die Schwächen, die Grenzen und das Dilemma derartig geführter Systeme? Wird nun erkennbar, was ein trocken gelegter Sumpf zutage bringt?

… Gebt den Menschen Kochshows, dann brauchen sie sich auch keine Gedanken um die wirklich wichtigen Dinge zu machen …

Keine Frage, Kochen kann Spaß machen, gesellschaftliche Bewusst-*Seins*-Erweiterung jedoch auch und wie. Bei dem griechischen Philosophen Aristoteles heißt es, dass die Tyrannis die Alleinherrschaft zum Nutzen des Herrschers, die Oligarchie eine Herrschaft zum Nutzen der Reichen und die Demokratie eine solche zum Nutzen der Armen sei. Seiner Auffassung nach denke jedoch keine derer an den gemeinsamen Nutzen aller. Aristoteles beschreibt das Dilemma von Herrschaftssystemen. Er beschreibt das Dilemma, dass es keine bisher da gewesene Herrschaftsform gab und gibt, die alle Bestandteile einer Gesellschaft berücksichtigt, und er zeigt vor allem die Erkenntnis, dass es keine perfekte Herrschaftsform gab und gibt, die von Menschen konstruiert wurde. Ausgehend von Aristoteles Worten, dass es nun kein von Menschenhand geformtes perfektes System gibt, stellt sich die Frage: Welche Lösung kann es aus diesem Dilemma geben? Die Antwort ist einfach: Der Weg Gottes und der der Naturgesetze sowie deren Einhaltung. Der Weg der Natur und des Verständnisses darüber. Nur dies führt zur Lösung, in Frieden und Freiheit miteinander leben zu können. Maßlosigkeit führt immer zu Ungleichgewicht und Unfrieden.

Was kann in diesem Zusammenhang eine moralisch denkende und

handelnde sowie gesunde Gesellschaft bewirken? Wissen und Erkenntnis schaffen? Freiheit, Frieden und Gesundheit schaffen? Eine
solche Gesellschaft wird dauerhaft Fülle und Lebensqualität erfahren
können. Hängt eine glückliche, zufriedene, körperlich und geistig gesunde Gesellschaft davon ab, ob gesellschaftsimmanente Teile eines Systems Regeln und Moral unterliegen, wie der ehemalige Bundespräsident Köhler es verlangte? Richtig ist sicher, dass ein System
immer nur so gut sein kann, wie das Bewusst-Sein seiner einzeln
handelnden Akteure bzw. eine Herrschaftsform und die Beherrschten dieses zulassen. Es darf die These vertreten werden, dass eine
lebendige und bewusste Gesellschaft mit einer moralischen werteorientierten Lebensanschauung, eine glückliche und gesunde Zukunft haben wird. Eine überwiegend unbewusst, unmoralisch, körperlich und geistig verfallene Gesellschaft hingegen ist auf Dauer ihrem Untergang geweiht. Schauen wir uns unsere Gesellschaft an.
Welchen Eindruck gewinnen Sie bei Ihrer ganz persönlichen Beobachtung? Leben Sie in einem moralischen und dementsprechend
werteorientieren Umfeld? Leben Sie überwiegend in einem Umfeld
mit körperlich und geistig gesunden Menschen? Nehmen dem hingegen aus Ihrer Sicht Krankheit und Unmoral mehr und mehr Einfluss
auf Ihr direktes und indirektes Umfeld? Wie sieht es bei Ihnen ganz
persönlich aus? Sind Sie eher gesund und glücklich und leben in absoluter Harmonie und Fülle? Wenn Sie krank sind, kennen Sie den
wirklichen Grund dafür?
Nun stellt sich also die Frage: Auf welchem Pfade befinden wir uns?
Gehören wir zu der ersten Gruppe einer auf Zukunft ausgerichteten,
gesunden Gesellschaft, oder sind wir auf den Irrwegen einer dem
Untergang geweihten Gesellschaft bzw. Gesellschaftsform?
Es ist beides zu erkennen. Ein großes Dilemma eines jeden politischen Systems ist das Bestreben nach seiner einseitigen Ausrichtung, wie Aristoteles es höchst anschaulich beschreibt. So wie Systeme zu Einseitigkeit und selektiver Wahrnehmung neigen, so neigen
auch wir Menschen selbst zu dieser Selektivität und Polarität, begründet durch unser Ego. So wundert es kaum, dass diese von uns
Menschen geschaffenen Systeme eben auch zu dieser Polarität und

Spaltung führen müssen. Die folgende Situation soll ein Beispiel dafür sein. Sie zeigt uns darüber hinaus auch, wie selbstverständlich und wie wenig bewusst wir diese Einseitigkeit leben.

Gibt es eine Gleichberechtigung der Frau? Ist eine solche Aussage überhaupt sinnvoll? Ist Gleichberechtigung mit sich selbst möglich? Das uns auferlegte Grundgesetz sieht eine solche Einseitigkeit gar nicht erst vor. Artikel 3 GG sieht nicht die Gleichberechtigung von Mann oder Frau vor, sondern eine solche *zwischen* Mann und Frau. Es bedarf also einer Interaktion. Die Forderung nach einer Gleichberechtigung lediglich für eine einzige Gruppierung ist demnach also sinnfrei.

Wenn wir den Worten Aristoteles folgen, so sieht er auch in der Demokratie einen Mangel, denn kein System denkt aus Sicht des Philosophen an den Nutzen aller. Das Bestreben einer Gesellschaft schafft und erhält Freiheit und Frieden, wenn sie nach Ausgleich strebt. Ausgleich ist nicht die Umverteilung von Oben nach Unten. Nicht ein Entweder–oder, sondern ein Sowohl–als auch. Bewegt sich eine Gesellschaft zu sehr in die eine oder andere Richtung, so streben Teile der jeweils vernachlässigten Seite zunächst zwar scheinbar nach Ausgleich, dann jedoch in die jeweils andere Richtung. Es entsteht ein politisches und gesellschaftliches Pendel, das auf diese Weise niemals zur Ruhe kommen kann. Die Folgen daraus sind Krankheit und Unterdrückung und unnötiger Energieverbrauch. Und so fängt wieder alles von Neuem an.

Halten wir auch hier fest: Ein Ausgleich kann also niemals dadurch gefunden werden, indem der eine, bis dahin geschwächte, Teil zukünftig hervorgehoben und überhoben wird und an die Stelle des bisher anderen stärkeren Teils tritt. Das schafft immer ein Ungleichgewicht und am Ende eben auch meist Ungerechtigkeit. Gerechte Gesellschaftskonzepte mit einer in die Zukunft ausgerichteten Anschauungsweise, sind auf die Mitte und auf Ausgleich ausgerichtet. Gesellschaftliche Ungleichgewichte führen auf Dauer zu sozialem Unfrieden, und letztlich oft zu Kriegen. Die trügerische Ruhe einer schweigenden Masse ist meist eben nicht ein Zeichen für Ausgeglichenheit und Homogenität einer Gesellschaft. Sie ist oft nur

Ausdruck ihrer kollektiven Un-organisation.

Die Gedanken vieler einzelner Individuen finden im Austausch miteinander häufig sehr ähnliche Sicht- und Auffassungsweisen, es fehlt ihnen letztlich oft an Organisation, um diese Sichtweisen auch breit in eine Gesellschaft hineintragen zu können. Warum sich gesellschaftliche Teile zunehmend zurückziehen und warum es zunehmend schwerer geworden ist, dieses Potenzial geschlossen in eine Gesellschaft hineinzubringen, ist die Erkenntnis darüber, welchen Mächten bzw. Übermächten sich jedes einzelne Individuum gegenübergestellt sieht. In einer immer schneller zusammenwachsenden Welt, werden die Interessen des einzelnen Individuums zunehmend außer Acht gelassen. Einzelne Schicksale finden in einer globalisierten Welt oft wenig Widerhall. Flucht in Isolation ist oft die Folge einer solch unheilvollen Entwicklung. Insofern gibt es sehr viel mehr Flüchtlinge als von der UNO erwähnt. Wenn die Ohnmacht ins Bewusst-*Sein* des Individuums Einzug hält, hemmt dies das Potenzial zum Handeln.

Ein freier Mensch hätte ein solches Hemmnis nicht und würde sein Potenzial frei entfalten können. Freiheit ist Option und eben nicht Einfalt. Da diese Realität jedoch oft anders erscheint, führt dies eher zu Frust, Depression und Krankheit, da eine freie Entfaltung des Potenzials so verhindert wird bzw. werden soll. Die Gefahr für ein herrschendes System liegt nicht in den Demonstrationsveranstaltungen auf der Straße. Diese Methode ist herkömmlich und gegen die globalisierte Weltentwicklung scheinbar wirkungslos. Deshalb ziehen sie sich Menschen aus Resignation in ihren Mikrokosmos zurück und hoffen darauf, dass dies eine wirksame Methode sein könnte, um den Sturm so an ihrem Haus schadenfrei vorbeiziehen lassen zu können. Die Erkenntnis wird jedoch letztlich eine andere sein. Die Menschen werden erkennen, dass sie zum Handeln *gezwungen* sind. Dieses Handeln im Bewusstwerdungsprozess einer Gesellschaft kann *explosiv* sein. Die Gefahr für auf Macht basierenden Herrschaftssystemen liegt nicht in der Demonstration, sondern in der *Explosion* einer Gesellschaft. Diese *Explosion* ist das Erwachen jedes Einzelnen.

Bewährt sich ein System auf Dauer nicht für die in einer Gesellschaft zu bewältigenden Herausforderungen, so wird dieses System sein Ende finden und durch ein adäquates ersetzt werden. Es geht nicht um den zwangsweisen Erhalt eines Systems, sondern um den Erhalt einer zukunftsausgerichteten Gesellschaftsform, welche die besten Lösungen für anstehende Situationen und Herausforderungen aufweisen kann und nicht nur den Anschein dazu gibt.

In der Nikomachischen Ethik von Aristoteles heißt es: *„Der vor allem ist gut, der selber alles bedenkt, edel nenn ich auch jenen, der gutem Zuspruch gehorsam. Aber wer selber nicht denkt und auch dem Wissen des andern taub sein Herz verschließt, der Mann ist nichtig und unnütz.*"[278]

---

[278] Aristoteles. Nikomachische Ethik. Akademiker Verlag. Ergänzte Auflage, Latvia 1983

9. Fazit

Demokratie braucht Reife, Wissen, Dürfen, Können und vor allem Verantwortung! Sie braucht aufgeklärte, interessierte, suchende und nach Wahrheit strebende Menschen. Sie braucht Mut, und sie ist vor allem unbequem und das kann anstrengend für unser Ego werden. Doch all diese Merkmale sind notwendig, um Demokratie und die mit ihr in unverbrüchlicher Einheit stehende Freiheit leben zu können. All dies sind Grundsätze und lebensnotwendige Signaturen von Demokratie. Demokratie ist nichts anderes als Selbstbestimmung, Selbstermächtigung und Selbstverantwortung und Selbstwirksamkeit. Eine wichtige Erkenntnis bleibt zum Schluss. Wer sich ernsthaft mit dem etablierten System auseinandersetzt, das nach wie vor von der Mehrheit der Menschen unterstützt wird und es bekämpft, der wird vom System gerichtet. *„Wenn du dich weigerst, ungerechte Steuern zu bezahlen, wird dein Eigentum konfisziert. Wenn du versuchst, dein Eigentum zu verteidigen, wirst du festgenommen. Wenn du dich der Festnahme widersetzt, wirst du niedergeknüppelt. Wenn du dich dagegen wehrst, wirst du erschossen. Diese Maßnahmen sind bekannt als Rechtsstaatlichkeit."* [Edward Abbey (1927–1989][279]

Die Leidensgeschichte Jesu, mit seinem dramatischen Ende, ist sicherlich die populärste aller Geschichten und ein Beleg dafür, wie mit Andersdenkenden und Querdenkern bis und vor allem in der heutigen Zeit umgegangen wird. Auch Jesus war ein sogenannter *Störenfried,* der das damalige Establishment hätte zu Fall bringen können. Vielleicht war er der größte und wohl bedeutendste Verschwörungstheoretiker aller Zeiten. Eines ist gewiss, für sein Handeln und Wirken ließ er sein Leben. Mord ändert jedoch letztlich nichts an den Naturgesetzen, es spiegelt höchstens Hilflosigkeit. Darüber hinaus

---

[279] Forum.finanzen.ch. Steuerverschwendung. Steuerhinterziehung oder Steuerverschwendung. 19.11.13: https://forum.finanzen.ch/forum/thread?&thread_id=491586

besteht dadurch lediglich die Möglichkeit, Prozesse zu verlangsamen, nicht jedoch natürliche Prozesse aufzuhalten.

Erinnern wir uns an die Worte von Max Planck, der sagte, dass es keine Materie an sich gibt. Materie sei lediglich eine Frage der Ordnung beziehungsweise Anordnung von Energie. Wenn angesichts einer solch tiefen Erkenntnis davon ausgegangen werden kann, dass schließlich alles eine Frage von Energie und ihrer Anordnung ist, nutzt Mord an einem Menschen rein gar nichts, denn es ändert lediglich die von Max Planck beschriebene Anordnung von Energie. Auf der energetischen Ebene ist demnach ein weiteres Handeln möglich, nur eben nicht mehr in der Form von uns als Mensch bezeichneten Anordnung von Energie. Deshalb kann Energie auch nicht *erneuert,* sondern nur gewandelt werden. Veränderung und Wandel, so können wir von Schopenhauer und Heraklit lernen, sind die wahren Konstanten im Leben. Leben ist Energie und dies benötigt nicht zwangsweise eine für uns sichtbare Materie, wie wir am Beispiel der Luft erkennen können.

Mehrheiten können sich ändern. Dazu eine kleine Geschichte: Eine Meldung geht durch das Radio. Dort sagt eine Stimme voll der Sorge: Ein Geisterfahrer ist auf der Autobahn XY unterwegs. Der sog. Geisterfahrer schaut sich um und sagt sich: einer? Hunderte. Was sagt uns das? Welche ist die Blickrichtung, die wir eingenommen haben? Wir glauben oft, leider zu oft, was eine Mehrheit empfindet und sagt, ist richtig, ohne dies vor allem in Selbstverantwortung für sich und andere Menschen zu überprüfen. Dazu benötigen wir die richtigen Fragen, denn nur diese führen uns zu einer wirklich besseren Welt. Die Königsfrage ist die Frage nach dem Warum. Dieser Folgt die Frage nach dem Wofür und wem es nützt. Nützt es nur wenigen, schadet es der Gesamtheit.

Die österreichische Schriftstellerin Marie von Eschenbach weist uns den Weg, indem sie sagt: *„Wer nichts weiß, muss alles glauben."*[280]

---

[280] aphorismen.de. Zitat von Marie von Ebner-Eschenbach: https://www.aphorismen.de/zitat/151206

Zu glauben ist grundsätzlich richtig, wichtig und gut. Diesen Glauben und das an uns gerichtete Wort, das uns diesen Glauben nur zu oft einzutrichtern versucht, gilt es zu überprüfen, gerade in Zeiten von Corona. Es ist nämlich ebenso wichtig und gut sowie eine demokratische Verpflichtung, Dinge und Aussagen dementsprechend zu hinterfragen, um sie auf ihre Richtigkeit hin zu überprüfen. Doch unser Ego will es möglichst bequem haben, deshalb finden viele von uns scheinbare Gründe und Erklärungen, dieses Hinterfragen sowie die Überprüfung zu unterlassen, um der Bequemlichkeit des Egos Rechnung zu tragen. Es geht nicht darum, das eine oder andere zu tun oder zu unterlassen, wie wir eingangs gelernt haben. Es geht, so wie immer in unserem Leben, um ein Bestreben nach gesunder Ausgeglichenheit. Also, das eine und das andere zu tun! Auf diesem Weg begegnen wir sowohl der Illusion, Konstruktion, der Lüge, dem Selbstbetrug und der Wahrheit. Die Lüge, die uns Tag für Tag mit List durch Illusion und Konstruktion zu verführen versucht, stellt uns vor Herausforderungen, die wir aufgefordert sind zu meistern. Um diese positiv begleiten und meistern zu können, sind die oben aufgeführten Eigenschaften der Leistungsformel und des Erfolges notwendig, zu denen z. B. Wissen, Können und Dürfen gehören. Gut und Böse entstammen demselben Ursprung. Sie sind Teil ein und derselben Medaille. Jede Medaille hat zwei Seiten, dennoch handelt es sich um eine einzige Medaille. Wer das eine ablehnt, lehnt damit die Hälfte des Ganzen ab. Beides zusammen bildet jedoch das Ganze. Auch Mann und Frau bilden eine Einheit. Wer das Männliche oder Weibliche ablehnt, lehnt 50 % seines Ganzen ab. Deshalb geht es auch nicht darum, das eine oder andere besonders zu fördern, sondern beides mit und in seinen jeweiligen Stärken. Frauen sind nicht die besseren Männer, Väter, Führungskräfte et cetera und umgekehrt. Diese Vorstellung ist uns in unserer dualen Welt jedoch eher fremd. Spaltung ist Kern des Dualismus, deshalb ist die Lösung für Frieden und Freiheit auch an einem „anderen Ort" als in der Dualität zu finden. Wenn wir erkennen, dass alles selben Ursprungs ist, befinden wir uns auf dem Weg zu einer Lösung oder Auflösung. Weg vom Mangel und hin zu Fülle.

Warum werden Menschen reduziert, indem sie nur noch unter Kontrolle zu funktionieren haben? Warum wird uns Stück für Stück unsere Freiheit genommen, wenn dies alles letztlich zu Mangel, Krankheit und Niedergang führt, wie wir es mehr als deutlich erleben? Warum lassen wir es überhaupt zu, dass uns unsere Freiheit Stück für Stück genommen wird und genommen werden kann? Heißt es nicht richtigerweise in Artikel 1 des Grundgesetzes, dass die Würde des Menschen, zu der die Freiheit zwingend gehört, unantastbar sei? Schauen wir uns unsere Welt an, brauchen wir deshalb noch mehr Freiheit raubende Kontrolle und Fremdbestimmung, um Fülle im Leben aller Menschen zu schaffen? Es ist ein eklatanter Verstoß gegen diesen Grundrechtsartikel und Naturrecht. Wenn wir das Grundgesetz und die Naturrechte ernst nehmen wollen, werden wir auch darüber ernsthaft reden müssen. Freiheitsberaubung ist ein Verstoß gegen den ersten und damit wichtigsten Artikel unseres Grundgesetzes und das Naturrecht. Schauen Sie sich Ihre eigene Situation ganz ehrlich und sehr genau an und fragen Sie sich, wie frei sie sich in allen Dingen wirklich fühlen und es auch sind bzw. sein dürfen? Wurden wirklich all Ihre Träume, die Sie in Ihrem Leben für sich formuliert und entwickelt haben, so umgesetzt, dass sie in absoluter Fülle und Harmonie leben? Wenn ja, gratuliere Ihnen aus tiefstem Herzen! Wenn nein, trauen Sie sich, die Frage an sich selbst zu richten, ob es daran liegt, dass Sie in Ihrer freien Entfaltung eingeschränkt sind, sich haben einschränken lassen und all ihre Ziele und Wünsche auch und gerade deshalb nicht umsetzen können. Stellen Sie sich jetzt die Frage wie es wäre, wenn Sie Ihre Träume, Wünsche und Ziele ungestört und ungehindert umsetzen könnten. Wie sähe Ihre Welt dann für Sie aus? Wie fühlt sich eine solche Welt für Sie an? Wenn Sie eine solche Welt Ihrer jetzigen Welt bevorzugen, erkennen Sie sich als Schöpfer, denn Ihr Mut trägt dazu bei, dass Sie in einer solchen Welt leben können, in der Fülle den Mangel überwiegt.

Ist es also sinnvoller, mehr Freiheit und dafür weniger Kontrolle und Fremdbestimmung in sein Leben zu lassen? Warum sollte mehr Kontrolle und Einschränkung, die uns alle krank macht und die Entfaltung unseres unglaublichen Potenzials stört, unser weiterer Wegweiser sein? Kann dieser Weg weiterhin sinnvoll sein?

Was es braucht ist Mut. Der griechische Philosoph Demokrit sagte einst über den Mut: Mut steht am Anfang, Glück am Ende. Wir erinnern uns. Ein schönes und sehr treffendes Zitat, welches insbesondere beim Thema der Freiheit anzuwenden ist. Wenn wir uns die Frage beantworten, ob wir in Fülle leben wollen, weil wir unsere Träume verwirklicht sehen möchten, dann trennen wir uns von Fremdbestimmung, Kontrolle und Freiheitsentzug, womit wir noch vielfach leben, denn diese Dinge erzeugen Mangel. Das erwähnte Zitat von Friedrich Schiller, das besagt, dass die Herrschenden aufhören zu herrschen, wenn die Kriechenden aufhören zu kriechen, kann im positiv übertragenen Sinne wie folgt zum Ausdruck gebracht werden: Sobald Menschen aufhören unter Kontrolle zu funktionieren, um zunehmend frei zu werden, gewinnen sie ihre Freiheit, Souveränität und Selbstbestimmung zurück, um in Fülle, Frieden, Freiheit und Gesundheit leben zu können. Kontrolle und Freiheitsentzug führen zu Mangel. Freiheit und Selbstbestimmung hingegen führen zu Souveränität und Fülle. Um diese Aspekte jedoch richtig anwenden zu können, ist es notwendig, einen klaren Geist zu entwickeln und diesen vor allem entsprechend zu nutzen. Wer eine bessere Welt wünscht, wird die dafür notwendigen und richtigen Schritte gehen müssen, um die Not, die überall gegenwärtig ist, auch wenden zu können. Einer der wichtigsten Wegbegleiter ist die Wahrnehmung der eigenen Verantwortung sowie zu lernen sich selbst als wichtig zu erachten.

In einem System, wie das des National-Sozialismus oder des Sozialismus der DDR galt das Individuum wenig bis nichts. Das Kollektiv war das Normativ. Im National-Sozialismus ging das Individuum in der Volksgemeinschaft auf. Doch beides ist eine Illusion, weil es konstruiert wurde, und damit eine Lüge war. Es ist ein Verstoß gegen Naturgesetze und konnte allein deshalb nicht von Dauer sein. Wer heute erneut davon ausgeht, dass der Weg des Sozialismus lediglich falsch verstanden wurde, hat offenbar immer noch nicht erkannt, dass auch ein erneuter Weg in Fatalismus münden wird. Dies, weil er erneut gegen Naturgesetze verstößt und eine Konstruktion und Illusion, also eine Lüge ist. Die Wahrnehmung von Verantwortung führt dazu, ein er-wachsener, unabhängiger und freier Mensch zu werden. Im Wort er-wachsen stecken die Worte erwachen und wachsen. Beides geht mit der Entfaltung einher. Hilf dir selbst, dann hilft dir Gott. Wer Verantwortung wahrnimmt und eigenverantwortlich im Sinne von Fülle handelt, hilft sich und wird Gott insofern begegnen, als dass er erkennen wird, dass er etwas erschafft und als Schöpfer fungiert hat. Wer sich frei entfalten kann, wird wachsen und ein Erwachsener werden. Wem diese Möglichkeit genommen wird, erlebt große Widerstände auf seinem Weg des Erwachsen-Werdens, denn bedauerlicherweise neigen viele Systeme dazu, heranwachsende Menschen zu beschneiden, zu kürzen, einzuschränken, zu kontrollieren und eben nicht dabei zu unterstützen, sich ihrer Potenziale bewusst zu werden und diese frei entfalten zu können. Schulen sind ein sehr anschauliches Beispiel dafür. Doch die heutigen Schüler wehren sich zunehmend gegen dieses falsche System, denn es verstößt gegen Naturgesetze.

Ein gutes Beispiel dafür, wohin blinder und getrübter Glaube und Götzenverehrung durch Indoktrinierung und Fremdbestimmung führen kann, ist die inhaltlich unkritische Auseinandersetzung mit dem Thema Klimawandel. Dieses Thema wird zu einer Pseudoreligion hochstilisiert, dem alles und jeder unterworfen werden soll. Wer sich wehrt oder inhaltlich kritisch damit auseinandersetzt, wird mindestens als Klimaleugner diffamiert. Sehr ähnliches geschieht im Zusammenhang mit der sogenannten Corona-Krise. Auch hierbei werden die Menschen, die sich kritisch und innovativ mit dem Thema auseinandersetzen, kollektiv als sogenannte *Verschwörungstheoretiker* und *Corona-Leugner* diffamiert. Ein System entblößt sich. Was von einer sogenannten Verschwörungstheorie übrig bleiben kann, wenn Theorie zur angewandten Praxis wird, ist oben ausführlich dargelegt worden. Wie schlicht und durchsichtig ist eine derartige Auseinandersetzung mit Querdenkern? Reichen diese Diffamierungen noch nicht aus, um diese innovativen Querdenker zum Schweigen zu bringen, werden weitere Begriffe wie *Wirrköpfe*, *Reichsbürger*, *Rechtspopulisten*, *rechte Verschwörer* oder schlimmer noch *Nazi* als Verbalkeulen verwendet. Auf dieses beklagenswerte Niveau ist also das Land der Denker und Dichter inzwischen gesunken? Das ebenso durchsichtige Ziel ist es, erneut zu spalten und abzuspalten. Wer will schon mit solch einer Personengruppe etwas zu tun haben wollen. Niederste menschliche Eigenschaften sollen animiert werden, um derartige Ziele erreichen zu können. Glaube, ohne wahres Wissen, welches der Wirklichkeit entspringt, kann sehr erschreckende Auswirkungen haben.

Am 17.05.2019 erhielt ich eine Mail eines CDU Bundestagsabgeordneten, dessen Newsletter ich seit langem abonniere. Er schrieb dort Folgendes: *„Welch skurrile Blüten das Ganze treibt und wie die Hirne davon vernebelt werden, zeigt der Fall der Regensburger Gymnasiallehrerin Brunschweiger. Sie vertritt einen sogenannten „antinatalistischen Ansatz", was im Kern bedeutet, die menschliche Fortpflanzung einzustellen, damit das Klima geschützt wird. So könne der „unaufhaltsame Klima-Kollaps [...] wenigstens verlangsamt werden. Ich fände es schön, wenn es auch in 20 Jahren noch freilebende Großtiere gäbe und Luft und Wasser für alle, die schon da sind", sagt sie im Interview mit Brigitte. Sie lasse sich nicht von „rechten Parteien [...] für ihren Geburtenkrieg einspannen". Zu Recht finden sich nicht nur in den lokalen Zeitungen empörte Kommentare über das SPD-Mitglied Brunschweiger, die mit ihren kruden Theorien durch die Talkshows der Nation tingelt. In ihrem Buch rechnet sie vor: Wer auf ein Kind verzichtet, erspart der Umwelt mehr als 58 Tonnen CO2-Emissionen im Jahr, wer auf sein Auto verzichtet, nur 2,4. Individueller Selbstmord oder kollektives Ausscheiden der Spezies Mensch vom Globus als ultimative Errettung der Welt? Dass jemand mit solch abwegigen Vorstellungen Kinder auf das Leben vorbereiten und ihnen Rüstzeug für den Lebensweg mitgeben kann, ist kaum vorstellbar. Man kann sich leicht ausmalen, dass durch solche Pädagogen Kinder verwirrt werden, sie Schuldkomplexe entwickeln und als vermeintlich verursachende Schuldige an Umweltschäden geradezu psychotisiert werden. So werden kleine Gretas produziert, die dann der Politik empfehlen, in Panik zu verfallen. Der treffende Kommentar von Christian Eckl, Redaktionsleiter des Regensburger Wochen-*

blattes: „Damit wir uns nicht falsch verstehen: Natürlich ist die Über-
bevölkerung auf der Welt ein Grund für Umweltbelastungen. Viel
mehr als die deutschen Autos, auch wenn uns das oft andersrum er-
zählt wird. Die Armut in Asien und Afrika vermüllt die Meere, nicht der
Plastikbeutel aus dem deutschen Supermarkt. Aber als Reaktion Kin-
der indirekt als unwertes Leben zu bezeichnen, das geht wohl gar
nicht." Dem ist nichts hinzuzufügen."[281]

Seien wir wachsam, erlernen und eignen wir uns nachvollziehbares
und haltbares Wissen an und glauben eben nicht alles, was uns bestimmte Kräfte in dieser Welt einzutrichtern vermögen. Der Mensch
ist ein *Gewohnheitstier*. Je öfter er etwas hört, desto mehr glaubt er
daran. Wenn ich einem Hund immer wieder seinen von mir entwickelten Namen sage, hört er irgendwann darauf. Der Mensch ist jedoch eigentlich weiter entwickelt als z. B. ein Hund. Er besitzt die
Möglichkeit Fragen zu stellen und Dingen mithilfe dieser Fragen auf
den Grund zu gehen, zu reflektieren. Ja, das ist mit Aufwand verbunden, es bringt nur eben unglaublich viel Freude, wenn Erkenntnisgewinn daraus resultiert, anstatt durch Nichtwissen manipuliert und ge-
steuert zu werden und aufgrund der eigenen Bequemlichkeit alles
glauben zu müssen. Was für eine Degeneration ist das? Dieses weltweit erkennbare und einfache Phänomen der massiven Manipulation
vernebelt uns die Sinne. Doch wir selbst haben es in der Hand, dieses zu beenden, oder glauben wir ernsthaft, dass diese Manipulation
ausschließlich in unserem Sinne geschieht? Manipuliert wird meist,
um bestimmte Ziele erreichen zu können, die im Regelfall vor allem
mit monetärem Partikularinteresse verbunden sind. *„Wer verdient*
auf welche Weise an einer angeblichen „Klimakatastrophe". Um den
CO2-Ablasshandel wirksam zu organisieren, mussten Instrumente
geschaffen werden, wie der „Chicago Climate Exchange". Immer
mehr namhafte Unternehmen sind darin vertreten, von Rolls Royce
über Bayer, Ford bis hin zu namhaften Universitäten. Ein Mr. Strong

---

281 Rheingau Taunus Monatsanzeiger. Sonderausgabe Europawahl. Zwischenruf des
Herausgebers. 18. Jahrgang. Nummer 94. Mai 2019

ist im Vorstand dieser privaten „Chicago Climate Exchange". Viele der als Umweltverschmutzer bekannten Unternehmen haben sich bereits auf den Kohlenstoffdioxid-Handel eingelassen, auch in den Vereinigten Staaten, wo die Kredite (Differenz zwischen zugestandener und erreichter niedrigerer Quote) an das Chicago Climate Exchange verkauft werden. Einige Experten haben berechnet, dass zu einem Preis von 14 $ pro Tonne Kohlenstoff, die im Rahmen des Kyoto-Protokolls ermöglichten „Emissionsrechte" einem Wert von 2.345 Milliarden Dollar entsprechen, was als „größte Geldbeschaffungsmaschine durch internationale Verträge in der Geschichte der Menschheit" bezeichnet werden kann. Und das ist erst der Anfang, man kann jederzeit mehr Kredite schaffen. All das muss vom Steuerzahler und Konsumenten aufgebracht werden, von niemandem sonst. Man muss sich an dieser Stelle klarmachen, es geht keinem der führenden Beteiligten (das manipulierte Fußvolk an der Basis natürlich ausgenommen) um wirkliche Reduzierung von CO2. Es geht, nicht nur, aber hauptsächlich, um den Handel mit CO2-Emmissionsrechten, für alle Beteiligten eine Lizenz zum Gelddrucken auf Jahrzehnte, die alles Bisherige in den Schatten stellt. 2007 wurde als das Jahr ausgewählt, in dem die Basis dafür zementiert wurde und alle Gegenstimmen medial zum Verstummen gebracht werden sollen. An dieser Stelle kommt Al Gore ins Spiel, der die Trommel wie kein anderer für die CO2-Reduzierung schlägt. Gore-Kritiker untersuchten den Stromverbrauch im Hause Gore und kamen dahinter, dass der CO2-Mahner 20-mal so viel Strom wie ein durchschnittlicher US-Bürger verbraucht. Alles kein Problem, sagt Gore im Kongress, denn er kaufe dafür CO2-Ablässe. Gore kauft schlauerweise seine CO2-Ablässe von sich selbst, von der „Generation Investment Management LLP", einer „unabhängigen, privaten, durch die Eigner gemanagten Gesellschaft, die 2004 in London und Washington, D.C. gegründet wurde", wie es im Prospekt heißt. Er steht dieser Gesellschaft als Vorsitzender vor und ist Gründungsmitglied. Diese Gesellschaft ist ein Hedgefond, der den Handel mit CO2-Ablässen betreibt. Das ist der geniale Trick: Ich verbrauche so viel Energie wie ich will *und kaufe von mir selbst Ablässe. Wenn das Luther noch erleben dürfte. Kurz zusammengefasst heißt es, dass die Wohlhabenden nicht ans Energiesparen denken müssen, da sie sich freikaufen. Sparen müssen die Ärmeren, denn sie können die Ablässe nicht bezahlen.*"[282]

Stellen wir uns also die richtigen Fragen bzw. stellen wir uns überhaupt erst einmal Fragen. Die Königsfrage eines Philosophen ist die Frage nach dem Warum. Wenn wir diese wieder zu nutzen beginnen, obwohl es uns in der Kindheit aberzogen wurde, kommen wir ein gutes Stück voran. Was also wird hier in Wirklichkeit gezeigt? Ist es wirklich in der Verantwortung von uns sogenannten *Verbrauchern*, dass es einen Klimawandel oder besser noch eine Klima-Katastrophe gibt, wie uns manipulativ glaubhaft gemacht werden soll oder soll uns vielleicht durch diese massive Manipulation scheinbar bewiesen werden, dass Gott doch fehlbar ist? Ein guter Anfang könnte sein, dass wir uns verbitten, uns als *Verbraucher* herabsetzen und diskriminieren zu lassen, als wären wir Stromzähler, die einmal im Jahr abgelesen werden. Gleichzeitig sollten wir vermeiden, jeder durchs Dorf getriebenen Sau hinterherzulaufen. Überprüfen und hinterfragen wir Aussagen von denen, die uns sagen, dass z. B. der Klimawandel ausschließliches Werk des Menschen oder des sogenannten *Verbrauchers* sei. Neben der SPD und der Partei DIE LINKE, sind das Bündnis90/DIE GRÜNEN die größten Befürworter einer CO2 Abgabe/Steuer. Ginge es nach der Vorsitzenden Annalena Baerbock, könnte es gar nicht teuer genug sein. Glauben Sie mir diese Aussage bitte nicht, überprüfen Sie diese auf ihren Wahrheitsgehalt! Ginge es nach dem Willen von Bündnis90/DIE GRÜNEN, müsse jedes Gesetz auf seine Klimafolgen überprüft werden. Wie soll das gehen? Während Prognosen über ein zukünftiges Klima eher auszuschließen sind, da sämtliche dafür notwendige Parameter schlicht nicht zur Verfügung stehen, soll bei jedem Gesetz etwas

---

[282] Iinitiative.cc. Wer verdient an der Klimakatastrophe? Wie mit der Klimakatastrophe Geld aus dem Nichts gemacht wird!
Dezember 2007: http://www.initiative.cc/Artikel/2007_12_10_klimakatastrophe.htm

überprüft werden, was schlicht unmöglich sein wird, dies mit allen dafür notwendigen Parametern durchzuführen. In einem Interview mit dem Berliner Tagesspiegel äußert sich Annalena Baerbock, es solle *„nach dem Vorbild der Schuldenbremse [...] eine CO2-Bremse in der Verfassung"* geben.[283] In Anbetracht der Tatsache, dass die durch den politisch gewollten Shutdown und eben nicht durch das sogenannte Corona-Virus verursachten Mehrausgaben von ca. 1,5 Billion Euro, eine sehr fragwürdige Forderung. Weiter äußert sie sich *„So, wie wir erkannt haben, dass wir uns finanziell nicht bei zukünftigen Generationen verschulden dürfen, können wir unseren Kindern nicht weiter die Folgen der Klimakrise aufbürden. Alle Entscheidungen müssen sich am Klimaschutz messen."*(ebd.) Eine *wunderbare* menschliche Konstruktion, die ein fragwürdiges Verantwortungsbewusst-Sein preisgibt.

Zu Beginn des Artikels schreibt der Berliner Tagesspiegel, dass die Grünen den Klimawandel durch diese Maßnahmen stoppen wollen. Um an dieser Stelle die Worte des o. g. Videos von Lord Christopher Monckton aufzugreifen, Klimawandel bestünde seit nunmehr 4 Mrd. Jahren, steht der im Tagesspiegel getätigten Aussage von Annalena Baerbock und ihrem Vorhaben, diese Entwicklung zu stoppen, in einem diametral konträren Widerspruch.

Darüber hinaus stellt sich die Frage, was für einen Sinn könnte es haben, den Klimawandel zu stoppen? Im Biologieunterricht lernen wir den Kreislauf von Fotosynthese. Einfach zusammengefasst: Bäume und Pflanzen geben Sauerstoff ab, den wir Menschen zum Leben auf diesem Planeten benötigen. Menschen atmen CO_2 aus, Bäume und Pflanzen nehmen dieses Kohlendioxid wiederum für die Produktion ihrer Biomasse auf. Bringen wir diese mathematische Gewissheit mit dem politischen Ansatz der angeblichen Reduktion von CO_2 in Korrelation, so können wir demnach davon ausgehen, dass die Vegetation entsprechend der Forderung von Bündnis

---

[283] Tagesspeigel.de. Eubel, Cordula, Kixmüller, Jan. Grüne fordern CO2-Bremse im Grundgesetz. 07.05.2019: https://www.tagesspiegel.de/politik/debatte-um-co2-steuer-gruene-fordern-co2-bremse-im-grundgesetz/24314066.html

90/DIE GRÜNEN schrumpfen wird. Worum es demnach wohl eher gehen wird, ist die Forderung nach weiteren Abgaben und Steuern, die möglichst erhöht werden sollen.

Der derzeitige Bundestagspräsident Schäuble zeigt Verständnis für die jungen Schülerinnen und Schüler, wenn sie für den *Klimaschutz* auf die Straße gehen. In diesem Zusammenhang forderte er die politisch Verantwortlichen auf, mehr für diesen Klimaschutz zu tun, auch wenn es dabei zu un-populären Entscheidungen käme, so rbb Inforadio am Freitag, den 24.05.2019. Könnte es sein, dass dieser Politiker diese Demonstration dazu missbraucht, mehr Verständnis in der Bevölkerung für mögliche Steuererhöhungen zu erzielen? Natürlich reine Spekulation und *Verschwörungstheorie,* schließlich wurde auch keine Mauer errichtet, alles reine Einbildung. Warum dann nicht gleich zweimal Steuern erheben? Einmal für die Nutzung von Verbrennungsmotoren und einmal dafür, dass wir als Menschen CO_2 ausatmen. Das betrifft die Demonstranten von *Fridays for Future* – oder nennen wir sie besser Frei-Days for Schüler – dann gleich mit. Eine junge Generation demonstriert, um sich selbst und ihre Eltern noch mehr zu belasten. Es schein, als kenne der Irrsinn kaum Grenzen.

Dieses Beispiel zeigt höchst anschaulich, dass vorheriges Denken und Hinterfragen durchaus sinnstiftend sein kann, bevor man sich von unsinniger Hysterie treiben lässt. Der Klimawandel ist ebenso wie jeder andere Wandel unaufhaltsam, ein Naturgesetz. Schon der deutsche Philosoph, Arthur Schopenhauer, sagte einst, dass der Wandel allein das Beständige im Leben sei. Er sagte auch, dass die eigene Erfahrung den Vorteil völliger Gewissheit habe.[284] Dem ist sicher hinzuzufügen, dass ebenso das Wissen zu dieser von ihm erwähnten Gewissheit führt. Doch Schopenhauer sagte weiter, dass Menschen von ihrem Wesen her böse, von ihrem Wesen her unglücklich und wesentlich dumm seien.[285]

---

[284] aphorismen.de. Zitat zu Arthur Schopenhauer:
https://www.aphorismen.de/zitat/55567
[285] Rlo-berlin.de. Menschen unglücklich böse dumm\374. https://t1p.de/c92c

Schauen wir uns unter diesen Vorzeichen die Forderung der o. g. Gymnasiallehrerin und SPD Mitglied an die Menschen möglichst von diesem Planet verschwinden lassen will. Wenn CO_2 auf der Erde verschwindet, dürften danach auch Bäume und Pflanzenwelt ein Problem bekommen, denn ihnen fehlt das für ihren Fortbestand notwendige CO_2, welches auch wir Menschen ausatmen. Warum erkennen einige noch immer nicht, dass das System auf diesem Planeten, nennen wir es einfach Natur, grundsätzlich im Einklang und auf sich selbst abgestimmt ist? Wenn z. B. CO_2 der Pflanzenwelt hilft, so wie uns der Sauerstoff, den Pflanzen wiederum abgeben, warum sollen wir nun dafür Steuern und Abgaben zahlen? Wie sinnstiftend könnte dies für die Mehrheit der Menschen sein? Wie frei sind wir überhaupt?

Der russische Erzähler und Romanautor Leo Tolstoi sagte einst, dass Geld eine neue Art der Sklaverei sei, die sich nur darin von der alten unterscheide, dass sie unpersönlich sei und es keine direkte und persönliche Beziehung zwischen Herren und Sklaven gebe. Der Berliner Tagesspiegel weist in einem Artikel darauf hin, dass die im sogenannten Pariser Klimaschutzabkommen getroffenen Maßnahmen höchstwahrscheinlich nicht erreicht würden, vorwiegend von Deutschland, selbstredend. Auch deshalb fordere die Bundesumweltministerin Svenja Schulze (SPD) die Einführung einer solchen Steuer. Konkret hieße dies, dass der Staat einen Preis für eine Tonne CO_2 festlege. *„Eine umweltschädliche Produktionsweise würde damit teurer werden"*, so der oben bereits erwähnte Artikel des Berliner Tagesspiegels. Was dies genau heißt und wer diesen Wert und warum festlegt, schreibt er nicht. Nun, darum geht es also?

Es wird propagiert, dass es um einen notwendigen Klimaschutz gehe, was immer auch Inhalt dieses Begriffs sein kann. Fraglich ist ohnehin, wovor genau dieses Klima geschützt werden soll. Interessanterweise wird dies nicht weiter erörtert und schon gar nicht klar definiert, oder haben Sie von irgendjemandem gehört, was Klimaschutz tatsächlich bedeutet? Einzig ein Schuldiger – oder sagen wir besser zwei Schuldige sind ausgemacht: Das *böse* CO_2 und der noch *bösere* Mensch, der fast ausschließlich diese *Klimakatastrophe* durch *Erdüberhitzung* selbstredend zu verantworten hat. Jetzt werden Wasser und Nahrung auch noch knapp, und das große Artensterben hat begonnen. Die Süddeutsche Zeitung spricht daher auch gleich von doppelter Krise. Je größer die Krise, desto mehr folgen ihr? Kommt uns das nicht irgendwie bekannt vor?

Es gab ein tausendjähriges Reich, welches nur 12 Jahre anhalten solle, Gott sei es gedankt! Nun, manche Dinge enden eben früher als geplant. Erinnern wir uns an Hitlers Worte: *„Je größer die Lüge, desto mehr folgen ihr."* Und: *„Wie gut für die Regierenden, dass die Menschen nicht denken."* Auch ein moderner Ablasshandel ist nicht sonderlich populär, würde man ihn als solchen benennen. Befinden wir uns also noch immer im Mittelalter? Waren Luthers Thesen sinnlos? Waren alle dbzgl. Bemühungen für die Katz?

Eines wird mindestens deutlich, nämlich die offenbar völlige Selbstüberschätzung von regional begrenzten Parteien sowie eine offenbar verstörte und unsozial handelnde Sozialdemokratin und Gymnasiallehrerin. Darüber hinaus wird etwas sehr Entscheidendes offenbart, nämlich das Kennzeichen manipulativer Einflussnahme, um bestimmte Ziele für bestimmte Zielgruppen erreichen zu können. Dabei scheinen selbst einfachste, durchschaubare Mittel recht zu sein, da sie den Zweck heiligen.

Das, was wir glauben sollen, stimmt nicht mit der Realität überein, so die wissenschaftlichen Aussagen, die vor allem durch klaren Menschenverstand und Verhältnismäßigkeit gekennzeichnet sind. Darin erkennen wir die Lüge. Es wird uns gesagt, dass es um einen angeblichen Klimaschutz geht, was immer dieser Klimaschutz auch beinhalten mag. Da diese vereinbarten Ziele nicht erreicht werden, vielleicht auch gar nicht erreicht werden sollen, wie beim Beispiel mit Al Gore erkennbar ist, muss eine Abgabe, ein Ablass, wie oben erwähnt, gezahlt werden. Wenn dieses Ablass-System in der Industrie so gut funktioniert, warum dann nicht auch bei den Privathaushalten? Fraglich bleibt ohnehin, was mit dieser Abgabe gemacht und vor allem verbessert wird? Fraglich ist außerdem, ob dies der einzige Weg ist, um Umwelt zu schonen. Wohin fließen diese und andere

Erlöse modernen Ablasshandels überhaupt?

Lüge und Täuschung sind eben nicht Wahrheit und Wahrhaftigkeit, die durch Authentizität gekennzeichnet sind, sondern das genaue Gegenteil. Das Gesagte und die tatsächlichen Realitäten stimmen nicht überein. Eine einfache, jedoch sehr klare und vor allem überprüfbare mathematische Gewissheit. Damit wir diese Realität möglichst nicht überprüfen sollen, werden wir vor allem mit zwei Dingen beschäftigt: Ablenkung & Manipulation. Die elektronische Unterhaltungsindustrie bietet dabei beste Voraussetzung. Riesige Plasmabildschirme in HD Qualität, die uns jeden Tag mit inhaltsleeren Dingen berieseln. Tablets und Smartphones erledigen den Rest, mithilfe von Twitter und Co. und natürlich 5G. Durch ständiges Wiederholen von immer wiederkehrenden Worten wie *„Klimakatastrophe"* werden unsere Hirne weichgekocht, damit es auch der letzte Skeptiker glaubt. Eben, *glaubt* und möglichst nicht auf deren Richtigkeit überprüft. Wie wir gelernt haben, müssen Menschen, die nichts wissen, eben alles glauben. Auf diese Weise wird die Bequemlichkeit des Egos größtmöglich bedient.

In einem Lied des deutschen Sängers heißt es wie folgt: *„Was wir alleine nicht schaffen, das schaffen wir dann zusammen, dazu brauchen wir keinerlei Waffen, unsere Waffe nennt sich unser Verstand."*[286] Setzen wir diesen wieder ein, wofür wir ihn haben, dann kommen wir zu den Antworten und wahren Lösungen, die wir benötigen, um die Not in der Welt zu wenden, nämlich zum Guten. Die leider im Jahre 2011 verstorbene Vera Felicitas Birkenbihl, einer der großartigsten und erfolgreichsten Coaches in Deutschland, sagte einst, dass unser Gehirn unser größtes Sexualorgan sei, das wir haben.[287] Was sie damit sagen wollte ist, dass unser Hirn steuert, wenn wir etwas richtig toll finden, was uns im positiven Sinne *anmacht*. Wir sind zu Höchstleistungen imstande, wenn wir dahin-

[286] Youtube.com. Xavier Naidoo - Was wir alleine nicht schaffen. 16.12.2008:
https://www.youtube.com/watch?v=sglBa9dRfv8
[287] Youtube.com. Sprachen lernen für SchülerInnen mit Vera F. Birkenbihl – Sprachen lernen: https://www.youtube.com/watch?v=A5ulmNa-8yw

gehend getriggert werden. Dies ist der Moment, in dem wir unser *Warum* gefunden haben und danach streben können. Wir handeln als Schöpfer. Fangen wir also an und nutzen endlich unser größtes *Sexualorgan* für den Zweck, der ihm ursprünglich zugewiesen war. Erfüllen wir die Dinge, die uns wirklich weiterbringen. Es ist eben sehr fraglich, ob Sendungen wie DSDS oder Kochshows dafür die richtigen *Anmacher* sind. Denken wir daran, *„wir können den Wind nicht ändern, aber die Segel anders setzen"*, so der Philosoph Aristoteles.[288]

Was bleibt für eine Alternative? Eine Alternative hierzu bietet friedliche Akzeptanz der geschaffenen Illusion. Das dient der Bequemlichkeit unseres Egos, verhindert jedoch vor allem unsere geistige Fortentwicklung. Auf diese Weise *verhungern* wir jedoch geistig. Akzeptieren wir, dass es dieses System gibt. Kümmern wir uns nicht darum und gehen stattdessen einen neuen, gesunden Weg der Moral und eines kooperativen Miteinanders. Bieten wir unsere Ellenbogen dafür an, dass sich andere Menschen bei uns einhaken können. Gegenseitige Akzeptanz und Nachvollziehbarkeit führen zu Verständnis und Rücksichtnahme. Das momentan herrschende System ist auf Angst, auf ein Gegeneinander und auf Misstrauen aufgebaut, um Kontrolle schaffen zu können. Unser Ego findet ein solches System toll. Es schafft jedoch vor allem Mangel für einen Großteil der Menschen und zumindest materielle Fülle für nur wenige der anderen Menschen. Derartige Systeme benötigen ständige Krisen, um Dinge gesellschaftlich durchsetzen zu können. Im jetzigen Falle durch die sogenannte Corona-Krise. *„In der Politik geschieht nichts zufällig. Wenn es passiert, dann war es sicher so geplant."* – Franklin D. Roosevelt.[289] Man solle niemals eine Krise ungenutzt verstreichen lassen, so Rahm Emanuel Stabschef im Weißen Haus, vom damaligen US Präsidenten Barrack Obama.[290] *„Alles, was wir brauchen, ist*

---

[288] aphorismen.de. Zitat von Aristoteles: https://www.aphorismen.de/zitat/84782
[289] Heise.de. In der Politik geschieht nichts zufällig. 21.06.2017: https://t1p.de/tnuo
[290] Wienerzeitung.at. „Vergeude nie eine Krise". 22.01.2009: https://www.wienerzeitung.at/dossiers/wahlen/welt/246437_Vergeude-nie-eine-Krise.html

eine richtig große Krise & die Nationen werden die neue Weltordnung akzeptieren", so David Rockefeller.[291]

Voraussetzung für derartige Systeme sind Menschen als *System-Erfüllungsgehilfen*, die möglichst bedingungslos und ohne Murren agieren und alles akzeptieren, was ihnen die Herrschenden des Systems von Kindesbeinen auferlegt und eingetrichtert haben. Das System braucht diese Erfüllungsgehilfen, diese zuletzt genannte Personengruppe benötigt jedoch nicht zwingend dieses System. Wer in diesem Sinne handelt, braucht nicht mehr in den Krieg zu ziehen. Er benötigt keine Krisen und keine eigegrenzte Freiheit. Ob Moral und Demokratie eine Überlebenschance haben, hängt davon ab, ob Lüge letztlich den Platz der Wahrheit einnimmt oder weiterhin als Lüge erkannt bleibt.

Demokratie kann entwickelt werden. Sie kann der Grundstein für göttlichen Willen sein. Es hängt auch davon ab, ob Menschen weiterhin sogar dafür getötet werden können, weil sie den Weg der Wahrheit und Wahrhaftigkeit gehen. Wir haben uns so sehr daran gewöhnt, dass Lüge zur Selbstverständlichkeit und Regel und Wahrheit zur Ausnahme wurde, dass wir Wahrheit nunmehr vielfach für unglaubwürdig erachten. Dieser Prozess war und ist schleichend. Und bewusst oder unbewusst handeln wir tagtäglich in dieser Welt der Lüge und bauen uns daraus unsere Glaubenssätze. Doch wer von uns möchte wirklich belogen und betrogen werden? Sicher eine eher rhetorische Frage.

Wenn Sie Kontaktanzeigen lesen, gelten nach wie vor Tugenden wie Ehrlichkeit und Aufrichtigkeit, vor materiellen Dingen. Es hängt also davon ab, ob Lüge weiterhin belohnt und Wahrheit bestraft wird. Entscheidend ist und wird sein, ob der Mut, die Intelligenz und das Bewusstsein für einen solchen Weg gewährleistet sind. Bei meiner Recherche bin ich auf eine interessante Geschichte gestoßen, welche der immerwährenden Frage nachgeht, ob es Gott gibt. Da wir uns

---

[291] Meinanzeiger.de. Picolin, Mike. Bilderberger – Mit dem Ziel einer neuen Weltordnung. 28. Dezember 2014: https://meinanzeiger.de/gera/bilderberger-mit-dem-ziel-einer-neuen-weltordnung/

kein Bild von Gott machen sollen, bleibt die Frage, der wir nachgehen können, was dürfen wir? Benötigen wir überhaupt ein Bild von Gott? Wozu ist es nötig? Die Bibel könnte Antworten geben. Wenn wir uns ein Bild von Gott machen, begeben wir uns automatisch auf die Ebene einer materiellen Suche. Die katholische Kirche spricht oft von einer Dreifaltigkeit, die aus Gott-Vater, Sohn und heiligem Geist besteht. Schauen wir uns diese kleine Geschichte an, die sich so oder ähnlich zugetragen haben könnte. Ein Universitätsprofessor forderte seine Studenten mit dieser Frage heraus:

„Schuf Gott alles, was existiert?"
Ein Student antwortete mutig mit: „Ja, er schuf alles!"
Der Professor fragte erneut: „Gott hat also alles erschaffen?"
Der Student antwortete wieder mit: „Ja, Herr Professor."
Der Professor fuhr fort und sagte: „Wenn Gott es war, der alles erschaffen hat, dann schuf er auch das Böse, denn auch das existiert. Gemäß der Annahme, dass unsere Werke uns selbst spiegeln, ist Gott demnach auch böse."
Mit dieser Antwort war der Student überfordert und blieb stumm. Der Professor hingegen triumphierte, rühmte sich, einmal mehr bewiesen zu haben, dass Glaube und Gott ein Mythos sei. Daraufhin erhob ein anderer Student seine Stimme und fragte den Professor, ob er ihm eine Frage stellen dürfe. Der Professor erklärte sich einverstanden. So fragte dieser Student ihn, ob Kälte existent sei. Der Professor war irritiert und fragte, was dies für eine Frage sei, denn natürlich existiere sie, oder sei ihm noch nie kalt gewesen? Der Student antwortete dem Professor mit den Worten: „In der Tat, Herr Professor, Kälte ist nicht existent, denn nach den Gesetzen der Physik ist das, was als Kälte empfunden wird, lediglich das Fehlen von Wärme."
Jeder Körper oder Gegenstand kann untersucht werden, wenn er Energie hat oder diese abgibt. Wärme ist etwas, welches besagtem Körper Energie verleiht. Der absolute Nullpunkt ist die totale Abwesenheit von Wärme. Sämtliche Körper werden träge oder reaktionsunfähig, Kälte ist jedoch nicht vorhanden. Der Ausdruck der Kälte ist

eine Erfindung des Menschen, um beschreiben zu können, wie wir Menschen uns ohne Wärme fühlen.

Der Student fragte weiter, ob es Dunkelheit gibt. Die Antwort des Professors war: „Natürlich!" Der Student sagte zum Professor, dass dieser sich erneut irren würde, denn Dunkelheit existiert ebenso wenig wie Kälte. Sie sei in Wirklichkeit ein Mangel an Licht. Das Licht lässt sich untersuchen, Dunkelheit hingegen nicht. Das Prisma von Michols ist erkennbar, um weißes Licht in verschiedene Farben zu zerlegen, aus denen es zusammengesetzt ist, mit der jeweils unterschiedlichen Wellenlänge. Ein einfacher Lichtstrahl vermag die Dunkelheit zu brechen und erhellt die Fläche, auf die der Lichtstrahl scheint. Wie kann also angegeben werden, wie dunkel ein bestimmter Raum ist? Aufgrund von Lichtmengen, die in einem Raum präsent sind, richtig? Dunkelheit ist ein Begriff, den Menschen entwickelt haben, um beschreiben zu können, was vor sich geht, wenn Licht abhanden ist.

Schlussendlich fragte der Student den Professor, ob das Böse existent sei. Der Professor antwortete, dass das Böse natürlich existent sei, denn schließlich sei Gewalt, Verbrechen und Ungerechtigkeit an der Tagesordnung. Darauf antwortete dieser Student, dass das Böse nicht existent sei oder zumindest nicht aus sich selbst heraus. Das Böse ist schlicht die Abwesenheit Gottes. Das Böse ist, ebenso wie Dunkelheit und Kälte, ein Begriff, der von Menschen erfunden wurde, um die Abwesenheit Gottes erklären zu können. Gott hat also nicht das Böse erschaffen. Es verhält sich also anders als mit dem Glauben oder der Liebe, die existieren, so wie die Wärme oder das Licht. Das Böse ist demnach ein Ergebnis dessen, dass der Mensch Gott nicht in seinem Herzen vergegenwärtigt hat. Ebenso, wie der Mensch etwas als Kälte empfindet, wenn Wärme fehlt oder es dunkel ist, wenn Licht abhanden ist.

Daraufhin nickte der Professor zustimmend und schwieg. Der junge Student war angeblich Albert Einstein.

Davon ausgehend, dass Kälte und Dunkelheit lediglich die Abwesenheit von Licht und Wärme darstellen, kann dieser Blick auch übertragend wirken. In der Lutherbibel heißt es: *„Ich bin das Licht der Welt. Wer mir nachfolgt, der wird nicht wandeln in der Finsternis, sondern wird das Licht des Lebens haben."* [Johannes 8, 12].[292] Wenn Jesus für Licht und Wärme steht und der Klimawandel auch diesen Blick zum Ausdruck bringt, so wirft dies einen völlig neuen Aspekt im Zusammenhang mit der Klimawandel-Debatte auf. Zugegeben, eine durchaus gewagte These, dennoch sei an Worte der Berliner Autorin Ursula Kliesch erinnert, denn vor Gott sei nichts unmöglich. Zudem spiegelt diese These vielerlei Aussagen darüber wider, die davon berichten, dass sich die Schwingungsfrequenz der Erde in einem Veränderungsprozess befände. Für wirklich Neues, bedürfe es des Unmöglichen, so Ursula Kliesch.

Wir erinnern uns, denn im Buch I der nikomachischen Ethik von Aristoteles heißt es in einem Zitat: *„Der vor allem ist gut, der selber alles bedenkt, edel nenn ich auch jenen, der gutem Zuspruch gehorsam. Aber wer selber nicht denkt und dem Wissen des anderen taub sein Herz verschließt, der Mann ist nichtig und unnütz."* Das Wort *Mann* darf aus dem zeitlichen Kontext verstanden werden. Heute dürfte jeder von uns darunter zu verstehen sein. Aristoteles spricht unsere Verantwortung und unsere Moral an und schließt damit, dass ein Mensch ohne diese Tugenden unnütz sei. Dieses Zitat ist eine Aufforderung an alle diejenigen, die eine moralische Wertegesellschaft wollen. Es sind nicht nur die anderen aufgefordert, nein, wir alle sind Baumeister einer moralischen Wertewelt und der dazugehörigen Freiheit. Anknüpfend an das Zitat von Aristoteles schließt sich die Abschussrede von Charlie Chaplins Film *Der große Diktator* an:

„Es tut mir leid, aber ich möchte nun mal kein Herrscher der Welt sein, denn das liegt mir nicht. Ich möchte weder herrschen noch irgendwen erobern, sondern jedem Menschen helfen, wo immer ich kann. Den Juden, den Heiden, den Farbigen, den Weißen. Jeder Mensch sollte dem anderen helfen, nur so verbessern wir die Welt. Wir sollten am Glück des anderen teilhaben und nicht einander

---

[292] Bibeltext.com. Johannes 8:12: https://bibeltext.com/john/8-12.htm

verabscheuen. Hass und Verachtung bringen uns niemals näher. Auf dieser Welt ist Platz genug für jeden, und Mutter Erde ist reich genug, um jeden von uns satt zu machen. Das Leben kann ja so erfreulich und wunderbar sein. Wir müssen es nur wieder zu leben lernen. Die Habgier hat das Gute im Menschen verschüttet, und Missgunst hat die Seelen vergiftet und uns im Paradeschritt zu Verderb und Blutschuld geführt.

Wir haben die Geschwindigkeit entwickelt, aber innerlich sind wir stehen geblieben. Wir lassen Maschinen für uns arbeiten und sie denken auch für uns. Die Klugheit hat uns hochmütig werden lassen und unser Wissen hart und kalt. Wir sprechen zu viel und fühlen zu wenig. Aber zuerst, kommt die Menschlichkeit und dann erst die Maschinen. Vor Klugheit und Wissen kommen Toleranz und Güte. Ohne Menschlichkeit und Nächstenliebe ist unser Dasein nicht lebenswert. Aeroplane und Radio haben uns einander näher gebracht. Diese Erfindungen haben eine Brücke geschlagen, von Mensch zu Mensch. Die erfordern eine allumfassende Brüderlichkeit, damit wir alle eins werden. Millionen Menschen auf der Welt können im Augenblick meine Stimme hören. Millionen verzweifelter Menschen. Opfer eines Systems, das es sich zur Aufgabe gemacht hat, Unschuldige zu quälen und in Ketten zu legen. Allen denen, die mich jetzt hören, rufe ich zu, ihr dürft nicht verzagen. Auch das bittere Leid, das über uns gekommen ist, ist vergänglich. Die Männer, die heut´ die Menschlichkeit mit Füßen treten, werden nicht immer da sein. Ihre Grausamkeit stirbt mit ihnen, und auch ihr Hass. Die Freiheit, die sie den Menschen genommen haben, wird ihnen dann zurückgegeben werden. Auch wenn es Blut und Tränen kostet, für die Freiheit ist kein Opfer zu groß. Soldaten, vertraut euch nicht Barbaren an, Unmenschen, die euch verachten und denen euer Leben nichts wert ist. Ihr seid für sie nur Sklaven. Ihr habt zu tun, das zu glauben, das zu fühlen. Ihr werdet gedrillt, gefüttert, wie Vieh behandelt und seid nichts weiter als Kanonenfutter. Ihr seid viel zu schade für diese verirrten Subjekte. Diese Maschinen-Menschen, mit Maschinen-Köpfen und Maschinen-Herzen. Ihr seid keine Roboter, ihr seid keine Tiere, ihr seid Menschen! Bewahrt euch die Menschlichkeit in eurem Herzen und hasst nicht. Nur wer nicht geliebt wird hasst. Soldaten, kämpft nicht für die Sklaverei, kämpft für die Freiheit. Im 17. Kapitel des Evangelisten Lukas steht: „Gott wohnt in jedem Menschen." Also nicht nur in einem oder einer Gruppe von Menschen. Vergesst nie, Gott lebt in euch allen und ihr als Volk habt allein die Macht. Die Macht, Kanonen zu fabrizieren oder auch die Macht, Glück zu spenden. Ihr als Volk habt es in der Hand, dieses Leben einmalig kostbar zu machen. Es mit wunderbarem Freiheitsgeist zu durchdringen.

Daher, im Namen der Demokratie, lasst uns die Macht nutzen! Lasst uns zusammenstehen, lasst uns kämpfen für eine neue Welt, für eine anständige Welt. Die jedermann eine gleiche Chance gibt. Die der Jugend Zukunft und den Alten Sicherheit gewährt. Versprochen haben die Unterdrücker das auch, deshalb konnten sie die Macht ergreifen. Das war Lüge, wie überhaupt alles, was sie euch versprachen, diese Verbrecher. Diktatoren wollen die Freiheit nur für sich. Das Volk soll versklavt bleiben. Lasst uns diese Ketten sprengen! Lasst uns kämpfen für eine bessere Welt! Lasst uns kämpfen für die Freiheit in der Welt! Das ist das Ziel, für das es sich zu kämpfen lohnt. Nieder mit der Unterdrückung! Dem Hass und der Intoleranz! Lasst uns kämpfen für eine Welt der Sauberkeit, in der die Vernunft siegt, in der Fortschritt und Wissenschaft uns allen zum Segen gereicht. Kameraden, im Namen der Demokratie, dafür lasst uns streiten!"[293]

Die vielfach gelebte Realität und der dazugehörige Bewusst-*Seins*-Stand spiegeln sich im folgenden Zitat eines ehemaligen stellv. Bundesvorsitzenden einer Kleinpartei wider, die er mir gegenüber wie folgt ausdrückte: *„Ein Demokratischer Prozess ist ein Abwägen unterschiedlicher Behauptungen."* So weit ist es also mit der teilweisen Ahnungslosigkeit unserer Gesellschaft gekommen? Auch Politiker sind Verantwortungsträger. Nun, vielleicht waren sie es in großen Teilen nie, doch hilft dies nicht darüber hinweg, wenn ein solches,

---

[293] Youtube.com. Der große Diktator. Charlie Chaplin Schlussrede: https://www.youtube.com/watch?v=YhQQcLHTc5g

oben geschildertes Bewusst-*Sein* zutage tritt. Am 08.09.2013 veröffentlichte ein stellv. Bundesvorsitzender dieser kleinen deutschen Partei folgendes: *„Demokratie ist die schwerste Form eines staatlichen Unterfangens. Aber auch einfachste. Es entscheidet halt die Mehrheit. So einfach ist Politik. Wer die Mehrheit hat, spielt die Musik."* Um den Autor dieser Zeilen vor möglichen Repressalien zu schützen, wird die Erwähnung seines Namens explizit ausgeschlossen. Ein Hinweis sei erlaubt. Ist es nicht erschreckend, dass Menschen unserer Gesellschaft derartige Ämter bekleiden dürfen? Wenn das ein entscheidender Teil der Zukunft unserer Gesellschaft sein kann, möchte ich lieber außerhalb dieser Gesellschaft leben. Bis dahin erfülle ich alles Notwendige, um derartige Prozesse positiv zu begleiten.

Früher bestand die Möglichkeit zu fliehen, auch, um sich seiner eigenen Verantwortung scheinbar entziehen zu können. Schauen wir uns diese globalisierte Welt an, wohin könnte der Mensch fliehen, um all dem Irrsinn zu entkommen? Und wie lange wäre er *in Sicherheit*? Alles in unserem Leben hat seine Vor- und Nachteile, wenn wir es so definieren wollen. Eines ist uns inzwischen jedoch zunehmend verwehrt. Wir können uns nicht mehr davonstehlen und uns vor unserer eigenen Verantwortung *drücken*. Es ist die Zeit der Offenbarung, denn alles, was bisher im Verborgenen war und durch die Dunkelheit nicht sichtbar, wird nun durch Licht und Erleuchtung sichtbar. Alles und jeder von uns steht auf dem Prüfstand, ohne Ausnahme, insbesondere wir Menschen selbst. Niemand wird sich mehr wegducken und fliehen können. Wir befinden uns in einem Transformationsprozess, mit weitreichenden Auswirkungen für uns alle. Denken wir immer daran, am Ende wird alles gut, selbst wenn es in vielen Bereichen unseres Lebens noch nicht danach aussehen mag und in Bälde noch weniger. Dennoch, wenn uns die wirklich einzig wertschöpfende Erkenntnis bewusst wird, dass wir selbst es sind und in der Hand haben, diese Welt zum wirklich Besseren hin zu entwickeln, werden wir uns unserer Verantwortung freiwillig widmen, sie annehmen und diese Welt zum Guten hin bewegen.

Dazu gehören wahre Werte, wie Nächstenliebe, ohne sich selbst in völliger Hingabe zu vergessen und ggf. zu zerstören. Dazu gehört die Erkenntnis, dass nur wir selbst letztlich in der Lage sind, uns zu heilen. Unsere Seele, unseren Körper und unseren Geist. Dazu gehört Rücksicht mit sich selbst und anderen gegenüber. Dazu gehören jedoch vor allem Werte wie Wahrheit, Wahrhaftigkeit und Liebe. Dazu gehört ebenso, dass wir aufhören in Schuldkategorien zu denken und zu handeln. Das Beenden von Bewertungen, Beurteilungen und Urteilen. Wer in Schuldkategorien denkt und handelt, will Manipulation, Angst und Macht. Aspekte, die einer freiheitlichen Grundordnung nicht zuträglich sein können, denn diese stehen immer im Widerspruch zu individuellen Freiheitsrechten und Angstlosigkeit.

Was es braucht, sind Lösungen. Sofern Menschen überhaupt bereit sind, nach Lösungen zu streben, ist ihr Blick in der Regel jedoch *eher* nach außen gerichtet. Lösungen sind in erster Linie jedoch in uns selbst *verborgen* und eben nicht im Außen. Es heißt, liebe deinen Nächsten, wie dich selbst. Doch bevor wir diesen Satz realisieren können, ist es notwendig, dass wir zunächst erkennen und dann lernen, dass wir uns selbst lieben *dürfen*. Deshalb ist die Vorstufe des eben formulierten Satzes eine Verkürzung. Liebe deinen nächsten *und* dich selbst. Erst dann, wenn wir diesen Weg zu uns selbst und unserem Selbst gefunden haben, finden wir den Weg zu anderen. Selbstheilung, vor Heilung des anderen. Solange unser Selbsthass besteht, besteht auch der Hass anderen gegenüber. Es heißt, liebet Eure Feinde. Damit sind auch unsere inneren *Feinde* gemeint. Das geht nur, wenn wir uns selbst annehmen, wie wir sind.

Die Lösung liegt in uns selbst und in der Liebe an sich. Doch es bestehen Kräfte, die uns ablenken wollen, uns davon abhalten sollen dort hinzusehen, wo Selbsterkenntnis und Eigenliebe zu finden sind. Wer durch Kontrolle und Fremdbestimmung den maximalen Zusammenbruch einer Gesellschaft erzeugt und ein daraus mögliches Chaos provoziert, handelt verantwortungslos und im Sinne der dualen Konstruktion. Wer darüber hinaus als Konsequenz die absolute Kontrolle als Sicherheit für die Preisgabe von Freiheit fordert, bleibt im Modus der dualen Konstruktion und Illusion und schafft erneut Lüge. Es wird heißen, dass wir dann unsere Freiheit am besten gänzlich aufgeben sollen, um in absoluter Sicherheit leben zu können. Doch auch diese Sicherheit ist wie jede andere zuvor erzeugte Konstruktion eine Illusion und damit eine Lüge.

Freiheit und Selbstentfaltung sind die Lösung aus diesem Dilemma. Wie könnte ein zuvor begangener Fehler durch das weitere noch gravierendere Bestreben absoluter Kontrolle, die gerade diesen unvergleichbaren Zusammenbruch zutage geführt hat, sich nun ausgerechnet als Lösung präsentieren? Es ist ein geradezu ausgewachsener Irrsinn, dieser erneuten Illusion zu folgen, zeigt sie doch den völligen Widerspruch durch den Zusammenbruch höchst anschaulich. Seien wir wachsam und vertrauen unserer Erfahrung, unserem *Weltwissen* und meiden falsche Propheten, die uns mit ihren apokalyptischen *Weissagungen* Angst und damit gefügig machen wollen.

„Wenn die Bedeutung von Wörtern und der Inhalt von Begriffen verfälscht wird, verlieren wir das Werkzeug, das uns von allen anderen Lebewesen unterscheidet: die Vernunft. Denn die Sprache bildet unsere Gedanken, und wenn die Sprache zerstört wird, geht auch unser Denken in die Irre. Kein Begriff ist von Interessenpolitikern und Ideologen im Verlauf der letzten 100 Jahre so tiefgreifend manipuliert worden wie der Terminus „Freiheit". Entsprechend gering ist mittlerweile die allgemeine Wertschätzung dieses eigentlich höchsten Gutes des Menschen.

Als die Völker Europas begannen, das Joch der Feudalherrschaft abzuschütteln, verstand man unter Freiheit noch die Abwesenheit von willkürlichem Zwang (F. A. Hayek), die Abschaffung und Zähmung von Herrschaft. „Freiheit", schreibt der Soziologe Wolfgang Sofsky, „ist der Gegenbegriff zur Macht. Freiheit ist Widerstand gegen Macht jeder Art." Heute, nach 50 Jahren Wohlfahrtsstaat und verbaler Falschmünzerei der Parteistrategen, versteht man unter Freiheit materielle Gleichheit durch Umverteilung (also durch Zwangsenteignung) und durch staatlich verordnete Kollektivsolidarität (obwohl echte Solidarität nur individueller und freiwilliger Natur sein kann).

Bestenfalls wird Freiheit mit Demokratie gleichgesetzt – und somit mit nahezu beliebiger Herrschaft der Volksvertreter und Funktionäre. Entsprechend gross ist die Sorglosigkeit gegenüber kollektivistischen Entwicklungen, die in zunehmendem Umfang von der UNO, der EU und den nationalen Regierungen ausgehen.

Die Freiheit stirbt bekanntlich scheibchenweise, und deshalb kann sie nur bewahrt werden, wenn die Bürger „den Anfängen wehren", wenn sie also das kollektivistische oder totalitäre Muster hinter jeder einzelnen politischen Massnahme und in jedem noch so harmlos daherkommenden Gesetz erkennen – und sich zur Wehr setzen. Sogar so unwichtig und menschenfreundlich erscheinende Dekrete wie das generelle Rauchverbot in allen Gaststätten haben einen gefährlichen totalitären Kern. Denn damit wird das Eigentumsrecht der Wirte verletzt, und ohne Eigentumsrechte kann es keine Freiheit geben. Das Eigentum eines jeden Menschen an seinem Leben, an seiner Person, an seinem Körper und an seinen rechtmässig erworbenen materiellen Gütern ist der Kern des einzig wahren Freiheitsbegriffs, nämlich der persönlichen Freiheit. Alle Menschenrechte sind Eigentumsrechte, und nur unverletzliche Eigentumsrechte sind wahre Menschenrechte; alle anders formulieren Rechte des Menschen sind Schein und Trug und laufen letztlich auf Freiheitszerstörung hinaus.

Zum Eigentumsrecht gehört unveräusserlich das sogenannte Ausschlussrecht. Wer ein Auto besitzt und nicht bestimmen kann, wer außer ihm selber noch damit fahren darf oder wer von dieser Erlaubnis ausgeschlossen bleibt, der hat sein Eigentum verloren. Wer jedem beliebigen Fremden sein Fahrzeug überlassen muss, für den ist das Auto (das Eigentumsrecht an seinem Auto) wertlos. Und wenn der Eigentümer eines Lokals nicht mehr entscheiden kann, wen er ausschliesst – seien es Raucher oder Nichtraucher (oder keinen von beiden) –, dann ist er eines wesentlichen Teils seines Eigentumsrechts beraubt worden. Noch Schlimmeres schlummert in den sogenannten Antidiskriminierungsgesetzen, mit denen die Vertragsfreiheit ausgehebelt wird.

Das Prinzip „Ehrlichkeit" ist gebrochen, ob man nun fünf Franken oder eine Million Franken stiehlt. Dasselbe gilt für das Prinzip „Freiheit". Die Mahnung Hayeks kann nicht ernst genug genommen werden: „Die Freiheit kann nur erhalten werden, wenn sie nicht bloss aus Gründen der erkennbaren Nützlichkeit im Einzelfalle, sondern als Grundprinzip verteidigt wird, das der Erreichung bestimmter Ziele halber nicht durchbrochen werden darf. Eine wirksame Verteidigung der Freiheit muss notwendig unbeugsam, dogmatisch und doktrinär sein und darf keine Zugeständnisse an Zweckmässigkeitserwägungen machen."

Obwohl uns die Weltgeschichte lehrt, dass Staaten ihre Untertanen in die Knechtschaft führen, ist die Staatsgläubigkeit der Menschen unerschütterlich. Entsprechendes Misstrauen hegen sie gegen den Markt und erkennen nicht, dass allein der Markt Freiheit gewähren kann. Nur auf freien Märkten ist das Individuum Herr über seine Entscheidungen, über seine Handlungen und Unterlassungen, und nur am Markt finden alle Interaktionen friedlich und freiwillig statt. Die alte Weisheit, die da lautet „Markt oder Befehl", ist ewig gültig. Jeder einzelne Bereich des wirtschaftlichen Lebens (und das ist mehr als das „halbe Leben"), der dem Markt entrissen wird, landet in den gewaltbewehrten Händen von Bürokraten und Herrschaftscliquen; tertium non datur. Und „politische Freiheit" bleibt trügerisch, solange man nicht erkennt, dass Freiheit nur persönliche Freiheit sein kann – und dass politische Freiheit nur insoweit und so lange gut sein kann, als sie der persönlichen Freiheit dient."[294] [Roland Baader, Freiheitsautor]

Bei einer Life-Übertragung in die Berliner Urania, vom 17. September 2019, wünschte der Moderator und Initiator Holger Stark zum Schluss seinem Gesprächspartner Edward Snowden alles Gute, und er möge auf sich achten. Snowden antwortete und beendete das

---

[294] Roland-baader.de. „Begriffserklärung I: Freiheit".
http://www.roland-baader.de/tag/freiheit/

Interview mit seinen eindringlichen Worten: *„Ladys and Gentleman, please don't stay save. Stay free!"*[295]

Abbildung 10

Auf einem Wahlwerbeplakat von Bündnis 90/DIE GRÜNEN zur Land-
tagswahl in Brandenburg stand: *„Hallo Mut, Tschüss Hass"*. Auf einem Plakat der Partei DIE LINKE stand: *„Respekt, Würde, Anerkennung."* Es heißt, dass den Mutigen dieser Welt die Zukunft gehört.
Der Inhalt dieses Buches basiert auf diesem Grundsatz des Mutes
und gibt Perspektiven für Lösungen, die als Wege aus dieser konstruierten Weltsicht dienen können. Es wird sich zeigen, ob es eine
respektvolle, anerkennende und würdigende Auseinandersetzung
mit den Inhalten dieses Buches gibt, die frei von Hass ist. Dadurch
wird sich auch zeigen, wie viel Wert und Ernsthaftigkeit Wahlslogans
wirklich haben. Auf einem Wahlplakat eines Kandidaten für den
sächsischen Landtag stand: *„LIBERTÉ. EGALITÉ. FCK AFD. Erst-
stimme Schollbach DIE LINKE."* Während auf Wahlplakaten derselben Partei in Brandenburg für *„Respekt"*, *„Würde"* und *„Anerkennung"* geworben wird, scheint dem Kandidaten aus Sachsen, der

[295] Zeit.de. PODCAST: ZEIT BÜHNE / EDWARD SNOWDEN. "Bitte bleibt nicht sicher, bleibt
frei". 19. September 2019: https://www.zeit.de/gesellschaft/2019-09/2019-09-edward-
snowden-zeit-buehne-folge-6

derselben Partei angehört, dieser Ansatz fremd zu sein. Offenbar schließt er willentlich eine bestimmte Gruppe davon aus. Mehr noch, er beleidigt und diffamiert sie. Vielleicht ist ihm das Plakat aus Brandenburg, welches im krassen Gegensatz zu seinem eigenen steht, auch einfach nur unbekannt? Offenbar gilt seiner Meinung nach der Grundsatz von Freiheit und Gleichheit, im Sinne von Gleichbehandlung nur für eine bestimmte Gruppe? Wer dies jedoch für sich und andere beansprucht und gleichzeitig wiederum Dritte ausschließt, spaltet und wandelt auf dem Pfad der Zerstörung. Gelten Respekt, Würde und Anerkennung nur für eine bestimmte Gruppe und für andere nicht?

Auf diese Frage gibt das Grundgesetz der Bundesrepublik Deutschland eine unmissverständliche und klare Antwort durch Artikel 1. Die Würde des Menschen, worunter sicher auch Akteure der AfD zu subsummieren sind, ist unantastbar. Nun mag sich jeder selbst die Frage beantworten, ob dieser Grundsatz mit dem oben genannten Wahlslogan des sächsischen Kandidaten erfüllt wird. Es wird sich zeigen, wie ernst Parteien ihre eigenen Worte nehmen und wie ernst *wir* ihre Worte nehmen können. Mut anerkennend zu verteidigen und Hass und Spaltung ruhen zu lassen. Das Plakat des sächsischen Kandidaten spricht in dieser Hinsicht eine unmissverständlich klare Sprache. Doch es ist ein falscher Weg. Es wird sich letztlich zeigen, ob die zu Beginn erwähnte Lügen-Gleichung auch hier Anwendung findet und die beiden oben präsentierten Slogans als Lüge enttarnt werden können.

Am Ende wird alles gut, heißt es, wie erwähnt. Da derzeit noch zu vieles ungut und falsch in Erscheinung tritt, kann es kaum das Ende sein, höchstens der Weg dorthin. 2020 Jahre nachchristliche Menschheitsgeschichte, vielfach geprägt durch Krieg, Mord, Unterdrückung, Bevormundung, Unfreiheit. Wann wollen wir erkennen, dass es Zeit ist, andere, bessere und verantwortungsvollere Wege zu gehen, die uns allen nutzen, inklusive der Erde? Wann reicht uns das Erlebte an Erfahrung, um endlich zu erwachen? Haben wir uns so sehr daran gewöhnt, dass wir wirklich glauben, es ginge nur so, wie es ist?

Noch nie waren so viele Menschen auf der Flucht vor Krieg, Verfolgung, Hunger und Existenznot. Das Leid von Tier, Umwelt und Menschen scheint unermesslich zu sein, wenn es auch nicht jeder unmittelbar spürt. Wann sind wir bereit zur Erkenntnis darüber, dass wir selbst die Lösung sind, diese in uns tragen und immer schon in uns getragen haben? Was braucht es noch, um freiwillig lernen, erkennen und erwachen zu wollen? Wir suchen die Lösungen im Außen und durch andere und dürfen erkennen, dass diese dort nicht zu finden sind. Was braucht es noch, damit wir bereit sind, die Verantwortung zu übernehmen, die notwendig ist, um eine bessere Welt zu schaffen? Beenden wir diesen von Mangel und Zerstörung geprägten alten Prozess, der uns abhängig und unfrei gemacht hat und macht. 2020 Jahre Erfahrung dürften genügen, um erkennen zu können, dass es auf diese Weise eben nicht funktioniert, weil wir permanent gegen Naturgesetze verstoßen und uns weigern unsere Verantwortung zu übernehmen.

Der alleinige Blick auf Angst und Panik ist erst recht der schlechteste Berater auf dem Weg zu Lösungen. Wenn wir dies niemals erkennen wollen, bescheinigt es die nüchterne Erkenntnis, dass wir offenbar zu dumm und zu begrenzt sind, obwohl wir voller Hochmut und Stolz ständig von Fortschritt reden und uns damit rühmen. Verlassen wir den unreifen Pfad des vielfach zerstörerischen, bequemen und begrenzten Egos und lassen uns führen vom klaren Geist eines Erwachten und Erwachsenen, wodurch verantwortungsvoll heilsame Lösungen erkannt werden und wir alle danach handeln. Auf diese Weise werden wir ein friedliches und freies Miteinander schaffen können. Gegenseitiger Respekt und Anerkennung vor sich, seinem Nächsten und der Schöpfung, ohne Neid, Missgunst, Eitelkeit und Begrenztheit, vor allem Selbst-Begrenzung. Es liegt an jedem Einzelnen von uns, diesen sinnvollen und notwendig gewordenen Transformationsprozess zu vollziehen, um Fülle ohne Mangel in unser aller Leben einkehren zu lassen. Die Schöpfung sieht Gesundheit, Schönheit, Fülle und Freude für alles Lebendige vor. Da der Mensch eben gerade nicht mit Gott gleichzusetzen ist, sondern bestenfalls als Nachschöpfung bezeichnet werden kann. Wir Menschen stehen ebenso wenig über der Schöpfung, und obwohl dies viele glauben, ist es höchst sinnvoll, der schöpferischen Kraft und damit den Naturgesetzen bedingungslos und freiwillig zu folgen. Götzendienst führt auf Abwege und zu Verderben. Wären wir tatsächlich die Schöpfung, hätte es nie Kriege, Hunger, Zerstörung, Verfolgung und Unfreiheit gegeben.

Es bleibt die klare Erkenntnis, wir sind im besten Falle ein Abbild, der Ansatz einer Kopie, mehr nicht. Da dieser einzigartig schöne Planet die dunkle Seite erlebt hat und wir erkennen dürfen, dass dieser Weg in die Sackgasse führte, ist es nun an der Zeit, sich auf die Schöpfung zurückzubesinnen und darauf auszurichten und den Gesetzen der Natur zu folgen. So, wie es alle anderen Teilnehmer im Naturgefüge und zu jeder Zeit taten und akzeptierten, abgesehen von uns Menschen. Nicht Gott hat den Menschen aus dem Paradies vertrieben, der Mensch selbst tat es, indem er sich vom Schöpferischen abgespalten hat und anfing, selbst zu konstruieren. Gott straft nicht, es ist der Mensch, der glaubt, strafen zu können und zu dürfen. Dies einzig und allein getrieben durch sein unersättliches Ego. Der Mensch allein befand und befindet sich auf den zerstörerischen Abwegen, jenseits der Schöpfung. Nur wenn auch der Mensch wieder bereit ist, den Naturgesetzen freiwillig und bedingungslos zu folgen, werden wir diesen Planeten mit all seiner Schönheit, Vielfalt und Leben bewahren können.

Dies zu realisieren ist allerdings ausgeschlossen mit den inzwischen völlig unverhältnismäßigen Forderungen nach Verboten und Bevormundung. Sie spiegeln eher den Irrsinn dieser Zeit höchst anschaulich wider. Es geht um Erkenntnis durch Erwachen. Es ist Zeit, der Schöpfung den Wert und die Anerkennung zu schenken, die ihr zustehen. Wir sind nicht Gott, jedoch verantwortlich dafür, dass diese in unsere Verantwortung übertragene Welt friedlicher und freier wird. Nehmen wir die Verantwortung wahr und an und handeln im Sinne der Naturgesetze, denn nichts und niemand kann sich dieser Kraft entziehen und sie außer Kraft setzen.

Dieser Planet wird uns überleben, wenn wir weiterhin in unserer zerstörerischen Eitelkeit und unserem Egowahn verharren.

Die Frage ist also, wie wollen wir diesen Prozess ab sofort positiv beeinflussen, wenn wir mit dieser Welt in Frieden und Freiheit leben wollen? Wir können gemäß der Naturgesetze leben und unser Leben danach ausrichten und dadurch verbessern. Wir können jedoch auch weiterhin gegen diese Kräfte agieren und hoffen, dass trotzdem alles besser wird. Schopenhauer sagte, dass der Wandel das einzig Beständige sei, und Albert Einstein soll einst gesagt haben, dass es die reinste Form des Wahnsinns sei, alles beim Alten zu belassen und trotzdem zu hoffen, dass sich etwas ändere. Es ändert sich immer etwas, es fragt sich nur wie und wohin? Solange wir nicht bereit sind, in der Gesamtheit notwendige Verantwortungen zu tragen, wird es Menschen geben, die sich Ego getrieben Vorteile verschaffen und ihre Bequemlichkeit ausleben wollen. Wir alle sind dafür verantwortlich, dass wir die von der Schöpfung gewollte Vielfalt auf der Erde wahren und bewahren.

Richten wir unseren Blick nicht nur auf das materielle, sondern auch und insbesondere auf unser inneres Ich, unsere Seele und unseren Geist, um unsere ganz individuellen Potenziale erkennen und frei entfalten zu können. Jeder Mensch ist im schöpferischen Sinne frei, denn er ist mit seinem letztlich unzerstörbaren freien Willen ausgestattet. Die Bestsellerautorin Kerstin Werner drückt diesen freien Willen wie folgt aus: *„Es ist dein Weg, dein Leben und es sind deine Entscheidungen. Lass dir von niemandem sagen, wohin du zu gehen hast. Übernimm selbst die Verantwortung und setze mutig einen Schritt vor den anderen."*[296] Nur wenn wir dies wirklich erkennen, verinnerlichen und beherzigen und unerschrocken unter göttlicher Führung danach leben, sind wir frei.

Tiere handeln instinktiv. *„Im Gegensatz zum Tier sagt dem Menschen kein Instinkt, was er muss, und im Gegensatz zum Menschen in früheren Zeiten sagt ihm keine Tradition mehr, was er soll, und nun scheint er nicht mehr recht zu wissen, was er eigentlich will. So kommt es, dass er entweder nur will, was die anderen tun – und da*

---

[296] Werner, Kerstin. Facebook Eintrag zu ihrem Buch. Hab Mut zur Lebensfreude: https://t1p.de/89qc

haben wir den Konformismus – oder aber er tut nur, was die anderen von ihm wollen, und da haben wir den Totalitarismus", so Viktor Frankl.[297] Wir Menschen belächeln und bewundern das instinktive Verhalten von Tieren, weil es sich uns oft kaum erschließt. Wir können dennoch unglaublich viel von Tieren lernen, wären wir bereit ihren wahren Wert anzuerkennen. Sie handeln im Sinne der Schöpfung, während ein Großteil der Menschen diese anzweifelt, denn sie tragen die Naturgesetze in sich. Das nennen wir Instinkt. Uns Menschen fehlt dieser bzw. wir nutzen ihn vielfach schlichtweg nicht. Wenn ein Mensch nach seinem Instinkt handelt, wird er vielfach belächelt, doch gerade dann beweist er die Folgsamkeit der Schöpfung. Menschen, die ebenso wie ein instinktgeleitetes Tier handeln, begeben sich in das Urvertrauen der Schöpfung und handeln im Sinne der Naturgesetze. Dies ist notwendig, um diese Welt und alle darauf lebenden Wesen wieder in Einklang bringen zu können.

Störfaktoren für diesen Prozess sind Bevormundung, Verbote, Restriktionen und Kontrolle. Wenn wir diese Störfaktoren überwinden und bereit sind, Lebensrisiken anzunehmen, sind wir auf dem Weg, welchen die Schöpfung immer für uns vorgesehen hatte und hat, das Leben selbst. Erst dann, wenn wir freiwillig dazu bereit sind, Naturgesetze als Grundlage all unseres Handelns zu erkennen, anzuerkennen und anzunehmen, sind wir wieder auf dem Weg ins *Paradies*. Dann ist Raum für die freie Entfaltung, wie es für uns vorgesehen ist und immer war. Dann können wir der inzwischen zu sehr in Erscheinung getretenen materiellen Geistlosigkeit entrinnen und wahre Werte in unser Leben einfließen lassen. Wenn wir den Mut aufbringen, uns und unser schöpferisches Potenzial in Verantwortung zu leben, wird uns am Ende das Glück treu sein, so wie es der griechische Philosoph Demokrit einst sagte. Denn am Anfang eines jeden Handelns steht der Mut und am Ende das Glück, so seine Worte. Auf diese Weise fließt Fülle in unser Leben, und der Mangel vergeht.

---

[297] Deutschlandfunkkultur.de. Wenn das Leben hinterfragt wird. 29.11.2005: https://www.deutschlandfunkkultur.de/wenn-das-leben-hinterfragt-wird.950.de.html?dram:article_id=133505

Dann geht es mehr um das Sein im Hier und Jetzt und weniger um das Haben, welches nur auf der materiellen Ebene zur Entfaltung kommen kann. Das Ego findet nie eine Befriedigung. Wer hat, will in der Regel noch mehr haben. Ob der Mensch allein dadurch jedoch glücklicher wird, ist höchst fraglich. Realitäten zeigen oft ein anderes Bild.

Entwickeln wir uns vom Status einer Raupe, in dem wir uns seit nunmehr mindestens 2020 Jahren befinden, und entfalten uns zu einem wunderschönen Falter, der seine farbigen Flügel in die Lüfte streckt, um frei sein zu können. Beantworten Sie sich selbst einmal die Frage: Welche Daseinsform gefällt Ihnen besser? Es liegt an und in uns, ob wir unabhängig, frei, glücklich, gesund und in Fülle leben. Wenn wir diesen Weg gehen, überwinden wir unser moralisches und vor allem unser geistiges Dilemma, in dem wir uns seit über 2000 Jahren befinden. Auf diese Weise ermöglichen wir uns den Weg in eine freiheitliche Werte- und Verantwortungsgemeinschaft, mit selbstbestimmten verantwortungsbewussten Individuen, die mit klarem Geist den Naturgesetzen folgen, dadurch richtige Entscheidungen treffen und sich gegenseitig unterstützen.

„Ihr, die ihr auftauchen werdet aus der Flut, in der wir untergegangen sind, gedenkt, wenn ihr von unseren Schwächen sprecht. Auch der finsteren Zeit, der ihr entronnen seid. Gingen wir doch, öfter als die Schuhe die Länder wechselnd durch die Kriege der Klassen, verzweifelt, wenn da nur Unrecht war und keine Empörung. Dabei wissen wir doch: Auch der Hass gegen die Niedrigkeit verzerrt die Züge. Auch der Zorn über das Unrecht macht die Stimme heiser. Ach, wir die wir den Boden bereiten wollten für Freundlichkeit, konnten selber nicht freundlich sein. Ihr aber, wenn es soweit sein wird, dass der Mensch dem Menschen ein Helfer ist, gedenkt unsrer mit Nachsicht." [Bertold Brecht][298]

---

[298] Berthold Brecht „Die Nachgeborenen" zu hören bei https://www.lyrikline.org/de/gedichte/die-nachgeborenen-740

Wer die Schöpfung im Ansatz verstanden hat, kann sich vor allem von seinen materiellen Götzendiensten befreien und diesen Irrweg, um mit diesem von Goethe verwendeten Begriff zu schließen, beenden. Dadurch offenbaren wir uns die Welt der Wirklichkeit und Wahrhaftigkeit des Lebens, auf das wir uns nun mit immer größeren Schritten zubewegen. Es ist die große Zeit des Erwachens.

„Das Geheimnis mit allen Menschen in Frieden zu leben,

besteht in der Kunst, jeden seiner Individualität nach

zu verstehen."

(Friedrich Ludwig Jahn)

In tiefer Dankbarkeit und Demut an das wahre Leben

sowie die klare Erkenntnisse darüber!

„Wer anderen die Freiheit verweigert,

verdient sie nicht für sich selbst."

[Abraham Lincoln]

„Respice Finem"

Anhang

Abbildungsverzeichnis:

Abbildung 1, S. 17
Quelle: http://nrw-direkt.net/wp-content/uploads/2016/12/Flugblatt1.jpg
Abdruck hier mit freundlicher Genehmigung von Lisa Kristin Radke, AfD-Fraktion Landtag NRW

Abbildung 2, S. 51
Quelle: http://www.outlawlegend.at/?legend=27; Abdruck hier mit freundlicher Genehmigung von Siebdruckeria.at Wien, Tiberiju Nikolic

Abbildung 3, S. 123
Quelle: https://www.cdu.de/artikel/plakate-zur-bundestagswahl

Abbildung 4, S. 125
Quelle: https://www.youtube.com/watch?v=dku7LfketuQ

Abbildung 5 + 6, S. 141 – Eigenaufnahmen

Abbildung 7, S. 255
Quelle: privates Foto, Urheber gem. Süddeutsche Zeitung unbekannt
https://www.sueddeutsche.de/muenchen/ebersberg/netzbildchen-skandal-aus-einer-anderen-zeit-1.1613935

Abbildung 8, S. 316
Quelle: Hans Scharpf/Occupy Frankfurt

Abbildung 9, S. 335
Quelle:
http://de.wikipedia.org/w/index.php?title=Datei:Nichtw%C3%A4hler_B undestagswahlen_seit_1949.jpg&filetimestamp=20090928075422

Abbildung 10, S. 390 – Eigenaufnahme